Guide illustré des
OISEAUX
d'Amérique du Nord

Guide illustré des
OISEAUX
d'Amérique du Nord

Sélection du Reader's Digest

Sélection du Reader's Digest (Canada) Ltée
MONTRÉAL · PARIS · BRUXELLES · ZURICH

Guide illustré des
OISEAUX
d'Amérique du Nord

**ÉQUIPE DE SÉLECTION DU
READER'S DIGEST**
RÉDACTION : Agnès Saint-Laurent
PRÉPARATION DE COPIE : Joseph Marchetti
GRAPHISME : Lucie Martineau
COORDINATION : Susan Wong
PRODUCTION : Holger Lorenzen

**AUTRES COLLABORATEURS DE
L'ÉDITION FRANÇAISE**
TRADUCTION : Suzette Thiboutot-Belleau
RÉDACTION : Geneviève Beullac
INDEX : Sylvie Côté Chew

CONSULTANT
Denis Faucher, biologiste

Les crédits et remerciements des pages 5 et 576 sont
par la présente incorporés à cette notice.

Données de catalogage avant publication (Canada)
Vedette principale au titre :
  Guide illustré des oiseaux d'Amérique du Nord
  Traduction de : *Book of North American Birds.*
  Comprend des références bibliographiques et des index.
  ISBN 2-88850-189-7
  1. Oiseaux — États-Unis. 2. Oiseaux — Canada.
I. Sélection du Reader's Digest (Canada) (Firme).
QL681.B65714 1992   598.2973   C92-096087-1

**LE GUIDE ILLUSTRÉ DES OISEAUX
D'AMÉRIQUE DU NORD** est l'adaptation française du
BOOK OF NORTH AMERICAN BIRDS
Copyright © 1990 The Reader's Digest Association Inc.

ÉDITION ORIGINALE
RÉDACTION : James Cassidy
DIRECTION ARTISTIQUE : Gerald Ferguson

CONSULTANTS GÉNÉRAUX :
John Farrand, Jr.
Éditeur, *The Audubon Society Master Guide to Birding*
Ex-président de la Société Linnéènne de New York
Membre de l'American Ornithologists' Union

Harold F. Mayfield
Ex-président de l'American Ornithologists's Union,
de la Cooper Ornithological Society
et de la Wilson Ornithological Society
Prix Brewster Memorial et Arthur A. Allen

CONSULTANTS EN ARTS :
John P. O'Neill
Chargé de recherche, musée des Sciences naturelles
de l'université de la Louisiane
Membre de l'American Ornithologists' Union

Kenneth C. Parkes
Curateur senior des oiseaux
Musée d'Histoire naturelle Carnegie, Pittsburgh

Robert M. Peck
Fellow of the Academy
Académie des Sciences naturelles de Philadelphie

Les pages intérieures de ce livre ont été imprimées sur papier sans chlore,
les pages de garde sur papier recyclé.

PAPIER : Kangas
IMPRESSION ET RELIURE : Imprimerie Coopérative Harpell

Table des matières

Introduction au livre

Les oiseaux ont toujours occupé une place de choix parmi les différentes espèces animales qui peuplent la terre. Gracieux, colorés, vifs, on les voit partout. C'est souvent par eux qu'on découvre les beautés de la nature, car leur chant séduit l'oreille avant même que leurs coloris captent l'œil.

Dans le *Guide illustré des oiseaux d'Amérique du Nord*, vous ferez la connaissance d'environ 600 espèces qui fréquentent en tout temps ou en certaines saisons seulement le Canada et les États-Unis. Le guide est divisé en deux parties. La première présente 450 oiseaux à raison d'un oiseau par page, répartis en huit groupes selon leurs traits distinctifs et leur habitat.

Chaque page comporte un dessin en couleurs de l'oiseau, généralement le mâle en plumage nuptial car ses coloris sont plus caractéristiques que ceux de la femelle, et un texte narratif décrivant son comportement, son apparence, son mode de vie ou l'intérêt particulier que présente son observation en milieu naturel. Dans la marge, un dessin en noir et blanc souligne un trait particulier de l'oiseau. Un code de couleurs précise son aire de dispersion et sa distribution : le jaune identifie les régions qu'il fréquente en été ; sauf quelques exceptions, comme pour les oiseaux de mer, c'est généralement là qu'a lieu la nidification ; le bleu signale celles où il se trouve en hiver ; enfin les zones colorées en vert sont celles qu'il habite à longueur d'année. Ces renseigne-

En été
À l'année
En hiver

ments sont donnés à titre indicatif seulement ; les oiseaux peuvent s'aventurer loin des régions qu'ils fréquentent normalement et leur distribution, tout comme leur habitat, se modifie parfois avec les années.

Au bas de chaque page apparaît une petite fiche signalétique dont les différentes rubriques — description, habitat, nidification et nourriture — facilitent l'identification du sujet sur le terrain.

Certains oiseaux ont des proches parents qui leur ressemblent beaucoup. Pour faciliter l'observation, ces derniers sont nommés dans la même page ; une vignette spéciale indique leur aire de distribution et la fiche signalétique comporte certaines précisions à leur sujet. Voyez à titre d'exemple le petit-duc maculé, page 38.

La partie descriptive du livre, la plus considérable, est suivie d'une section spéciale d'information consacrée à une centaine d'oiseaux dont la dispersion en Amérique du Nord est limitée. Ils apparaissent à raison de trois par page, et les dessins et les textes qui les décrivent sont aussi soignés que ceux de la première section.

Enfin, le guide du voyageur se révèle particulièrement utile aux touristes qui s'intéressent aux oiseaux des régions qu'ils visitent. On y trouvera, re-groupés par État et par province, environ 350 sites d'observation reconnus pour leur richesse ornithologique.

La rédaction.

Oiseaux de proie

Ce sont les seigneurs du ciel. Audacieux, rapides et puissants,
ils sont merveilleusement équipés pour exercer leurs prérogatives
d'oiseaux de proie. L'apparente cruauté de leur comportement
leur aura parfois valu la dangereuse inimitié d'un prédateur plus
puissant qu'eux, l'homme. Mais comme le disait
le grand La Fontaine : « Dieu fait bien ce qu'il fait » ;
les oiseaux de proie ont un rôle irremplaçable
à jouer dans l'économie
de la nature.

Milan à queue fourchue

Urubu à tête rouge
(Vautour à tête rouge)
Cathartes aura

Avant de s'envoler, l'urubu à tête rouge aime bien se réchauffer au soleil matinal.

Lorsque la pluie ou le brouillard le force à rester perché, l'urubu à tête rouge a l'air sombre et renfrogné. Mais vienne le soleil, il s'élance alors et plane gracieusement sur de longues distances, les ailes presque droites. Si les circonstances s'y prêtent, porté par le vent, il peut ondoyer dans le ciel durant des heures sans battre une seule fois des ailes. Quand le crépuscule étend son ombre bleue sur le sol ou lorsque les nuages l'emportent sur la lumière, l'urubu à tête rouge interrompt la magie de son vol et, posé sur une branche, reprend son attitude distante et solennelle.

Ce grand oiseau a une fonction essentielle dans la nature ; c'est un vidangeur. Rarement tue-t-il ses proies. Amateur de viande avariée, il dévore ce qui pourrit : lapin tué sur la route, agneau mort-né, cerf blessé par un chasseur et parti mourir dans un fourré. Sans doute qualifierait-il gastronomiquement de faisandée la chair que nous qualifions dédaigneusement d'avariée. Il en raffole. La pourriture est son alliée. Elle amollit les carcasses qu'il peut ainsi dépecer plus aisément. Mais la charogne salit le plumage et laisse une odeur douteuse. Voilà sans doute pourquoi la nature a voulu que l'urubu ait la tête dégarnie de plumes. Ce n'est pas très joli, mais c'est fort pratique lorsqu'on ne peut manger avec une fourchette.

Description. Longueur 66-81 cm (26-32 po). Envergure 1,80 m (6 pi). Corps noir, ailes et queue allongées ; dessous des rémiges argenté ; tête petite, sans plumes, rouge. Relève un peu les ailes pour planer ; rame peu.
Habitat. Divers, sauf la forêt touffue.
Nidification. 1-3 œufs blancs maculés de brunroux, pondus sur le sol ou dans un tronc creux, une caverne ou une maison abandonnée ; 39-40 jours d'incubation assurée par le couple. Oisillons couverts de duvet ; envol 11 semaines après l'éclosion.
Nourriture. Charogne ; mammifères et oiseaux de petite taille.

Urubu noir
(Vautour noir)
Coragyps atratus

D ans un groupe d'urubus à tête rouge, on en aperçoit parfois un plus petit et plus massif que les autres : c'est
l'urubu noir. Lorsque les urubus à tête rouge se mettent en formation, celui-là traîne derrière puis essaie de rejoindre ses
grands et majestueux cousins en battant des ailes avec préci-
pitation. On le prendrait pour le « petit dernier » qui s'est at-
tardé et craint d'être grondé s'il ne rejoint pas le groupe au
plus tôt. C'est surtout au nord de leur aire commune que les
deux espèces se mêlent dans leurs activités diurnes ; plus au
sud, où l'urubu noir est en plus grand nombre, leur association est moins fréquente.

L'urubu noir se comporte aussi souvent comme un prédateur. Plus agressif que l'urubu à tête rouge, sa petite taille ne
l'empêche pas de chasser celui-ci s'il y a contestation autour
d'une proie ou pour l'occupation d'un nid. À cet égard, il ne
fait pourtant pas le difficile : l'urubu noir niche dans des
cavernes, des troncs ou sur des falaises abritées quand il ne
dépose pas tout bonnement ses œufs sur le sol. Sous les tropiques, il fréquente les villes et s'alimente à même les ordures
ménagères. Dans son habitat naturel, il se nourrit essentiellement de charogne ; plus elle est avancée, meilleure elle est.
Aussi n'hésitera-t-il pas à laisser se décomposer les carcasses
fraîches pour mieux les déchiqueter ensuite.

Les urubus noirs décrivent
de petits cercles dans les airs
au-dessus de leur proie.

Description. Longueur 58-69 cm (23-27 po).
Envergure 1,5 m (5 pi). Noir et trapu ; ailes
courtes et arrondies ; région pâle près du bout
des ailes ; queue courte en éventail ; tête noire
sans plumes. Ailes à l'horizontale pour planer ;
rame fréquemment.
Habitat. Champs, déserts, dépotoirs, clairières.

Nidification. 1-2 œufs verts maculés de brun,
pondus sur le sol, à flanc de falaise, sur le roc
ou dans des cavernes peu profondes ; 39-41
jours d'incubation. Oisillons couverts de duvet ;
envol 10-11 semaines après l'éclosion.
Nourriture. Ordures ménagères, charogne ; parfois mammifères et oiseaux de petite taille.

Condor de Californie

Gymnogyps californianus

Ancienne aire de dispersion

À ses serres émoussées on voit que ce condor est un nécrophage et non un prédateur.

Le 19 avril 1987 marque une date sombre dans l'histoire du plus grand planeur d'Amérique du Nord. C'est ce jour-là que, dans le cadre d'un effort sans précédent pour sauver l'espèce de l'extinction, on captura le dernier condor sauvage de Californie pour l'amener rejoindre 26 autres sujets de son espèce déjà en captivité.

Véritables fossiles vivants, derniers survivants des temps où mastodontes et grands bisons peuplaient le continent, ces oiseaux, dont les ailes atteignent 2,75 m (9 pi) d'envergure, habitaient la côte californienne. Mais leur nombre décroissait à mesure que l'homme avançait. Vers 1980, il n'en restait qu'un dernier peuplement près de Los Angeles. Les condors vivent vieux, mais les couples ne pondent qu'un œuf tous les deux ans ; or, leur taux de mortalité grimpait en flèche. Pour décimer les coyotes, les propriétaires de ranchs semaient leurs terres de carcasses empoisonnées dont se nourrissaient les condors. Ceux-ci, par ailleurs, s'intoxiquaient au plomb à nettoyer les restes des cerfs tués par les chasseurs, quand ils ne recevaient pas eux-mêmes une décharge interdite.

Les scientifiques en vinrent à la conclusion qu'il fallait protéger les survivants. C'est ainsi que les condors de Californie habitent maintenant les zoos de San Diego et de Los Angeles. S'ils arrivent à se reproduire en captivité — ce qui n'est pas gagné — peut-être reverra-t-on un jour ce majestueux planeur voler dans l'azur.

Description. Longueur 1,15-1,40 m (45-55 po). Envergure 2,75 m (9 pi). Corps noir ; grandes taches blanches sous les ailes ; tête orange ou jaune, sans plumes ; plane les ailes à l'horizontale ; rame peu.
Habitat. Montagnes hautes et sauvages ; terres agricoles adjacentes.

Nidification. Un seul œuf blanc tous les deux ans, en février, dans une grotte, à flanc de falaise ou derrière un surplomb rocheux ; 42-50 jours d'incubation assurée par le couple. Oisillons couverts de duvet ; premier vol à 5 mois ; autonomes seulement l'été suivant.
Nourriture. Charogne.

Milan à queue fourchue

Elanoides forficatus

Les cumulus menaçants s'amoncellent dans le ciel de Floride en fin d'après-midi l'été, rafraîchissant un peu l'atmosphère torride. Au moment où le premier souffle de la tempête ébranle la cime des arbres, un oiseau superbe, noir et blanc, apparaît à l'horizon. Indifférent à l'orage, il décrit de grands cercles puis, porté par une rafale, disparaît en planant avant que ne commence le déluge.

Beau, agile, majestueux, le milan à queue fourchue est de l'avis de tous une petite merveille volante. Et sa beauté est également reconnue car son plumage ressemble à un habit de cérémonie. Queue au vent, il manœuvre dans le ciel avec la grâce d'un patineur et la précision d'un gymnaste, cueille au vol les sauterelles, les libellules et les coléoptères ailés dont il se nourrit et rafle au sol, sur l'élan, les lézards, les grenouilles et les serpents en maraude.

Autrefois il était partout chez lui dans l'est et le centre des États-Unis. Mais la mise en valeur des terres agricoles l'a fait reculer vers les marécages et les embouchures des rivières du Sud. Il rejoint ses lieux de nidification en mars et entreprend en août le voyage qui le ramène vers les pays tropicaux où il passe l'hiver. Certains sujets prennent la route migratoire qui passe par le Texas et le Mexique. D'autres font escale à Cuba, après avoir traversé le détroit de Floride, et se rendent ensuite en Amérique du Sud par la mer des Caraïbes. De nombreux rapaces redouteraient un aussi long voyage au-dessus d'une étendue d'eau ; mais peu d'entre eux volent avec autant de maîtrise que le milan à queue fourchue.

Merveilleux chasseur, le milan à queue fourchue gobe les libellules en plein vol.

Description. Longueur 50-65 cm (20-25 po). Dessus du corps noir ; dessous blanc ; tête blanche ; queue longue, noire, très fourchue.
Habitat. Forêts peu denses, marécages, bayous.
Nidification. Nid peu profond à 15-30 m (50-100 pi) du sol près de l'eau, souvent en colonies, fait de brindilles sèches cueillies avec les pattes en plein vol ; 2-4 œufs blancs tachetés de roux ; 28 jours d'incubation assurée par le couple. Oisillons couverts de duvet ; envol 5-6 semaines après l'éclosion.
Nourriture. Grands insectes gobés en plein vol ; serpents, grenouilles, lézards.

Élanion blanc

Elanus caeruleus

À première vue, on peut confondre l'élanion blanc avec le goéland.

Sur le terre-plein des autoroutes, on pourrait le prendre pour un goéland à bec cerclé en quête des frites ou du pain que les voyageurs jettent négligemment dehors par les glaces de leur voiture. Mais le goéland n'a pas, quand il plane, la grâce de l'élanion blanc. D'un coup d'aile, celui-ci glisse vers le sol ; d'un autre, il cingle vers le ciel avant de sembler figer sur place en plein vol. Tête dans le vent, il bat juste assez des ailes pour contrer la vélocité changeante des courants. Si l'air est agité, il rame plus vite ; si l'air se calme, il ralentit le rythme. Mais s'il voit au sol un petit mulot affairé ou un lézard se hasarder hors de sa cache, il s'immobilise et comme un parachutiste — dos arqué, tête abaissée, pattes étirées, ailes étendues en V — il se laisse tomber sur sa proie qu'il va ensuite déguster sur quelque perchoir.

Très répandu en Amérique centrale et en Amérique du Sud, l'élanion blanc semblait vouer à une disparition totale en Amérique du Nord puisqu'on ne le trouvait plus qu'en Californie et au Texas. Mais le voici qui réapparaît dans son ancienne aire de dispersion et niche de plus en plus souvent en Louisiane, au Mississippi et en Floride.

Ce prédateur des grasses plaines affectionne tout particulièrement les terre-pleins et les bas-côtés des grandes autoroutes où il trouve l'habitat idéal pour ses proies préférées, les clôtures et les viaducs environnants lui offrant toute la protection dont il a besoin.

Description. Longueur 38-43 cm (15-17 po). Dessus du corps gris pâle ; tête, queue et dessous blancs, épaulettes noires. Juvénile tacheté de brun. Plane et s'immobilise en vol.
Habitat. Terres agricoles, clairières.
Nidification. Nid de petites branches, perché à 5-18 m (15-60 pi) du sol près de l'eau ; 3-6 œufs blancs fortement marqués de brun ; 30 jours d'incubation assurée par la femelle. Le mâle chasse pour sa famille, mais les oisillons couverts de duvet sont nourris par la femelle. Envol 35-40 jours après l'éclosion.
Nourriture. Campagnols et autres petits rongeurs, oiseaux, lézards et gros insectes.

Juvénile

Adulte

Milan du Mississippi

Ictinia mississippiensis

Aucun autre oiseau, même pas l'élégant milan à queue fourchue, ne semble aussi heureux dans les airs que le milan du Mississippi. Avant que se dissipe la brume matinale, des vols entiers de ces milans à tête pâle s'élancent à tire-d'aile juste au-dessus des arbres pour attendre que les courants d'air activés par le soleil les portent en altitude. Tantôt ils planent sans effort, ailes déployées, queue étalée en éventail ; tantôt ils naviguent dans l'azur en se servant de leur queue comme d'un gouvernail. Et soudain, c'est la folie : à l'affût du moindre souffle d'air, ils s'élancent dans une frénésie de mouvements, sans oublier pour autant de croquer la libellule que son destin aura mise sur leur passage.

Un chasseur moins habile se percherait pour déguster sa proie. Les milans du Mississippi se nourrissent en plein ciel ; mettez ensemble 20 à 30 de ces oiseaux sociables et vous verrez les ailes des libellules tomber comme des confettis un jour de noces. Parfois le groupe entier vole en rase-mottes, à hauteur d'arbre ou même d'herbe. Mais le plus souvent, il prend sa volée dans l'air surchauffé de l'été et va chercher sa nourriture si haut dans le ciel que l'œil de l'homme ne peut même plus l'apercevoir.

Même pour son nid, le milan du Mississippi préfère les sites altiers ; il le construit au sommet d'un grand arbre, à quelque 30 m (100 pi) du sol. Deux forces de la nature seulement ont raison de lui : la pluie et l'obscurité. Mais une étoile tomberait du ciel avant qu'il se pose sur le sol.

Très sociables, les milans du Mississippi se réunissent à l'heure du crépuscule.

Description. Longueur 35-38 cm (14-15 po). Ligne effilée, ailes pointues ; corps gris, plus foncé sur le dos, plus pâle sur la tête ; queue noire. Juvénile : dessous à rayures brun foncé ; bandes transversales sur la queue.
Habitat. Clairières, bosquets, terrains broussailleux, boisés en bordure des cours d'eau.

Nidification. Nid de brindilles dans un arbre ou un grand arbuste à 1,25-30 m (4-100 pi) du sol ; 1-3 œufs bleu pâle ; 32 jours d'incubation assurée par le couple. Oisillons couverts de duvet ; envol 32 jours après l'éclosion.
Nourriture. Insectes ; occasionnellement de petits reptiles et des grenouilles.

Milan des marais

Rostrhamus sociabilis

La femelle du milan des marais est très différente du mâle.

Cet oiseau aux grandes ailes souples habite les terres marécageuses où pousse le cladion et se nourrit exclusivement d'un certain escargot en forme de pomme, l'ampullaire, qui abonde dans les régions tropicales du Nouveau Monde et qui peut atteindre la taille du poing. Les escargots n'étant pas des proies très alertes, le milan des marais ne se signale donc ni par son astuce, ni par sa rapidité. Lorsque les ampullaires abondent, l'espèce prospère.

Mais cet exclusivisme alimentaire est une arme à deux tranchants. Quand les marais s'assèchent, les ampullaires se font rares et les populations de milans des marais, incapables de se nourrir autrement, déclinent dangereusement.

Il y a 40 ans, par suite de la mise en valeur des terres marécageuses, on ne comptait plus qu'une poignée de milans des marais en Floride. Depuis lors, des campagnes énergiques ont semblé donner de bons résultats et les milans se sont multipliés dans certaines portions des Everglades. Mais la nappe phréatique de la Floride ne cesse de baisser et les grands marais qui en dépendent s'assèchent. Sans marécage, pas d'ampullaire ; sans ampullaire, pas de milan des marais. Or, de ce point de vue, l'avenir de la Floride ne semble pas prometteur.

Description. Longueur 40-46 cm (16-18 po). Ailes arrondies ; queue en éventail, blanche et noire ; bec fortement crochu. Mâle gris ardoise ; bec orange ou rouge ; pattes rouges. Femelle brun foncé ; dessous du corps fortement rayé ; pattes orange ou jaunes.
Habitat. Marais d'eau douce.

Nidification. Nid en forme de coupe peu profonde composé de plantes de marais ; 3-4 œufs blancs, fortement maculés de brun ; incubation de 30 jours assurée par le couple. Oisillons couverts de duvet ; envol 4 semaines après l'éclosion.
Nourriture. Des ampullaires exclusivement.

Busard Saint-Martin
(Busard des marais)

Circus cyaneus

Femelle

Mâle

L e busard Saint-Martin lance un cri d'appel et amorce sa descente, entouré d'une horde hostile de carouges à épaulettes qui le poursuivent sans répit. Mais l'oiseau gris-bleu est bien déterminé à parachever sa tâche. Il lance un second cri. Du marais surgit la femelle. Son plumage est de teinte fauve et elle a une tache blanche sur le croupion. Au moment où elle rejoint le mâle, celui-ci laisse choir une proie emplumée qu'elle saisit dans ses serres en se renversant sur le dos. Puis elle redescend vers le marais pendant que le mâle retourne à la chasse.

Mais elle ne va pas droit au nid. Dans le marais, bien des yeux l'observent et certains appartiennent à des créatures qui ne feraient qu'une bouchée de ses oisillons s'ils pouvaient les découvrir. La femelle attend, survole les herbes, puis se pose. De sa tête qui dépasse à peine, elle scrute l'horizon. Enfin rassurée, elle s'envole de nouveau, cette fois en direction du nid.

Ici comme souvent chez les rapaces, le mâle est plus menu que la femelle. On pense que sa petite taille en fait un chasseur plus agile durant la saison des nids ; ce qui permet, le reste de l'année, de diminuer la compétition entre les membres de l'espèce en permettant au mâle et à la femelle de chasser des proies convenant à leur taille respective.

Les busards partagent souvent leur perchoir avec des hiboux des marais.

Description. Longueur 43-60 cm (17-24 po). Pattes et queue longues et effilées ; croupion blanc. Mâle adulte, corps gris-bleu ; femelle : dos brun, ventre strié de brun. Plane avec les ailes au-dessus de l'horizontale.
Habitat. Marais, champs, prés.
Nidification. Perchoir d'herbes, de roseaux et de brindilles, au sol ou dans un buisson ; 3-9 œufs bleutés, parfois tachetés de brun ; 32 jours d'incubation assurée par la femelle. Le mâle chasse, mais la femelle seule nourrit les oisillons ; envol 5 semaines après l'éclosion.
Nourriture. Campagnols et autres petits rongeurs, grenouilles, reptiles, insectes et oisillons.

Aigle royal
(Aigle doré)

Aquila chrysaetos

Les casques de plumes des Sioux étaient faits avec des plumes de queue des aiglons.

On l'a surnommé le roi des oiseaux. Il a figuré sur les enseignes des légions romaines ; les plus grands empereurs l'ont arboré à leur poing comme emblème de leur puissance et plusieurs civilisations l'ont adopté comme symbole religieux. Il a fasciné l'imagination des poètes et n'a pas laissé Victor Hugo indifférent :

L'aigle, c'est le génie ! oiseau de la tempête
Qui des monts les plus hauts cherche le plus haut faîte.

Malgré ce glorieux passé, l'homme a aussi souvent jeté sur lui un regard soupçonneux. On a accusé l'aigle royal de voler les bébés, ce qui est pure fiction, et de tuer les animaux de ferme. Il a pu à l'occasion, quelque diable aussi le poussant, tuer des agneaux, mais beaucoup moins souvent qu'on se plaît à le dire. Bien qu'il soit assez puissant pour s'attaquer à des proies de grande taille — antilopes ou chevreuils pris dans la neige —, il se nourrit essentiellement de marmottes, de lièvres et de chiens de prairie.

Mais ce qui caractérise vraiment les aigles royaux, c'est qu'ils sont les amants des grandes solitudes. Ils n'habitent que les lieux sauvages et désertiques et s'éloignent dès que la civilisation les rejoint. Voilà pourquoi on ne les voit plus dans l'est des États-Unis. Aussi pourrait-on dire qu'il est aujourd'hui le symbole de l'Amérique inviolée d'autrefois.

Description. Longueur 76-104 cm (30-41 po). Envergure 2,10 m (7 pi). Adulte : corps brun foncé avec des touffes de plumes brun doré sur la nuque ; queue foncée. Juvénile : taches blanches sur les ailes et base de la queue blanche.
Habitat. Contreforts de montagnes ; hauts plateaux désertiques.

Nidification. Nid de branchages sur une falaise ou dans un grand arbre ; 1-4 œufs blancs tachetés de brun ; 43-45 jours d'incubation assurée par le couple. Aiglons couverts de duvet ; envol 9-10 semaines après l'éclosion.
Nourriture. Petits mammifères ; oiseaux ; parfois, mammifères aussi grands que le cerf.

Juvénile

Adulte

Pygargue à tête blanche
(Aigle à tête blanche)

Haliaeetus leucocephalus

Le 20 juin 1782, le Congrès américain adopta comme emblème un grand oiseau de proie qu'on nommait alors l'aigle d'Amérique. Il y avait eu des dissidences, notamment celle de Benjamin Franklin. Un siècle plus tard, il y en avait encore. L'ornithologue Arthur Cleveland Bent trouvait que le pygargue à tête blanche n'était vraiment pas un bon exemple à proposer aux Américains : c'est un charognard, disait-il, qui pirate sans vergogne le balbuzard, plus petit que lui, et n'inspire guère le respect. On aurait pu aussi accuser ce grand prédateur de paresse car le pygargue, ce sédentaire, reste souvent perché de longues heures sans bouger.

Mais en vertu de quoi le juge-t-on ? Aux yeux de dame Nature, il est innocent de tous les crimes dont on l'accuse. C'est un nécrophage, mais il en faut. Quant à sa paresse, regardons-y de près : c'est de l'habileté, car le pygargue ne chasse pas pour rien. Quand la faim se fait sentir, il a tôt fait d'attraper la sauvagine au vol et le lapin sur l'élan. Bien sûr, il ne se fait pas faute de voler la pitance d'autrui, comme plus d'un balbuzard l'aura appris à ses dépens. Mais c'est à eux de se plaindre, car si le pygargue à tête blanche doit être mis au banc des accusés, il faut en toute justice lui reconnaître le droit d'être jugé par ses pairs.

Agrandi chaque année, le nid du pygargue atteint des proportions énormes.

Description. Longueur 90-100 cm (35-40 po). Envergure 2,5 m (8 pi). Adulte : corps brun très foncé, tête et queue blanches, bec jaune. Juvénile : corps brun foncé plus ou moins marbré de blanc, bec foncé.
Habitat. Rivières, lacs, rivages marins.
Nidification. Très gros nid de branchages, à 3-45 m (10-150 pi) du sol dans un arbre, près de l'eau ; 1-3 œufs blanchâtres ; 35 jours d'incubation assurée par le couple. Aiglons couverts de duvet ; envol 10 semaines après l'éclosion.
Nourriture. Poissons, souvent volés au balbuzard, mais aussi rats musqués et autres petits mammifères ; sauvagine ; charogne.

Balbuzard
(Aigle pêcheur)

Pandion haliaetus

Quand il plonge, le balbuzard fend l'eau avec ses serres grandes ouvertes.

Vu de loin, on le prendrait pour un goéland, n'était de l'envergure de ses ailes et de sa petite tête. Mais quand il plonge, plus d'erreur possible : un goéland ne plonge pas ! À plus de 30 m (100 pi) au-dessus d'une baie, d'un lac ou de la mer, si le balbuzard aperçoit un poisson nageant près de la surface, il replie aussitôt ses ailes et se laisse tomber comme une pierre, plongeant tête la première vers sa proie. Elle ne sera pas là où il la voit à cause de la distorsion que produit l'eau, mais cela, le balbuzard le sait et il a calculé sa trajectoire en conséquence. Au moment de fendre l'eau, l'oiseau ouvre ses serres comme un train d'atterrissage. S'il a calculé juste, on le verra repartir avec un poisson entre les pattes.

Le nid du balbuzard atteint des proportions imposantes. En effet, année après année, le couple l'agrandit. Un jour vient où il est si lourd qu'une tempête le fait s'abîmer au sol. Les oiseaux partent alors à la recherche d'un nouveau logis. Près d'un lac, ils préfèreront un pin mort ; sur les côtes, un cèdre. À défaut, un poteau de téléphone, une cache à canards, une bouée dans un chenal ou un phare feront l'affaire. Fait essentiellement de bouts de bois, le nid peut renfermer des coquillages vides, des crânes de rats musqués, des jouets, du ruban de plastique et même — articles superflus pour un tel pêcheur — du fil à pêche et des leurres.

Description. Longueur 53-64 cm (21-25 po). Envergure 1,80 m (6 pi). Corps massif, longues ailes. Tête blanche ; grande raie brun foncé de l'œil à l'épaule ; ailes et dos bruns. Ailes incurvées en vol ; voltige souvent au-dessus de l'eau. **Habitat.** Rivières, lacs, bords de mer. **Nidification.** Nid de branchages dans un arbre ou un arbuste, ou perchoir sur un rocher ou au sol ; 2-4 œufs rosés ou cannelle très maculés de brun ; 32 jours d'incubation assurée par la femelle. Aiglons couverts de duvet ; envol 8 semaines après l'éclosion. **Nourriture.** Presque exclusivement du poisson ; parfois de petits rongeurs et des oiseaux.

Adulte

Juvénile

Épervier brun

Accipiter striatus

Un geai bleu sonne l'alarme d'un cri rauque et perçant. C'est déjà une fraction de seconde trop tard. Un remue-ménage d'ailes vous signale que le drame a eu lieu. Le junco qui paisiblement croquait des graines dans votre mangeoire s'est fait happer par un épervier brun. Et il n'y a rien à faire. La nature n'a pas pitié des faibles ; la loi de l'homme n'y peut rien. Mais on peut envisager la situation d'un autre œil. La mangeoire nourrit le junco qui nourrit l'épervier brun : les deux viennent s'alimenter dans votre jardin.

L'épervier brun est un petit rapace diurne habile à attraper un oiseau à la volée dans les terres boisées. Ses courtes ailes arrondies lui permettent de circuler aisément dans les broussailles, tandis que sa longue queue étroite lui sert de gouvernail. Mais pour la vitesse et les réflexes, l'épervier brun est bien inférieur au junco ou à la mésange. Il doit donc jouer d'astuce. Pour trouver sa nourriture, il compte d'abord sur l'effet de surprise : l'oiseau chanteur qui n'est pas sur ses gardes perd de précieuses secondes avant de réagir. Il compte aussi sur l'infirmité ou la maladie de ses proies. Or, les mangeoires de jardin attirent un grand nombre d'oiseaux parmi lesquels il s'en trouve de mal en point. En débarrassant la faune de ses moins bons sujets, l'épervier brun lui rend un grand service.

La femelle de l'épervier brun construit son nid avant même d'avoir son plumage adulte.

Description. Longueur 25-35 cm (10-14 po). Ailes arrondies ; queue allongée et carrée ou encochée. Adulte : parties supérieures gris-bleu ; inférieures, blanches rayées de roux. Juvénile : parties supérieures brunes marquées de taches pâles ; inférieures, striées et rayées de brun.
Habitat. Forêts mixtes.

Nidification. Nid de branchages et de brindilles accroché à 3-18 m (10-60 pi) du sol dans un conifère ; 4-5 œufs blancs maculés de brun ; 34-35 jours d'incubation assurée par le couple. Oisillons couverts de duvet ; envol 23 jours après l'éclosion.
Nourriture. Petits oiseaux, rongeurs et insectes.

Épervier de Cooper

Accipiter cooperii

Les petits oiseaux chanteurs sont les proies habituelles de l'épervier de Cooper.

Il ressemble tellement à l'épervier brun que même les ornithologues s'y trompent très souvent. Il est pourtant plus gros et plus puissant, donc susceptible de tuer de plus grosses proies. La basse-cour d'autrefois était son terrain de chasse privilégié puisqu'il y prélevait sans vergogne des poulets. Les éleveurs de volaille ne l'appréciaient guère et l'en chassaient à coups de fusil. Et comme il était difficile de différencier l'épervier de Cooper de l'épervier brun, ces deux espèces de rapaces diurnes ont été abattues sans discernement et en grand nombre pendant des décennies.

Aujourd'hui, le grand public, mieux avisé, comprend les services que rendent ces oiseaux de proie en contenant les populations de petits rongeurs. Ils sont d'ailleurs protégés. Mais plusieurs d'entre eux sont encore victimes de pièges insoupçonnés. Certains heurtent en vol les fils électriques. D'autres mangent de petits rongeurs qu'on a empoisonnés pour en diminuer le nombre. La pire menace en est une à laquelle personne ne pense : les grandes baies vitrées. L'épervier de Cooper est un oiseau de la forêt ; il ne connaît pas le miroir. Ce qu'il voit dans une vitre, c'est ce qui s'y réfléchit : le ciel, les nuages, les arbres. Rien qui ne lui semble parfaitement normal. Il s'élance... et tombe, le cou cassé.

Description. Longueur 38-50 cm (15-20 po). Semblable à l'épervier brun, mais de plus forte taille. Ailes arrondies ; queue longue et arrondie. Adulte : dessus gris-bleu foncé ; dessous blanc rayé de roux. Juvénile : brun à raies noirâtres dessus, brun strié de brun foncé dessous.
Habitat. Forêts de feuillus et bocages.

Nidification. Nid de branches dans un arbre à 3-18 m (10-60 pi) du sol ; 3-6 œufs blancs ou verdâtres, parfois tachetés de brun ; 24 jours d'incubation assurée par la femelle. Le mâle chasse, la femelle nourrit. Oisillons couverts de duvet ; envol 30-34 jours après l'éclosion.
Nourriture. Petits mammifères, petits oiseaux.

Autour des palombes

Accipiter gentilis

Des plumes gris ardoise, des yeux brillant comme des boules incandescentes, les ailes subrepticement repliées et des serres, effilées et tranchantes comme des dagues, enserrant la branche d'où l'autour des palombes guette sa proie : autant d'éléments à peupler un cauchemar. Si la gélinotte huppée et le lièvre d'Amérique font de mauvais rêves, l'autour des palombes doit les hanter de nuit comme il les poursuit si bien de jour.

Ce grand rapace des forêts septentrionales allie la taille de la buse à l'astuce de l'épervier. Il passe ses hivers chez nous s'il y trouve de quoi se nourrir. Mais de temps à autre, environ tous les 10 ans, les populations de gélinottes et de lièvres s'effondrent simultanément. Poussés par la faim, les autours des palombes fuient par milliers vers les États-Unis : c'est l'invasion ; on en a compté plus d'un millier dans un endroit du Minnesota en un seul jour. Jusqu'à l'extinction de la tourte à la fin du siècle dernier, l'autour des palombes se nourrissait essentiellement de ce pigeon auquel il doit son nom.

Les autours juvéniles s'en vont, eux, passer presque toujours leur premier hiver dans le Sud. Au printemps, leur premier plumage brun a été remplacé par le plumage gris de l'adulte. L'œil jaune a pris une teinte orangée, presque rouge. En un an, la métamorphose sera complète ; les plumes brunes auront complètement disparu et la gorge, auparavant rayée, sera d'un gris uni. Le plumage ne changera plus, mais au fil des ans, l'œil deviendra de plus en plus rouge, jusqu'à prendre la couleur du sang séché.

Le promeneur qui s'approche du nid de l'autour reçoit une semonce non équivoque.

Description. Longueur 53-66 cm (21-26 po). Massif ; ailes arrondies, queue longue rayée. Adulte : dessus gris ardoise, calotte noire et raie sourcilière blanche ; dessous blanchâtre à fines rayures grises. Juvénile : brun dessus, blanchâtre à larges raies dessous.
Habitat. Forêts conifériennes et mixtes.

Nidification. Nid de branchages, à 6-18 m (20-60 pi) du sol dans un arbre ; 2-5 œufs bleutés ; 36-38 jours d'incubation assurée par la femelle. Le mâle chasse. Oisillons couverts de duvet, nourris par la femelle ; premier vol à 45 jours.
Nourriture. Lièvres, lapins et petits mammifères ; oiseaux de la taille d'une perdrix ; insectes.

Buse à épaulettes
(Buse à épaulettes rousses)
Buteo lineatus

Juvénile

Adulte

La buse à épaulettes tapisse son nid de petits rameaux verts garnis de feuilles.

C'est encore le temps de la boue. Pourtant les collines boisées du Québec, de la Nouvelle-Angleterre et des Maritimes résonnent des cris amoureux des buses à épaulettes. Leur pariade nuptiale est spectaculaire. Le mâle monte en flèche vers le ciel pendant que la femelle fait des cercles dessous. Soudain, le mâle arrête son ascension et plonge en vrilles démentielles en poussant un cri bizarre. Les geais bleus l'agonisent d'injures et imitent son cri. La pariade est spectaculaire et les fermiers lèvent le nez de leurs champs ; pour eux, la buse à épaulettes est un des signes du printemps.

Ces buses, c'est un fait bien connu, restent fidèles à leur lieu de nidification, et même à leur nid. Ces derniers sont de robustes structures faites pour durer, solidement fixées dans une fourche d'un arbre feuillu à bois dur ou d'un conifère. Mais les buses y apportent chaque printemps de la mousse fraîche, des feuilles, de l'écorce déchiquetée et des brindilles : pour bien signifier qu'elles l'occupent, croit-on.

Le régime alimentaire de ce rapace des forêts est varié et nourrissant ; il semble raffoler des petites créatures à sang froid qui peuplent le sous-bois — lézards, crapauds, grenouilles et surtout serpents —, mais les débris trouvés autour de son nid montrent qu'il ne dédaigne pas les oiseaux et les petits mammifères qu'il chasse habilement. Seule la petite taille de ses serres l'empêche de s'attaquer à plus gros gibier.

Description. Longueur 43-61 cm (17-24 po). Adulte : dessus brunâtre et rayé ; épaulettes rousses ; dessous rayé de roux ; queue à bandes claires. Juvénile : dessus brun tacheté ; dessous strié et moucheté.
Habitat. Forêts de feuillus et marécages.
Nidification. Nid en forme de coupe profonde, fait de branchages et de rameaux verts, à 6-18 m (20-60 pi) du sol, dans un arbre ; 2-6 œufs blancs marbrés de brun ; 28 jours d'incubation assurée par le couple. Oisillons couverts de duvet ; envol 5-6 semaines après l'éclosion.
Nourriture. Reptiles, grenouilles, petits mammifères, oiseaux et grands insectes.

Petite buse

Buteo platypterus

Juvénile

Adulte

Dans le ciel clair de septembre, on ne voit que quelques légers nuages d'été. À l'horizon apparaît soudain une ligne en pointillés faite d'oiseaux ondulants. La ligne devient ruban; le ruban explose en filaments qui s'enroulent et se nouent entre eux. On dirait un immense réseau de grandes ailes palpitantes. Ce phénomène saisissant, c'est l'exode annuel des petites buses, l'un des beaux spectacles de la nature.

Ces oiseaux de proie se déplacent généralement par centaines de sujets. Mais lorsque commencent les grandes migrations de la mi-septembre, c'est par milliers que les petites buses peuvent se rassembler. Elles traversent tout l'est du continent et rejoignent les forêts des Tropiques par l'Amérique Centrale. Vienne mars, et les grands voliers reprennent le chemin du nord à travers les hauts plateaux du Mexique et le long du Rio Grande, puis le long du Saint-Laurent.

Ce petit rapace timide, à peine plus gros qu'une corneille, affectionne les bêtes à sang froid; et comme celles-ci désertent les forêts nordiques très tôt au début de l'automne, il lui faut à son tour les quitter. Perché près d'un cours d'eau ou d'un étang, il guette sa proie. Quand il l'aperçoit, il fond sur elle sans bruit et d'un coup de serres meurtrier attrape la grenouille insouciante, la couleuvre téméraire ou l'écrevisse craintive qui s'était aventurée en eaux peu profondes.

La petite buse fond avec précision sur sa proie qui a peu de chance de s'en tirer.

Description. Longueur 34-48 cm (13½-19 po). Adulte: dessus brun uni; dessous rayé de roux; queue à deux bandes claires. Juvénile: dessus brun rayé de beige; dessous blanchâtre à fines stries et macules brunes.
Habitat. Forêts de feuillus.
Nidification. Nid robuste de branchages, fixé à 4,5-15 m (15-50 pi) du sol dans un arbre; 2-3 œufs blancs marbrés de brun violacé; 28 jours d'incubation assurée par le couple. Oisillons couverts de duvet; envol 6 semaines après l'éclosion.
Nourriture. Grenouilles, crapauds, reptiles; petits mammifères, petits oiseaux, insectes.

Juvénile

Adulte

Buse de Swainson

Buteo swainsoni

Rares sont les arbres dans la plaine : la buse de Swainson niche sur un aplomb rocheux.

Sauterelles et grillons s'éparpillent dans tous les sens sur le passage de la faucheuse. Derrière le cultivateur, dans le sillon laissé par sa machine, une douzaine d'oiseaux à collier roussâtre sautillent et s'agitent dans le foin tout juste fauché. Sont-ils blessés ? Pas du tout. Ils font ripaille de la moisson d'insectes et de petits rongeurs qu'a dérangés le passage de la machine. Ainsi rendent-ils le bien pour le bien ; le cultivateur débusque le gibier et les buses de Swainson dévorent les parasites qui menacent ses récoltes.

Ce sont de grandes voyageuses. Elles nichent très au nord, jusqu'en Alaska, et passent l'hiver dans la pampa argentine. En mars, des milliers de buses de Swainson empruntent la voie du Rio Grande et, par le Mexique, rentrent au Texas. Au crépuscule, tout le vol s'abat. Dès l'aube, quand la chaleur ranime les courants ascendants, les oiseaux cinglent vers les hauteurs. Par dizaines, par centaines, par milliers même, ils montent dans l'azur, obliquent vers le nord et s'étalent en longs rubans au-dessus des États et des provinces de l'Ouest. À mesure que le voyage progresse, les bandes diminuent de volume. Un à un, les oiseaux vont rejoindre leur lieu de nidification dans l'ouest des États-Unis ou du Canada. L'été est consacré à l'éducation des petits. En août, leur mission accomplie, les buses de Swainson entreprendront leur seconde longue migration annuelle vers le sud.

Description. Longueur 48-56 cm (19-22 po). Adulte : dessus brun foncé, poitrine brune, abdomen chamois. Juvénile, corps strié de brun. Au repos, les ailes sont plus longues que la queue. Phase de coloration foncée fréquente. Plane en relevant légèrement les ailes.
Habitat. Plaines herbeuses, déserts.

Nidification. Nid de branchages et d'herbes, sur le sol ou une falaise ; 2-4 œufs blancs parfois maculés de brun ; 28 jours d'incubation assurée par le couple. Oisillons couverts de duvet ; premier vol 4 semaines après l'éclosion.
Nourriture. Sauterelles et grillons ; petits mammifères et oiseaux.

Juvénile

Adulte

Buse
à queue
rousse

Buteo jamaicensis

Que ce soit du haut d'une souche dans la forêt, sur une falaise de calcaire, un haut cactus, un pieu de clôture ou dans le ciel du Middle West américain, la buse à queue rousse ne craint pas de faire entendre son cri.

Partout en Amérique du Nord, on connaît ce grand rapace à la queue couleur de châtaigne. Les cultivateurs le considèrent d'un bon œil : en effet, comme la buse de Swainson, il se régale des rongeurs qui menacent leurs récoltes. Les ornithophiles qui multiplient les mangeoires pour attirer les petits oiseaux chanteurs n'ont rien à lui reprocher ; il est trop balourd pour menacer leurs petits protégés.

La buse à queue rousse arbore des plumages différents selon les régions qu'elle fréquente. Les sujets de l'Ouest sont plus foncés que ceux de l'Est et sont plus roux dessous. Dans les régions désertiques comme l'Arizona, ils sont plus pâles, comme si le soleil avait fait passer leur couleur.

L'abdomen de la buse à queue rousse est marqué d'une large bande de teinte très foncée. C'est la deuxième caractéristique de cet oiseau, avec sa queue, que nous avons déjà mentionnée. Utile pour permettre aux observateurs d'identifier l'oiseau dans les airs, cette bande, quand il est perché, lui sert aussi de camouflage en brisant sa silhouette.

En phase de coloration sombre, cette buse a tout le corps brun sauf la queue.

Description. Longueur 48-66 cm (19-26 po). Envergure 1,4 m (4½ pi). Dessus brun foncé ; poitrine blanche, flancs rayés ; queue rouge brique. Juvénile, queue brune à bandes. Dans l'Ouest, oiseaux tout foncés à queue rousse.
Habitat. Plaines, terres agricoles, déserts, forêts peu denses.

Nidification. Nid robuste de branchages et de brindilles, à 4,5-21 m (15-70 pi) du sol dans un arbre ; 1-5 œufs blancs à peine tachetés de brun ; 28-32 jours d'incubation. Oisillons couverts de duvet ; envol 45 jours après l'éclosion.
Nourriture. Campagnols et autres petits mammifères ; oiseaux et gros insectes.

Buse rouilleuse

Buteo regalis

La buse rouilleuse fait son nid là où elle a une vue panoramique des environs.

Royal ! Tel est bien cet oiseau de proie de l'Ouest. Perchée près de son imposant nid de branchages ou au sommet d'une formation de grès, la buse rouilleuse a tout le port de l'aigle. Contrairement à la plupart des rapaces, elle ne craint pas de se poser sur le sol, ignorant les perchoirs des alentours. L'envol peut paraître laborieux, mais une fois dans les airs, l'oiseau a de l'abattant et de la puissance. Quand le soleil du matin suscite de forts courants d'air ascendants, la buse rouilleuse étend ses longues ailes et se laisse porter. Elle peut monter si haut qu'on la perdrait de vue, si ce n'était de ses cuisses foncées qui dessinent un V dans le ciel.

Le spermophile et le chien de prairie sont les proies préférées de la buse rouilleuse, mais le lièvre n'est pas trop gros pour elle. En dépit de sa forte taille et de sa puissance, c'est encore l'effet de surprise qui est sa meilleure arme. Volant en rase-mottes en frôlant les reliefs du sol, elle guette le chien de prairie qui s'est aventuré hors de son terrier. Alors, la chasse commence en direction de la cheminée de galerie qui sonnera la victoire de l'un, la défaite de l'autre. Quand la buse est seule, les chances sont égales. Si une de ses congénères conjugue ses efforts aux siens, ce qui arrive fréquemment, l'avantage est de leur côté.

Description. Longueur 56-69 cm (22-27 po). Adulte : dessus brun strié de roux, dessous blanc, cuisses roussâtres ; queue blanchâtre avec du roux au bout. Juvénile et adulte en phase de coloration foncée : queue blanchâtre.
Habitat. Plaines, hauts plateaux secs.
Nidification. Nid robuste de branches, de brindilles et d'os dans un grand arbre, sur une falaise ou à flanc de colline ; le nid est réutilisé d'année en année. 2-6 œufs blancs ou bleuâtres, très maculés de brun ; 28 jours d'incubation assurée par le couple. Oisillons couverts de duvet ; envol 44-48 jours après l'éclosion.
Nourriture. Rongeurs, lapins, lièvres.

Buse pattue

Buteo lagopus

Durant les longues journées de l'été arctique, la buse pattue chasse sans arrêt. Propulsée par le battement ininterrompu de ses grandes ailes, elle inspecte le paysage dénudé de la toundra, tel un ancien Viking écumant les mers. Dès que quelque chose bouge au sol, elle s'immobilise et, ramant contre le vent, localise sa proie. Puis elle plonge à la verticale, pattes étendues devant elle, pour cueillir le lemming qu'elle a repéré. Elle repart alors vers son nid où l'attend une couvée toujours affamée.

Les buses pattues sont des oiseaux circumpolaires dont les aires de nidification se retrouvent aussi bien en Europe qu'en Asie et en Amérique du Nord. Plus nomades que d'autres oiseaux de proie, elles s'installent là où leur nourriture préférée — souris et lemmings — abonde. Le même opportunisme les guide vers les marécages, les prés et les terres agricoles du Sud où elles prendront leurs quartiers d'hiver : il leur arrive ainsi de se joindre à d'autres buses et à des hiboux pour profiter d'une population de souris ou de campagnols, mais on ne les confond pas : l'oiseau aux longues ailes arquées qui s'immobilise dans les airs, c'est elle. Perchée, on la reconnaît sans peine ; seul ce grand chasseur venu des confins du Grand Nord sait se tenir ainsi à la cime des arbres.

Quand les lemmings abondent, la buse pattue peut élever six ou sept oisillons.

Description. Longueur 48-61 cm (19-24 po). Dos brun foncé, tête et poitrine chamois strié ; abdomen noirâtre ; queue blanche à la base. Grande tache foncée sur la face inférieure de l'aile. Relève un peu les ailes en volant ; s'immobilise en vol.
Habitat. Marais, lieux déboisés ; toundra.

Nidification. Nid de brindilles sur une corniche ; 2-7 œufs blancs marqués de brun ; 28-31 jours d'incubation. Oisillons couverts de duvet ; envol 41 jours après l'éclosion.
Nourriture. Rongeurs et autres petits animaux.

Buse de Harris

Parabuteo unicinctus

Même si les petits ont appris à voler, la famille passe plusieurs mois ensemble.

Bien installée dans un nid fait de branchages, de racines et d'herbes au sommet d'un cierge géant — ce cactus des Saguaros —, la buse de Harris couve ses petits. Annoncé par l'éclat roux des épaulettes qui ornent ses ailes, le mâle arrive, un serpent dans les serres. Pendant que la femelle distribue la proie entre ses oisillons affamés, un second oiseau mâle fait son apparition, nanti d'un lapin du désert ; il se pose sur un autre cierge et attend patiemment son tour.

Deux mâles dans le même nid ? Mais oui, la polyandrie est courante chez les buses de Harris, qui se caractérisent également par leur grande sociabilité : en effet, ces oiseaux se rassemblent par petits groupes en hiver, chassent deux par deux et partagent souvent à trois les tâches du nid. Quelques prédateurs font état d'un certain esprit social. Mais une intimité pareille à celle qui existe entre les buses de Harris est chose rare parmi les oiseaux de proie. Enfin, la buse de Harris est un redoutable chasseur.

D'où lui vient donc un tel comportement ? La chasse à deux a ses avantages quand la proie est trop agile ou trop grosse pour un seul oiseau. Mais service oblige : il faut partager le festin. Quant à la présence d'un deuxième mâle dans le nid, elle permet d'élever des couvées plus importantes, mais moins de couvées. Quel atout y voit la buse ? Mystère !

Description. Longueur 46-58 cm (18-23 po). Corps noirâtre ; cuisses, dessous des ailes et épaulettes de teinte rousse ; croupion et base des ailes blancs. Juvénile semblable, mais strié de brun roux.
Habitat. Déserts, boisés près de cours d'eau.
Nidification. Nid de branchages, de brindilles et de racines, à 1,5-9 m (5-30 pi) du sol dans un arbre ou un cactus ; 2-4 œufs blancs ; 33-36 jours d'incubation assurée par le couple. Oisillons couverts de duvet ; envol à 40 jours. Un autre mâle peut aider à nourrir les petits.
Nourriture. Petits mammifères, mais aussi oiseaux et reptiles.

Caracara huppé
(Caracara commun)
Polyborus plancus

Perché dans un chou palmiste, le caracara surveille son domaine. Avec sa huppe à longues plumes, son bec robuste fortement crochu et son plumage bicolore, il a un air altier. Et pourtant, cet oiseau surnommé l'aigle du Mexique a des manières qui laissent à désirer.

Apparenté au faucon, il se conduit pourtant comme un vautour. Habile à voler, il passe le plus clair de son temps sur le sol. Enfin, ses aires de répartition sont très éloignées les unes des autres : les prairies de la Floride, les plaines du sud du Texas et les déserts de l'Arizona.

Comme le vautour, le caracara est un nécrophage, mais pour se nourrir il patrouille les grandes routes en quête d'animaux tués par les automobiles. Il est aussi habile à voler sa pitance et rien ne le réjouit autant que de rencontrer sur son chemin un busard lesté d'une souris, un pélican avec un poisson dans le bec ou un vautour prêt à festoyer. Le caracara poursuit alors son compatriote trop chargé jusqu'à ce que, harassé, ce dernier laisse tomber sa proie.

Le caracara huppé est pourtant un excellent chasseur et serpents, oiseaux, insectes ou petits mammifères n'ont guère de chance devant cet opportuniste prédateur.

Avec ses longues pattes, le caracara poursuit serpents et autres petites proies sur le sol.

Description. Longueur 53-64 cm (21-25 po). Envergure 1,2 m (4 pi). Tête et cou blancs, couronne et huppe noires ; dos foncé ; jabot rayé ; parties inférieures rayées ; longues ailes tachées de blanc au bout ; queue blanche rayée de noir ; longues pattes ; face rougeâtre sans plumes.
Habitat. Terres herbeuses, broussailles.

Nidification. Nid plat de tiges et de brindilles, à 2,5-15 m (8-50 pi) du sol dans un arbre, un palmier ou un cactus ; 2-4 œufs blancs ou rosâtres marqués de brun roux ; 28 jours d'incubation. Durée du séjour des petits au nid inconnue.
Nourriture. Insectes et charogne, mais aussi petits mammifères, oiseaux et reptiles.

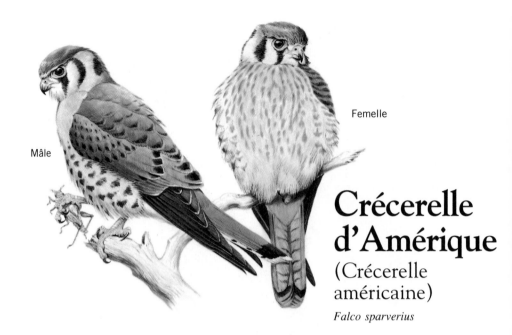

Mâle

Femelle

Crécerelle d'Amérique
(Crécerelle américaine)
Falco sparverius

La plupart des autres faucons chassent en vol ; la crécerelle trouve ses proies au sol.

L a neige rend la circulation difficile. Sur plus de 10 kilomètres, l'autoroute est bloquée et les automobilistes, résignés à leur sort, attendent qu'on remorque les victimes d'un carambolage. Perchée sur un arbre près de la voie de communication, la petite crécerelle d'Amérique n'a cure de tous ces moteurs qui tournent au ralenti. Ses yeux avides ne s'occupent que de la neige blanche. Quant aux voitures, ce pourrait aussi bien être des pierres.

Si quelque voyageur frustré remarquait sa présence, quelle surprise il aurait de voir un si joli oiseau dans un environnement aussi improbable. Il est tout simplement superbe : le dos rouille, le dessus de la tête bleu avec une tache marron, les ailes bleu métallique. Gros comme un merle, il n'a pas la taille qu'on associe d'ordinaire à un oiseau de proie. Et pourtant la souris qui se creuse une galerie sous la neige, le moineau qui a élu domicile dans une haie proche ne s'y trompent pas. Son bec crochu, ses serres, ses yeux perçants révèlent ce qu'il est : un chasseur, un rapace.

Soudain, la crécerelle cesse de tourner la tête d'un côté à l'autre. Elle fixe intensément un point dans la neige immaculée ; sa tête palpite d'émotion ; elle bat des ailes, s'élance, prend soudainement de la hauteur et plonge dans la neige, serres les premières. La lutte est courte et féroce : il n'y a pas meilleure souricière qu'une crécerelle affamée. Et la voici qui regagne son perchoir pour y déguster la proie qu'elle ramène entre ses serres. Quant aux automobiles, quand elles finiront par bouger, la crécerelle ne les remarquera même pas !

Description. Longueur 23-30 cm (9-12 po). Ailes pointues. Mâle : dos rouge, ailes bleu-gris, taches noires sur le dos et les flancs ; deux bandes verticales noires sur les joues. Femelle : corps roux, bandes noires sur la queue. Agite la queue quand il se perche. S'immobilise en vol.
Habitat. Champs, déserts, villes.

Nidification. 3-7 œufs blancs ou rosés marqués de violet dans un nid de pic ou une cavité dans un édifice ; 29-30 jours d'incubation assurée par le couple. Oisillons couverts de duvet ; envol 30-31 jour après l'éclosion.
Nourriture. Insectes en été ; petits mammifères et oiseaux en hiver.

Faucon émerillon

Falco columbarius

Les rapaces ne chassent pas tous de la même façon. Certains se perchent pour repérer leur proie. D'autres planent, en attendant que quelque chose bouge au sol. Les faucons, eux, sont habiles à attraper leurs victimes en plein vol. Mais parmi eux, il en est bien peu qui aient la dextérité du faucon émerillon ; il est si vif, si adroit qu'il peut battre la libellule ou l'hirondelle bicolore à leur propre jeu.

Les ailes de cet oiseau, longues et fines aux extrémités comme celles des avions de combat, s'agitent de petits battements rapides extrêmement puissants quand il descend. Ses narines, comme celles de tous les faucons, présentent une morphologie qui lui permet de respirer même quand il vole à très grande vitesse. Mais l'arme ultime du faucon émerillon, ce sont ses pattes garnies chacune de quatre serres puissantes. Quand l'oiseau poursuit en plein vol une proie, rarement peut-elle échapper à cette étreinte mortelle.

Dans son aire nordique de répartition où il fréquente les clairières et les muskegs des grandes forêts conifériennes, le faucon émerillon est difficile à voir. Mais à Saskatoon, en Saskatchewan, il s'est tellement habitué aux êtres humains qu'il est fréquent de le voir habiter un nid abandonné par une pie dans une rue ombragée d'un quartier résidentiel.

Le faucon émerillon raffole des petits oiseaux.

Description. Longueur 25-36 cm (10-14 po). Ailes pointues. Mâle : dos gris ; abdomen rayé et strié de brun ; queue foncée à bandes transversales gris clair. Femelle et juvénile semblables, mais à dos brun et à bandes chamois.
Habitat. Bois clairs, bosquets.
Nidification. Nid à 4,5-11 m (15-35 pi) du sol dans un arbre ou une cavité naturelle ; 2-7 œufs crème tachetés de brun ou de violet ; 28-32 jours d'incubation assurée par le couple. Oisillons couverts de duvet ; envol 25-30 jours après l'éclosion.
Nourriture. Petits oiseaux capturés en vol ; gros insectes et petits mammifères.

Faucon pèlerin

Falco peregrinus

Le faucon pèlerin ne dédaigne pas les gratte-ciel.

À partir des escarpements où il aime se percher, le faucon pèlerin a coutume de fondre sur ses proies à tombeau ouvert. Capable de dépasser les 300 kilomètres à l'heure en piqué, cet oiseau, l'un des plus rapides au monde, l'emporte en vitesse sur toutes ses proies.

Mais il est loin d'être aussi nombreux qu'il l'était autrefois, car il a été décimé par un produit chimique, le DDT. En effet, peu après la Seconde Guerre mondiale, on avait pris l'habitude de répandre cet insecticide sur les moissons et dans les régions infestées de moustiques. Véhiculé par la chaîne alimentaire, le poison avait pour effet d'affaiblir la coquille des œufs de certains oiseaux de proie et notamment du faucon pèlerin. Les œufs s'écrasaient sous le poids de l'oiseau qui les couvait ; d'autres n'éclosaient pas. Vers 1960, il n'y avait plus de faucon pèlerin à l'est du Mississippi et, à l'ouest, les populations étaient dangereusement en déclin.

Aujourd'hui, grâce à des programmes de reproduction en captivité, les faucons pèlerins reprennent le dessus. Relâchés dans la nature, au Québec par exemple, ils semblent vouloir s'y reproduire avec succès même s'ils n'ont pas encore repeuplé toutes leurs anciennes aires de nidification.

Description. Longueur 38-50 cm (15-20 po). Oiseau de forte taille ; ailes pointues ; large raie auriculaire noire. Adulte : dos gris ardoise, ventre blanchâtre ou chamois rayé de noir. Juvénile : dos brunâtre, ventre fortement rayé.
Habitat. Falaises en terrain découvert ou près de l'eau ; gratte-ciel.

Nidification. 2-6 œufs chamois marqués de brun ou de roux, pondus sur des escarpements rocheux ou sur de hauts édifices ; 28 jours d'incubation assurée par le couple. Oisillons couverts de duvet ; envol 5-6 semaines après l'éclosion.
Nourriture. Oiseaux capturés en vol ; parfois mammifères et gros insectes.

Faucon des Prairies

Falco mexicanus

Physiquement, le faucon des Prairies ressemble beaucoup au faucon pèlerin, mais en couleurs beaucoup moins frappantes. Il affectionne les horizons larges et les vastes espaces comme ceux qu'on trouve dans la prairie de l'ouest du continent. Son art de la chasse est particulièrement adapté aux terrains qu'il fréquente. Contrairement au faucon pèlerin qui compte sur ses pointes de vitesse pour happer des oiseaux en plein vol, le faucon des Prairies chasse au ras du sol ou au sol et allie dextérité et rapidité.

S'il peut trouver un perchoir, le faucon des Prairies s'y installe et, transformé en statue, surveille les alentours. Dès qu'il a repéré une proie — un spermophile par exemple —, il s'élance. Passant de l'immobilité totale à une vitesse fulgurante, il cueille d'une seule patte sa victime avant même qu'elle ait pu réagir.

Le faucon des Prairies fait aussi du rase-mottes tactique. Dès que s'envole un petit oiseau, il change de régime de vitesse. Vif comme l'éclair, il s'élance, vire, zigzague et déjoue les meilleures stratégies du plus habile des oiseaux chanteurs. Là où les piqués fulgurants du faucon pèlerin n'auraient pas leur place, l'incroyable habileté du faucon des Prairies lui assure le succès à tout coup.

En vol, on reconnaît le faucon des Prairies à ses marques foncées sous les ailes.

Description. Longueur 43-50 cm (17-20 po). Semblable au faucon pèlerin mais plus pâle. Dos brun-gris légèrement barré de fauve ; étroite raie axillaire foncée ; ventre chamois ou crème, légèrement strié ou tacheté. Tache foncée sous les ailes, bien visible en vol.
Habitat. Plaines et falaises arides.

Nidification. 3-6 œufs blancs ou rosés, marqués de brun, pondus dans un creux au sol, sur un escarpement ou dans un grand nid abandonné. 30 jours d'incubation. Oisillons couverts de duvet ; envol 40 jours après l'éclosion.
Nourriture. Oiseaux capturés en vol ; petits mammifères ; parfois insectes et reptiles.

Effraie
des clochers

Tyto alba

Vue d'en dessous, l'effraie
paraît toute blanche.

Moins réticente à côtoyer l'homme que la plupart des hiboux, l'effraie des clochers doit son nom à l'habitude qu'elle a toujours eue d'élire domicile dans les campaniles des églises. Mais elle niche également dans les granges, les étables, dans des arbres creux et des grottes. C'est un oiseau cosmopolite puisqu'on le trouve non seulement dans les deux Amériques mais aussi en Europe, en Asie, en Afrique et même en Australie.

On doit à l'effraie bien des maisons « hantées » qu'elle imprégnait de son invisible présence. Car le hibou a mauvaise réputation. On a fait de lui un oiseau de malheur, le messager de la mort. Aujourd'hui encore, son nom sert à désigner un homme triste et solitaire : « Faire le hibou », c'est vivre à l'écart de toute société.

Et pourtant, dans la Grèce antique, le hibou signifiait tout autre chose : il symbolisait la sagacité, car il était l'emblème d'Athéna, la déesse de la sagesse. Sur les pièces de monnaie, on trouvait la figure de la déesse d'un côté, et de l'autre un hibou. Chez les Romains, Athéna, devenue Minerve, n'a pas perdu le hibou comme emblème. Sans doute, l'attitude compassée et solennelle de l'oiseau a-t-elle permis d'imaginer qu'il pouvait être porteur d'une science cachée.

Description. Longueur 33-48 cm (13-19 po). Oiseau de forte taille, à longues pattes et tête ronde ou cordiforme. Dessus brun doré ; dessous du corps et des ailes blanc.
Habitat. Champs, marais et déserts. Villes.
Nidification. 3-11 œufs blancs, pondus directement dans des cavités d'arbres ou de falaises, des édifices ; 32-34 jours d'incubation assurée par la femelle. Oisillons couverts de duvet ; premier vol 2 mois après l'éclosion ; autonomes à 3 mois. Possibilité de deux nichées.
Nourriture. Mammifères pouvant atteindre la taille du lièvre ; parfois des oiseaux.

Petit-duc nain

Otus flammeolus

Quand la lune illumine les nuits du printemps, on entend souvent la voix du petit-duc nain dans les forêts de pins de l'Ouest. C'est un son agréable, une musique douce et harmonieuse qu'on a plaisir à entendre mais qu'on serait bien en peine de localiser. Car l'oiseau est un ventriloque expert qui ne veut pas révéler sa présence à ses prédateurs. D'ailleurs, il est mal armé pour se défendre : ses petites pattes et son bec menu ne servent qu'à attraper les insectes dont il se nourrit.

Et même si l'on parvenait à le cerner dans le faisceau lumineux d'une torche électrique, c'est à peine si on le verrait. Non qu'il manque de couleurs. Son plumage habilement marqué de noir et de gris avec des tons de brun et de roux est très joli à voir, mais c'est un véritable camouflage parce qu'il se confond parfaitement avec le tronc des pins sur lesquels se perche le petit-duc nain.

Rapace nocturne, il se repose durant le jour dans une cavité aménagée dans un arbre. Mais s'il n'en trouve pas, il s'installe tout près du tronc, ferme les yeux et demeure immobile. On le prendrait alors pour un moignon de branche. L'illusion persiste même s'il ouvre les yeux, car alors que chez les autres ducs ils sont jaunes, celui-ci les a bruns. Cela lui donne un petit air inoffensif tout en contribuant à son déguisement.

Le petit-duc nain attrape ses proies en vol.

Description. Longueur 15-18 cm (6-7 po). Oiseau un peu plus gros qu'un moineau. Semblable au petit-duc des montagnes mais yeux foncés et aigrettes plus petites. Brun-gris à stries irrégulières et macules rousses ; taches blanches sur les épaules. Face marquée de roux. Femelle plus grande que le mâle.

Habitat. Pinèdes en montagne.
Nidification. 3-4 œufs blancs pondus dans un nid abandonné de pic, dans un pin ou un tremble. Durée de l'incubation et du séjour au nid des oisillons inconnue.
Nourriture. Lépidoptères, coléoptères et araignées ; sauterelles, petits oiseaux et rongeurs.

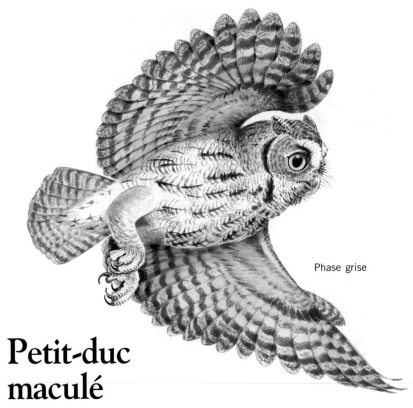

Phase grise

Petit-duc maculé

Petit-duc maculé *Otus asio*
Petit-duc des montagnes *Otus kennicottii*

Petit-duc maculé

Petit-duc des montagnes

Ces petits-ducs ont deux phases de coloration distinctes, la rouge et la grise, qui sont indépendantes de l'âge et du sexe du sujet ainsi que de la saison. Mais une fois rouge, toujours rouge ! La plupart des espèces qui habitent l'Ouest ont la coloration grise, mais on peut rencontrer des sujets rouges sur la côte nord-ouest du Pacifique. Dans l'Est cependant, on rencontre fréquemment des sujets gris et des sujets rouges, parfois même au sein de la même couvée.

Les habitudes alimentaires de ces oiseaux sont aussi variées que la couleur de leur plumage. En général, les petits-ducs se nourrissent de mammifères et d'oiseaux sur lesquels, comme tous les hiboux, ils fondent en silence. Et, malgré leur petite taille, les petits-ducs triomphent aisément d'animaux aussi gros que le rat ou la gélinotte huppée. Mais ils se nourrissent aussi d'insectes, attrapés en plein vol d'un coup sec du bec, de vers de terre, de serpents et d'escargots.

Enfin, les petits-ducs ne dédaignent pas les bains de minuit, même dans les vasques que nous mettons à la disposition des oiseaux de nos jardins ; on ne s'étonnera donc pas d'apprendre que, fins pêcheurs, ils plongent dans les ruisseaux cueillir d'un coup de serres poissons et écrevisses.

Description. Longueur 18-25 cm (7-10 po). Gris ou brun-gris strié de noir, yeux jaunes, aigrettes au-dessus des oreilles. Phase rouge : dos roux, ventre rayé de roux ; commune dans l'Est, rare dans l'Ouest. Les deux espèces se distinguent par la voix : le sujet de l'Est émet un long sifflement ; celui de l'Ouest, une grappe de notes.

Habitat. Boisés, vergers et jardins ; aussi déserts dans l'Ouest.

Nidification. 2-8 œufs pondus sur le sol ou dans un trou d'arbre ; 26 jours d'incubation assurée par la femelle. Oisillons couverts de duvet ; envol 4 semaines après l'éclosion.

Nourriture. Souris, musaraignes, gros insectes.

Grand-duc d'Amérique

Bubo virginianus

On l'a déjà surnommé « le tigre de la forêt ». Le grand-duc d'Amérique, oiseau symbole de l'Alberta, est en effet un formidable chasseur nocturne. Yeux de lynx, ouïe extra-fine, vol silencieux, serres mortelles qui ne laissent jamais échapper leur proie, bec crochu et acéré pour déchirer sa victime, c'est un prédateur féroce et puissant. Il n'hésite pas à se nourrir de proies aussi variées que l'écureuil, le lapin, la mouffette, les oiseaux chanteurs, l'oie blanche et l'épervier. Il s'attaque aussi au porc-épic. On raconte même que, par méprise, il s'en est parfois pris aux chapeaux en fourrure d'êtres humains !

La chasse terminée, il rapporte sa proie dans son gîte pour la déguster à petites bouchées en rejetant par-dessus bord ce qu'il ne mange pas. Le sol, en dessous, est littéralement jonché d'os, de plumes et autres déchets de table, ainsi que d'un certain nombre de boulettes de régurgitation qui trahissent l'origine du festin. En effet, comme chez certains éperviers, il arrive au grand-duc d'avaler sa proie tout entière ou de si gros morceaux qu'il lui faut régurgiter les parties non comestibles. Ces boulettes, essentielles à la bonne santé de l'oiseau, fournissent une foule de renseignements précieux aux ornithologues, qui peuvent identifier facilement plumes, poils et os, et connaître ainsi de quoi se nourrissent les prédateurs.

Le grand-duc d'Amérique déchiquette sa proie en petites becquées.

Description. Longueur 46-60 cm (18-24 po). Oiseau de forte taille ; aigrettes écartées au-dessus des oreilles, gorge blanche, dessous finement rayé. Son cri : une série de quatre *hou*.
Habitat. Forêts épaisses, prairies, déserts, boisés des parcs urbains.
Nidification. 1-6 œufs blancs, pondus en janvier dans un vieux nid de corneille, d'aigle ou d'épervier, sur un escarpement rocheux ou à même le sol là où il n'y a pas d'arbre ; 35 jours d'incubation assurée par la femelle. Oisillons couverts de duvet ; envol 9-10 semaines après l'éclosion.
Nourriture. Mammifères, même de la taille du porc-épic ; oiseaux, reptiles et grenouilles.

Harfang
des neiges

Nyctea scandiaca

Le harfang des neiges niche dans la basse toundra.

Les hiboux sont généralement des créatures nocturnes. Mais au-dessus du cercle polaire, là où le soleil de minuit brille à longueur de journée, le harfang des neiges, comme toutes les espèces d'animaux qui vivent dans le Grand Nord, s'adapte à un horaire qui ne comporte ni jour, ni nuit. À en juger par la variété du régime alimentaire de ce hibou, le plus grand d'Amérique du Nord, il n'a aucune difficulté à chasser en pleine lumière. Tout près de son nid, dans la toundra, on a trouvé des restes d'animaux aussi importants par la taille que le lagopède et le lièvre arctique. Mais le harfang préfère cependant à tous ces régals le lemming. Lorsque les populations de ce petit rongeur sont importantes, il en fait sa pitance exclusive. Le harfang des neiges est l'oiseau symbole du Québec.

En hiver, lorsque la nuit règne sur les étendues gelées de l'Arctique, le harfang quitte les confins septentrionaux de son aire de nidification pour descendre dans tout le sud du Canada. Dans la région du lac Saint-Jean et dans le bas du fleuve, il n'est pas rare de l'apercevoir paisiblement posé sur un pieu de clôture ou un faîte de toit. Et lorsque les ressources alimentaires se font rares dans son habitat hivernal, le harfang des neiges va encore plus loin vers le sud et peut descendre jusqu'en Alabama où sa présence ne passe pas inaperçue.

Description. Longueur 48-64 cm (19-25 po). Grand oiseau à tête ronde, sans aigrettes et aux yeux jaunes. Plumage blanc ; quelques rayures et points noirs, plus abondants chez les juvéniles. Actif de jour comme de nuit.
Habitat. Lieux déboisés, dunes, marais ; niche dans la toundra arctique.

Nidification. 5-8 œufs blancs, jusqu'à 11 si le lemming abonde, dans des dépressions peu profondes du sol, dans la toundra ; 32 jours d'incubation assurée par la femelle. Oisillons couverts de duvet, nourris d'abord seulement par la femelle ; envol 6-8 semaines après l'éclosion.
Nourriture. Mammifères et oiseaux ; charogne.

Chouette naine

Glaucidium gnoma

Chez la chouette naine, comme chez tous les hiboux d'ailleurs, la fixité du regard étonne. De ce trait distinctif sont nées la plupart des légendes dont les hiboux font l'objet. Or, c'est cet œil inquisiteur qui leur permet de chasser dans la pénombre. Plusieurs facteurs contribuent à leur donner une excellente vision. Les yeux sont très grands, presque de la taille de ceux des humains chez certaines espèces. La pupille dilatée laisse entrer beaucoup de lumière et la rétine renferme un grand nombre de bâtonnets — ces cellules nerveuses visuelles particulièrement sensibles à la lumière de faible intensité.

Contrairement à la plupart des oiseaux, le hibou regarde droit devant lui. Son champ visuel en est rétréci, mais il a en revanche la vision binoculaire. Ainsi donc, comme l'homme, il voit en trois dimensions, avantage certain pour évaluer les distances et repérer les proies.

L'étroitesse du champ visuel présente d'ailleurs peu d'inconvénients pour le hibou, comme on va le voir. Par ailleurs, comme ses yeux sont fixés dans l'orbite, il ne peut les remuer latéralement. Mais, avantage sérieux, il peut faire un tour presque complet avec sa tête, latéralement ou de haut en bas. En effet, grâce à un cou extrêmement mobile, son regard couvre un arc de cercle de 270 degrés.

La chouette naine a deux « faux yeux » sur le cou.

Description. Longueur 15-18 cm (6-7 po). Petit oiseau sans aigrettes. Dos brun-gris tacheté de blanc ; deux marques noires sur la nuque ; ventre blanc strié de noir ; flancs bruns éclaboussés de blanc. Queue étroite à bandes transversales.
Habitat. Forêts de pins ou de chênes en montagne ; boisés près des cours d'eau.

Nidification. 2-7 œufs blancs pondus dans un nid abandonné de pic ou dans une cavité naturelle d'un arbre ; 28 jours d'incubation assurée par la femelle. Oisillons couverts de duvet nourris par le couple ; envol au bout de 4 semaines.
Nourriture. Souris et gros insectes ; parfois petits oiseaux.

Chouette des saguaros

Microthene whitneyi

Chouette et fleur de saguaro
ont presque la même taille.

C'est une chouette minuscule qui mesure de 12 à 15 cm (5-6 po) de long et pèse à peine 40 g (1½ oz). De la taille d'un moineau, c'est la plus petite chouette en Amérique du Nord et l'une des plus petites du monde. C'est pourtant l'un des oiseaux les plus répandus dans les déserts du Sud-Ouest.

Comme la plupart des hiboux, la chouette des saguaros est un rapace nocturne, mais sa petite taille ne lui permet pas de poursuivre les rongeurs, les lapins et autres créatures semblables qui constituent le menu habituel de ces oiseaux. Elle se nourrit donc d'insectes qu'elle attrape souvent en plein vol avec ses pattes ou qu'elle chasse au sol. Parmi ceux-ci, il en a de dangereux. Quand notre petite chouette s'empare d'un scorpion, elle prend bien soin de lui enlever son dard venimeux avant de le dévorer.

La chouette des saguaros occupe les trous creusés par les pics dans les arbres et les grands cierges et s'y réfugie de jour pour échapper à la chaleur écrasante du soleil. C'est une grande joie pour le voyageur s'il arrive à en découvrir une à l'affût d'une proie dans l'embouchure de son nid haut perché dans un saguaro.

Description. Longueur 12-15 cm (5-6 po). Oiseau de la taille d'un moineau ; queue courte, yeux jaunes, marbrures sur la poitrine et l'abdomen. Aigrettes absentes.
Habitat. Déserts, bosquets près des cours d'eau.
Nidification. 1-5 œufs blancs pondus dans un ancien trou de pic, dans un arbre ou un saguaro ; 24 jours d'incubation assurée par la femelle. Le mâle apporte la nourriture à la femelle qui nourrit seule les oisillons au début ; au bout de 2 semaines, le mâle commence à les nourrir directement. Envol 33 jours après l'éclosion.
Nourriture. Lépidoptères, coléoptères, sauterelles, scorpions ; petits reptiles.

Chouette des terriers
(Chouette de terrier)

Athene cunicularia

Les chouettes font preuve de sens pratique quand vient le moment de la nidification. La chouette lapone s'empare d'un nid d'épervier abandonné. La chouette des saguaros s'installe dans un trou de pic. Le harfang des neiges, qui vit dans la toundra arctique dépourvue d'arbres, se contente d'une dépression garnie de lichen et de mousse, à même le sol.

La chouette des terriers, qui habite les plaines de l'Ouest et le sud de la Floride, a trouvé une solution tout à fait différente pour couver ses œufs et élever ses oisillons. Fidèle à son nom, on la retrouve le plus souvent dans un terrier de chien de prairie ou de spermophile, quand ce n'est pas dans celui d'un dasypus (armadillo) ou même d'une tortue fouisseuse. Elle y retourne souvent d'année en année. Après en avoir fait le ménage avec son bec, ses pattes et ses ailes, elle le coussine de bouse de vache ou de crottin de cheval bien déshydraté et déchiqueté avant de s'y installer.

D'une grande sociabilité, la chouette des terriers niche souvent en petites colonies. Elle ne pousse pourtant pas la convivialité jusqu'à cohabiter avec des chiens de prairie et des serpents à sonnettes comme le veulent des légendes. L'oiseau n'occupe que des terriers abandonnés.

Rapace diurne, la chouette des terriers aime se percher sur un pieu de clôture.

Description. Longueur 20-27 cm (8-10½ po). Longues pattes, queue courte, pas d'aigrettes. Dessus brun cendré ; dessous traversé de bandes brunes. Active de jour et de nuit. Branle la tête quand elle est inquiète.
Habitat. Prairies et déserts.
Nidification. 5-11 œufs blancs pondus à même le sol dans un terrier de mammifère abandonné (ou de tortue fouisseuse en Floride) ; 28 jours d'incubation probablement assurée par le couple. Oisillons couverts de duvet ; sortent rapidement du terrier, mais on ne connaît pas le délai.
Nourriture. Gros insectes et petits rongeurs ; parfois des oiseaux.

Chouette tachetée

Strix occidentalis

La chouette tachetée occupe parfois un vieux nid d'épervier.

Espèce rare, la chouette tachetée peut être un oiseau bruyant. Ses hululements de contralto et ses miaulements aigus qui retentissent alors dans la forêt avertissent les autres chouettes de respecter son territoire. Mais à la chasse, elle devient silencieuse. Volant discrètement entre les arbres avec des ailes dont l'envergure dépasse le mètre, elle se pose comme un fantôme au moment opportun.

Contrairement aux autres grands oiseaux dont les battements d'ailes sont clairement perceptibles à proximité, le vol de la plupart des hiboux est très feutré. Tout d'abord, la surface portante de leurs ailes est si grande qu'ils ont moins besoin de ramer. Ensuite, les plumes de leur corps sont lisses et extrêmement légères. Enfin, les rémiges externes de leurs ailes portent des plumes dentelées qui amortissent le choc des ailes contre le vent.

Tous les hiboux n'ont pas ces caractéristiques. Les espèces pêcheuses d'Afrique et d'Asie, qui capturent leurs proies à la surface de l'eau, sont dépourvues de plumes dentelées puisque, le poisson ne pouvant les entendre, la nature n'a pas jugé bon de les en pourvoir. Par contre, comme la chouette tachetée se nourrit de mammifères nocturnes à l'oreille fine qui hantent le sous-bois, les plumes dentelées lui sont indispensables. Comme une ombre dans la nuit, elle fond sur ses proies dans le plus grand silence.

Description. Longueur 38-48 cm (15-19 po). Forte taille, tête ronde, yeux foncés, aigrettes absentes. Dos brun foncé, tacheté de blanc. Ventre barré de brun. Difficile à apercevoir, mais facile à apprivoiser.
Habitat. Épaisses forêts conifériennes humides et canyons boisés.

Nidification. 1-4 œufs blancs dans un trou d'arbre, une grotte ou le nid abandonné d'un grand oiseau ; 32 jours d'incubation assurée par la femelle. Oisillons couverts de duvet, nourris par le couple ; envol 35 jours après l'éclosion.
Nourriture. Petits rongeurs ; aussi oiseaux (même petits hiboux) et insectes.

Chouette rayée

Strix varia

La chouette rayée fait preuve d'originalité dans son hululement. *Ou-ou-o-iou-â,* lance-t-elle à plusieurs reprises en étirant chaque son mélodieusement, nous prouvant ainsi que les hiboux sont capables de moduler leur chant.

De ce point de vue, cette chouette est la virtuose du groupe. Son répertoire inclut une incroyable variété de *couics* et de *couacs,* de petits cris rauques et aigus, de hululements et de chuintements rappelant parfois le chien ou le chat. Quand elle les combine en une symphonie délirante d'appels qu'amplifie l'écho des profondes forêts marécageuses où elle vit, celui qui l'entend dans la nuit obscure en a la chair de poule. On comprend pourquoi, en certaines régions, on l'a surnommée la chouette folle.

Les spécialistes des chouettes et des hiboux ont tourné ce trait à leur avantage. En imitant les cris les plus simples de l'oiseau, les ornithologues amateurs piquent sa curiosité et celle de ses congénères. Soucieux de connaître l'audacieux qui viole son territoire, le hibou ou la chouette qui hante les environs quitte sa cachette. Et si l'oiseau débusqué se trouve être une chouette rayée, on n'oubliera pas de sitôt son profond regard sombre.

Les petits oiseaux dérangent souvent la chouette rayée.

Description. Longueur 41-58 cm (16-23 po). Tête ronde, yeux foncés, aigrettes absentes. Dos gris-brun rayé de blanc ; gorge et haut de poitrine rayés ; marques verticales sur l'abdomen.
Habitat. Boisés humides, forêts marécageuses ; forêts plus sèches en hauteur.
Nidification. 2-4 œufs blancs pondus dans une cavité naturelle d'un arbre ou dans un nid de corbeau, d'épervier ou d'écureuil abandonné ; 28 jours d'incubation assurée principalement par la femelle. Oisillons couverts de duvet ; envol 6 semaines après l'éclosion.
Nourriture. Souris et autres mammifères, oiseaux, grenouilles, serpents, insectes et écrevisses.

45

Chouette lapone
(Chouette cendrée)

Strix nebulosa

Avec ses 80 cm de longueur (32 po) et son mètre et demi (5 pi) d'envergure, la chouette lapone est la plus grande des chouettes d'Amérique du Nord. Mais ses dimensions sont trompeuses car l'oiseau n'est guère que plumes et duvet, ce qui lui permet, justement, de résister au froid. En fait, l'adulte pèse à peine la moitié du poids de son formidable cousin, le harfang des neiges.

La chouette lapone se nourrit de souris, d'écureuils et d'autres petits mammifères et vit à longueur d'année dans des régions sauvages et reculées. En règle générale, bien emmitouflée dans son manteau de duvet, la chouette lapone ne quitte pas ses grandes solitudes du Nord, même lorsque l'hiver recouvre d'un manteau de neige la forêt boréale. Ce qui l'amène parfois à émigrer, ce n'est pas le froid ; c'est la faim. Deux fois au XIXᵉ siècle, on l'a aperçue en grand nombre dans le nord-est des États-Unis. Lors d'une troisième migration, en 1978-1979, on en a vu des centaines de spécimens en Nouvelle-Angleterre et même plus au sud, jusqu'en Pennsylvanie.

Comme elle a peu de contacts avec les humains, la chouette lapone n'est pas farouche ; des ornithophiles chevronnés ont même réussi à la capturer à la main. Ce magnifique oiseau est celui qu'a choisi le Manitoba pour lui servir d'emblème.

Planant avec ses grandes ailes, la chouette lapone est toute grâce dans le ciel.

Description. Longueur 60-80 cm (24-32 po). Très grand oiseau à tête ronde ; grand disque facial, yeux jaunes, pas d'aigrette ; corps brun grisâtre, tacheté et rayé ; deux croissants blancs bien visibles sur la gorge.
Habitat. Forêts conifériennes du Grand Nord ; montagnes dans l'Ouest.

Nidification. Pond 2-4 œufs blancs dans un nid déserté d'aigle ou d'épervier, au sommet d'une souche. 30 jours d'incubation assurée par la femelle. Oisillons couverts de duvet ; premier vol à 5 semaines ; restent longtemps dépendants.
Nourriture. Petits mammifères ; corneilles et petits oiseaux.

Hibou moyen-duc
(Hibou à aigrettes longues)

Asio otus

On l'appelait autrefois le hibou à aigrettes longues et ce nom lui allait bien car il a d'immenses aigrettes entre les oreilles. Simple ornement, ces touffes de plumes n'ont absolument rien à voir avec son acuité auditive.

À l'instar de la plupart des oiseaux, les orifices auriculaires du hibou sont logés de chaque côté de la tête. Mais ses oreilles sont comparativement plus grandes que celles des autres oiseaux et, chez certaines espèces, elles sont asymétriques par leur forme, leurs dimensions et leur implantation. C'est en percevant les sons différemment selon l'oreille qui les reçoit que ce rapace arrive à discerner d'où ils émanent.

La disposition des plumes sur la face du hibou augmente en outre son acuité auditive. Enfin, comble de raffinement, certaines espèces sont dotées, à l'orifice de chaque oreille, de petits volets que l'oiseau, imitant en cela l'être humain qui place sa main en cornet devant l'oreille pour mieux entendre, dresse et rabat à volonté. Dans le cas du hibou, cependant, ce sont les sons qui viennent par-derrière que ces volets amplifient, et surtout les sons aigus comme les couinements de souris.

Bref, le hibou entend bien. Si bien, du reste, que même s'il jouit d'une excellente vision, il préfère chasser de nuit en se fiant à son ouïe plutôt qu'à sa vue.

Lorsqu'il comprime son plumage, le hibou moyen-duc a l'air d'une branche cassée.

Description. Longueur 30-38 cm (12-15 po). Plus petit que le grand-duc ; aigrettes plus longues et rapprochées ; dos brun grisâtre ; ventre crème, stries et raies foncées ; disque facial chamois ou roux.
Habitat. Forêts denses ; parfois vergers et boisés près d'un cours d'eau.

Nidification. Pond 3-10 œufs blancs dans un ancien nid d'épervier, de corneille, de pie ou d'écureuil, parfois au creux d'un arbre. 26-28 jours d'incubation assurée par la femelle. oisillons couverts de duvet ; envol à 5 semaines.
Nourriture. Petits rongeurs, musaraignes et lapins capturés de nuit ; oiseaux à l'occasion.

Hibou des marais

Asio flammeus

Quand il fait sa cour, le hibou des marais frappe ses ailes l'une contre l'autre.

Ce hibou à toutes petites aigrettes est, de tous les oiseaux de son espèce, celui qu'on observe le plus fréquemment. D'une part, il est souvent actif durant le jour, puisque sa ronde nocturne commence en fin d'après-midi. En outre, à l'encontre des autres hiboux, il fréquente les champs et les marais plutôt que les forêts. Enfin, c'est l'un des hiboux les plus répandus qui soient puisqu'il se rencontre non seulement partout en Amérique du Nord, mais également en Amérique du Sud, en Europe et en Asie.

On aperçoit généralement le hibou des marais au moment où il chasse. Il vole alors très bas en agitant rapidement les ailes ; parfois, il s'immobilise dans le ciel pour mieux scruter l'horizon. Lorsque les souris abondent, il n'est pas rare d'apercevoir plusieurs hiboux des marais à la fois. Mais ces oiseaux ont certaines façons de surprendre l'ornithophile. La parade amoureuse du mâle, par exemple, est étonnante. Il plonge audacieusement vers le sol, puis frappe ses ailes l'une contre l'autre comme pour applaudir à sa propre virtuosité. Si l'on approche de son nid, une simple dépression dans le sol, il feint d'être blessé, tout comme le pluvier kildir ; il se met alors à geindre pitoyablement et à battre des ailes afin de distraire l'attention et de protéger ainsi ses petits.

Description. Longueur 30-40 cm (12-16 po). Tête ronde ; aigrettes très courtes, peu visibles. Striures fauves sur fond blanc crème ; taches noires au bout des ailes ; bandes brunes sur les rémiges et les rectrices. Diurne et nocturne.
Habitat. Champs, plaines, marais, dunes.
Nidification. Pond 4-9 œufs blancs dans une dé-pression peu profonde tapissée d'herbes et de plumes, à même le sol. Plusieurs couples se réunissent pour nicher. 3 semaines d'incubation assurée par la femelle. Oisillons couverts de duvet ; restent environ 6 semaines au nid.
Nourriture. Campagnols, petits rongeurs, insectes et petits oiseaux.

Petite nyctale

Aegolius acadicus

La petite nyctale est un oiseau discret. Durant la saison des amours, au tout début du printemps, on entend parfois son cri qui ressemble à une série de sifflements espacés, courts et graves, un peu comme le bruit d'une scie qu'on lime. Le reste de l'année, elle est silencieuse et se laisse oublier.

Timide et réservé, ce hibou, l'un des plus petits de l'Amérique du Nord, se terre dans les forêts conifériennes profondes et les marécages où il se plaît à chasser. C'est en outre un chasseur strictement nocturne. Aussi, et quoiqu'il ne s'agisse pas vraiment d'un oiseau rare, a-t-on rarement l'occasion de l'apercevoir.

Mais si on le rencontre, on ne l'oubliera pas. Non pas seulement à cause de ses petites dimensions, ni même de la régularité de son grand disque facial : ce qui impressionne surtout, c'est son absence totale de frayeur devant l'homme.

Est-ce à cause d'une confiance absolue dans son camouflage ? L'oiseau se laisse approcher sans répugnance ; on peut même le prendre dans la main sans qu'il se débatte. Lorsqu'un intrus le chasse de son nid — il occupe souvent un ancien trou de pic — il s'en va se percher sur une branche voisine sans hérisser la moindre plume ; on prétend même qu'il lui arrive de se poser tout bonnement sur la tête d'un observateur venu l'admirer de plus près.

Le juvénile de la petite nyctale a une tache blanche entre les deux yeux.

Description. Longueur 18-23 cm (7-9 po). Petit oiseau à tête ronde et grand disque facial dépourvu d'aigrette. Adulte : dessus brun foncé ; dessous blanchâtre strié de brun. Juvénile : dos brun foncé ; ventre chamois ; tache blanche entre les yeux et au-dessus.
Habitat. Forêts denses en été ; bosquets en hiver.

Nidification. Pond 4-7 œufs blancs dans un ancien trou de pic, une cavité dans un arbre ou une cabane à oiseaux. 4 semaines d'incubation assurée surtout par la femelle. Oisillons couverts de duvet ; restent 4-5 semaines au nid.
Nourriture. Surtout des insectes ; parfois des rongeurs et des oiseaux.

Grands oiseaux de terre

Cette catégorie regroupe des oiseaux d'habitats et de mœurs très différents. On trouve parmi eux la gélinotte huppée, le grand géocoucou, la pie bavarde ou encore le faisan. Tous présentent des traits du plus haut intérêt : la parade amoureuse du mâle de la gélinotte, les craillements inquiétants de la corneille, le dévouement de la femelle du dindon sauvage qui couve patiemment ses œufs. Tous font partie de l'héritage que nous a légué la nature.

Pie bavarde

Gélinotte huppée

Bonasa umbellus

La gélinotte huppée tire son nom d'une crête de plumes sur le sommet de la tête.

Un martèlement feutré réveille la forêt assoupie dans l'air tiède du printemps. On entend d'abord un roulement sourd qui s'accélère et s'amplifie pour mourir subitement dans un son étouffé. Quelques instants plus tard, le tambourinage reprend. Il peut se prolonger pendant toute une journée et même une partie de la nuit, quand le retour du beau temps invite les gélinottes huppées aux parades amoureuses.

Avec un peu de chance, on pourra voir le mâle dressé sur une souche, collerette ébouriffée, queue étalée sur l'écorce rugueuse qui lui sert d'appui. D'un mouvement puissant, il ramène ses ailes en avant et les relève. À chaque battement, l'air, en se comprimant, produit ce bruit étrange qui ressemble au roulement du tambour.

Au printemps, c'est par ce tambourinage, qui s'entend à des kilomètres à la ronde, que le mâle prend possession de son territoire, somme les autres mâles de s'en écarter et invite toutes les femelles du voisinage à venir lui rendre visite. Bref, la gélinotte tambourine comme l'oiseau chanteur chante, et pour les mêmes raisons. Bien que plus fréquent au printemps, le tambourinage peut se faire entendre un peu n'importe quand. On observe une autre période intense qui dure quelques semaines, en pleine saison de chasse à l'automne, et dont on n'a pas encore trouvé l'explication.

Description. Longueur 40-48 cm (16-19 po). Plumage brun, roux ou grisâtre ; flancs rayés. Queue en éventail ; large raie caudale. Huppe que l'oiseau hérisse quand il est effrayé. Collerettes noires autour du cou, plus visibles chez le mâle. Lève dans un grand bruit d'ailes.
Habitat. Forêts feuillues à sous-bois dense.

Nidification. Nid au sol, près d'une souche, d'une roche ou dans un taillis. 9-12 œufs chamois tachés de brun. 24 jours d'incubation assurée par la femelle. Les oisillons s'aventurent aussitôt hors du nid, volent au bout d'une semaine, mais restent 12 semaines avec la mère.
Nourriture. Insectes, baies, graines, bourgeons.

Tétras sombre

Dendragapus obscurus

Contrairement à la faune des montagnes qui a coutume de passer l'été dans les hauteurs et de descendre vers les terres basses à l'automne, le tétras sombre, quant à lui, grimpe vers les sommets quand vient le dur hiver. Son cycle annuel commence au printemps avec la période des amours qui se déroule au pied des montagnes. Les mâles se livrent alors à des parades nuptiales extrêmement complexes et il revient à la femelle de faire son choix.

Quand l'accouplement est terminé et dès que les femelles se mettent à couver, les mâles remontent vers les forêts conifériennes des hauteurs où ils passeront le reste de l'année. En fin d'été, les femelles et les juvéniles vont les rejoindre. À la fin de septembre, tous auront regagné leur habitat hivernal en altitude où tomberont bientôt les premières neiges.

Délaissant leur régime alimentaire estival composé de baies, d'insectes, de feuilles et de fleurs, les tétras sombres se nourrissent en hiver d'aiguilles de conifères. Quand la bise fait rage, ils se réfugient dans les congères où ils trouvent chaleur et sécurité. À l'arrivée du printemps, ils referont le pèlerinage à rebours vers les basses terres pour y répéter les rites annuels de l'accouplement.

Le tétras sombre trouve
refuge dans les congères.

Description. Longueur 38-53 cm (15-21 po). Mâle gris-bleu, tacheté dessus, gris dessous ; frange cornée rouge ou orange au-dessus des yeux ; queue noire frangée de gris. Femelle brune rayée de noir. Le mâle en parade nuptiale arbore des sacs gonflables jaunes ou rouges de chaque côté du cou.

Habitat. Forêts peu denses, bois broussailleux.
Nidification. Dans une dépression du sol, près d'un arbre ou d'un tronc mort. 7-16 œufs chamois mouchetés de brun. 26 jours d'incubation assurée par la femelle. Envol à 12 semaines.
Nourriture. Baies, insectes, feuilles et fleurs en été ; aiguilles de conifères et bourgeons en hiver.

Lagopède à queue blanche

Lagopus leucurus

Au moment de la mue, le lagopède à queue blanche est brun et blanc.

Figé comme le décor minéral qui l'entoure, le lagopède à queue blanche savoure la chaleur de l'été dans une immobilité totale. N'était de l'éclair lumineux que le soleil allume dans son œil, on ne le distinguerait pas de ce qui l'entoure tant son camouflage est parfait. L'oiseau lui-même en semble conscient, car il temporise longtemps avant de s'envoler quand on s'approche de lui ; au point qu'on risque parfois de poser le pied dessus par mégarde.

Le lagopède à queue blanche est la plus petite des perdrix d'Amérique du Nord. Il vit à longueur d'année dans les hautes montagnes et se contente de changer de plumage pour s'adapter aux saisons. La mue se produit au milieu de l'automne ; aux bruns de sa livrée estivale succèdent alors des plumes d'un blanc immaculé. En même temps, ses pattes et ses doigts se couvrent de plumes ; au bout de ceux-ci apparaît une substance cornée et les griffes s'allongent considérablement. L'oiseau, en quelque sorte, se chausse de raquettes naturelles qui ont quatre fois la surface portante de ses pattes en été. À l'approche d'une tempête, il se creuse un abri dans les congères ; le reste du temps, il fréquente les clairières balayées par les vents où il réussit à assurer sa subsistance. C'est un montagnard parfaitement adapté, qui résiste aux rigueurs du climat avec un courage indomptable.

Description. Longueur 30-33 cm (12-13 po). Corps rayé et tacheté de brun ; ailes, queue et abdomen blancs la plus grande partie de l'année ; des plumes rayées dissimulent parfois le blanc de la queue. Entièrement blanc en hiver.
Habitat. Toundra rocheuse en haute montagne ; boisés d'aulnes et de saules en hiver.

Nidification. Nid creusé dans le sol parmis les roches, au-delà de la limite de boisement ; 4-16 œufs chamois marqués de brun ; 23 jours d'incubation assurée par la femelle. Les oisillons restent un an avec la mère.
Nourriture. Feuilles, fleurs, bourgeons, insectes et graines ; chatons, aiguilles et bourgeons en hiver.

Gélinotte des armoises

Centrocercus urophasianus

Le spectacle commence dès l'aube, au printemps. Dans les plaines de l'Ouest où pousse l'armoise, les gélinottes mâles se réunissent en groupes d'une vingtaine à plusieurs centaines d'individus pour se livrer à une danse de pariade. La queue étalée en éventail, les sacs d'air bien gonflés, chaque mâle, sur son petit lopin de terre, se livre à une série de courbettes et de trémoussements tout en tirant de sa cornemuse naturelle des sons graves et secs.

Ces parades nuptiales collectives sont propres à plusieurs tétraonidés ; on les retrouve également chez les chevaliers et les paradisiers. Le rituel est fondamentalement le même. Chaque année, les oiseaux se réunissent sur un même terrain de démonstration auquel on a donné le nom d'arène ou *lek* (mot suédois qui signifie jeu). Les femelles se présentent au lek pour se choisir un mâle, mais le couple ne durera que le temps de l'accouplement. Une fois côchées par le mâle, les femelles s'envolent de leur côté pour nidifier et elles élèveront seules leur couvée.

Ce rituel consacre le principe de la sélection naturelle ; car les femelles choisissent nécessairement les mâles les plus puissants pour engendrer la génération montante. Il n'est pas tellement rare qu'un mâle féconde à lui seul quelque 75 p. 100 des femelles accourues au lek.

Protégée par un plumage de camouflage, la gélinotte des armoises niche sur le sol.

Description. Longueur 56-76 cm (22-30 po). Mâle : dessus brun-gris ; poitrine blanche ; gorge noire ; tache noire sur l'abdomen ; queue longue et pointue. Femelle plus petite ; corps rayé de brun ; abdomen noir. En parade nuptiale, le mâle déploie sa queue et gonfle ses sacs d'air. **Habitat.** Plaines où pousse l'armoise.

Nidification. Nid en forme de petite dépression au sol, sous une armoise ; 7-15 œufs verdâtres marbrés de brun ; 25-27 jours d'incubation assurée par la femelle. Durée du séjour des oisillons au nid inconnue.
Nourriture. Feuilles et tiges d'armoises ; autres plantes.

Grande poule des prairies

Tympanuchus cupido

Les danses nuptiales dégénèrent parfois en duels entre les mâles.

La grande plaine herbacée qui couvrait autrefois la partie centrale de l'Amérique du Nord abritait de vastes peuplements de grandes poules des prairies. L'avancée de l'agriculture leur fut néfaste. Il n'en subsiste qu'un petit nombre qu'on rencontre ici et là dans les rares espaces vierges où poussent encore les herbes et les fleurs sauvages dont se nourrissent ces oiseaux.

Comme leurs ancêtres, les individus qui ont survécu à la charrue comptent sur la richesse et la variété de la flore indigène pour se perpétuer. Elle leur fournit des insectes en été, des graines et des fruits en hiver. Ils font leurs nids dans les endroits où l'herbe pousse haut et dru. Quand les œufs sont éclos, ils déménagent leurs oisillons là où l'herbe, plus clairsemée et plus courte, leur permettra de mieux s'ébattre.

Pour le rassemblement annuel du printemps, les mâles choisissent des champs dégarnis où les femelles peuvent assister au spectacle qu'ils leur réservent. Rivalisant d'adresse et de force, ils exécutent une série de piétinements rapides et rythmés pendant que l'air comprimé dans leurs sacs aériens rend un son de tambour sec et caverneux qui s'entend, à l'aube, plusieurs kilomètres à la ronde.

Description. Longueur 43-46 cm (17-18 po). Franches rayures brunes et chamois ; courte queue brun foncé en éventail ; plumes noires et raides sur le cou qui se relèvent, chez le mâle, pour exposer les sacs aériens orange durant la parade nuptiale.
Habitat. Prairies herbeuses et humides.

Nidification. Nid en forme de petite dépression au sol, sous la végétation ; 7-17 œufs blanchâtres, chamois ou olive marqués de brun foncé ; 23-26 jours d'incubation assurée par la femelle. Les oisillons restent 6-8 semaines avec la mère.
Nourriture. Sauterelles et autres insectes en été ; feuilles, graines et baies en hiver.

Gélinotte à queue fine

Tympanuchus phasianellus

Hôte de la plaine et des habitats broussailleux, la gélinotte à queue fine adapte son mode de vie au gré des saisons. Même si son vol puissant lui permet d'échapper aux éperviers et aux hiboux, elle n'en préfère pas moins, durant l'été, fréquenter le sol. Parcourant à petits pas pressés les terres herbeuses ou broussailleuses en ponctuant sa course de légers coups de tête, elle picore pissenlits, fleurs d'églantiers, baies, bourgeons et insectes. Seule la queue fine et pointue à laquelle elle doit son nom la distingue de la poule des prairies dont elle a non seulement l'apparence, mais le comportement.

Mais quand l'hiver dépouille les peupliers, les saules et les cotonniers de leur feuillage, et que la neige recouvre l'herbe roussie par l'automne, la gélinotte à queue fine déménage son logis dans les arbres où elle se nourrit de bourgeons, apparemment aussi à l'aise dans son univers aérien qu'elle l'était sur le sol. Ce n'est que la nuit venue qu'elle redescend sur terre pour aller dormir dans les congères, bien à l'abri dans son épais manteau de plumes et de duvet. Avec le retour du printemps, la gélinotte à queue fine changera de nouveau ses habitudes pour reprendre, au sol, un mode de vie adapté au temps doux. Elle est l'oiseau symbole de la Saskatchewan.

La gélinotte à queue fine vit sur le sol en été, dans les arbres en hiver.

Description. Longueur 36-50 cm (14-20 po). Dessus brun-gris, rayé et marqueté de blanc ; queue pointue, ourlée de blanc. Mâle : sacs aériens violacés sur le cou, gonflés durant la parade nuptiale.
Habitat. Prairies, clairières, terrains broussailleux, fourrés et fondrières.

Nidification. Nid en forme de petite dépression tapissée d'herbes au sol, sous la végétation ; 5-17 œufs olive, chamois ou brun clair à peine éclaboussés de brun foncé ; 24 jours d'incubation assurée par la femelle. Les oisillons restent 6-8 semaines avec la mère.
Nourriture. Baies, bourgeons, fleurs et insectes.

Colin
de Virginie

Colinus virginianus

Mâle

Femelle

Les colins de Virginie dorment en cercle sur le sol.

Quand les colons européens arrivèrent en Amérique, ils furent bien contents d'y trouver un petit oiseau dodu qui leur rappelait les cailles et les perdrix de leurs pays natals. Au printemps, le colin de Virginie proclame joyeusement sa présence avec de retentissants *bob-ouêêête*, qui lui ont valu de s'appeler *bobwhite* en anglais. Son cri permet de l'identifier sans méprise possible. Commun dans l'est du continent nord-américain, l'oiseau a été acclimaté en plusieurs endroits dans l'ouest des États-Unis et même en Europe.

À l'approche de la saison des amours, les mâles s'affrontent pour la possession des femelles. Après la reproduction, les oiseaux des deux sexes se réunissent à plus de 25 ou 30 à la fois pour passer ensemble l'automne et l'hiver.

Se sachant bien camouflé par son plumage, le colin fige sur place au premier signe de danger. Mais si on approche de trop près, toute la troupe s'envole dans un vrombissement de battements d'ailes précipité.

Le soir venu, les oiseaux se réunissent en cercle au sol sous un buisson, les uns collés contre les autres, les têtes tournées vers l'extérieur. Cette disposition leur assure la chaleur nécessaire en hiver et permet à chacun de prendre son vol en cas de danger.

Description. Longueur 20-25 cm (8-10 po). Oiseau de petite taille, cuivré, aux flancs striés de blanc. Tête à rayures noires et blanches chez le mâle, noires et chamois chez la femelle. Cri facilement identifiable.
Habitat. Bois clairsemés, champs broussailleux, prés et pâturages.

Nidification. Nid en forme de petite dépression au sol, sous la végétation ; 7-18 œufs (davantage quand deux femelles partagent le même nid) blancs ou crème ; 24 jours d'incubation assurée par le couple. Les oisillons restent avec les parents jusqu'au printemps suivant.
Nourriture. Graines, baies, feuilles et insectes.

Colin écaillé

Callipepla squamata

Commun dans les régions arides du Sud-Ouest américain, le colin écaillé fréquente les fourrés de prosopis et de larréas, les sols desséchés où pousse le cactus et les terres basses peuplées de cotonniers. Bien qu'il soit tout à fait acclimaté à la sécheresse du désert, il fréquente volontiers les zones agricoles où il trouve l'occasion de se nourrir de céréales destinées aux bestiaux et de s'abreuver aux points d'eau aménagés par les humains.

Les colins écaillés sont des oiseaux sociables qui se regroupent en bande d'une centaine de sujets. Leur routine quotidienne est semblable à celle de tous les habitants du désert. Actifs le matin et en fin d'après-midi quand l'air est relativement frais, ils se cachent sous un cactus durant les heures chaudes de la journée.

La nidification se fait à la saison des pluies en juin et juillet. À cette période, les insectes abondent, le feuillage est vert et tendre et les oisillons peuvent se désaltérer dans les mares d'eau qui se forment ici et là. Lorsque la saison des pluies est plus courte qu'à l'accoutumée ou qu'elle n'a pas lieu, les colins écaillés ne se reproduisent pas et attendent que le désert refleurisse à nouveau, l'année suivante.

Le colin écaillé ne dédaigne pas les fermes et les ranchs.

Description. Longueur 25-30 cm (10-12 po). Oiseau brun de petite taille ; plumes grises, en forme d'écailles et ourlées de noir sur le cou, la nuque et la poitrine ; petite aigrette couronnée de blanc sur la tête. Court en petits groupes.
Habitat. Désert de broussailles, champs secs.
Nidification. Nid en forme de petite dépression tapissée d'herbes, sous un buisson ou près d'un tertre ; 9-16 œufs blancs, parfois mouchetés de brun ; 22 jours d'incubation assurée par la femelle. Les oisillons restent au nid jusqu'au printemps, parfois avec une seconde couvée.
Nourriture. Insectes ; graines de prosopis et de larréas.

Colin à
ventre noir

Callipepla gambelii

Le colin à ventre noir se régale de graines de prosopis.

Installé dans les régions désertiques du Sud-Ouest américain, le colin à ventre noir est parfaitement adapté pour survivre avec aisance dans un environnement ingrat. Pour tout nid, il creuse avec ses griffes une petite dépression dans la terre parcheminée sous un larréa ou un cactus ; il le garnit ensuite de quelques brindilles, d'une plume et d'une feuille ou deux, selon les matériaux dont il dispose. C'est là que la femelle pondra ses œufs, une douzaine environ ; sitôt ceux-ci éclos, les parents entraînent les oisillons hors du nid à la recherche de nourriture. Le père guide la marmaille ; la mère, à l'arrière, ferme la garde.

Poussés par la curiosité en même temps que par un besoin instinctif de protéines, les petits ne tardent pas à dénicher plus d'insectes que leurs parents et gobent allègrement fourmis et sauterelles. En peu de temps, ils sauront reconnaître les fruits et les graines sèches qui leur conviennent, surtout celles du prosopis et de certaines légumineuses.

Pendant la journée, en famille ou en groupe, les colins patrouillent le désert à la recherche de leur pitance, mais au crépuscule, ils ressentent le besoin de se désaltérer. Réunis en grand nombre autour des points d'eau sûrs, ils boivent à satiété avant d'aller percher dans un arbre ou un arbuste des environs pour dormir. Le lendemain, dès la levée du jour, ils iront reprendre une bonne rasade d'eau avant de partir arpenter de nouveau l'impitoyable désert.

Description. Longueur 25-30 cm (10-12 po). Mâle : face et gorge noires ; dessus gris ; flancs marron rayés de blanc ; vertex marron garni d'une aigrette noire recourbée ; ventre blanchâtre avec une tache noire. Femelle : coloris plus terne ; aigrette plus courte.
Habitat. Fourrés arides, brousse à cactus.

Nidification. Nid gratté dans le sol et sommairement garni, sous un arbuste ou dans les hautes herbes ; 9-14 œufs chamois maculés de brun ; 21-23 jours d'incubation assurée par la femelle. Les oisillons quittent le nid à 3 mois.
Nourriture. Graines, fruits, feuilles et insectes.

Colin de Californie

Callipepla californica

Mâle

Femelle

Gracieux, élégant, très vif, le colin de Californie donne l'impression de bouger sans arrêt. Même quand il se perche sur un pieu de clôture ou sur une souche, sa tête garnie d'une aigrette recourbée remue constamment et ses yeux vifs ont tôt fait de repérer la moindre ombre qui bouge.

Cette vivacité est apparente dès la naissance. Les oisillons sont à peine sortis de l'œuf qu'ils se dressent déjà sur leurs pattes, prêts à partir. On a même vu, devant un danger pressant, des petits prendre leur vol avec des morceaux de coquille encore collés à leur duvet.

Les colins sont nidifuges ; pour qu'ils puissent quitter leur nid très tôt, la nature les fait éclore les yeux ouverts et les pattes assez solides pour pouvoir courir sitôt que leur duvet est sec. Par opposition, les oisillons nidicoles, comme ceux du merle par exemple, restent plus longtemps au nid car ils naissent nus et aveugles.

La durée du séjour au nid des poussins nidifuges varie selon les espèces. Pour ce qui est du colin de Californie, bien que les petits sachent parfaitement voler 14 jours après l'éclosion, ils continuent de dépendre des parents durant les quatre semaines qui suivent le premier vol ; ils perchent ensuite dans les arbres avec les adultes.

Le colin de Californie vole 14 jours après l'éclosion.

Description. Longueur 23-28 cm (9-11 po). Mâle : face et gorge noires ; dessus gris ; flancs marron rayés de blanc ; vertex brun ; longue aigrette noire et recourbée ; ventre à écailles noires. Femelle : plus terne ; aigrette plus courte.
Habitat. Bois, jardins, chaparrals.
Nidification. Nid en forme de cuvette peu profonde tapissée d'herbes, dans les broussailles ou les anfractuosités du roc ; 12-16 œufs chamois ou blancs maculés de brun ; 21-23 jours d'incubation assurée par la femelle. Quelques semaines plus tard, les oisillons se réunissent en bande.
Nourriture. Graines, baies, feuilles, insectes.

Colin des montagnes

Oreortyx pictus

Le colin des montagnes se cache dans les taillis épais.

Le colin des montagnes, le plus gros de son espèce en Amérique du Nord, est tout à fait chez lui dans les montagnes de l'Ouest américain, où il déménage son domicile du pied au sommet, selon le temps de l'année. Le voyage en soi n'est pas tellement long : entre 30 et 60 km. Mais le curieux de la chose est qu'il l'effectue entièrement à pied.

Loin d'être une marche forcée, cela ressemble plutôt à une promenade d'agrément. Au printemps et en été, le colin des montagnes élève sa couvée dans les broussailles qui bordent les torrents impétueux, à des altitudes pouvant aller de 450 à 3 000 m. Quand approche l'automne, l'oiseau se dirige tranquillement vers les basses vallées et les défilés pour échapper aux rigueurs de l'hiver en altitude. Au retour du printemps, il se dirige à nouveau vers les sommets avec sa même démarche lente et paisible, en picorant et en conversant tout du long.

Le colin des montagnes, bien sûr, est capable de voler. Ses courtes ailes arrondies, arquées et puissantes, lui permettent d'effectuer des décollages rapides. Mais il préfère s'en tenir à la marche ou à la course, que ce soit pour chercher refuge dans les taillis touffus qu'il affectionne, ou bien pour parcourir les longues distances qui le mèneront à ses quartiers d'hiver ou d'été.

Description. Longueur 28-30 cm (11-12 po). Dessus brun ; tête, poitrine et cou gris ; gorge marron ; flancs marron à bandes blanches ; vertex à aigrette noire, longue et droite. Petit oiseau timide, difficile à observer.
Habitat. Boisés denses en montagne ; prés et clairières en terrain montagneux.

Nidification. Nid creusé au sol, sous des broussailles, une touffe d'herbe ou un buisson, près de l'eau ; 5-15 œufs chamois ou rosés ; 25 jours d'incubation assurée surtout par la femelle. Premier vol des oisillons à 2 semaines.
Nourriture. Feuilles, bourgeons et insectes en été ; graines, baies et noisettes en hiver.

Dindon sauvage

Meleagris gallopavo

Dindon

Dinde

Les dindons sauvages glougloutent en toute saison, mais c'est surtout au printemps que dans les forêts reculées résonnent les vibratos profonds des mâles dominants. Chaque mâle règne sur sa petite clairière. C'est là que, bombant le torse, la tête rejetée en arrière et les ailes vibrantes, il étale le superbe éventail de sa queue et se pavane dans un aller-retour incessant, pour tenter d'attirer les femelles dans son harem. Et il y réussit. Sous le couvert des arbres au vert encore tendre, les dindes vont surgir doucement. Il y aura parfois une dizaine de dindes, même davantage, pour le même dindon.

Quand vient le temps de pondre, les femelles, prévoyantes, s'en vont gratter dans le sol de petites dépressions pour y aménager le nid. Elles vont pondre un œuf par jour durant 8 à 20 jours ; ce qui ne les empêchera pas, chaque matin, de revenir dans l'arène présenter leurs respects au dindon, avant de retourner monter la garde sur leur nid.

Petites boules de duvet, les dindonneaux sont capables de courir peu de temps après l'éclosion des œufs et font de courtes envolées à l'âge de deux semaines. La femelle est seule à s'occuper des petits qui restent avec elle jusqu'au printemps suivant ; dès lors, ils deviennent complètement autonomes.

Le dindon sauvage se nourrit au sol, mais il se perche dans un arbre pour dormir.

Description. Longueur 91-122 cm (36-48 po). Très gros oiseau ; plumage cuivré à bandes noires ; tête et cou nus ; large queue en éventail ; caroncules rouges. Femelle menue, moins colorée. **Habitat.** Boisés clairsemés, broussailles à la lisière de la forêt, marécages boisés. **Nidification.** Nid tapissé de feuilles et creusé dans le sol sous les arbres, près d'une clairière ; 8-20 œufs blancs ou chamois marbrés de brun ou de rouge ; 28 jours d'incubation assurée par la femelle. Les dindonneaux restent avec la mère jusqu'au printemps suivant. Le mâle ne participe pas à la nidification. **Nourriture.** Graines, noisettes, baies et insectes.

Faisan de chasse
(Faisan à collier)

Phasianus colchicus

Faisane

Faisan

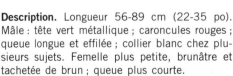

D rapé dans son plumage exotique, le faisan de chasse au cou cerclé d'un collier blanc se pavane dans les champs et les prés avec la pompe et la dignité d'un potentat oriental. Un tel déploiement de couleurs ne sied guère à un oiseau renommé comme gibier à plume. Mais dans les bois, il se confond avec le feuillage et, à la vérité, il n'est pas natif d'ici : c'est un immigrant venu de Chine vers la fin du XIXe siècle.

Il doit son nom aux anciens Grecs qui importaient cet oiseau, aussi beau que bon à manger, d'une région arrosée par le fleuve Phase, en Colchide, près de la mer Noire. L'espèce s'est acclimatée partout dans le monde.

En Amérique du Nord, le gendre de Benjamin Franklin essaya vainement de l'implanter en 1760 dans son domaine du New Jersey. En 1881, O. N. Denny, consul général des États-Unis à Shanghai, envoya 30 oiseaux à Willamette Valley, en Oregon, où ils s'adaptèrent si bien qu'il en envoya d'autres. Au début des années 1890, les faisans avaient également pris souche sur la côte atlantique des États-Unis. Une colonie établie à Montréal, sur le mont Royal, faisait, il y a quelques années, la joie des promeneurs, mais nos hivers ont eu raison d'eux. Bien que facile à reconnaître par son riche plumage, le faisan est très habile à se confondre avec son environnement.

Description. Longueur 56-89 cm (22-35 po). Mâle : tête vert métallique ; caroncules rouges ; queue longue et effilée ; collier blanc chez plusieurs sujets. Femelle plus petite, brunâtre et tachetée de brun ; queue plus courte.
Habitat. Champs, pâturages, marais, terrains broussailleux.

Nidification. Nid creusé dans le sol et tapissé d'herbes ; 7-15 œufs chamois ou brun-olive ; 23-25 jours d'incubation assurée par la femelle. Niche souvent en colonies. Premier vol des faisandeaux 2 semaines après l'éclosion ; le mâle participe peu à la nidification.
Nourriture. Graines, noisettes, baies et insectes.

Grand géocoucou
(Oxylophe de Californie)

Geococcyx californianus

Si l'on en croit certaines légendes répandues dans le Sud-Ouest américain, le géocoucou a une technique infaillible pour déjouer son pire ennemi, le serpent à sonnettes. Pendant que celui-ci fait la sieste, il l'entoure d'une barricade faite de morceaux de cactus hérissés de piquants. Puis, d'un coup de bec, il l'éveille. Pris de court, le serpent se précipite contre la barricade et se blesse à mort sur les épines.

Les bandes dessinées ont popularisé un personnage, le *Road-Runner*, un grand géocoucou qui fait *bip-bip* en courant pour échapper à son ennemi, le coyotte. Mais il n'est jamais vraiment menacé par le danger. Car, intelligent et futé, le géocoucou est aussi représenté comme le coureur le plus rapide dans l'Ouest.

Certes légendes et bandes dessinées exagèrent ses qualités, mais elles n'en sont pas moins réelles. L'oiseau ne construit peut-être pas de mur autour des reptiles endormis, mais il se nourrit néanmoins de serpents de bonne taille. Et même s'il n'est pas champion de la course à pied, il s'entend bien à semer le coyote et à prendre son vol au moment opportun.

Le géocoucou est frondeur. Il s'approche avec audace des humains, redresse sa huppe d'un air désinvolte et jette sur le monde qui l'entoure un regard insolent. Les Mexicains l'ont surnommé *paisano,* c'est-à-dire « compatriote » en espagnol.

Vif, agile et très rapide sur ses pattes, le géocoucou a été chronométré à 24 km/h.

Description. Longueur 50-60 cm (20-24 po). Plus élancé que le faisan ; huppe échevelée ; plumage strié ; queue longue et mobile ; pattes robustes. Célérité étonnante ; vole peu. Surpris ou inquiet, redresse et abaisse huppe et queue. **Habitat.** Terrains herbeux ou broussailleux, déserts, boisés peu denses.

Nidification. Nid tapissé de brindilles, de feuilles et d'herbes dans un cactus, un fourré ou un petit arbre ; 2-6 œufs blancs ; 18-20 jours d'incubation assurée, croit-on, par la femelle. Oisillons nourris par le couple ; envol à 16-19 jours. **Nourriture.** Serpents, lézards, insectes et petits oiseaux.

Cassenoix d'Amérique
(Casse-noix américain)

Nucifraga columbiana

Le cassenoix a sous la langue un sac dans lequel il transporte les graines.

Conservateur de la flore à son insu, le cassenoix d'Amérique contribue de façon significative au reboisement des pinèdes dans les montagnes de l'Ouest du continent. Chaque année, cet oiseau laborieux consacre la fin de l'été et le début de l'automne à déloger les graines de pin de leur cône ; il les transporte ensuite pour les enfouir dans le sol. Ce n'est pas une mince tâche : un seul cassenoix peut, en une saison, manipuler plus de 30 000 graines !

L'oiseau ouvre d'abord le cône à coups de bec pour en extraire les graines et il en avale quelques-unes sur-le-champ après les avoir broyées. La plupart, cependant, se retrouvent dans une sorte de sac extensible qu'il a sous la langue. Lorsque ce sac est plein — il peut contenir 70 graines —, le cassenoix s'envole lourdement pour se poser dans une clairière. Il creuse alors une série de trous avec son bec et dépose quelques graines dans chacun d'eux.

À vrai dire, le cassenoix ne se livre pas à une opération écologique ; il se fait tout simplement des réserves pour la saison morte. Sa mémoire se révèle alors infaillible ; il retrouve ses trous, dégage les graines et se nourrit ainsi tout l'hiver et une partie du printemps. Il va même en donner à ses oisillons le temps venu. Mais les graines qu'il a laissées en terre vont germer ; il en sortira un jour ou l'autre des pins qui nourriront à leur tour d'autres cassenoix.

Description. Longueur 30-35 cm (12-14 po). Corps robuste et gris pâle ; bec long et pointu ; ailes et queue noires ; taches blanches sur les ailes ; rectrices blanches.
Habitat. Affleurements rocheux en haute montagne ; terres basses en hiver à l'occasion.
Nidification. Nid robuste fait de brindilles et d'écorce, tapissé d'herbes et fixé à une branche de pin ou de genévrier ; 2-6 œufs vert pâle picotés de brun ; 18 jours d'incubation assurée par le couple. Envol 28 jours après l'éclosion.
Nourriture. Baies de genévrier ; graines de pin ; aussi insectes en été ; vole parfois les œufs et les petits des autres oiseaux.

Pie bavarde *Pica pica*
Pie à bec jaune *Pica nuttalli*

Pie bavarde

Ces oiseaux malicieux sont les mauvais sujets de l'Ouest. D'ordinaire, ils se nourrissent de charogne et d'insectes ; pourtant, la pie bavarde et sa cousine, la pie à bec jaune, ne se font pas faute de voler œufs et oisillons. Des membres de l'expédition Lewis et Clark, qui découvrirent les pies bavardes pendant qu'ils exploraient l'Ouest américain entre 1804 et 1806, ont raconté comment ces oiseaux effrontés venaient, à leur barbe, voler des aliments dans la tente où ils étaient attablés. Il leur arrive aussi souvent de s'envoler avec de petits articles, boutons ou broches, qu'ils cachent soigneusement, comme des pirates leur trésor.

En bonne voleuse, la pie sait comment se protéger des cambrioleurs. Elle construit son nid dans des fourrés épais et le surmonte d'un dôme de brindilles épineuses.

Bien que ce nid ait normalement 60 cm de diamètre (24 po), on en a trouvé mesurant plus de 2 m (7 pi). L'intérieur est douillettement tapissé de ramilles et de poil. Souvent le nid sera repris par des oiseaux d'autres espèces et même par des mammifères quand les pies l'auront abandonné. On a déjà vu quatre chats domestiques élire domicile dans un de ces nids, un renard gris dans un autre.

Pie bavarde

Pie à bec jaune

Description. Longueur 43-56 cm (17-22 po). Grand oiseau à longue queue ; corps fortement tacheté de blanc et de noir ; taches blanches sous les ailes visibles en vol. Bec noir chez la pie bavarde, jaune chez la pie à bec jaune qui se trouve seulement en Californie.
Habitat. Boisés clairsemés ; champs en friche, terrains broussailleux ; se voient aussi en ville.
Nidification. Nid massif fixé à un arbre ; 7-13 œufs verdâtres ou chamois mouchetés ou maculés de brun ; 16-18 jours d'incubation. Durée du séjour des oisillons au nid inconnue.
Nourriture. Insectes, charogne, fruits et oisillons.

Corneille
d'Amérique
(Corneille américaine)

Corvus brachyrhynchos

Le mâle nourrit la femelle pendant qu'elle couve.

La corneille d'Amérique se classe parmi les oiseaux les plus intelligents du monde. On a découvert qu'elle peut compter jusqu'à trois ou quatre, qu'elle est en mesure d'acquérir des connaissances nouvelles et qu'elle serait dotée d'une structure sociale complexe qu'on n'a pas encore réussi à déchiffrer. Ses craillements, dont les modulations s'entendent de loin, paraissent former un langage grâce auquel elle communique à distance. Elle s'en sert pour signaler la présence d'un chasseur tapi en embuscade, le passage d'un intrus dans son territoire ou la découverte d'une nouvelle source de nourriture.

Comme chacun le sait, la corneille est un oiseau bruyant. Quand elle approche de son nid, cependant, elle devient silencieuse : furtive comme une ombre, elle plane entre les arbres, plus méfiante encore qu'en temps normal.

Les corneilles sont d'une rare adaptabilité ; elles ont appris à vivre parmi les êtres humains et sont passées de la forêt à la campagne, puis finalement à la ville, sans difficulté. L'homme a eu beau les pourchasser, les empoisonner, en faire l'objet de chasses organisées, elles sont toujours là. Audacieuses, fières, indépendantes, elles figurent parmi les oiseaux les plus répandus en Amérique du Nord.

Description. Longueur 43-53 cm (17-21 po). Oiseau entièrement noir ; queue en éventail. Cri : un *câ* rauque et sonore. Voyage à deux ou à plusieurs.
Habitat. Boisés, plaines, terres agricoles, vergers, banlieues, villes.
Nidification. Vaste nid fait de ramilles et fixé à 5-18 m (18-60 pi) du sol dans un arbre, par-fois un poteau téléphonique, occasionnellement au sol ; 3-7 œufs verdâtres maculés de brun ; 18 jours d'incubation. Les oisillons quittent le nid à 5 semaines.
Nourriture. Oiseau presque omnivore : insectes, petits reptiles, œufs et oisillons, coquillages, charogne, fruits, maïs et autres céréales.

Corneille de rivage

Corvus ossifragus

Plus petite que la corneille d'Amérique, la corneille de rivage se distingue facilement de celle-ci par son cri plus aigu et plus nasal. Son mode de vie est également différent. S'il lui arrive de s'aventurer vers l'intérieur des terres où elle rejoint la corneille d'Amérique, la corneille de rivage se rencontre généralement près des marais salés et des plages, ainsi que dans les vastes étendues marécageuses du sud des États-Unis.

Cet oiseau opportuniste s'alimente volontiers des restes d'animaux que dépose la marée sur le rivage ou qui flottent en eau peu profonde. Mais la corneille de rivage pêche aussi avec adresse. Volant bas au-dessus d'un banc en surface, elle a vite fait d'attraper d'un coup de griffe le poisson qui affleure. Si la prise est petite, elle la mange en l'air. Autrement, elle va se percher pour la déchiqueter.

Elle aime fouiller dans la vase pour y déterrer des crabes appelants, des crevettes et des écrevisses. Lorsqu'elle rencontre une palourde, elle brise la coquille avec son bec et dégage le mollusque avec ses griffes. Éprouve-t-elle l'envie de boire ? Sans interrompre son vol, elle trace un sillon argenté à la surface d'un étang avec son bec grand ouvert, et cueille un peu d'eau dans sa mandibule inférieure.

La corneille de rivage se désaltère en plein vol à la surface d'un étang.

Description. Longueur 40-50 cm (16-20 po). Plus petite que la corneille d'Amérique ; plumage plus brillant ; fréquente en groupe les rivages. Battements d'ailes plus rapides, cri plus nasillard. **Habitat.** Rivages océaniques, grandes rivières du bassin inférieur du Mississippi. **Nidification.** Nid fait de ramilles et de brindilles, fixé à un arbre près d'un cours d'eau ou à la lisière d'un marais ; 4-5 œufs verdâtres mouchetés de brun ; 16-18 jours d'incubation. Les oisillons restent 3 semaines au nid. Niche souvent en colonies. **Nourriture.** Poisson, charogne, mollusques, œufs d'oiseaux aquatiques ; insectes et baies.

Grand corbeau

Corvus corax

Le corbeau construit souvent son nid au haut d'une falaise.

Peu d'oiseaux ont autant que le grand corbeau habité l'imaginaire de l'homme. Dans la Bible, c'est lui que Noé envoie pour sonder la terre : « Il alla et vint jusqu'à ce que les eaux aient séché sur la terre » (bien qu'en définitive, ce soit la colombe qui lui rapporte un rameau d'olivier). On retrouve aussi le corbeau dans l'épopée babylonienne de Gilgamesh ; dans la mythologie germanique, le dieu Odin confie à des corbeaux perchés sur son épaule le soin de voir et d'entendre pour lui ; et tout comme les Scandinaves, les Indiens du Nord-Ouest américain l'ont apparenté aux divinités.

Le corbeau, c'est l'oiseau vaniteux que le renard berne dans *Le corbeau et le renard* de La Fontaine ; pensons à l'oracle du *Corbeau voulant imiter l'aigle,* du même auteur. C'est aussi l'inoubliable personnage de l'un des plus beaux poèmes d'Edgar Allan Poe, *Le Corbeau,* où, en réponse au jeune homme qui pleure sa bien-aimée et prétend la retrouver dans l'autre monde, l'oiseau de malheur répète inlassablement : « Jamais plus ». Enfin, le grand corbeau est le symbole du Yukon.

Dans la vie réelle, le corbeau passe pour l'un des oiseaux les plus évolués. Sa roublardise est bien connue, de même que son exubérance et ses mimiques parfois bouffonnes. Il est remarquable aussi pour le soin qu'il prend de sa compagne de toute une vie.

Description. Longueur 56-69 cm (22-27 po). Grand oiseau noir ; gorge hirsute ; queue anguleuse ; longues ailes dont les plumes s'étalent en vol comme des doigts. Cri : un croassement sonore et rauque — *crôac.*
Habitat. Forêts profondes, déserts, falaises océaniques, montagnes, toundra arctique et alpine.

Nidification. Nid profond fait de ramilles, fixé à un arbre ou à une falaise ; 3-7 œufs verdâtres fortement tachetés de brun ; 18-20 jours d'incubation assurée par la femelle. Les oisillons quittent le nid au bout de 5-6 semaines.
Nourriture. Charogne, crustacés, œufs et oisillons, insectes, baies et petits mammifères.

Corbeau à cou blanc

Corvus cryptoleucus

Alors que l'aire de dispersion du grand corbeau s'étend depuis la toundra arctique jusqu'aux chaînes de montagnes côtières et aux forêts de la zone tempérée, son cousin de petite taille, le corbeau à cou blanc, limite son aire spécifique aux herbages secs et aux fourrés de prosopis qui longent la frontière du Mexique. Les deux espèces ont beaucoup en commun, bien que le corbeau à cou blanc soit beaucoup plus grégaire que son parent. À la fin de la saison de reproduction, on assiste à de grands rassemblements de corbeaux à cou blanc. Profitant des courants ascendants que crée la chaleur du désert, ils se livrent aux acrobaties aériennes et aux facéties qui ont fait la renommée des corbeaux. Ce qui est particulièrement impressionnant ici, toutefois, c'est qu'ils sont une centaine à se livrer à ces jeux en même temps.

Un autre trait caractéristique du corbeau à cou blanc, qu'il partage d'ailleurs avec les corneilles et les corbeaux en général, c'est sa finesse d'intelligence. On le croit capable même d'emprunter certains comportements à d'autres espèces animales. Dans le sud-ouest des États-Unis, des observateurs prétendent qu'il a appris à tuer le serpent — qui ne constitue pourtant pas le meilleur de son ordinaire — en regardant comment s'y prend le grand géocoucou, et à extraire le nectar des fleurs de désert en imitant certaines chauves-souris.

Le corbeau à cou blanc se nourrit notamment d'animaux tués par les automobiles.

Description. Longueur 48-53 cm (19-21 po). Semblable au grand corbeau mais aux battements d'ailes plus rapides et au cri moins sonore ; vole en grandes bandes.
Habitat. Plaines désertiques, herbages secs.
Nidification. Nid sphérique fait de brindilles épineuses et parfois de bouts de fil de fer barbelé, fixé à 1-12 m (4-40 pi) du sol à des arbres ou des poteaux téléphoniques ; 3-8 œufs verts unis ou maculés de brun ; 21 jours d'incubation assurée par le couple. Durée du séjour des oisillons au nid inconnue.
Nourriture. Charogne, rongeurs, œufs et oisillons, insectes, graines et fruits.

71

Oiseaux des terrains découverts

L'Amérique du Nord est une terre de cocagne pour les multiples petits oiseaux — bruants, parulines, hirondelles — qui fréquentent les terrains dégagés. Ils y trouvent des prairies ondulantes où coulent des rivières bordées de boisés accueillants ; des déserts à fourrés broussailleux ; des clairières émaillées de fleurs sauvages ; des parcs aménagés par l'homme et des terres agricoles. Chacun de ces habitats se caractérise par un ensemble de facteurs environnementaux bien spécifiques ; chacun est propre à attirer certaines espèces d'oiseaux.

Alouette cornue

Pigeon biset

Columba livia

Le pigeon biset est depuis longtemps utilisé comme pigeon voyageur.

C'est le pigeon qui hante nos parcs et nos places publiques. Importé d'Europe il y a bien longtemps, il s'est acclimaté en Amérique comme partout ailleurs dans le monde.

Depuis des millénaires, les pigeons vivent au milieu des êtres humains. On prétend qu'ils furent les premiers oiseaux domestiques. On en faisait déjà l'élevage au temps des Égyptiens pour les plaisirs de la table. Mais outre leurs vertus gastronomiques, ils possèdent d'autres qualités non négligeables.

Leur capacité à parcourir de longues distances et à retrouver ensuite leur point de départ a valu aux pigeons de jouer des rôles importants dans l'histoire. On se rendit vite compte des avantages à tirer de leur endurance et de leur sens phénoménal de l'orientation. Il suffisait de leur attacher un message à la patte pour disposer d'un courrier aérien bien avant l'invention de l'avion. Ce sont des pigeons voyageurs, par exemple, qui ont apporté à Rome la nouvelle des victoires de César sur les Gaulois ; Alexandre et Hannibal leur confiaient aussi des missives. Plus près de nous, au cours des deux grandes guerres, des milliers de pigeons ont été utilisés comme messagers par les armées des deux camps. On fait encore aujourd'hui l'élevage des pigeons pour tirer profit de leur sens de l'orientation et de leur endurance.

Description. Longueur 28-35 cm (11-14 po). Corps gris ; deux bandes alaires foncées ; tache blanche sur le croupion ; bout de la queue foncé. Autres colorations : noirâtre, roux, blanc. Oiseau très familier ; se laisse nourrir à la main.
Habitat. Villes, villages, fermes.
Nidification. Nid presque plat de brindilles et d'herbes, fixé à la corniche d'un édifice ou à une falaise ; 1-2 œufs blancs ; 17-19 jours d'incubation assurée par le couple. Les pigeonneaux restent 35 jours au nid. Plusieurs couvées par saison ; niche parfois à longueur d'année.
Nourriture. Graines, grains et miettes de pain.

Pigeon à queue barrée

Columba fasciata

Quand l'orage gronde dans les Rocheuses et les autres chaînes côtières de l'Ouest, que les nuages noirs se profilent sur les crêtes et que les éclairs zèbrent le ciel, le paysage est particulièrement menaçant. Devant les roulements de tonnerre répercutés par l'écho et les rafales qui secouent le feuillage, la plupart des oiseaux trouvent plus prudents de se mettre à l'abri. C'est néanmoins le moment que choisissent les pigeons à queue barrée pour décrire ensemble de larges cercles, tantôt rasant la cime des arbres, tantôt suspendus au-dessus des vallées comme s'ils voulaient lancer un défi à la violence des éléments.

Si on l'aperçoit au sol, cet habitant des régions sauvages de l'Ouest ne semble pourtant pas posséder la morphologie nécessaire pour exécuter des vols aussi puissants : sa démarche est gauche et lourde. Mais son allure empêtrée lui vient précisément du poids de ses muscles. En fait, le pigeon à queue barrée possède la même endurance et la même célérité que les autres oiseaux de son espèce. Or on sait que le pigeon domestique peut soutenir une vive allure pendant de longues heures et on a même estimé qu'il pouvait atteindre des pointes de 130 km/heure (80 mi/h).

De grands vols de pigeons à queue barrée défient la tempête quand elle fait rage.

Description. Longueur 35-40 cm (14-16 po). Gris ou gris-bleu ; bec jaune à pointe noire ; croissant blanc sur la nuque ; large bande pâle sur la queue. Timide et peu visible. Se perche dans les arbres dénudés en hiver.
Habitat. Pinèdes, chênaies.
Nidification. Nid plat fait de brindilles et fixé à 2,5-12 m (8-40 pi) du sol dans un arbre ou un buisson, souvent à la lisière d'une clairière ; un seul œuf blanc ; 18-20 jours d'incubation assurée par le couple ; envol à 30 jours. Niche en petites colonies. Peut élever plusieurs couvées d'un pigeonneau par saison.
Nourriture. Glands, noisettes, baies et insectes.

Tourterelle à ailes blanches

Zenaida asiatica

La tourterelle à ailes blanches se reconnaît en vol à ses taches blanches.

Comme tous les oiseaux, ceux qui vivent dans le désert ont besoin d'eau. Certains en trouvent une quantité suffisante dans leurs aliments. D'autres, dont la tourterelle à ailes blanches, doivent parcourir quotidiennement de longues distances pour aller se désaltérer.

Les tourterelles se rendent aux points d'eau tôt le matin et tard l'après-midi. Mais, quelle que soit l'intensité de leur soif, elles ne se mettent pas immédiatement à boire. Perchées sur un arbre ou un arbuste, elles examinent soigneusement les environs avant de se hasarder.

Pour boire, la plupart des oiseaux cueillent une gorgée d'eau dans leur bec et l'avalent en rejetant la tête en arrière. Notre tourterelle a une méthode plus expéditive : elle plonge le bec dans l'eau qu'elle absorbe d'un seul trait. Une ou deux immersions suffisent d'ordinaire à étancher sa soif. Cette façon de boire est commune à tous les pigeons.

La vitesse avec laquelle il se désaltère est déterminante pour l'oiseau du désert. Les points d'eau attirent en effet des prédateurs, comme l'épervier, qui s'y présentent dans l'intention autant de s'alimenter que de se désaltérer. Parce qu'elle est prudente et parce qu'elle ne s'attarde pas sur les lieux, la tourterelle à ailes blanches réussit généralement à étancher sa soif impunément.

Description. Longueur 28-30 cm (11-12 po). Corps brun-gris ; grandes taches blanches sur les ailes ; longue queue en éventail marquée de blanc sauf sur les rectrices centrales ; vole souvent en bande.
Habitat. Déserts, terres agricoles, boisés clairsemés, quartiers de banlieue.

Nidification. Nid de brindilles, plat et fragile, à 1-7,5 m (4-25 pi) du sol dans un buisson ou un arbuste, souvent en colonies ; 2 œufs chamois, blancs ou crème ; 14 jours d'incubation assurée par le couple. Envol à 15 jours. Plusieurs couvées par saison.
Nourriture. Graines, glands et noix ; insectes.

Tourterelle triste

Zenaida macroura

Le long cri plaintif de la tourterelle triste semble sonner le glas de sa cousine, la tourte, exterminée par l'homme au début du XXᵉ siècle. Et pourtant, ce chant doux et mélodieux signifie justement le contraire : il annonce que le mâle s'est approprié un territoire, qu'il courtise une femelle et qu'il se prépare à élever une nichée.

Le nid est d'une fragilité étonnante : une simple plate-forme de branchages, sommairement accrochée à une branche. La construction en est tellement lâche qu'on peut voir les œufs à travers. Il n'est pas rare d'ailleurs qu'il en tombe un par terre si un incident quelconque vient effrayer l'oiseau qui couve et le mettre en fuite.

Mais si tout se déroule bien et que les œufs parviennent à éclosion, les tourtereaux auront droit à un festin spécial : une substance liquide que tourterelles et pigeons adultes sont les seuls à sécréter et qu'on appelle lait de pigeon. Riche en lipides et en protéines, ce liquide, qui n'a rien à voir avec du lait, provient de glandes logées dans la gorge de l'oiseau. Pour permettre à son petit de boire bien à son aise, la tourterelle ouvre grand le bec ; le poussin y enfonce la tête et se gave de cette boisson épaisse et nourrissante. De toute évidence le régime est efficace car les populations de tourterelles tristes se rangent parmi les plus nombreuses et les plus répandues en Amérique du Nord.

L'adulte sécrète du « lait de pigeon » dans son jabot.

Description. Longueur 25-30 cm (10-12 po). Mince corps brun-gris ; petite tête. Queue longue et pointue ; plumes à pointe blanche. Les ailes émettent un sifflement quand l'oiseau vole. **Habitat.** Tous les habitats, sauf les terres marécageuses et les forêts denses. **Nidification.** Nid en forme de plate-forme fragile faite de brindilles et logée à 1,5-7,5 m (5-25 pi) du sol dans un arbre ou sur une corniche d'édifice, rarement au sol ; 2 œufs blancs ; 15 jours d'incubation assurée le jour par le mâle, la nuit par la femelle. Les tourtereaux s'envolent à 15 jours. Au moins deux couvées par année. **Nourriture.** Graines ; insectes à l'occasion.

Colombe inca

Columbina inca

La colombe inca se sent chez elle parmi les humains.

Quand les premiers naturalistes firent l'inventaire de ce qui allait devenir l'Arizona, ils y découvrirent une faune incroyable : des perroquets dans les montagnes, des loups dans les plaines, même des jaguars dans les terres encore inviolées. Mais dans ce qui est aujourd'hui sa terre de prédilection, ils ne trouvèrent pas à l'époque une seule colombe inca. Sans doute, du point de vue de la colombe, la région n'était-elle pas suffisamment civilisée !

Cet oiseau indigène d'Amérique requiert en effet la présence de l'homme. On ne sait pas à quelle époque remonte cette fréquentation. On croit qu'il a dû se laisser apprivoiser, il y a bien des siècles, dans les villages qu'habitaient les anciennes civilisations mexicaines. Les habitants, sans le savoir, donnaient à la colombe inca son nécessaire : des céréales et des graines, de l'eau propre, une protection efficace contre ses prédateurs. Parce qu'elle n'était ni bruyante ni importune, les hommes lui permirent de proliférer parmi eux.

C'est probablement vers 1870 que la colombe inca pénétra en Arizona ; on y trouvait déjà des forts, des missions et des villages. Aujourd'hui, les populations de ce petit oiseau si gracieux sont aussi nombreuses sur les pelouses et les terrains de golf de Phoenix que dans les parcs de Mexico. Et, fait remarquable, on ne la voit toujours pas ailleurs que dans les régions bien développées.

Description. Longueur 17-20 cm (7-8 po). Oiseau délicat ; corps gris à plumes à motif d'écaille. Taches rousses sur les ailes. Queue longue et fine, ourlée de blanc.
Habitat. Villes, fermes et déserts broussailleux.
Nidification. Nid de brindilles et de ramilles, en forme de soucoupe, fixé à 1-7,5 m (4-25 pi) du sol sur une branche d'arbre ou d'arbuste, parfois sur la corniche d'un édifice. Peut utiliser un nid abandonné ; 2 œufs blancs ; 14 jours d'incubation assurée par le couple. Les oisillons restent 12 jours au nid. Entre deux et cinq couvées par année.
Nourriture. Graines et céréales.

Colombe à queue noire

Columbina passerina

Bien que semblable à la tourterelle triste, la colombe à queue noire a la taille d'un moineau. C'est la plus petite de son espèce en Amérique du Nord. Elle passe le plus clair de son temps sur le sol où elle marche lentement, scandant chaque pas d'un hochement de tête, à la recherche des graines dont elle se nourrit.

Généralement, elle fait aussi son nid sur le sol et élève deux petits par couvée. Il semblerait qu'elle s'accouple pour la vie. Sa saison d'accouplement, en tout cas, est remarquablement longue. Alors que la plupart des oiseaux d'Amérique du Nord ne nidifient qu'en été, la colombe à queue noire peut se reproduire à n'importe quel moment entre février et octobre, allant jusqu'à élever trois ou quatre couvées par année. Or si quelques rares oiseaux, comme l'effraie des clochers, sont susceptibles de pondre à peu près en tout temps, leur période de nidification est loin de s'étendre sur une aussi longue durée ininterrompue.

Les mœurs nidificatoires de la colombe à queue noire sont sans doute attribuables à son aire de dispersion qui s'étend du sud des États-Unis jusqu'en Amérique du Sud : il s'agit en fait d'un oiseau tropical. Or, si nos oiseaux du Nord se reproduisent quand la saison est clémente et la nourriture abondante, ces conditions étant réunies, dans le Sud, à longueur d'année, la période de nidification y est plus longue.

Saluant, tête inclinée et plumes ébouriffées, le mâle fait sa cour à une femelle.

Description. Longueur 13-16,5 cm (5-6½ po). Petit oiseau délicat ; corps brun-gris ; marques rousses sur les ailes ; queue courte en éventail, blanche sauf pour les rectrices centrales. Marche à petits pas rapides en hochant la tête. Ressemble à une très petite tourterelle triste.
Habitat. Boisés, épaulements de routes, fermes.

Nidification. Nid peu profond en forme de cuvette, aménagé au sol et tapissé d'herbes, de racines et de plumes ; 2 œufs blancs ; 14 jours d'incubation assurée par le couple. Les oisillons restent 11 jours au nid.
Nourriture. Graines et céréales ; petits insectes et baies à l'occasion.

Engoulevent d'Amérique
(Engoulevent commun)

Engoulevent d'Amérique *Chordeiles minor*
Engoulevent minime *Chordeiles acutipennis*

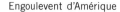
Engoulevent d'Amérique

Engoulevent minime

Le nom vernaculaire de l'engoulevent est imagé. Il vient de la réunion de deux termes, engouler et vent ; autrement dit, celui qui avale le vent.

L'oiseau appartient à une famille dont le nom, les caprimulgidés, est formé, lui, de deux mots latins, *capra*, chèvres, et *mulgere*, traire, qui rappellent une ancienne croyance populaire en Europe. Notre engoulevent a en effet, dans l'Ancien Monde, un cousin qui gobe les moustiques à la tombée de la nuit dans les pâturages. Il a donc l'habitude de voler le soir autour des troupeaux et les bergers, le soupçonnant de se nourrir du lait de leurs bêtes, l'ont surnommé le « tête-chèvre ». Toujours en Europe, on l'a aussi surnommé le « crapaud volant », à cause de son immense bec fendu. Dans certains coins du Québec, on l'appelle « mange-maringouin ».

Quand l'engoulevent d'Amérique chasse entre chien et loup, il émet à répétition un *pînt* rauque. Au moment de la pariade, il a l'habitude de plonger brusquement en plein vol ; le vent qui s'engouffre dans ses ailes produit alors un son de trompette grave qu'on associe parfois à tort à un cri. L'engoulevent minime se distingue de son congénère par son habitat, limité à la brousse et aux déserts du Sud-Ouest américain, et par son cri, dans son cas un unique trille.

Description. Longueur 20-25 cm (8-10 po). Ailes longues et pointues ; queue carrée ou fourchue ; corps brun-gris marbré de noir ; tache alaire blanche. S'observe généralement en vol. Engoulevent minime : vol ramé moins puissant et tache alaire subterminale.
Habitat. Environnement urbain, parcs, clairières. Engoulevent minime : terrains secs, déserts.
Nidification. Pond sur le sol nu ou sur un toit plat 2 œufs chamois, rosés ou verdâtres maculés de brun ou de gris ; 18-20 jours d'incubation assurée surtout par la femelle. Oisillons couverts de duvet, nourris par le couple. Envol à 21 jours.
Nourriture. Insectes ailés, gobés au vol.

Engoulevent de Nuttall

Phalaenoptilus nuttallii

De tous les engoulevents du monde, un seul a réussi à se tailler une renommée dans l'histoire de la science. Il s'agit d'un spécimen que le biologiste Edmund C. Jaeger et deux de ses étudiants découvrirent le 29 décembre 1946, apparemment en syncope, occupant un trou dans la paroi d'un défilé des montagnes du sud de la Californie. Il était froid au toucher ; sa respiration et ses battements cardiaques étaient imperceptibles. Lors d'une visite qu'ils lui firent subséquemment, l'oiseau ouvrit un œil, émit un petit couinement et bâilla. À l'occasion d'une autre visite, il se dressa et s'envola. L'oiseau revint trois hivers de suite au même endroit.

Au grand étonnement du monde scientifique, Jaeger et ses élèves avaient découvert un oiseau en état d'hibernation. De fait, alors que certains engoulevents, en hiver, émigrent vers le sud, d'autres entrent en état de torpeur et la température de leur corps descend presque au niveau de la température ambiante. Nous connaissons maintenant plusieurs espèces d'oiseaux qui traversent de courtes périodes de dormance ; mais l'engoulevent de Nuttall serait le seul à pratiquer une hibernation de longue durée.

La découverte de Jaeger, qui causa une telle surprise chez les biologistes, n'aurait pas étonné les Indiens Hopis qui appellent cet oiseau *holchko*, « le dormeur ».

Le nid de l'engoulevent de Nuttall se limite à une petite dépression sur le sol nu.

Description. Longueur 18-20 cm (7-8 po). Corps brun ; fines marques noires et argentées ; queue courte en éventail ; rectrices externes à bout blanc. Oiseau nocturne qu'on voit parfois dans le faisceau des phares de voiture, posé sur la chaussée. Vol irrégulier. Cri distinctif : *pour-ouîl*.
Habitat. Brousse aride, pentes rocheuses.

Nidification. Nid en forme de petite dépression dans le gravier ou sur le roc nu ; 2 œufs blancs ou crème ; incubation de durée inconnue assurée par le couple. Oisillons couverts de duvet ; durée de leur séjour au nid inconnue.
Nourriture. Insectes capturés au vol ou sur le sol.

Martinet sombre
(Martinet noir)

Cypseloides niger

Soutenu par ses ailes en lame de faux, le martinet plane.

Notre plus grand martinet est aussi le plus rarement entrevu parce que c'est celui qui vole le plus haut. Si haut, d'ailleurs, qu'il a fallu attendre 1857 pour que les ornithologues le découvrent. S'élevant en spirales pour disparaître à des hauteurs pouvant atteindre plusieurs milliers de mètres, ce martinet gobe les insectes massés à l'avant des nuages qui annoncent un orage.

Le martinet ne se nourrit qu'au vol ; quand il se pose sur terre, c'est pour dormir ou visiter son nid. Celui-ci, fait de mousse et de boue, est fixé aux parois ou aux surplombs rocheux, souvent près d'une chute. Il arrive même que le nid soit placé *derrière* la chute, à quelques centimètres seulement des eaux écumantes.

Les scientifiques n'ont pas la tâche facile avec cet oiseau qui ne fréquente que les altitudes ; bien des questions à son sujet restent encore sans réponse. On sait par exemple que les martinets se rendent dans les tropiques, mais on ne sait pas où exactement ni comment ils font leur cour et s'accouplent. On peut toutefois affirmer que ce sont de beaux oiseaux dont les prouesses aériennes enchantent l'observateur et qui semblent être aussi à l'aise dans le ciel que l'homme sur terre.

Description. Longueur 18-19 cm (7-7½ po) ; le plus grand des martinets. Corps noir terne ; ailes étroites et très longues ; queue légèrement fourchue.
Habitat. Falaises en montagne ou près de l'océan.
Nidification. Nid robuste et profond fait de mousse et de boue, fixé à une falaise sous un surplomb ou dans une grotte, souvent derrière l'eau d'une chute ; un seul œuf blanc. Période d'incubation et durée du séjour de l'oisillon au nid inconnues. Petit nourri par régurgitation ; peut survivre plusieurs jours sans manger. Niche habituellement en petite colonie.
Nourriture. Araignées et insectes gobés au vol.

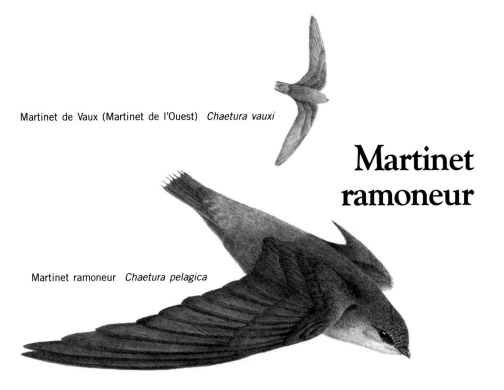

Martinet de Vaux (Martinet de l'Ouest) *Chaetura vauxi*

Martinet ramoneur

Martinet ramoneur *Chaetura pelagica*

Pendant que, durant l'été, les bois et les champs retentissent de chants d'oiseaux, dans l'est de l'Amérique du Nord le ciel semble toujours animé d'un léger vrombissement. C'est le bruit que font les ailes du martinet ramoneur, cet oiseau infatigable qui vole à cœur de jour en quête des insectes dont il se nourrit.

La nuit venue, il avait autrefois l'habitude de dormir dans un tronc creux. Mais il a fort bien adapté ses mœurs à la société des hommes et s'installe maintenant sans vergogne non seulement dans les cheminées, mais aussi dans les étables. Quant au martinet de Vaux, qui habite l'Ouest du continent, lui aussi fréquente parfois les cheminées, mais il préfère nettement les arbres.

À la fin de l'été, le martinet ramoneur entreprend un long voyage qui le mène — on le sait depuis peu — à son habitat d'hiver, les forêts tropicales de l'Amérique du Sud. Avant de prendre leur envol, les oiseaux se réunissent au crépuscule en vastes bandes pour s'installer dans leurs cheminées préférées où ils s'engouffrent plusieurs à la seconde. Il peut s'en empiler ainsi parfois jusqu'à 10 000, tassés les uns sur les autres contre les parois verticales d'une même cheminée.

Le martinet ramoneur ne se perche que pour dormir ou pour nicher ; le plus clair de son temps, il reste dans les airs. On estime qu'au cours d'une vie normale, il aura parcouru aisément quelque 2 millions de kilomètres.

Martinet ramoneur

Martinet de Vaux

Description. Longueur 10-13 cm (4-5 po). Corps brun terne ; gorge grisâtre ; longues ailes orientées vers l'arrière. S'observe au vol ; vol rapide et saccadé. Martinet de Vaux : habite l'Ouest ; gorge plus cendrée.
Habitat. Agglomérations urbaines. Martinet de Vaux : forêts en montagne.

Nidification. Nid en forme de demi-soucoupe, fait de brindilles agglutinées avec de la salive et fixé aux parois d'une cheminée ou d'un tronc creux ; 2-7 œufs blancs ; 19-21 jours d'incubation assurée par le couple. Les oisillons restent 4 semaines au nid.
Nourriture. Araignées et insectes gobés au vol.

Martinet à gorge blanche

Aeronautes saxatalis

Le martinet à gorge blanche fixe son nid avec sa salive.

Si les martinets passent dans l'ensemble pour des oiseaux extrêmement rapides, le martinet à gorge blanche apparaît comme le grand champion. Chronométré à plus de 320 km/h (200 mi/h), il passe en fait pour l'oiseau le plus rapide en Amérique du Nord.

Il a une prédilection pour les falaises côtières et les ravins profonds qu'il anime de son charmant gazouillis. Une seule fissure dans le roc peut abriter une colonie entière. On assiste parfois, au coucher du soleil, au spectacle étonnant d'une file de ces oiseaux s'engouffrant dans les entrailles de la montagne en un rien de temps et dans un ordre parfait.

Le martinet à gorge blanche construit dans une anfractuosité souvent inaccessible un nid peu profond fait de plumes et d'herbes agglutinées avec de la salive (une sécrétion salivaire semblable chez un de ses cousins d'Asie a conquis les faveurs des gastronomes dans le monde entier ; on la trouve dans la soupe aux nids d'hirondelles).

Le martinet à gorge blanche se nourrit d'insectes qu'il gobe au vol. Lorsque ceux-ci commencent à se faire rares, en fin d'automne, il s'envole vers le sud. Tous pourtant n'émigrent pas, car le martinet fait partie des rares oiseaux qui peuvent hiverner ; il entre dans un état de torpeur durant les vagues de froid intense pour s'éveiller sitôt que le temps se réchauffe.

Description. Longueur 15-18 cm (6-7 po). Ailes longues et étroites ; queue longue, légèrement fourchue ; corps noir à taches blanches bien visibles sur les parties inférieures et les flancs.
Habitat. Ravins, falaises arides et rocheuses.
Nidification. Nid fragile de structure circulaire, fait d'herbes et de plumes agglutinées avec de la salive de l'oiseau et fixé au sommet de parois rocheuses ou de grands édifices ; 3-6 œufs blancs ou crème. Durée de l'incubation et durée du séjour des oisillons au nid inconnues.
Nourriture. Araignées et insectes gobés au vol.

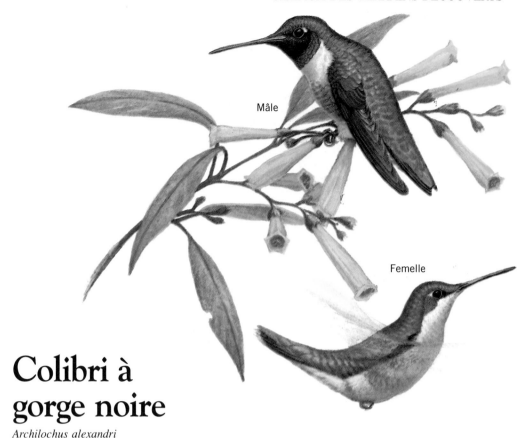

Mâle

Femelle

Colibri à gorge noire

Archilochus alexandri

Hôte des bosquets et des jardins, le colibri à gorge noire, dans l'Ouest, ressemble tellement au colibri à gorge rubis, dans l'Est, que les ornithologues ont de la difficulté à distinguer les femelles l'une de l'autre.

Il est beaucoup plus facile de les reconnaître à leur nid, que la femelle, dans les deux cas, est seule à construire. Bien que les deux espèces choisissent généralement comme site une branche surplombant un cours d'eau, le colibri à gorge noire, au lieu de se servir de lambeaux de lichen comme son congénère de l'Est, construit un nid de duvet végétal finement tissé avec des fils d'araignée. Ces deux matériaux confèrent au nid une sorte d'élasticité que les oisillons vont apprécier quand ils prendront de la taille ; en effet, la structure initiale ne mesure pas plus de 3,5 cm (1½ po). Selon les mots d'un observateur, « sous la poussée des petits becs et des petites pattes, le nid s'ouvre comme un bouton de fleur. »

Les meilleurs sites sont réutilisés d'année en année ; souvent le nouveau nid est construit sur les restes de celui de l'année précédente. Que ces structures en apparence si fragiles puissent non seulement résister aux intempéries d'une année entière, mais servir à nouveau de fondations, n'est pas le moindre des mystères de la nature.

Le colibri à gorge noire entoure son nid de fil d'araignée.

Description. Longueur 7,5-9,5 cm (3-3¾ po). Mâle : haut de la gorge noir ; bas de la gorge pourpre irisé ; poitrine blanche ; queue sombre. Femelle : dessus vert, dessous blanchâtre ; queue à rectrices externes blanches. Le mâle émet un bourdonnement avec ses ailes en vol.
Habitat. Chênaies, jardins, broussailles.

Nidification. Nid en forme de petite coupe, fait de duvet végétal assujetti avec des fils d'araignée, fixé à 1,2-2,4 m (4-8 pi) du sol sur une branche, souvent au-dessus de l'eau ; 2-3 œufs blancs ; 16 jours d'incubation assurée par la femelle. Les oisillons restent 3 semaines au nid.
Nourriture. Nectar floral, petits insectes.

Mâle

Femelle

Colibri d'Anna

Calypte anna

Avec sa langue protractile, le colibri recueille le nectar dans le calice des fleurs.

Drapé dans un plumage chatoyant qui fait miroiter le vert au soleil, le mâle de cette espèce arbore une gorge et un vertex d'un rose qui lui est tout à fait exclusif.

Le colibri d'Anna habite surtout la Californie où on le rencontre fréquemment dans les parcs et les jardins, les chaparrals et les boisés clairsemés. Les résidents ont coutume de l'attirer sur leur terrain en plantant des fleurs rouges, le rouge ayant apparemment l'heur de lui plaire.

En installant des augets à son intention, les Californiens peuvent l'admirer à longueur d'année, car le colibri d'Anna est le seul colibri à ne pas émigrer en hiver. (Certains d'entre eux qui ne sont pas aptes à la reproduction font une pointe jusqu'en Colombie-Britannique au printemps ; d'autres vont se déplacer, mais rarement plus au sud que l'Arizona.)

Les augets ne sont pas d'un entretien compliqué. Il suffit de faire dissoudre un volume de sucre dans quatre volumes d'eau pour obtenir un liquide qui se compare au nectar floral ; on peut y ajouter une goutte ou deux de colorant rouge pour rendre la mixture attrayante et on la verse dans l'auget. Il est recommandé de changer le liquide tous les matins et surtout de ne pas oublier de nourrir les colibris par temps frais. On est de la sorte à peu près assuré de recevoir tous les jours la visite de ces ravissants oiseaux.

Description. Longueur 7,5-10 cm (3-4 po). Colibri trapu. Mâle : dessus et flancs vert lustré ; vertex et gorge rose sombre irisé ; queue noire. Femelle : marbrures roses sur la gorge ; flancs grisâtres, queue à tache terminale blanche.
Habitat. Jardins et bois clairsemés à broussailles.
Nidification. Nid en forme de petite coupe, fait de duvet végétal tapissé de lichen, à 0,60-9 m (2-30 pi) du sol sur une branche ou sur un câble de téléphone ; 2 œufs blancs ; 14-18 jours d'incubation assurée par la femelle. Les oisillons restent 25 jours au nid.
Nourriture. Nectar et minuscules insectes dans le calice des fleurs.

Colibri de Costa

Calypte costae

Mâle

Femelle

Quand, voltigeant au-dessus d'une fleur de cactus, il fait dos au soleil, ce minuscule habitant du désert n'a rien de remarquable ; sa tête et sa gorge apparaissent ternes et noires. Mais dès que le soleil l'éclaire à l'angle approprié, le noir s'enlumine d'extraordinaires nuances de pourpre.

D'un chatoiement remarquable, les coloris des oiseaux-mouches ont depuis longtemps fait l'étonnement des ornithologues. Les impressionnantes parures vestimentaires des chefs aztèques s'ornaient de dépouilles de colibris. On comprend comment, dans le Mexique précolombien, ainsi parés des plus riches couleurs de l'arc-en-ciel, ils pouvaient passer pour des dieux. Plus près de nous, à l'ère victorienne, les élégantes arboraient des chapeaux parés de plumes de colibris, ce qui entraîna à l'époque une véritable hécatombe parmi l'espèce.

Comme les chefs aztèques et les belles victoriennes, le colibri de Costa est conscient que son plumage peut lui servir d'élément de séduction. Pendant les prouesses du ballet nuptial qu'il exécute dans les airs, il prend bien soin de se placer à l'angle nécessaire pour que le jeu des rayons du soleil fasse chatoyer les plumes pourpres de sa gorge. Et pour impressionner davantage sa future compagne, il plonge à plusieurs reprises vers elle et l'évite de justesse en poussant un cri perçant et métallique.

Les augets à colibri sont aussi invitants que des fleurs.

Description. Longueur 7,5-9 cm (3-3½ po). Mâle : dessus et flancs vert lustré ; vertex, gorge et côtés du cou irisés de pourpre ; queue noire. Femelle : dessus vert-gris ; dessous blanchâtre ; queue noire à tache terminale blanche.
Habitat. Broussailles arides, jardins environnants.
Nidification. Nid en forme de petite coupe, fait de duvet végétal enfermé dans du lichen, fixé à 0,60-9 m (2-30 pi) du sol sur une branche ou une tige de yucca ; 2 œufs blancs ; 15-18 jours d'incubation assurée par la femelle. Les oisillons restent 20-23 jours au nid.
Nourriture. Nectar et minuscules insectes dans le calice des fleurs.

Colibri d'Allen

Selasphorus sasin

Mâle

Femelle

Le colibri ne craint pas
d'attaquer plus gros que lui.

L e plumage flamboyant du colibri d'Allen symbolise peut-être l'humeur batailleuse de cet oiseau-mouche qui défend son territoire avec une énergie farouche contre les mâles de son espèce. Et malheur aux colibris des autres espèces qui prétendraient fréquenter « ses » augets ! Sa taille minuscule ne l'empêche aucunement de s'attaquer même aux buses à queue rousse et aux crécerelles d'Amérique qui osent transgresser son espace aérien.

L'ardeur belliqueuse des colibris en général est facile à comprendre quand on sait que le rythme de leur métabolisme est une centaine de fois plus élevé que le nôtre. Ces petites dynamos ont besoin de s'alimenter sans cesse pour maintenir leur énergie : leur reproduction et parfois même leur vie dépendent donc des fleurs et des augets qu'ils défendent.

Le colibri se nourrit principalement du nectar des fleurs, liquide riche en sucre qui se convertit rapidement en énergie. Mais ses dépenses d'énergie sont si grandes qu'il doit en absorber tous les quarts d'heure environ ; c'est dire qu'il lui faut « ramoner » un millier de fleurs environ par jour. Par ailleurs, il mange aussi des insectes qui lui apportent les protéines et d'autres éléments nutritifs dont le nectar est dépourvu. Son alimentation de base demeure néanmoins le subtil liquide que lui procurent les fleurs ; en retour, il rend aux fleurs le service de disséminer leur pollen dont on aperçoit souvent une fine couche au sommet de sa tête.

Description. Longueur 7,5-9 cm (3-3½ po). Mâle : dessus vert ; flancs, queue et croupion roux ; tache chatoyante vermillon sur la gorge, absente chez la femelle qui n'a de roux que sur sa queue frangée de blanc.
Habitat. Boisés broussailleux, jardins, clairières émaillées de fleurs en montagne.

Nidification. Nid de duvet végétal et de tiges tapissé de lichen, fixé à 0,30-28 m (1-90 pi) du sol sur un rameau ou une tige ; 2 œufs blancs ; 15-17 jours d'incubation assurée par la femelle. Envol des oisillons à 3 semaines.
Nourriture. Nectar et minuscules insectes dans le calice des fleurs.

Martin-pêcheur d'Amérique

Ceryle alcyon

D'une foudroyante précision, le martin-pêcheur plonge comme le destin sur sa proie.

Résolument solitaire durant la plus grande partie de l'année, le martin-pêcheur ne tolère la présence d'un partenaire qu'en période de nidification. Fait étonnant toutefois, au cours des quelques semaines que dure celle-ci, le couple de martins-pêcheurs va mettre ses ressources en commun avec une remarquable discipline.

À tour de rôle, l'un et l'autre s'affairent à creuser une galerie dans la berge, habituellement près du territoire de pêche. À mesure qu'ils creusent avec leur bec, ils éliminent les débris avec leurs pattes. Au bout de la galerie, ils ménagent un terrier où la femelle va pondre sur le sol, dans la totale obscurité, ses œufs d'un blanc immaculé.

Durant les 24 jours qui suivent, le couple se partage l'incubation, consacrant le reste de son temps à la pêche. Les oisillons sont nus à l'éclosion ; la femelle est d'abord seule à s'en occuper, pendant que le mâle se charge des provisions. Dès que les oisillons ont des plumes, la femelle prend la relève de la pêche à l'occasion.

Cinq semaines après l'éclosion, les oisillons complètement couverts de plumes sont en mesure de voler hors du nid. Une semaine ou deux plus tard, ils auront appris à pêcher. La famille se disperse et chaque membre part établir son propre territoire. Le martin-pêcheur reprend alors sa solitude farouche jusqu'à la prochaine nidification.

Description. Longueur 28-36 cm (11-14 po). Dessus et tête gris-bleu ; collier blanc ; bec robuste ; huppe échevelée. Mâle : bande pectorale gris-bleu doublée d'une bande marron chez la femelle. S'observe près de l'eau ; plonge pour pêcher. Cri comme un crépitement rauque.
Habitat. Rivières, étangs, lacs et marais.

Nidification. Pond 5-8 œufs blancs dans un terrier au bout d'une galerie de 1-2 m (3-7 pi) sur une berge abrupte. Réutilise souvent le même terrier ; 24 jours d'incubation assurée par le couple. Les oisillons restent 33-38 jours au nid.
Nourriture. Poissons et têtards, salamandres, grenouilles et insectes.

Martin-pêcheur vert

Chloroceryle americana

Le martin-pêcheur vert est toujours sur le qui-vive.

Les martins-pêcheurs ont, selon les régions du globe, des plumages différents, mais toujours la même silhouette : un corps ramassé, des pattes courtes, une grosse tête et un bec robuste en forme de dague. Ils n'ont certes rien de gracieux ; mais ils sont extrêmement habiles et le démontrent chaque fois que, conformément à leur nom, ils vont à la pêche.

Le martin-pêcheur vert est un oiseau tropical ; les limites de sa répartition au Nord ne dépassent pas le sud du Texas et de l'Arizona. L'oiseau manifeste une certaine prédilection pour les zones d'ombre autour des étangs et pour les rivières aux eaux paresseuses ; il se perche sur une roche le long de la berge ou au milieu du lit et scrute attentivement les eaux en battant de la queue. Au moment voulu, son attaque est fulgurante ; d'un adroit coup de pointe, il pique du bec la proie qui s'est malencontreusement approchée de lui.

En dépit de ses grands talents de pêcheur, notre oiseau s'aventure parfois bien à l'intérieur des terres où il se nourrit de papillons, d'insectes ailés, de sauterelles et de petits lézards sur lesquels il s'abat avec force. Mais s'il se retrouve au sol, le martin-pêcheur perd toute agilité ; il avance gauchement et ne maintient son équilibre qu'en balançant la queue d'une manière grotesque.

Description. Longueur 17-20 cm (7-8 po). Plus petit que le martin-pêcheur d'Amérique et moins de huppe. Tête et dos verts ; collier blanc ; bec long et robuste ; queue à rémiges externes blanches ; bande pectorale rousse chez le mâle seulement ; femelle autrement semblable au mâle. S'observe près de l'eau ; plonge pour pêcher.

Habitat. En principe, rivières, ruisseaux, étangs.
Nidification. Pond 3-6 œufs blancs à même le sol dans un terrier au bout d'une galerie de 60-90 cm (2-3 pi) sur une berge abrupte ; 19-21 jours d'incubation assurée par le couple. Les oisillons restent 22-26 jours au nid.
Nourriture. Petits poissons ; parfois insectes.

Pic des saguaros

Melanerpes uropygialis

Dans son territoire spécifique, les déserts du Sud-Ouest américain, le pic des saguaros rend d'utiles services à l'environnement. Comme tous les pics, il se nourrit d'insectes qu'il déloge en frappant de son bec l'écorce des plantes ligneuses. Mais quand il s'attelle à cette tâche dans un cactus qu'on appelle cierge géant ou saguaro, il lui sauve parfois à son insu la vie.

En effet, une certaine décoloration de ce cactus signale au pic des saguaros la présence de larves dont il raffole, lesquelles sont par ailleurs porteuses d'une maladie bactérienne éventuellement fatale à la plante. En extirpant les larves du cactus saguaro, l'oiseau arrache en même temps les fibres affectées. Une fois l'opération faite, la sève sirupeuse du cactus en se solidifiant va permettre à la plaie de se cicatriser.

Là ne s'arrête pas la symbiose entre le pic des saguaros et ledit cactus. L'oiseau y creuse aussi des trous plus gros pour y nidifier. Et une fois qu'il aura quitté son nid, d'autres créatures du désert viendront y loger, tout comme dans les trous plus petits des plaies cicatrisées : crécerelles et chouettes des saguaros, moucherolles et troglodytes — mais aussi, à l'occasion, rats, souris et serpents — vont mettre à profit ce commode espace de logement.

Le cierge géant fournit au pic des saguaros nourriture et abri pour ses petits.

Description. Longueur 20-25 cm (8-10 po). Dos et ailes rayés noir et blanc ; tête et dessous havane. Petite tache rouge sur le dessus de la tête du mâle. Femelle semblable, sans la tache.
Habitat. Déserts à cactus, boisés broussailleux, cavernes, parcs urbains.
Nidification. Nid creusé à 4-8 m (15-25 pi) du sol dans l'écorce d'un cierge géant, d'un saule, d'un prosopis ou d'un cotonnier près d'un point d'eau ; 3-5 œufs blancs ; 14 jours d'incubation assurée par le couple. Durée du séjour au nid inconnue. Souvent deux couvées par an.
Nourriture. Insectes, fruits de cactus et baies ; friand de suif et de maïs dans les mangeoires.

Moucherolle noir

Sayornis nigricans

Le moucherolle noir fonce sur les insectes qui foisonnent autour des piscines.

Il ne vole pas bien haut ; il ne perche pas haut non plus. Posé sur une branche basse ou un pieu de clôture, le moucherolle noir moissonne les coccinelles, les abeilles, les mouches et les scarabés à ras du sol. Habile à planer, comme tous les moucherolles, il vole presque silencieusement. À un point tel que le claquement sec de son bec se refermant sur un insecte peut faire sursauter le promeneur.

Le nid du moucherolle noir est une structure remarquable. Généralement logé sous un surplomb, il est fait de boue et d'herbes et si bien assujetti à la paroi verticale d'une falaise ou à la poutre d'un pont qu'il se brise avant de se détacher quand on essaie de s'en saisir. Les couples de moucherolles y élèvent généralement deux et parfois trois couvées par saison.

Le moucherolle noir, qu'on ne rencontre qu'accidentellement au Canada, en Colombie-Britannique, niche de préférence à proximité de l'eau, près d'un marais ou d'un torrent de montagne. Mais, au besoin, il se contente du voisinage d'un baquet à eau de pluie, d'un fossé d'irrigation ou d'une piscine. On en a vu confortablement installés au fond du Grand Canyon. Sans doute ont-ils besoin d'eau surtout pour boire mais, l'occasion faisant le larron, il leur arrive de plonger à la surface de l'eau pour s'offrir un petit poisson.

Description. Longueur 14-18 cm (5½-7 po). Tête, parties supérieures et poitrine noires ; rectrices externes de la queue et abdomen blancs. S'observe près de l'eau. Hoche la queue quand il se pose ; fonce sur les insectes en vol.
Habitat. Cours d'eau, canyons, terres agricoles.
Nidification. Nid profond de boue et d'herbes fixé à une falaise ou à un mur dans un lieu abrité, souvent près de l'eau ; 3-6 œufs blancs, parfois mouchetés de brun rougeâtre ; 15-17 jours d'incubation assurée par la femelle. Oisillons nourris par le couple ; restent 3 semaines au nid. Généralement deux couvées par saison.
Nourriture. Insectes capturés au vol.

Moucherolle phébi

Sayornis phoebe

Joyeux et affairé, ce joli petit oiseau n'a ni cercle de couleur autour des yeux, ni barre alaire pour lui conférer une marque distinctive. Quant aux plumes érectiles qui lui coiffent le chef, elles sont beaucoup trop courtes pour mériter l'appellation de huppe. Et pourtant, les moucherolles phébis se reconnaissent aisément parmi une foule d'oiseaux beaucoup plus colorés qu'eux.

Lorsqu'ils remontent vers le nord au printemps, leur retour ne passe pas inaperçu. Parfois la neige n'est pas encore fondue qu'on entend déjà les mâles, fièrement perchés dans les arbres aux branches encore dénudées, lancer à la ronde le cri sonore qui leur a donné leur nom, *fî-bî, fî-bî, fî-bî*, en hochant inlassablement la queue d'une manière bien à eux.

Les moucherolles phébis nichent habituellement sur les saillies rocheuses des falaises, mais ils s'installent parfois sur les poutres des ponts, les entrées de maison, les avant-toits et les remises. Point du tout farouches, ils n'hésitent pas à emménager près des habitations rurales ou urbaines. Ainsi peut-on avoir la chance unique de voir le nid se construire, les œufs éclore, les petits grandir et entreprendre, inquiets et gauches, leur premier vol. Comme le moucherolle revient souvent d'année en année au même nid, son retour est accueilli avec joie par son entourage familier à qui il annonce le printemps.

Un recoin abrité sur une maison plaît beaucoup au moucherolle phébi.

Description. Longueur 13-18 cm (5-7 po). Dessus brun-olive terne ; tête sombre ; dessous blanchâtre ; bec noir ; ni cercle autour des yeux, ni bande alaire. S'observe près de l'eau. Hoche la queue au repos. Gobe les insectes.
Habitat. Berges de cours d'eau ou d'étangs.
Nidification. Nid peu profond fait de boue et d'herbes, fixé à une falaise rocheuse abritée, sous un pont ou sur un édifice ; 3-8 œufs blancs parfois tachetés de brun ; 14-17 jours d'incubation assurée par la femelle. Les oisillons restent 15-17 jours au nid. Deux couvées par saison, parfois trois.
Nourriture. Araignées et insectes capturés au vol.

Moucherolle à ventre roux

Sayornis saya

Perché sur un fil de fer, le moucherolle est à l'affût.

Cet infatigable petit oiseau habite les régions arides de l'Ouest où il relaie le moucherolle phébi dont il a les mœurs. Comme ce dernier, il hoche la queue quand il se perche sur des broussailles ou des rochers peu élevés. Mais son cri est différent ; c'est un plaintif *pî-eûrr*.

Son nom latin lui vient de l'homme de science américain qui a été le premier à décrire les trois espèces de moucherolles vivant en Amérique du Nord.

Né au sein d'une riche famille quaker de Philadelphie en 1787, Thomas Say était le neveu de William Bartram, l'un des plus célèbres naturalistes américains du XVIIIe siècle. Sous l'influence de son oncle, le jeune Say se prit d'amour pour la nature et, en dépit d'une mauvaise santé, prit part à deux expéditions de reconnaissance dans les Rocheuses, une première fois en 1819 et de nouveau en 1823. De ces expéditions, il rapporta des spécimens du cerf mulet, du renard nain, d'un animal inconnu des savants, le coyote, et de huit nouvelles espèces d'oiseaux. Grâce à ses découvertes, l'étude de la faune nord-américaine fit un bond en avant et Say, déjà célèbre pour ses répertoires de coquillages et d'insectes, en reçut à juste titre une gloire accrue.

Il était assez approprié que les moucherolles, qui se distinguent par leur vivacité et leur agileté, soient choisis pour porter le nom de cet homme énergique à l'esprit vif qui, de surcroît, fut le premier à les reconnaître.

Description. Longueur 15-20 cm (6-8 po). Dessus et poitrine brun-gris ; queue noire ; abdomen chamois ou roux clair. Hoche la queue quand il est perché. Gobe les insectes au vol.
Habitat. Étangs en désert, canyons, broussailles clairsemées, terres agricoles.
Nidification. Nid plat fait de tiges, d'herbes et de mousse, accroché à une falaise ou à un édifice ; aussi cavité naturelle dans un arbre ou nid déserté d'une hirondelle à front blanc ; 3-7 œufs blancs, parfois mouchetés de roux ; 12-14 jours d'incubation assurée par la femelle. Les oisillons restent 14-16 jours au nid.
Nourriture. Araignées et insectes capturés au vol.

Moucherolle vermillon

Pyrocephalus rubinus

Mâle

Femelle

Les noms scientifiques d'oiseaux ne traduisent pas toujours la réalité qu'ils sont censés dépeindre ; il en est un en tout cas, celui du moucherolle vermillon, qui est tout à fait approprié puisque *pyrocephalus* veut dire, en grec, « tête de feu ». Au Mexique, on l'a surnommé *sangre de toro* ou « sang de taureau », nom également fort imagé.

Le déploiement de couleurs du mâle est unique chez les moucherolles dont le plumage est habituellement terne ; il est même assez rare chez les petits oiseaux des terrains découverts. Ce flamboiement se rencontre plus souvent chez les oiseaux de forêt qui peuvent se dissimuler dans le feuillage. Or, loin de se cacher, le moucherolle vermillon se montre avec ostentation et recherche pour se percher les lieux à découvert.

Sa fierté vaniteuse est encore plus évidente durant la saison des amours. Près d'un cours d'eau ou d'un affleurement rocheux, le mâle exécute une danse aérienne presque dramatique. La queue étalée en éventail, les ailes agitées d'un mouvement frénétique, il lance un cri grêle en quittant son perchoir et grimpe à 15 m (50 pi) tantôt en s'élevant comme une fusée, tantôt en voltigeant sur place. En terminant, il effectue une plongée vertigineuse pour venir rejoindre sa compagne. Ce spectacle exubérant est tout à fait à la hauteur de ce petit oiseau haut en couleur.

Queue étalée et un peu relevée, le mâle entonne son chant d'amour.

Description. Longueur 13,5-15 cm (5-6 po). Mâle : dos et côtés de la tête noirs, tout le reste rouge vif. Femelle et juvénile : dos brun-gris ; dessous blanchâtre finement strié ; abdomen teinté de jaune ou de rose.
Habitat. Boisés et fourrés près des cours d'eau.
Nidification. Nid peu profond fait de brindilles, de tiges, d'herbes et de radicelles, bien enfoncé à l'intersection de deux branches, loin du tronc, à 2-6 m (6-20 pi) du sol ; 2-4 œufs blancs abondamment marqués de brun et de mauve ; 14 jours d'incubation assurée par la femelle. Les oisillons restent 14-16 jours au nid.
Nourriture. Insectes capturés au vol.

Tyran à gorge cendrée
(Moucherolle à gorge cendrée)

Myiarchus cinerascens

Un tyran orne son nid avec la mue d'un serpent.

Plus de 30 espèces de moucherolles font le voyage chaque printemps pour venir se reproduire en Amérique du Nord. C'est parmi eux que se trouvent quelques-uns des oiseaux les plus difficiles à identifier. Bien des ornithologues pourtant expérimentés auront passé des heures à essayer de déterminer si l'oiseau qu'ils observent est un tyran à gorge cendrée ou l'un de ses proches parents, le tyran huppé, le tyran olivâtre ou le tyran de Wied.

C'est le plus souvent au son de sa voix qu'on arrivera à l'identifier avec certitude. L'oiseau lui-même semble d'ailleurs faire fi du comportement et des couleurs pour distinguer un ami d'un ennemi ou un passant d'un rival. Il semblerait qu'il se fie lui aussi au son. C'est sans doute pourquoi chaque espèce a développé son propre répertoire de cris et de chants que l'ornithophile averti apprend lui aussi à reconnaître.

Le répertoire du tyran à gorge cendrée est bien familier dans les bois clairsemés qu'il fréquente. Chose rare chez les tyrans, celui-ci niche dans la cavité naturelle d'un arbre ou dans le nid abandonné d'un pic ; au besoin, il n'hésitera pas à déloger un oiseau plus petit que lui pour en occuper le logis. Il construit alors rapidement son nid et le tapisse de poil, de duvet, parfois même de la mue d'un serpent.

Description. Longueur 17,5-21,5 cm (7-8½ po). Ligne élancée ; bec noir ; dessus brun-gris ; gorge et poitrine gris-blanc ; abdomen jaune pâle ; queue nuancée de roux. Cri : un *kâ-ouîr* roulant.
Habitat. Boisés clairsemés ; fourrés près de cours d'eau, terres arides et broussailleuses.
Nidification. Nid d'herbes, de radicelles et de ti-ges lâchement tressées, au fond d'une cavité naturelle dans un arbre, à moins de 6 m (20 pi) du sol ; 3-7 œufs blanchâtres finement striés de brun ; 15 jours d'incubation assurée par la femelle. Les oisillons restent 17 jours au nid.
Nourriture. Insectes capturés au vol.

Tyran de Cassin

Tyrannus vociferans

Combien vaut un œuf d'oiseau ? La question peut sembler oiseuse. Pourtant, dans les premiers temps de l'oologie (étude des œufs d'oiseaux), au XIXᵉ siècle, les œufs étaient ramassés, échangés et vendus ; celui du merle d'Amérique, selon les catalogues de l'époque, valait trois cents, mais ceux d'espèces rares comme le cygne trompette ou la chouette lapone atteignaient 5 $.

Aujourd'hui, les œufs d'oiseaux sauvages ne sont plus des objets de commerce mais d'admiration. Ceux du tyran de Cassin sont certainement parmi les plus jolis. Leur luisante coquille d'un blanc crémeux s'orne de fines mouchetures brunes, grises et lavande, comme des gouttelettes qui seraient tombées de la palette d'un artiste.

Ce sont des pigments exsudés par les glandes utérines qui colorent la coquille au moment de sa solidification. La couleur peut être franche ou apparaître sous forme de macules ou de taches ; il semble qu'elle serve de camouflage puisque seulement trois groupes d'oiseaux pondent des œufs blancs : ceux qui nichent dans un trou et dont les œufs sont cachés, ceux qui couvent leurs œufs dès la ponte du premier et, enfin, ceux qui recouvrent leurs œufs de duvet ou de végétation chaque fois qu'ils s'absentent du nid.

En vrai moucherolle, le tyran se précipite sur un insecte, puis retourne se percher.

Description. Longueur 20-22,5 cm (8-9 po). Parties supérieures et poitrine gris foncé ; gorge blanche ; abdomen jaune ; queue toute noire.
Habitat. Boisés clairsemés, bosquets, fourrés près de cours d'eau en région montagneuse.
Nidification. Nid robuste fait de brindilles entremêlées de radicelles et de lanières d'écorce, près de l'extrémité d'une branche, à 2,5-12 m (8-40 pi) du sol ; 2-5 œufs blancs ou crème maculés de brun, de gris et de lavande ; 12-14 jours d'incubation assurée par la femelle. Les oisillons restent 14 jours au nid.
Nourriture. Insectes gobés au vol ; baies.

Tyran de l'Ouest

Tyrannus verticalis

Le tyran de l'Ouest adore nicher sur les traverses des poteaux de téléphone.

Beaucoup d'oiseaux choisissent l'emplacement de leur nid avec une constance prévisible. Personne n'irait chercher le logis d'un pic mineur ailleurs que dans un arbre creux, ni celui d'une paruline couronnée ailleurs qu'au sol dans la forêt, sous sa coupole d'herbes. Mais il est d'autres oiseaux — et le tyran de l'Ouest en est un — qui font preuve d'une grande dose d'improvisation quant à l'élection de leur domicile.

Avant que les terres de la Prairie soient défrichées par l'homme, les tyrans de l'Ouest nichaient presque exclusivement dans les fourrés de sycomores, de cotonniers et de saules près des cours d'eau, partageant à plusieurs couples le même arbre. Avec la colonisation vinrent l'irrigation, le reboisement et l'urbanisation et les tyrans se mirent à nicher dans les chênes et les pommiers, dans les haies coupe-vent aussi bien que dans les vergers. Mais pourquoi ne s'en tenir qu'aux arbres ? Habitués désormais à la présence de l'homme, ils ne tardèrent pas à s'installer dans les étables, les moulins à vent, les clochers d'église et même sur les poteaux de téléphone.

Ils en profitèrent pour adopter de nouveaux matériaux de construction. Les nids des tyrans de l'Ouest ont toujours été tapissés de poil de bête. Aujourd'hui, ils ont délaissé la fourrure du bison pour celle des bêtes d'élevage et tout particulièrement pour la douce laine des agneaux.

Description. Longueur 20-23 cm (8-9 po). Dos, gorge et poitrine gris pâle ; abdomen jaune ; queue noire à rémiges externes blanches.
Habitat. Prés, fourrés et bosquets.
Nidification. Nid volumineux de tiges, d'herbes, de radicelles, de brindilles, de fibres végétales, de poil et de mues de serpent, fixé à 2,5-12 m (8-40 pi) du sol dans un arbre, sur un poteau ou sur un pieu de clôture ; 3-7 œufs blancs, chamois ou rosés, marbrés et éclaboussés de brun ; 12-14 jours d'incubation. Envol des oisillons 2 semaines après l'éclosion.
Nourriture. Insectes gobés au vol ; baies.

Tyran tritri

Tyrannus tyrannus

Certains oiseaux sont très discrets. Ils volètent incognito sous le dôme feuillu de la forêt en évitant de se faire remarquer à l'instar de vedettes de spectacles qui redouteraient les feux des caméras. Le tyran tritri n'est pas de ceux-là. Il se perche, au contraire, avec un aplomb dictatorial sur les clôtures et les arbres exposés à tout vent, maître absolu de son univers. D'ailleurs son nom, en latin, lui reconnaît un pouvoir absolu : il est le tyran des tyrans, l'oiseau le plus caractéristique de sa famille. Quant à son nom français, il fait bien évidemment allusion à son cri *tri tri*.

Au moment de la nidification, ses trilles signifient la prise de possession de son territoire. Gare à qui viendrait flairer de trop près sa progéniture ! Il chasse les écureuils, déloge les geais, met en déroute les corneilles et les éperviers et atterrit, en plein vol, sur le dos des oiseaux, même non prédateurs mais trop téméraires à son goût, qu'il crible de coups de bec.

Et pourtant, cet oiseau si agressif dans le Nord change totalement de comportement quand il rejoint son habitat d'hiver en Amérique du Sud. Le voilà doux comme un agneau. Il sillonne la campagne paisiblement, par petits groupes tranquilles, sans chercher noise à personne, victime à son tour des insultes des moucherolles indigènes qui redoutent de voir un nouveau venu menacer leur territoire.

Férocement possessif, le tyran tritri s'attaque à bien plus gros que lui.

Description. Longueur 20-23 cm (8-9 po). Dessus et tête noirs ; gorge et dessous blancs ; parfois un peu de gris sur la poitrine ; queue noire terminée par une bande blanche.
Habitat. Épaulements de routes, orées de forêts, vergers, bocages.
Nidification. Grand nid de brindilles, de tiges et d'herbes, fixé à 18 m (60 pi) de hauteur dans un arbre ou sur une souche dans l'eau ; 3-5 œufs blancs ou rosâtres maculés de brun ; 13 jours d'incubation assurée par le couple. Envol des oisillons 14 jours après l'éclosion.
Nourriture. Insectes capturés au vol ; aussi baies et graines.

Tyran gris

Tyrannus dominicensis

Le tyran aime bien voleter près des baies comme s'il voulait choisir la plus belle.

Perché allègrement sur les câbles téléphoniques qui bordent les routes de Floride, près de l'océan, le tyran gris se précipite soudain dans les airs et croque en plein vol un papillon ou un coléoptère. Cette adresse avait frappé le grand naturaliste John James Audubon quand il avait vu son premier tyran gris dans les années 1830 alors qu'il voyageait dans les Keys en Floride. Il avait remarqué son étonnante rapidité quand il poursuit une proie.

Frapper une proie à la rapidité de l'éclair est précisément l'un des traits distinctifs des moucherolles et des tyrans, oiseaux qui font partie de la même famille, celle des tyrannidés. Ils ont toutefois d'autres méthodes de chasse. En effet, on peut les voir voleter sur place assez longtemps autour d'une feuille pour en détacher des insectes ou au-dessus d'un plan d'eau pour les y attraper ; ou encore les happer pendant qu'ils détalent sur le feuillage ou les fleurs.

Ces mœurs entomophages sont prisées des agriculteurs ; malheureusement, on a aussi accusé les moucherolles et les tyrans de croquer les abeilles dans les ruches. Des études menées sur le sujet ont révélé qu'ils s'attaquent, en fait, surtout aux abeilles sauvages et qu'ils dévorent nombre d'insectes nuisibles tels les guêpes et les charançons. Comme beaucoup de ses congénères, le tyran gris raffole des fruits et ne dédaigne pas un petit lézard à l'occasion.

Description. Longueur 20-23 cm (8-9 po). Dessus gris ; tache oculaire noire ; dessous blanc lavé de gris sur la poitrine ; queue noire et fourchue ; bec noir et robuste.
Habitat. Marécages de palétuviers (mangroves), rives boisées des marais, quartiers d'habitation près de l'océan.

Nidification. Nid de forte taille fait de brindilles, d'herbes et de radicelles lâchement entrelacées, fixé à 1-3,5 m (3-12 pi) du sol ; 3-5 œufs roses tachetés de brun. Durée d'incubation et du séjour au nid des oisillons non connue.
Nourriture. Insectes ailés capturés au vol ; quelques baies.

Juvénile

Mâle

Tyran à longue queue
(Moucherolle à longue queue)

Tyrannus forficatus

Le tyran à longue queue se range parmi les oiseaux les plus élégants d'Amérique du Nord ; on le désigne parfois comme le paradisier du Texas, mais son aire de répartition dépasse largement les limites de cet État. Sa remarquable queue fourchue — elle atteint 23 cm (9 po) chez le mâle — a fait sa renommée ; il l'ouvre et la referme comme les lames d'une paire de ciseaux en vol.

Mais, par toutes ses mœurs, ce tyran est bien de sa famille. Il se perche à découvert sur une branche ou un pieu de clôture ; il gobe des insectes au vol et, comme son cousin le tyran tritri, il est très agressif. Malheur aux corneilles et aux autres gros oiseaux qui enfreignent ses limites territoriales !

De tous les tyrans et moucherolles, c'est lui qui a la danse nuptiale la plus extravagante. Au sol, il étale avec ostentation sa belle queue et relève les ailes pour montrer ses flancs rose saumon. Puis il s'envole et prend de l'altitude pour exécuter une série de piqués et de remontées abrupts qui se terminent par deux ou trois sauts périlleux. Durant ce véritable ballet aérien, il n'arrête pas de gazouiller et il répète ces acrobaties très souvent durant la saison des amours. C'est un spectacle dont on ne se lasse pas.

Véritable acrobate, le tyran à longue queue exécute un ballet aérien impressionnant.

Description. Longueur 28-39 cm (11-15½ po). Dos gris pâle ; ailes noires ; flancs saumon ; très longue queue noire fourchue, plus longue chez le mâle que chez la femelle. Peu méfiant.
Habitat. Terrains dégagés avec quelques arbres.
Nidification. Nid volumineux de brindilles, de racines et de tiges, fixé à 1,5-9 m (5-30 pi) du sol dans un arbre isolé ou sur un poteau de téléphone ; 4-6 œufs crème ou blancs tachetés de brun ; 12-14 jours d'incubation assurée par la femelle. Envol des oisillons environ 14 jours après l'éclosion.
Nourriture. Insectes ailés capturés au vol ; sauterelles, grillons, baies et graines.

Alouette cornue
(Alouette hausse-col)

Eremophila alpestris

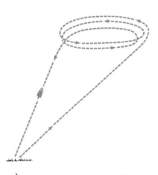

À la fin de son vol nuptial, l'alouette cornue plonge en flèche, ailes repliées.

On trouve dans le monde au total 75 espèces d'alouettes ; l'Amérique du Nord n'en possède que deux. L'alouette des champs fut introduite sur l'île de Vancouver vers la fin du siècle dernier, tandis que sa cousine, l'alouette cornue, est présente dans tout l'hémisphère Nord. Au Canada et aux États-Unis, on la rencontre partout, du nord au sud et d'un océan à l'autre ; c'est l'un des oiseaux les mieux représentés.

L'alouette cornue préfère nettement les espaces ouverts, depuis la toundra arctique jusqu'aux plaines et aux terrains d'aéroport. La destruction des forêts et la mise en valeur des terres par l'agriculture ont favorisé l'essor de ses populations en lui offrant des aires dégarnies pour nicher au sol.

Tôt venu dans son aire de nidification, le mâle exécute dans les airs une belle danse nuptiale. À une altitude de quelque 250 m, il décrit des cercles pendant plusieurs minutes en émettant un chant mélodieux ; puis il replie ses ailes et plonge en silence comme une fusée vers le sol.

Peu remarquables durant les mois d'été, les alouettes cornues attirent davantage l'attention en hiver lorsqu'elles se regroupent en bandes de quelques milliers de sujets pour voler à la recherche d'un terrain découvert. En Europe, on les voit si souvent tournoyer près des plages désertes à cette époque de l'année que les habitants leur ont donné le nom d'alouettes de rivage.

Description. Longueur 15-19 cm (6-7½ po). Oiseau brun ; taches noires sur la tête ; bande noire sur la poitrine ; face blanche ou jaune ; queue noire à rémiges externes blanches ; « cornes » noires peu visibles. Se nourrit au sol. Chante en volant.
Habitat. Prairies, champs, dunes et aéroports.

Nidification. Nid au sol en forme de cuvette peu profonde, tapissé de plumes, d'herbes et de poil, en terrains rocailleux ou herbeux ; 2-5 œufs blancs ou verdâtres, finement mouchetés de brun ; 11 jours d'incubation assurée par la femelle. Les hirondeaux restent 9-12 jours au nid.
Nourriture. Céréales, graines, insectes, araignées.

Hirondelle noire
(Hirondelle pourprée)

Progne subis

Tombant du haut du ciel comme les rayons du soleil, les pépiements et les cris trissés des hirondelles noires sont plus mélodieux que leur description ne le laisserait supposer. Pour pouvoir profiter de ce chant agréable, bien des gens leur construisent derrière chez eux des nichoirs à multiples logis (certains de ces nichoirs peuvent contenir jusqu'à 200 « appartements »). Dans l'Ouest, cependant, l'hirondelle noire dédaigne les nichoirs et leur préfère les trous creusés par les pics dans des arbres morts ou dans les cierges géants de l'Arizona.

Les Amérindiens s'étaient liés d'amitié avec les hirondelles noires longtemps avant la venue des Européens ; ils suspendaient des gourdes creuses pour que les oiseaux s'y installent. Ceux-ci les remerciaient de cette politesse en dévorant des millions d'insectes.

Il est bien déplorable que les populations de cet oiseau enchanteur aient décru par suite de l'importation, en terre américaine, du moineau domestique et de l'étourneau sansonnet, deux oiseaux venus d'Europe. Même s'ils sont plus petits que l'hirondelle noire, leur effronterie leur donne l'avantage sur elle : ils la précèdent dans son aire de nidification et s'emparent des nids. Une fois installés, ils ne se laissent plus déloger. Voilà qui illustre le danger d'acclimater de nouvelles espèces sans prévoir les conséquences.

L'hirondelle noire affectionne les nichoirs à logis multiples.

Description. Longueur 17,5-20 cm (7-8 po). Ailes pointues ; queue un peu fourchue ; bec très court. Mâle : plumage bleu-noir luisant. Femelle : plumage plus terne ; dessous grisâtre. Décrit généralement des cercles dans les airs. Gobe les insectes au vol.
Habitat. Terrains plats et dégagés, à la ville ou à la campagne, près de l'eau ou dans le désert.
Nidification. Nid d'herbes, de plumes et de brindilles lâchement réunies, posé dans un trou de pic ou plus souvent dans un nichoir ; 3-8 œufs blancs ; 16 jours d'incubation assurée par la femelle. Les oisillons restent 26-31 jours au nid.
Nourriture. Araignées planeuses, insectes ailés.

Hirondelle bicolore

Tachycineta bicolor

Agiles et joyeuses, les hirondelles bicolores poursuivent tout ce qui vole.

Au bord de la mer, vers la fin de l'été, comme des guirlandes de perles vert et blanc, c'est par centaines que les hirondelles bicolores se rassemblent sur les fils de téléphone, en attendant de reprendre leurs tournoiements dans le ciel. Les vacanciers se doivent d'apprécier ces fidèles alliées ; sans elles, leur séjour serait gâché par la présence de myriades de moustiques qui fréquentent les marais des alentours.

C'est en juillet, peu après le premier vol de leurs petits, que les hirondelles rejoignent les plages océaniques et les berges des lacs et des cours d'eau. Par centaines de milliers, elles se retrouvent dans les terres humides où grouillent les insectes ; c'est un véritable pactole et elles vont en profiter. Pendant plusieurs semaines, l'air se remplit du bruissement de leurs ailes et de leur gazouillis charmant. Puis vient un matin où le seul bruit qu'on entende est celui du vent soudain devenu frisquet : l'automne est là et les hirondelles sont parties.

En hiver, on les retrouve au bord de la mer, depuis les Carolines jusqu'en Californie. Ce sont néanmoins des oiseaux endurants. Si l'hiver est doux, certaines d'entre elles demeurent à Long Island, près de New York, où elles mangent les fruits cireux du myrica. On croyait autrefois que les hirondelles fréquentaient les bosquets de myricas dans le seul but d'enduire leurs ailes de cire, ce qui était, disait-on, l'explication à leur plumage brillant.

Description. Longueur 13-15 cm (5-6 po). Ailes pointues ; queue fourchue ; bec très court. Mâle : dos et côtés de la face bleu-vert luisant ; ventre très blanc. Femelle : dessus plus terne, presque brunâtre ; dessous grisâtre. S'observe souvent en vol plané, en train de gober des insectes.
Habitat. Lacs, marais, boisés près de l'eau.

Nidification. Nid d'herbes et de plumes, logé dans un trou de pic ou autre cavité dans un arbre, mais aussi dans un nichoir ; 4-7 œufs blancs ; 13-16 jours d'incubation. Les hirondeaux restent 16-24 jours au nid.
Nourriture. Araignées planeuses ; insectes ailés ; fruits du myrica en hiver.

Hirondelle
à face blanche

Tachycineta thalassina

Drapée dans un plumage aux teintes chatoyantes de vert et de violet, l'hirondelle à face blanche est un oiseau superbe. C'est aussi une merveille d'adaptation. Comme toutes les hirondelles, elle se nourrit d'insectes capturés en plein vol et sa morphologie est singulièrement bien harmonisée pour lui faciliter la tâche.

Son bec court, plus large aux commissures, s'ouvre et se referme avec un claquement sec. Longues, étroites et pointues, ses ailes glissent sans effort dans le vent. Des muscles puissants et un cœur robuste lui assurent un vol énergique. Enfin sa queue fourchue lui permet de manœuvrer rapidement quand elle poursuit un insecte. D'ailleurs, les hirondelles sont tellement faites pour voler qu'au sol, elles se déplacent maladroitement. Leurs pieds, petits et faibles, leur permettent bien de se percher, mais pas de marcher.

Les hirondelles vont chercher leur nourriture là où elle se trouve. En été, elles montent très haut rejoindre les insectes entraînés par les courants ascendants de l'air. Quand le temps tourne à la pluie, les insectes et en particulier les moustiques restent près du sol ; les hirondelles aussi. C'était même autrefois un dicton chez les gens de la campagne : « Les hirondelles volent bas, disait-on : il va pleuvoir. » À l'automne, toujours à la poursuite de leurs proies alimentaires, elles descendent vers le sud, là où l'hiver est inconnu.

L'hirondelle se laisse porter, comme les insectes, par les courants ascendants.

Description. Longueur 13-14 cm (5-5½ po). Ailes pointues ; queue fourchue ; bec très court. Adulte : dessus vert à reflets violacés ou pourprés ; côtés de la face, dessous et côtés du croupion blancs. S'observe au vol, à la poursuite des insectes, au-delà des arbres.
Habitat. Montagnes et ravins boisés ; villes.

Nidification. Nid d'herbes, de plumes et de tiges, dans un trou de pic, une anfractuosité du roc ou un nichoir, souvent en colonie ; 4-6 œufs blancs ; 14 jours d'incubation. Les hirondeaux font leur premier vol à 10 jours, mais reviennent au nid pendant encore plusieurs jours.
Nourriture. Insectes ailés.

Hirondelle à ailes hérissées

Stelgidopteryx serripennis

À l'heure de la toilette, l'hirondelle à ailes hérissées lisse du bec sa plume à crochets.

Si la nature a voulu que cet oiseau passe inaperçu, elle y a parfaitement réussi. Brun terne dessus, blanchâtre dessous, il ressemble à une hirondelle de rivage qui aurait oublié de nouer son écharpe brune sur la poitrine. Ces deux espèces sont tellement semblables que John James Audubon, qui découvrit notre hirondelle en 1819, ne voulut pas la reconnaître comme une espèce distincte.

L'hirondelle à ailes hérissées doit son nom aux petits crochets saillants qu'elle porte sur le ramus externe de la primaire la plus externe de ses ailes. On ne les voit pas, mais on les sent quand on promène le doigt sur le bord de l'aile en direction de la pointe.

À quoi servent ces crochets ? Les ornithologues n'en savent rien. Peut-être produisent-ils un certain sifflement au vol ou permettent-ils à l'oiseau d'avoir plus facilement accès aux crevasses de toute nature où il installe son nid : lézardes dans un mur de ciment, poutres d'un pont, vieux tuyaux et même chantepleure de gouttière. Loin des hommes, l'hirondelle à ailes hérissées, tout comme l'hirondelle de rivage, se creuse un terrier dans le sable ou le gravier. Mais elle est moins grégaire que sa cousine. S'il lui arrive à l'occasion de partager un site avec d'autres couples, elle préfère généralement s'installer sur la berge d'une rivière qu'elle est seule à occuper.

Description. Longueur 13-15 cm (5-6 po). Ailes pointues ; queue fourchue ; bec très court. Dessus brun terne ; dessous blanchâtre teinté de brun sur la gorge et la poitrine. Vole près des cours d'eau ; lance un cri rauque.
Habitat. Cours d'eau, gravières inondées, chemins de terre ; près d'un ponceau ou d'un pont.

Nidification. Nid de brindilles, d'herbes et de feuilles, logé au bout d'une galerie creusée dans une berge, parfois dans un tuyau ou une anfractuosité du roc ; 4-8 œufs blancs ; 12-16 jours d'incubation assurée par la femelle. Les hirondeaux restent 19-21 jours au nid.
Nourriture. Insectes ailés.

Hirondelle de rivage
(Hirondelle des sables)

Riparia riparia

L'hirondelle de rivage, qu'on identifie à sa bande pectorale brunâtre, constitue en quelque sorte une anomalie. Adultes et juvéniles sont vêtus de brun sombre et leurs plumes n'arborent aucune des teintes irisées qui font la beauté des hirondelles d'Amérique du Nord. En outre, les hirondelles de rivage n'ont pas modifié, au contact de l'homme, leurs mœurs instinctives. Souverainement indifférentes aux avantages des granges, des ponts ou des gourdes creuses, elles dédaignent même les nichoirs qui leur sont offerts.

Il faut les chercher près des berges abruptes ou des sablonnières, car ce sont des hirondelles à terrier. En avril, celles qu'on appelait encore tout récemment les hirondelles des sables reviennent à leurs anciens sites de nidification. Certaines vont creuser de nouvelles galeries qui peuvent mesurer jusqu'à 1 m de long. Mais le plus souvent, l'oiseau réaménage un ancien terrier. En juin, les couples s'interpellent d'une voix nasillarde et consacrent le plus clair de leur temps à élever leurs hirondeaux. En septembre, toutes les hirondelles de rivage sont reparties dans le Sud pour l'hiver. Les berges truffées de nids sont abandonnées comme de vieilles forteresses meurtries par un long siège.

Nichant dans des galeries, les hirondelles de rivage attirent de nombreux prédateurs.

Description. Longueur 13-14 cm (5-5½ po). Ailes pointues ; queue fourchue ; bec très court. Dessus brun foncé ; dessous blanc ; bande brun foncé sur la poitrine ; gorge blanche. En vol, semble plus petite que les autres hirondelles. **Habitat.** Champs et marais, berges escarpées de cours d'eau ; chemins de terre.

Nidification. Nid d'herbes, de tiges, de radicelles et de plumes lâchement reliées, logé au bout d'une galerie creusée dans le sable ; 4-8 œufs blancs ; 14-16 jours d'incubation assurée par le couple. Envol des hirondeaux à 21 jours. Niche parfois en colonies de plusieurs centaines. **Nourriture.** Insectes ailés.

Hirondelle
à front blanc

Hirundo pyrrhonota

Chaque printemps ramène à Capistrano les joyeux vols d'hirondelles à front blanc.

L'hirondelle à front blanc s'est rendue célèbre à Capistrano, en Californie, où elle revient régulièrement nicher dans les murailles de brique crue de la mission franciscaine. Son retour y fait l'objet d'une célébration annuelle. Mais son habileté à construire un nid est certainement aussi impressionnante que sa fidélité à retrouver ses sites d'année en année. Originaire des falaises rocheuses, l'hirondelle à front blanc ne craint pas, pour ériger ses travaux de maçonnerie, de tirer parti des granges, des ponts et de tout ce que l'homme édifie. Elle s'y établit en colonies pouvant regrouper des centaines de couples qui vont se bâtir chacun un nid en forme de gourde.

Le matériau de prédilection est la boue ; l'hirondelle à front blanc la moule en petits grains qu'elle transporte dans son bec jusqu'au site où elle veut installer son nid. Avec beaucoup de soin et de dextérité, elle empile les grains les uns sur les autres. L'hirondelle des granges ajouterait un peu d'herbe à la boue ; celle-ci, pour sa part, tient à son nid de pure terre argileuse, exempte de corps étranger.

S'il y a abondance de matière et peu de compétition, le nid est prêt en cinq jours. Elle le tapisse ensuite d'herbes et de plumes. Le logis assuré, le couple s'attelle à l'importante tâche de pondre des œufs et d'élever une nouvelle génération d'hirondelles à front blanc.

Description. Longueur 13-15 cm (5-6 po). Ailes pointues ; queue carrée ; bec très court. Dos bleu-noir ; front blanchâtre ; gorge roux foncé ; poitrine et abdomen blancs ; croupion chamois.
Habitat. Terrains à découvert près des granges et des édifices ; également au-dessus de l'eau.
Nidification. Nid en forme de gourde fait de boue et tapissé d'herbes et de plumes, groupé en colonies sous les avant-toits des édifices ou sur une falaise ; 3-6 œufs blancs ou rosés, tachetés de brun ; 12-14 jours d'incubation assurée par le couple. Envol à 23 jours.
Nourriture. Araignées planeuses ; insectes ailés ; baies de genévrier et autres fruits.

Hirondelle des granges
(Hirondelle des cheminées)
Hirundo rustica

Présente en Europe, comme en Asie et en Amérique du Nord, l'hirondelle des granges est l'un des oiseaux les plus répandus du monde. Elle est si familière en Angleterre qu'on l'appelle « l'hirondelle » tout simplement.

Elle nichait autrefois dans des cavernes ou des anfractuosités rocheuses. Mais elle n'a pas tardé à comprendre tous les avantages que lui réservait l'environnement humain. Elle a donc adopté nos quais, nos ponts et, bien sûr, nos granges. La métamorphose est si complète que l'hirondelle des granges ne niche à peu près plus ailleurs que là où habite l'homme.

Nos ancêtres l'appréciaient tout particulièrement parce qu'ils retrouvaient en elle le souvenir des vieux pays qu'ils avaient quittés et ils lui savaient gré de consommer autant d'insectes. Parce que l'hirondelle les capture au vol, elle passe plus de temps dans les airs que tout autre oiseau terrestre.

Un des premiers ornithologues américains, Alexander Wilson, s'était amusé à calculer le nombre de kilomètres que parcourt une hirondelle des granges durant toute son existence. En supposant qu'elle vole à la vitesse de 1,5 km/min, 10 heures par jour pendant 10 ans, elle aurait franchi, d'après lui, quelque 3 524 350 km à la fin de sa vie. C'était une estimation généreuse, bien sûr, mais l'oiseau mérite de toute façon notre admiration.

L'hirondelle des granges a tôt fait de croquer les insectes que déloge la charrue.

Description. Longueur 14-18 cm (5½-7 po). Ailes pointues ; queue profondément fourchue ; bec très court. Dessus bleu-noir ; gorge roux foncé ; dessous chamois ou roux pâle. Vole vite et droit, souvent au ras du sol ou de l'eau.
Habitat. Terrains à découvert, marais ; lieux habités par l'homme.

Nidification. Nid façonné de grains de boue, tapissé d'herbes et de plumes, fixé sous un avant-toit ou sur une poutre, parfois dans une crevasse de falaise ; 3-8 œufs blancs tachetés de marron et de mauve ; 13-17 jours d'incubation. Envol des hirondeaux 18-23 jours après l'éclosion.
Nourriture. Insectes ailés.

Geai
des pinèdes

Gymnorhinus cyanocephalus

Assurés de leur pitance pour tout l'hiver, les geais des pinèdes se courtisent tôt.

En novembre, la plupart des oiseaux ont adopté un régime hivernal. Leurs activités sont routinières, la survivance étant tout ce qui compte, en attendant le printemps. Mais les choses se passent différemment dans les forêts de pins pignons et de genévriers de l'Ouest ; c'est là qu'habitent les geais des pinèdes au plumage bleu foncé, presque aile de corbeau. Ici et là, on peut apercevoir un adulte qui donne la becquée à un autre adulte. En mars ou en avril, on y verrait un rituel nuptial. Mais en novembre !

Or, c'est de cela dont il s'agit justement. Alors que la plupart des oiseaux se font la cour au début du printemps et se reproduisent à la fin du printemps ou au début de l'été, quand la nourriture est abondante, le cycle est beaucoup plus hâtif chez les geais des pinèdes. Le rituel amoureux a lieu en novembre, puis les nids se construisent et les œufs se pondent au début de février, alors que la neige couvre encore le sol.

C'est grâce aux pins pignons que les geais n'ont pas à subir les contraintes des saisons. En effet, s'ils se nourrissent tout l'été de pignons, ils en enfouissent aussi un grand nombre dans le sol en prévision de l'hiver. C'est donc cette réserve alimentaire qui permet aux femelles de consacrer tout leur temps à couver les œufs et à les protéger du froid tandis que les mâles leur apportent à manger.

Description. Longueur 23-30 cm (9-12 po). Oiseau trapu au plumage bleu-noir terne, au long bec pointu noir et à la queue courte et carrée. Voyage en bandes bruyantes. Sautille comme une corneille.
Habitat. Forêts de pins pignons et de genévriers.
Nidification. Nid volumineux de brindilles, de racines, d'herbes et de poil, fixé à 1-6 m (3-20 pi) du sol dans un arbre ; 3-6 œufs bleuâtres ou verdâtres ; 15-17 jours d'incubation assurée par la femelle. Envol des oisillons à 21 jours.
Nourriture. Pignons, graines, baies, insectes, œufs et oisillons d'autres espèces.

Troglodyte des cactus

Campylorhynchus brunneicapillus

Les animaux du désert fuient généralement le soleil torride du milieu du jour : le rat kangourou, comme de nombreux autres petits mammifères, rentre dans son terrier ; le lézard se cache à l'ombre ou s'enfouit dans le sol ; le colin disparaît sous les prosopis, et la tarentule sous les rochers. C'est pourtant ce moment de pleine canicule que choisit le troglodyte des cactus pour affirmer sa présence. Bruyant et très actif, il met de la vie dans cet environnement lourd de silence.

C'est un troglodyte tout à fait spécial par son plumage et son comportement. Cet oiseau est plus massif et nettement plus grand que ses cousins d'Amérique du Nord et son plumage constellé de macules sur la poitrine et sur la gorge le fait remarquer. À l'inverse des petits troglodytes, il pointe sa queue vers le bas et chasse les insectes au sol plutôt que de s'élancer d'un perchoir pour les happer. Fouinant parmi les roches et les broussailles, il retourne du bec cailloux, feuilles et autres débris végétaux sous lesquels les proies qu'il chasse pourraient s'être mises à l'abri du soleil.

Comme son nom le laisse supposer, ce troglodyte vit parmi les cactus, habitat inhabituel pour un oiseau, quel qu'il soit. Tissé au milieu des épines, son nid est inaccessible aux prédateurs. Les parents vont et viennent pourtant avec aisance. Comment font-ils pour ne pas se blesser sur de si dangereux piquants ? On ne sait.

Le nid hérissé de piquants est pourtant bien douillet au-dedans.

Description. Longueur 15-22 cm (6-8½ po). Le plus gros des troglodytes. Dessus brun et blanc tacheté et strié ; vertex roux foncé ; raie superciliaire blanche ; dessous tacheté. Cri caquetant et rauque qu'on entend avant de voir l'oiseau. **Habitat.** Déserts de cactus et de plantes épineuses ; jardins environnants.

Nidification. Nid à entrée latérale, fait d'herbes et de brindilles, fixé à 0,60-2,7 m (2-9 pi) du sol dans un cactus ou un arbuste épineux ; 3-7 œufs blancs ou rosés, tachetés de brun ; 16 jours d'incubation assurée par la femelle. Envol des oisillons 21 jours après l'éclosion. **Nourriture.** Insectes, baies et graines.

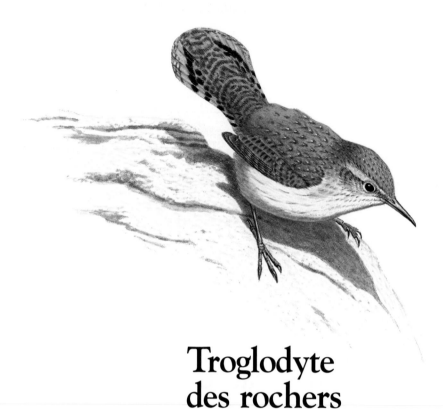

Troglodyte
des rochers

Salpinctes obsoletus

Seul le troglodyte des rochers sait pourquoi il met du cailloutis sous son nid.

Picorant et sautillant sur les pentes arides desséchées par le soleil, lançant des défis non équivoques à tous les intrus, le troglodyte des rochers se fait entendre souvent avant de se laisser voir. Mais même lorsqu'il est dissimulé dans une crevasse ou une anfractuosité rocheuse et enfin silencieux, sa présence demeure pourtant perceptible.

Avant de construire son nid avec des herbes, des radicelles et du poil, le troglodyte des rochers lui fait une assise de gravier et un chemin d'entrée, pavé de petits cailloux plats, qui peut atteindre 20 à 25 cm (8-10 po) de longueur. Certains de ces cailloux mesurent jusqu'à 5 cm (2 po). Allez savoir comment un si petit oiseau s'y prend pour les transporter ! Des observateurs ont noté en une occasion que l'assise du nid qu'ils avaient trouvée comportait 1 600 petits morceaux de pierre, de métal, de coquillages et d'os.

D'où vient au troglodyte des rochers cette habitude de paver son nid ? On l'ignore. Comme le chemin d'entrée se termine souvent par un amoncellement de cailloutis près du nid, on peut y voir un moyen d'écarter les prédateurs. Pour d'autres, ce serait un repère auquel se fie l'oiseau pour retrouver son nid dans un environnement dépourvu de traits marquants. Enfin la plate-forme de gravier sous le nid pourrait servir à isoler celui-ci de l'humidité.

Description. Longueur 11,5-15 cm (4½-6 po). Oiseau trapu à bec long et effilé. Dessus brun-gris ; dessous blanchâtre lavé de chamois sur les flancs. Queue longue ; extrémité des rémiges externes chamois ; bande subterminale noire.
Habitat. Affleurements rocheux, talus d'éboulis.
Nidification. Nid d'herbes sèches, tapissé de poil, logé dans une crevasse, parmi des roches ou dans un mur de briques crues, parfois précédé d'une entrée de cailloutis ; 4-8 œufs blancs tachetés de brun et de rouge foncé. Durée de l'incubation (assurée par la femelle) et durée du séjour des oisillons au nid non connues.
Nourriture. Insectes, araignées, vers de terre.

Troglodyte des canyons

Catherpes mexicanus

Bien que présent dans la plus grande partie de l'Ouest américain et dans le sud de la Colombie-Britannique, le troglodyte des canyons demeure un oiseau mystérieux. Ceux qui, dans cette partie du continent, ont visité les défilés qui bordent un cours d'eau, les rochers escarpés ou les éboulis de roches ont sûrement entendu son chant mélodieux : une succession de sifflements cristallins en decrescendo qui inondent le paysage. Le hic, c'est qu'on l'entend, mais qu'on n'aperçoit que bien rarement l'auteur de ce chant.

Se faufilant comme une souris entre les cailloux ou fouillant les crevasses de son long bec, le troglodyte des canyons cherche au sol les insectes dont il se nourrit. Mais on ne connaît pas bien encore son régime alimentaire ni combien de jours dure l'incubation pas plus que le moment auquel les oisillons quittent le nid. Par contre, l'on sait qu'il niche dans des cavernes peu profondes ou des fissures dans le roc, parfois même dans un bâtiment abandonné.

Bref, les habitudes du troglodyte des canyons nous réservent encore bien des surprises. Et c'est heureux ! À l'heure où la science monnaye ses progrès à coup d'équipements de plus en plus coûteux et sophistiqués, notre troglodyte nous rappelle que pour faire avancer l'ornithologie, et donc la science, il faut avoir trois qualités essentielles : le sens de l'observation, la passion et une patience d'ange.

Le troglodyte des canyons fourrage dans les cailloux avec son bec.

Description. Longueur 14-15 cm (5½-6 po). Oiseau trapu au bec long et effilé. Dos et abdomen roux foncé ; gorge et poitrine blanches. Se cache parmi les cailloux et les plantes ; seul son chant mélodieux révèle sa présence.
Habitat. Parois des défilés rocheux près de l'eau, falaises, gorges, éboulis.

Nidification. Nid de brindilles, de mousse, de tiges et de feuilles, fixé à la falaise ou logé dans un trou, une crevasse ou un bâtiment ; 4-7 œufs blancs mouchetés de brun foncé. Périodes d'incubation et de séjour des oisillons au nid non connues.
Nourriture. Insectes et araignées.

Troglodyte
à bec court

Cistothorus platensis

Les faux nids du troglodyte
à bec court font partie de son
rituel amoureux.

Le chant d'un oiseau est une sorte de ligne Maginot qu'il lance autour de son territoire de nidification pour en interdire l'accès aux autres mâles. Le troglodyte qui viole le territoire d'un autre troglodyte entend aussitôt un chant de défi, auquel il répond souvent avec effronterie.

Les troglodytes sont des oiseaux chanteurs, mais, avec son répertoire d'une centaine de mélodies, le troglodyte à bec court est le virtuose de la famille. À l'inverse du troglodyte des marais, il imite rarement le chant des autres mâles en compétition pour le même site. Son répertoire étendu signifie-t-il que le troglodyte à bec court ait une mémoire musicale moins vive ? On croit plutôt qu'il n'est pas aussi sédentaire que le troglodyte des marais. En effet, leur habitat est différent. Le troglodyte des marais occupe les mêmes terres marécageuses année après année et revient nicher sur le même site ; il a donc tout le loisir d'apprendre le chant de ses voisins, qu'il peut rendre avec une extrême précision pour les tromper. Le troglodyte à bec court choisit des prés humides, qui peuvent être parfois inondés, parfois secs ; quand celui qu'il fréquentait l'année auparavant est envahi par les eaux, il déménage vers un pré plus sec ; ainsi n'a-t-il pas le temps de s'initier aux chants de ses nouveaux voisins.

Ces deux troglodytes ont non seulement beaucoup de traits physiques en commun, mais ils sont polygames tous les deux, et c'est essentiellement leur habitat qui aide à les différencier.

Description. Longueur 10-11,5 cm (4-4½ po). Oiseau trapu à bec court. Plumage chamois ; vertex et dos rayés ; face unie. Très discret ; paraît jaune quand il jaillit d'entre les herbes.
Habitat. Marais à longues herbes et à laiches, prés humides ; rarement vu parmi les quenouilles que fréquente le troglodyte des marais.

Nidification. Nid en forme de boule, fait d'herbes et de laiches et à entrée latérale, fixé à 30-60 cm (1-2 pi) au-dessus de l'eau dans un marais ; 4-8 œufs blancs ; 12-14 jours d'incubation assurée par la femelle. Envol des oisillons 2 semaines après l'éclosion.
Nourriture. Insectes et araignées.

114

Troglodyte des marais

Cistothorus palustris

Le troglodyte des marais aborde la nidification avec une énergie dont peu d'espèces font preuve. Partez à sa recherche à la fin du printemps et vous le rencontrerez sûrement dans les marais où il niche en train de construire non pas un seul nid — comme les autres oiseaux — mais bien une douzaine ou même une vingtaine !

Si dans tous ces nids il y avait des petits, les marais se transformeraient en véritables volières ! Mais ce n'est pas le cas. Le troglodyte des marais, comme son cousin à bec court, construit plusieurs nids parce que cela fait partie de son rituel nuptial pour séduire les femelles. Quand l'une d'elles se présente, il l'emmène faire le tour du propriétaire. Dès qu'elle a fait son choix et s'installe, notre mâle répète le même manège un peu plus loin avec une autre car il a des mœurs de polygame, mais ce, plus dans l'Ouest de son aire géographique que dans l'Est.

Un autre trait du troglodyte des marais peut sembler cruel. Dès qu'un oiseau de son espèce quitte son nid, il s'empresse d'en détruire les œufs qui s'y trouvent. Non pour les manger, mais pour réduire la compétition. Il ne s'en prend pas qu'à ses congénères, d'ailleurs ; le troglodyte des marais s'attaque même aux nids du carouge à épaulettes et du carouge à tête jaune. Mais ce dernier lui rend la monnaie de sa pièce ; averti du danger par l'expérience, il ne tolère aucun troglodyte des marais dans son aire de nidification.

Le troglodyte des marais est un oiseau jaloux qui saccage les nids des autres oiseaux.

Description. Longueur 10-12,5 cm (4-5 po). Dos roux foncé rayé de blanc ; vertex brun ; large raie superciliaire blanche ; dessous blanc teinté de roux sur les flancs. Chant : trilles rapides.
Habitat. Marais de scirpes et de quenouilles ; rarement vu dans les marais moins inondés que fréquente le troglodyte à bec court.

Nidification. Nid en forme de boule, fait de feuilles de scirpes et de laiches, à 30-90 cm (1-3 pi) au-dessus de l'eau dans un marais ; 3-10 œufs blancs finement maculés de brun ; 13-16 jours d'incubation assurée par la femelle. Les oisillons restent 11-16 jours au nid.
Nourriture. Insectes aquatiques ; escargots.

Merle-bleu de l'Est
(Merle bleu à poitrine rouge)
Sialia sialis

Femelle

Mâle

Il faut offrir au merle-bleu les nichoirs grâce auxquels il peut à nouveau se multiplier.

Aussi répandu que le merle d'Amérique il y a peu, le merle-bleu de l'Est est aujourd'hui plus un souvenir qu'une réalité. Peu de gens auront eu la chance de voir un couple de ces oiseaux voltiger dans les vergers ; moins encore auront observé une famille entière s'ébattre joyeusement dans une flaque d'eau. Et l'on n'entend plus son joli gazouillis, doux et mélodieux.

Son déclin est en partie attribuable à des causes naturelles. L'hiver lui a toujours été très difficile à traverser et il a dû lutter contre le troglodyte familier et l'hirondelle bicolore pour la possession des nids. Mais c'est l'acclimatation à notre hémisphère du moineau domestique et de l'étourneau sansonnet qui lui a porté un coup fatal ; leur prolifération a entraîné une pénurie des sites de nidification qu'il fréquentait.

Mais il y a de l'espoir. Le long des itinéraires qu'il emprunte, on installe maintenant des nichoirs inaccessibles à ses ennemis. Aussi le voit-on se reproduire partout où il n'avait pas déjà disparu. Il faudra multiplier les itinéraires par centaines et les nichoirs par milliers avant de pouvoir affirmer que le merle-bleu de l'Est a échappé à l'extinction. Alors, mais alors seulement, on pourra, sans serrement de cœur, entendre son doux chant et admirer ce petit oiseau qui semble avoir volé au firmament un peu de son azur pour nous l'apporter.

Description. Longueur 12,5-18 cm (5-7 po). Mâle : dos, ailes et queue bleu azur ; gorge et poitrine rouge orangé, abdomen blanc. Femelle : semblable mais plus pâle ; dos teinté de brun ; gorge rousse.
Habitat. Terres agricoles, vergers, bois clairs, flancs de montagne à arbres clairsemés.

Nidification. Nid d'herbes et de tiges, fixé à 1-6 m (3-20 pi) de hauteur dans un trou de pic ou un nichoir ; 3-7 œufs bleu pâle ou blancs ; 13-16 jours d'incubation assurée par la femelle. Les oisillons restent 15-20 jours au nid.
Nourriture. Insectes, araignées et baies ; aime le beurre d'arachide dans les mangeoires.

Mâle

Femelle

Merle-bleu de l'Ouest

(Merle bleu à dos marron)

Sialia mexicana

Entre le Pacifique et les Rocheuses, le merle-bleu de l'Ouest remplace son cousin de l'Est. Les deux espèces ont les mêmes mœurs : elles recherchent les endroits peu boisés et les lisières de forêt ; elles nichent dans des cavités naturelles ou faites par l'homme ; elles commencent à chercher un site de nidification au début du printemps et, sitôt la première couvée élevée, en entreprennent souvent une seconde.

Au printemps et en été, le merle-bleu de l'Ouest se nourrit principalement d'insectes qu'il découvre du haut d'un perchoir ou en volant en rase-mottes. Quand arrive l'automne, il se tourne vers les baies, en particulier celles du genévrier, du sureau et du gui d'Amérique.

Certains biologistes ont émis l'hypothèse qu'en déposant des semences de gui non digérées dans les arbres, le merle-bleu de l'Ouest favorisait la croissance de ce parasite des arbres, dont les racines font pourrir et dépérir certaines branches. Une façon comme une autre de se ménager ainsi des nichoirs pour les années à venir.

Ainsi donc, cette espèce jouerait à son propre profit le rôle que les amateurs d'oiseaux ont été invités à assumer en construisant des nichoirs pour les merles-bleus de l'Est.

Le gui peut servir le merle bleu de l'Ouest qui creuse son nid dans le bois pourri.

Description. Longueur 12,5-18 cm (5-7 po). Mâle : tête, ailes, queue et gorge bleu vif ; centre du dos et dessous orangés ; abdomen blanc. Femelle : moins flamboyante ; gorge grise et non rousse comme chez le merle-bleu de l'Est.
Habitat. Pinèdes claires, champs cultivés ; déserts de broussailles en hiver.

Nidification. Nid d'herbes et de plumes, logé à 1,5-12 m (5-40 pi) du sol dans un trou de pic, une cavité naturelle ou un nichoir ; 3-8 œufs bleu pâle. Durée de l'incubation et durée du séjour des oisillons au nid inconnues ; sans doute semblables à celle du merle-bleu de l'Est.
Nourriture. Insectes, araignées, baies.

117

Merle-bleu azuré
(Merle bleu des montagnes)

Sialia currucoides

Mâle

Femelle

Le merle-bleu azuré célèbre le lever du soleil d'une voix mélodieuse et se tait après.

Avant l'aube, quand les profondes vallées et les prés alpins des montagnes de l'Ouest baignent encore dans l'obscurité et que les pics les plus altiers n'ont pas encore reçu le baiser du soleil, les merles-bleus azurés ont entonné leur chant matinal. C'est un chœur de voix qu'on entend, un intense gazouillis semblable à celui du merle d'Amérique, des cris un peu plus sopranos que ceux de leurs cousins de l'Est. Les Navajos disent qu'ils annoncent le lever du jour, car ils chantent au moment même où le ciel s'irradie de rose et d'or et se taisent dès que le soleil a fait son apparition.

À l'instar des autres merles-bleus, les merles-bleus azurés peinent pour leur survie. Comme tous ceux de leur famille, ils recherchent des endroits abrités pour nicher (fentes, crevasses, anfractuosités), que des oiseaux immigrants plus robustes et plus batailleurs leur disputent avec succès. Par ailleurs, peu résistants au froid, ils sont décimés par les hivers rigoureux de même que par la pénurie des insectes dont ils se nourrissent quand des gelées tardives du printemps ne permettent pas l'éclosion des larves.

Si le chant du merle-bleu azuré rendait autrefois le réveil des lève-tôt plus agréable, ceux-ci l'entendent beaucoup moins souvent maintenant et c'est bien dommage.

Description. Longueur 15-19 cm (6-7½ po). Ailes plus longues que celles des merles-bleus de l'Est et de l'Ouest. Voltige en planant. Mâle : bleu azur. Femelle : grise ; ailes et queue bleues.
Habitat. Terrains découverts en montagne, l'été ; plaines et prairies, l'hiver.
Nidification. Nid d'herbes et de radicelles as-semblées lâchement dans un trou de pic, une cavité naturelle dans un arbre, une anfractuosité de falaise ou, parfois, un nichoir ; 4-8 œufs bleu pâle ou blancs ; 14 jours d'incubation assurée par le couple. Durée de séjour des oisillons au nid non connue.
Nourriture. Insectes et baies.

Merle d'Amérique
(Merle américain)

Turdus migratorius

Le printemps ne s'installe vraiment que lorsque le merle d'Amérique est revenu du Sud. Le carouge à épaulettes a déjà entonné son chant courtois dans les marais, les pissenlits brillent dans les prés couverts d'herbe tendre et les vers de terre frémissent sur le sol gorgé d'eau quand, un beau matin, — *ti-lût, ti-lulût* —, le doigt rose de l'aurore fait surgir dans le chœur des oiseaux un turlutement sonore : les merles d'Amérique sont arrivés.

Ils quittent leurs quartiers d'hiver, dans le Sud, en bandes énormes qui s'éparpillent peu à peu en plus petites bandes, au cours du voyage ; puis les oiseaux se détachent un par un car ils ont tendance à retourner chaque année aux même sites de nidification, par instinct à ceux où ils sont nés.

Ce sont les mâles les plus anciens qui montrent la voie du Nord. On les retrouve en tête de vol, fringués de noir sur les parties supérieures, de rouge orangé sur les parties inférieures, avec la mine solennelle d'un chanteclerc qui serait maître du printemps. Les femelles, moins colorées, les suivent de près, tandis que les juvéniles, âgés maintenant de un an, folâtrent en chemin et arrivent bons derniers. Mais quand le premier merle apparaît sur votre pelouse, certes oui, le printemps est là pour rester !

La tête penchée, le merle semble entendre le ver de terre. Mais il chasse à l'œil.

Description. Longueur 23-28 cm (9-11 po). Mâle : poitrine rouille ; tête noire ; cercle blanc autour des yeux ; dos gris ; bec jaune chez l'adulte. Femelle : plus terne. Juvénile : comme la femelle ; points noirs sur la poitrine ; bandes alaires. **Habitat.** Pelouses, jardins, parcs, boisés clairs, lisières de forêt, champs cultivés.

Nidification. Nid robuste de boue, d'herbes et de brindilles, fixé à 1-8 m (3-25 pi) du sol dans un arbre, un arbuste branchu ou un bâtiment ; 3-6 œufs bleu vif ; 12-14 jours d'incubation assurée par la femelle. Envol des oisillons 14-16 jours après l'éclosion.
Nourriture. Insectes, vers de terre, baies.

119

Moqueur polyglotte

Mimus polyglottos

Le moqueur irrité ne craint pas d'affronter un chat en maraude près de son nid.

Les moqueurs sont d'excellents chanteurs, mais celui-ci est le meilleur de tous. Son nom lui sied bien. Il est vraiment polyglotte car il peut imiter une trentaine de chants d'oiseaux appartenant à d'autres espèces ; il est moqueur en ce sens qu'il enchaîne ses imitations sans interruption, mais en intercalant ici et là quelques sons rauques qui font penser au grincement d'une charnière de porte, à l'aboiement d'un chien ou à la stridulation d'un grillon.

Perché sur une haute branche, le moqueur polyglotte chante du matin au soir ; quand la nuit est tiède, on peut entendre sa voix mélodieuse et puissante répéter la même strophe plusieurs fois dans la clarté laiteuse de la lune. Ceux qui cherchent des raisons à tout aimeraient bien savoir pourquoi cet oiseau déploie une telle virtuosité vocale. Insensible à leur curiosité, le moqueur s'est moqué d'eux et ne le leur a pas dit, même s'il est polyglotte.

C'est un oiseau courageux ; durant la nidification, il attaque corneilles et quiscales et n'a pas peur des chats. Le grand ornithologue américain Audubon a peint le moqueur défendant son nid contre un crotale. Vraie ou fausse, l'anecdote est significative. Nouvel Orphée, la voix du moqueur polyglotte est aussi mélodieuse que celle de l'aède grec et son courage égale le sien.

Description. Longueur 23-28 cm (9-11 po). Oiseau svelte à longue queue. Gris, plus foncé sur le dos ; 2 bandes alaires blanches ; tache blanche sous les ailes, visible en vol ; queue noire à rectrices externes blanches. Sautille au sol ; se cache dans les buissons ; branle la queue latéralement et montre ses taches blanches.

Habitat. Pelouses, jardins, bois clairs, champs cultivés, broussailles, fourrés près de l'eau.
Nidification. Nid de brindilles à 1-4 m (4-12 pi) du sol dans un arbre ou un arbuste ; 3-6 œufs bleus ou verts ; 12 jours d'incubation par la femelle. Envol des oisillons à 10-12 jours.
Nourriture. Insectes, araignées, fruits.

Moqueur des armoises

Oreoscoptes montanus

Dans les films de *western*, bons et méchants se retrouvent dans des plaines semi-désertiques, ondoyantes, couvertes de buissons d'armoises. Les touffes gris-vert y sont assez basses pour permettre à un cavalier de voir à l'infini, mais assez hautes pour qu'un homme à pied puisse s'y cacher. Le *cowboy* descend de cheval pour reprendre haleine, scruter l'horizon et respirer l'air qu'embaume le souffle des armoises. S'il prêtait l'oreille, il pourrait aussi entendre le chant du moqueur des armoises.

Plus petit que la plupart des autres moqueurs, cet oiseau consacre son temps à chasser paisiblement les insectes au sol, à la façon d'un merle d'Amérique. Celui qui veut s'en approcher de trop près le voit s'évanouir dans le paysage. Mais s'il n'est pas dérangé, on peut l'observer, à l'aube et au crépuscule, perché au sommet d'une touffe d'armoise et lançant à tout venant son chant mélodieux.

Comme l'hiver est dur dans la partie septentrionale du pays des armoises, les moqueurs émigrent vers le sud quand vient l'automne. La plupart s'en vont se réfugier dans les plateaux de genévriers, les défilés rocheux et les contreforts montagneux du Sud-Ouest de notre continent. Mais quelques excentriques ont le courage de se rendre vers l'Est jusqu'à la côte de l'Atlantique.

Comme le clairon de l'armée, le moqueur des armoises sonne le réveil et le coucher.

Description. Longueur 20-23 cm (8-9 po). Forme du merle. Dessus brun-gris ; dessous blanchâtre rayé de noir ; queue sombre ourlée de blanc ; yeux jaunes ; 2 bandes alaires blanches en automne. Se tient perché sur un arbuste ou une touffe d'armoise.
Habitat. Maquis, plaines d'armoise.

Nidification. Nid robuste de brindilles, de tiges et de feuilles d'armoise, fixé à 60-90 cm (2-3 pi) du sol dans un arbuste ou placé au sol ; 4-7 œufs bleus ou bleu-vert. Incubation assurée par le couple. Durée de l'incubation et durée du séjour des oisillons au nid non connues.
Nourriture. Insectes, araignées et baies.

121

Moqueur à bec droit

Toxostoma bendirei

Moqueur à bec droit adulte

Moqueur à bec courbe juvénile

Son bec court permet de confondre le moqueur à bec droit du jeune bec courbe.

Le 28 juillet 1872, le lieutenant Charles E. Bendire, de l'armée américaine, explorait le désert près de Fort Lowell en Arizona. Bendire, originaire d'Allemagne, y avait fait des études en théologie. C'était aussi un fervent ornithophile. Il rencontra un oiseau qu'il put identifier comme un moqueur femelle ; mais persuadé qu'il était en présence d'une espèce de moqueur encore inconnue, il l'abattit d'un coup de feu et l'envoya à l'Institut Smithsonian de Washington.

Le spécimen fut étudié par Elliott Coues, l'un des meilleurs ornithologues du temps. Lui aussi était intrigué. Il montra l'oiseau à un collègue ; celui-ci en conclut qu'il devait s'agir de la femelle du moqueur à bec courbe. Mais Coues conservait des doutes. Il demanda à Bendire de lui fournir plus de détails : il se révéla que les œufs étaient en effet différents, tout autant que les mœurs de l'oiseau. Un second spécimen, un mâle cette fois, acheva de convaincre Coues qu'il se trouvait bel et bien devant une nouvelle espèce. Il en fit la description et lui donna, en latin, le nom de celui qui l'avait découvert.

Bendire devint plus tard conservateur de l'Institut Smithsonian et atteignit la renommée en tant qu'ornithologue. Il mourut en 1897, mais sa mémoire demeure vivante grâce à l'oiseau qu'il découvrit et qui porte en latin son nom.

Description. Longueur 22,5-27,5 cm (9-11 po). Oiseau svelte à queue longue et bec court. Dessus brun-gris ; dessous plus pâle, un peu strié ; bouts des rémiges externes blancs ; yeux jaunes. **Habitat.** Désert de broussailles, vallées, champs secs ; jardins environnants. **Nidification.** Nid de brindilles, tapissé d'herbe, de tiges et de radicelles, en forme de coupe, fixé à 0,60-3,5 m (2-12 pi) du sol dans un cactus, un arbuste épineux ou un petit arbre ; 3-4 œufs verdâtres ou bleuâtres, maculés de brun ou de pourpre. Durée de l'incubation et durée du séjour des oisillons au nid inconnues. **Nourriture.** Insectes vivants capturés au sol.

Moqueur à bec courbe

Toxostoma curvirostre

Le désert est un habitat impitoyable. Tout comme ses plantes qui sont hérissées d'épines et de piquants, certains de ses animaux, comme le tapaya et le scorpion, présentent aussi des armes et un aspect redoutables. Même ses oiseaux chanteurs n'ont pas tous l'air très amical ; parmi eux, on note le moqueur à bec courbe ; il est doté d'un bec matraqueur et le scintillement dément de ses yeux orange n'a rien de rassurant.

Cette impression de dureté se confirme quand on voit l'oiseau, d'un coup d'aile rapide, plonger tête première au centre d'un opuntia, l'une des plantes les plus épineuses du groupe des cactus. Sans doute n'éprouve-t-il pas les mêmes réticences que l'homme au sujet des piquants puisqu'il y construit son nid et y élève ses petits.

Le moqueur à bec courbe n'est certes pas à l'épreuve des redoutables piquants de la plante ; c'est son agilité qui le sauve. Il sait comment se glisser parmi les verticilles de poils piquants sans toucher aux épines. Et une fois logé dans son nid, il n'a plus rien à craindre des prédateurs venus du ciel, comme l'épervier, ou venus du sol, comme les serpents et les rongeurs. De temps à autre, il arrive qu'un jeune moqueur s'empale. Mais par instinct naturel, adultes et oisillons ont appris à manœuvrer entre les aiguillons de l'opuntia si bien que ce cactus redoutable représente pour ces oiseaux un abri des plus sécurisants.

Le moqueur à bec courbe est particulièrement habile à se percher sur un cactus épineux.

Description. Longueur 25-30 cm (10-12 po). Oiseau svelte à bec long, arqué en faucille. Plumage gris-brun ; dessous tacheté ; longue queue ; bouts des rémiges externes blancs ; yeux jaunes ou orange. Timide ; fréquente toutefois les jardins où il fouine au sol.
Habitat. Désert de broussailles ou de cactus ; fourrés, champs arides, jardins environnants.
Nidification. Nid de brindilles épineuses, fixé à 1-3,5 m (3-12 pi) du sol dans un cactus ou un arbuste ; 2-4 œufs turquoise maculés de brun ; 13 jours d'incubation assurée par le couple. Les oisillons restent 14-18 jours au nid.
Nourriture. Insectes, graines, baies.

123

Moqueur de Californie

Toxostoma redivivum

Le moqueur de Californie ne remue pas ciel et terre pour manger ; seulement la terre.

Dans les fourrés arides de Californie, l'oiseau qui n'ébruite pas sa présence la révèle à son insu par le bruissement des feuilles sèches sous ses pieds. Mais on aura beau s'approcher de la source du bruit avec des ruses de Sioux, à peine aura-t-on la vision fugitive d'un oiseau brun cendré à longue queue qui fouille le sol et s'évanouit comme une ombre. C'est certainement le moqueur de Californie.

Il passe le plus clair de son temps au sol à fourrager parmi les embroussaillements épais et s'il se sent coincé, au lieu de s'envoler, il s'enfuit en courant. Son bec en forme de faucille est parfaitement adapté aux fonctions qu'il doit remplir : il lui sert à remuer les débris végétaux, à débusquer les insectes qui s'y cachent et à picorer ceux qui s'agrippent au sol.

Le moqueur de Californie construit son nid dans un buisson de façon à l'atteindre en sautillant de branche en branche. À leur sortie du nid, les petits, eux aussi, sautillent sur le sol et dans les arbres pendant plusieurs jours avant même de tenter un premier vol. Ils seront d'ailleurs toujours malhabiles à voler. Mais le moqueur de Californie n'en a cure : il abandonne la maîtrise des airs à d'autres espèces et fait tout bonnement son petit chemin sur terre.

Description. Longueur 27,5-33 cm (11-13 po). Oiseau svelte à longue queue ; bec noir en forme de faucille ; dessus brun foncé ; vibrisses noirâtres ; dessous plus clair ; gorge blanchâtre. Marche au sol. Commun, mais difficile à voir.
Habitat. Flancs broussailleux de colline ; fourrés et jardins environnants.

Nidification. Nid de brindilles et de radicelles, logé près du sol dans un arbuste ou un arbre de petite taille ; 2-4 œufs bleu ou vert pâle tachetés de brun clair ; 14 jours d'incubation assurée par le couple. Les oisillons restent 12-14 jours au nid.
Nourriture. Insectes, araignées, graines, fruits.

Pipit d'Amérique
(Pipit commun)

Anthus rubescens

Au-delà de la forêt boréale s'étend la toundra arctique, vaste steppe désolée, parfois marécageuse, où, à quelques centimètres sous la surface, le sol demeure gelé en permanence. Un peu plus au sud se situe la toundra alpine, qui englobe par plaques isolées le sommet des hautes montagnes de l'Ouest. Point de pergélisol ici, mais les conditions de vie n'en sont guère améliorées. Un oiseau pourtant règne en maître pendant l'été sur cet habitat austère : c'est le pipit d'Amérique. Il niche dans la toundra, et seulement dans la toundra, celle qui se trouve à l'intérieur du cercle polaire ou celle qui s'étend au sommet des montagnes.

Cet oiseau est merveilleusement acclimaté à un environnement où l'été, très bref, oblige la flore et la faune à se reproduire rapidement. Aussitôt arrivé, le pipit fait son nid. Il l'enfonce un peu dans le sol, même si celui-ci est encore couvert de neige, l'oriente vers le sud et prend soin de l'abriter des vents dominants. Souvent la femelle rénove un ancien nid. Quand les petits sont autonomes, en septembre, que le vent se fait froid et que la température plonge, les pipits descendent vers les terres basses ou s'en vont dans le Sud. Évidemment bien peu d'entre nous auront jamais l'occasion d'observer cet oiseau qui est si bien parvenu à maîtriser l'un des environnements les plus ingrats du monde.

Les vents sont forts dans la toundra ; le pipit d'Amérique marche beaucoup et vole peu.

Description. Longueur 12,5-16,5 cm (5-6½ po). Allure d'un bruant à bec effilé ; queue à rémiges externes blanches ; pattes noires. Automne : dos grisâtre strié de brun ; dessous blanchâtre, très strié. Printemps : dos gris, dessous chamois. Se perche peu ; sautille en balançant sa queue. **Habitat.** Terrains dénudés, champs labourés, dunes, rivages. L'été : toundra alpine et arctique.

Nidification. Nid d'herbes et de poil, caché dans le sol sous une touffe d'herbes ; 3-7 œufs blanchâtres maculés de brun ; 14 jours d'incubation assurée par la femelle. Les oisillons restent environ 14 jours au nid.

Nourriture. Insectes, araignées ; petits escargots.

Pipit des Prairies

Anthus spragueii

Le pipit des Prairies affirme ses droits en chantant.

Les ornithophiles qui visitent la grande prairie nord-américaine en juin savent que l'action s'y passe au sol, parmi les herbes odorantes et les fleurs colorées. Le soleil paraît être seul à occuper le ciel. Mais tendez l'oreille. Écoutez bien. De nulle part, de tout là-haut tombent des sons cristallins, presque grêles, des séquences de sept ou huit notes très douces dont la source demeure invisible.

Cherchez bien. Mieux encore. Vous apercevrez un tout petit point dans le firmament : c'est lui qui chante. Ailes étendues, queue étalée, notre pipit plane en décrivant des cercles et laisse échapper une cascade de sons mélodieux. Et soudain la voix se tait : l'oiseau plonge comme une pierre. Au tout dernier moment, il va redéployer ses ailes et se poser avec une grâce divine.

Ce chant superbe, charmant à nos oreilles, le pipit des Prairies ne nous l'a jamais destiné. On sait qu'au moment venu pour la nidification, l'oiseau chanteur réclame ainsi son territoire : il enjoint les autres mâles de s'en écarter et invite une femelle à venir l'y rejoindre. Pour s'assurer que son message est clairement entendu, il se pose habituellement sur un perchoir élevé : un grand arbre ou un poteau de téléphone. Mais le pipit des Prairies habite la grande plaine. Où donc pourrait-il se percher ? Nulle part sinon monter très haut dans le ciel, au-dessus du territoire qu'il s'est taillé pour être sûr de rejoindre tout son auditoire.

Description. Longueur 12,5-16,5 cm (5-6½ po). L'allure d'un bruant. Bec mince ; queue à rectrices externes blanches ; pattes jaunâtres ou rosées. Dessus brun-gris à fortes rayures ; dessous blanchâtre, poitrine finement striée ; yeux noirs et protubérants. Marche au sol, sans remuer la queue.

Habitat. Champs labourés et prairie à herbe courte.

Nidification. Nid d'herbes enfoncé dans le sol ; 3-6 œufs blanchâtres maculés de brun ou de pourpre. Durée de l'incubation inconnue. Les oisillons restent 10-11 jours au nid.

Nourriture. Insectes, graines.

Phénopèple

Phainopepla nitens

Femelle

Mâle

Le gui est une plante parasitaire qui s'acclimate au désert et qu'on voit souvent en Arizona. Il y envahit le prosopis, le paloverdi et beaucoup d'autres arbres et arbustes. Là où il y a du gui, on est sûr de voir le phénopèple car l'oiseau raffole de ses baies rouges.

Il existe une symbiose entre eux. Si l'oiseau dépend en quelque sorte de la plante pour se nourrir, celle-ci dépend de lui pour assurer la dispersion de sa semence. Car cette semence doit se loger sur une branche vivante pour pouvoir incruster ses racines dans l'écorce et amorcer sa croissance. Or, la baie rouge plaît au phénopèple et sa chair constitue pour lui un aliment substantiel.

D'autres oiseaux se nourrissent des baies du gui. Chez le phénopèple cependant, le fruit perd son enveloppe dans le gésier, mais la graine traverse intacte le système digestif. Et parce qu'elle est enduite d'une pellicule gélatineuse, elle colle là où elle tombe. La plupart des graines se retrouvent sur le sol, mais un nombre suffisant d'entre elles adhèrent aux branches pour assurer la reproduction de la plante.

Bref, la meilleure façon de voir des phénopèples en Arizona, c'est de rechercher les touffes de gui. De novembre à avril, la plante est couverte de baies rouges et les phénoplèpes, toute huppe déployée, seront à proximité pour s'en nourrir.

Le phénopèple se reconnaît en vol à ses grandes taches blanches sur les ailes.

Description. Longueur 16,5-19 cm (6½-7½ po). Taille élancée ; huppe ; longue queue. Mâle : noir luisant ; taches alaires blanches visibles en vol. Femelle : plumage gris ; taches alaires pâles. **Habitat.** Boisés clairs, déserts broussailleux. **Nidification.** Nid construit par le mâle avec des fibres végétales et des brindilles maintenues par des fils d'araignée, fixé à 1-15 m (4-50 pi) du sol dans un arbre ; 2-4 œufs blanchâtres, maculés et lavés de brun et de noir ; 14-16 jours d'incubation assurée surtout par le mâle. Les oisillons restent 19 jours au nid. **Nourriture.** Baies, insectes.

Pie-grièche grise
(Pie-grièche boréale)

Lanius excubitor

En été, la pie-grièche se nourrit surtout d'insectes ; en hiver, de souris et d'oiseaux.

Bien que classée parmi les oiseaux chanteurs, dont la plupart ne constituent guère de menace que pour les insectes, la pie-grièche se révèle être un prédateur féroce dont l'ordinaire, selon les saisons, s'agrémente de souris, de serpents, de grenouilles et d'oiseaux. Elle déséquilibre les proies qu'elle trouve dans les airs à coups de bec féroces, puis les mord au cou pour leur sectionner la vertèbre cervicale.

Sa technique au sol est à peu près la même, car son bec crochu possède, à la façon des faucons, une arme meurtrière : une saillie en forme de dent, à laquelle correspond une entaille sur la maxille inférieure. Les insectes constituent les deux tiers de son régime alimentaire d'été, pendant la période où elle niche dans le Grand Nord. Elle les capture au vol et n'en fait qu'une bouchée. Mais en hiver, faute de mieux, elle doit se nourrir de souris et d'oiseaux.

La pie-grièche a une curieuse habitude que ne lui reprocheraient pas les gastronomes. Avant de dévorer sa proie, si celle-ci est un vertébré et quelque gros insecte, elle l'empale, tête en haut, sur des épines ou des fils barbelés ou la coince dans l'entrecroisement de deux branches. Dans cette position, elle choisira peut-être de la dévorer sans attendre : mais souvent elle l'y laissera en quelque sorte faisander et ne retournera festoyer qu'un jour ou deux, parfois même une semaine plus tard.

Description. Longueur 22,5-27,5 cm (9-11 po). Grosse tête ; bec noir crochu. Dessus gris pâle ; dessous blanc légèrement strié ; ailes noires à taches blanches ; queue noire à rémiges externes blanches ; le loup noir sur les yeux ne traverse pas le bec. Pie-grièche migratrice : plus sombre et plus petite ; bec noir ; poitrine unie.

Habitat. Terrains à arbres clairsemés.
Nidification. Nid de brindilles, fixé à 1,5-6 m (5-20 pi) du sol dans un arbre ou un arbuste ; 2-9 œufs blanchâtres ou verdâtres maculés de brun ; 15 jours d'incubation assurée par la femelle. Les oisillons restent 20 jours au nid.
Nourriture. Insectes, souris, oiseaux.

Pie-grièche migratrice

Lanius ludovicianus

À première vue, l'histoire semble banale : les populations de pies-grièches migratrices déclinent, surtout dans le nord-est de leur aire de distribution, parce que l'endroit est de plus en plus occupé par les hommes et que les terrains à découvert diminuent. Mais l'histoire cette fois s'agrémente d'une note ironique.

Sauf en saison de nidification, les pies-grièches migratrices sont des oiseaux solitaires qui se côtoient le moins possible. Mais ce ne serait pas que leurs semblables qu'elles fuient : tout semble indiquer que l'être humain lui-même leur est infiniment antipathique. En effet, le bétail d'élevage, qui transporte des insectes dans sa fourrure, leur assurerait la même alimentation que les troupeaux de bisons sauvages ; les clôtures de fil barbelé leur fourniraient tous les crochets qu'il leur faut pour empaler leurs proies. De toute évidence, ce qu'elles ne peuvent pas supporter, ce sont les hommes dont la présence accompagne ces changements.

Une étude réalisée au Canada a révélé que chaque couple de pies-grièches exige une superficie de 10 hectares pour nicher. Ce territoire doit leur offrir des perchoirs de chasse d'où elles pourront avoir un large point de vue sur les alentours et des plantes bien garnies d'épines pour y empaler leurs proies. Mais encore faut-il que l'homme en soit absent. Car là où toutes les conditions souhaitables sont réunies, la pie-grièche migratrice refuse de nicher dès qu'elle détecte la présence de l'être humain.

Avec sa maxille terminée par une dent, la pie-grièche est un redoutable chasseur.

Description. Longueur 17,5-24 cm (7-9½ po). Oiseau dodu ; grosse tête ; bec crochu. Dos gris ; ventre blanc ; ailes noires à taches blanches ; queue noire à rémiges externes blanches. Le loup noir sur les yeux englobe le bec, le différenciant ainsi de la pie-grièche grise, plus grosse et plus pâle, au bec plus long.

Habitat. Terrains à découvert, fourrés, déserts.
Nidification. Nid de brindilles, tapissé de poils et de fibres végétales, à 1-6 m (3-20 pi) du sol dans un arbre ou un arbuste ; 4-7 œufs blanc terne ou chamois piqués de brun ; 10-12 jours d'incubation. Envol des oisillons à 20 jours.
Nourriture. Insectes, souris, petits oiseaux.

Étourneau sansonnet

Sturnus vulgaris

Impudent et agressif,
l'étourneau chasse un oiseau
de son nid pour l'occuper.

« J'aurai un étourneau qui ne saura dire que *Mortimer*. » Si Shakespeare avait pu prévoir les fatales conséquences qu'aurait ce vers innocent tiré de *Henry IV*, il s'en serait nul doute abstenu. Quelque trois siècles plus tard, un de ses admirateurs, un fanatique du nom d'Eugene Scheifflin, lâcha une soixantaine d'étourneaux sansonnets importés d'Angleterre dans le Central Park de New York. Les dizaines de millions d'étourneaux, qui constituent aujourd'hui un véritable fléau en Amérique du Nord, descendent tous de ces premiers arrivants et des 40 autres qu'il fit venir l'année suivante. Son projet insensé était d'acclimater en Amérique tous les oiseaux mentionnés dans les pièces de son idole.

Ces immigrants malvenus dévorent les fruits et les céréales des agriculteurs, souillent les édifices et les automobiles des citadins et usurpent les logis d'oiseaux indigènes, dont les merles-bleus et les hirondelles noires. En 1960, à l'aéroport Logan de Boston, un avion ayant à son bord 62 personnes s'écrasa au décollage : un de ses moteurs avait aspiré un vol entier d'étourneaux. Il n'y eut aucun survivant.

Il ne faut pas oublier toutefois que leur formidable instinct de destruction ne comporte pas que des inconvénients : les étourneaux dévorent des quantités inimaginables d'insectes nuisibles. En outre, leur plumage irisé n'est pas désagréable à voir et leur talent d'imitateur est digne de la scène. Il n'est pas surprenant qu'en bon observateur de la nature, Shakespeare lui-même l'ait constaté !

Description. Longueur 17,5-21,5 cm (7-8½ po). Oiseau trapu ; bec long et pointu ; queue courte et carrée. Dos luisant et bec jaune en été ; moucheté de blanc et bec noirâtre en hiver. Juvénile : brun terne. Se dandine sur les pelouses et picore le sol à la recherche de nourriture. **Habitat.** Fermes, villes, banlieues, jardins.

Nidification. Nid fait d'herbes et de brindilles, logé dans un trou de pic, une cavité naturelle ou un nichoir ; 2-9 œufs blancs, bleu pâle ou verdâtres ; 12 jours d'incubation assurée par le couple. Les oisillons restent 21 jours au nid. **Nourriture.** Insectes, araignées, vers de terre, fruits et céréales.

Paruline de Lucy

Vermivora luciae

D ans le désert du Sonora du Sud-Ouest américain, vivre, c'est résister. Le jour, le soleil dessèche impitoyablement le sol. À la tombée de la nuit, l'air se refroidit brusquement. Les animaux diurnes ne disposent guère que d'un court laps de temps, à l'aube et au crépuscule, pour exercer leurs activités. Ici, la prudence est une nécessité et la méfiance, une vertu. Voilà le récit des conditions dans lesquelles vit et se reproduit la paruline de Lucy.

Ce petit oiseau nerveux fréquente les fourrés de prosopis qui poussent dans les terres alluviales et les vallées. Son cri est aigu et sec ; son chant, furtif. Son plumage clair reproduit les couleurs de l'aurore sonorienne ; vertex et croupion sont teintés de marron. L'oiseau arbore les coloris du désert : rien ici ne doit attirer l'attention. Pourrait-on croire que cette paruline si discrète est proche parente des chanteurs colorés qui peuplent nos forêts ?

L'oiseau fut découvert en 1861 par J. G. Cooper à Fort Mojave, en Arizona. Celui-ci aurait très bien pu l'appeler la paruline du désert ou la paruline des prosopis. Mais Cooper en profita pour rendre hommage à un éminent zoologiste de l'Institut Smithsonian, Spencer F. Baird, qui avait réussi à convaincre le gouvernement américain d'inclure, dans ses relevés topographiques des régions, des études scientifiques portant sur la faune et la flore. Par respect autant que par affection, il donna à ce timide oiseau le nom de la fille de Baird, Lucy, alors âgée de 13 ans.

Dans l'air vif du Sonora, la paruline de Lucy accueille l'aurore en chantant.

Description. Longueur 10-11,5 cm (4-4½ po). Petit oiseau à bec effilé. Dos gris ; ventre blanc terne ; croupion roux. Juvénile semblable, mais teinté de roux. Agite la queue en fouillant le sol. **Habitat.** Désert de broussailles à prosopis et cotonniers ; fourrés près des lits de cours d'eau. **Nidification.** Nid fait d'un assemblage compact d'écorce et de tiges, tapissé de poil, situé jusqu'à 5 m (15 pi) de haut dans un trou de pic, une fente dans l'écorce d'un arbre ou un nid abandonné de mésange verdin ; 3-7 œufs blancs piqués de brun. Durée de l'incubation et durée du séjour des oisillons au nid inconnues. **Nourriture.** Insectes.

131

Paruline des prés
(Fauvette des prés)

Dendroica discolor

En dépit de son nom, la paruline des prés fréquente les lieux broussailleux.

Qu'y a-t-il dans un nom ? Très peu de chose parfois. La mouette rieuse est-elle portée à s'esclaffer ? Rencontre-t-on l'effraie des clochers uniquement en haut des églises ? La paruline des prés a, elle aussi, un nom trompeur. Elle ne fréquente pas les prés herbeux, comme on pourrait honnêtement le croire, mais bien les endroits broussailleux et secs.

L'identité de l'oiseau ne prête pourtant pas à confusion. Il possède tous les traits distinctifs que multiplie la nature pour permettre de grouper les espèces en familles et en genres. La paruline des prés ressemble donc à toutes ses cousines parulines. Mais comme il en est dans les familles humaines, elle a réorganisé ces traits en une combinaison qui n'appartient qu'à elle.

Comme chez la paruline à ailes bleues, le mâle présente une mince rayure noire de chaque côté des yeux. La tache noire qui s'étend vers les mâchoires est moins vive que chez la paruline du Kentucky, mais ses larges rayures noires sur les flancs rappellent celles de la paruline de Kirtland et il présente la double bande alaire qui caractérise presque tous les oiseaux de cette famille. La paruline des prés n'agite pas la queue avec la même agilité que les parulines de Kirtland ou à couronne rousse, mais ses petites révérences n'en sont pas moins une joie à observer.

Description. Longueur 11,5-12,5 cm (4½-5 po). Dessus vert olive faiblement rayé de roux ; rayures noires sur la face et les flancs ; dessous jaune. Femelle et juvénile semblables, mais plus ternes. Se nourrit peu au sol ; agite la queue. **Habitat.** Bois broussailleux, pâturages en friche ; mangroves (forêts de palétuviers) en Floride.

Nidification. Nid fait de duvet végétal, d'écorce et d'herbes, fixé à 0,60-5 m (2-15 pi) du sol dans un buisson, un petit arbre ou un palétuvier ; 3-5 œufs blancs ou verdâtres tachetés de brun ; 12-14 jours d'incubation assurée par la femelle. Les oisillons restent 8-10 jours au nid. **Nourriture.** Insectes et araignées.

Paruline à couronne rousse

(Fauvette à couronne rousse)

Dendroica palmarum

Avec quelle impatience attend-elle le printemps cette paruline à couronne rousse ! Bien avant que les feuilles percent, un mois, au moins, avant que les premières vagues des autres parulines se posent dans les prés et les forêts, elle est déjà en route vers le nord, suivant à la trace les premières manifestations du printemps. Elle devance même la paruline à croupion jaune, dont l'aire est pourtant plus nordique.

Ce héraut du printemps, on aurait fort bien pu l'appeler la paruline bergeronnette. Elle arrive avec les premières alouettes et les bergeronnettes hâtives, contrairement à la plupart des parulines. Autre trait distinctif, elle secoue sa queue de haut en bas et de bas en haut avec la monotonie d'un métronome. Elle aurait aussi mérité le nom de paruline des tourbières car son long voyage vers le nord s'achève toujours aux limites broussailleuses des terres basses peuplées d'épinettes.

Mais le nom qu'elle porte n'est pas si mal choisi puisqu'elle se distingue par un vertex couleur de feuilles mortes. C'est dans les Antilles qu'on découvrit la première paruline à couronne rousse en 1789, année de la Révolution française. Et c'était une sorte de révolution en soi car les palmiers des tropiques ne plaisent guère à notre paruline ; elle préfère de beaucoup les pelouses, les parcs, les pâturages et les terrains de golf comme elle en trouve en Floride où, d'ailleurs, elle hiverne.

La paruline à couronne rousse aime bien picorer dans l'herbe rase des pelouses l'hiver.

Description. Longueur 10-14 cm (4-5½ po). Dos brun ; vertex marron ; gorge et raie sourcilière jaunes ; ventre grisâtre, parfois jaune, rayé de marron. Juvénile beaucoup plus terne. Marche sur le sol ; agite la queue de bas en haut. **Habitat.** Champs broussailleux, bosquets ; niche dans les tourbières du Nord.

Nidification. Nid d'écorce, d'herbes et de tiges, installé dans la mousse ou fixé à 30-60 cm (1-2 pi) du sol dans un buisson ; 4-5 œufs blancs mouchetés et tachetés de brun ; 12 jours d'incubation ; les oisillons restent 12 jours au nid. **Nourriture.** Insectes et baies.

Paruline masquée
(Fauvette masquée)

Geothlypis trichas

La paruline masquée affiche une nette préférence pour les terres sauvages et humides.

Si Dame nature avait eu le dessein de créer une souris à plumes, elle n'aurait pu mieux réussir qu'avec la paruline masquée. Ce petit oiseau évanescent, au masque de corsaire ou de bandit, montre à peine ses yeux vifs que déjà il a disparu sous une feuille. Dissimulé dans un fouillis de mousse espagnole ou dans les broussailles qui bordent les marais, il met à rude épreuve la patience de l'observateur.

Mais où la patience manque, l'astuce parfois réussit. Pour voir la paruline masquée, et bien d'autres oiseaux, il suffit souvent d'éveiller leur curiosité, ce qu'on peut faire en émettant des sons aigus par un bruit de baisers contre le dos du pouce ; curieuse, la paruline sort de l'ombre. À l'occasion, elle s'élance sur l'intrus avec un grondement de menace, mais la plupart du temps, elle vient tout simplement observer l'étrange animal qui crie aussi bizarrement.

Si la paruline masquée se laisse difficilement voir, elle n'hésite pas à se faire entendre. Or, elle est si commune dans le sud-est du continent que son chant devient vite familier et qu'il est un des plus faciles à apprendre. Ce chant est le même pour toutes les parulines masquées, mais elles semblent toutes le chanter à leur manière. C'est du moins ce que tendraient à accréditer les notations des premiers observateurs qui variaient beaucoup de l'une à l'autre. Aujourd'hui, on décrit ce chant comme une série de trilles sourds : *ouitchiti, ouitchiti, ouitchiti, ouit.*

Description. Longueur 10-14 cm (4-5½ po). Mâle : masque noir ; gorge jaune vif ; aucune barre ou rayure alaire. Femelle et juvénile : semblables au mâle, mais sans masque. Sautille dans la végétation épaisse.
Habitat. Marais à broussailles, fourrés humides, enchevêtrements d'herbes, buissons à baies.

Nidification. Gros nid d'herbes, de tiges et de feuilles, dans une touffe d'herbes ou de roseaux ou à 30-90 cm (1-3 pi) du sol dans un buisson. 3-6 œufs blancs ou crème maculés de brun, de gris et de noir ; 12 jours d'incubation par la femelle. Les oisillons s'envolent à 8 jours.
Nourriture. Insectes et araignées.

Paruline polyglotte
(Fauvette polyglotte)

Icteria virens

Audubon aurait voulu classer cet oiseau parmi les mana-kins ; d'autres ornithologues, parmi les viréos, les guit-guits ou les tangaras. Tous se seraient entendus cependant sur un point ; si le classement de l'oiseau semble difficile à établir, son espèce est incontestable : cette paruline est on ne peut plus polyglotte et on peut même se demander s'il lui arrive de se prendre un peu au sérieux.

La paruline polyglotte a le bec bulbeux, un port noble et un faciès à lunettes comique et hautain. Mais toute sa dignité disparaît dès lors qu'elle ouvre le bec. Son répertoire comporte une série inénarrable de cris nasillards, de ricanements, de gargouillis, de miaulements et de chuintements. Et comme si cela ne suffisait pas, la paruline imite les crépitements du martin-pêcheur, les sifflements du chevalier à pattes jaunes, les craillements de la corneille ou même le son rauque d'un klaxon d'automobile.

Mais ce bouffon à plumes opère sur lui-même un tour de magie indiscutable. Tantôt il est ici, tantôt il est là. Avec l'habileté d'un ventriloque, il donne l'impression d'être partout à la fois. Si l'observateur intrus le coince de trop près, il se tait, mais son chant reprend bientôt dans une autre direction. L'amateur avisé et patient l'apercevrait peut-être perché dans un buisson, mais ce serait pour voir disparaître sur-le-champ une petite boule de plumes.

Cette paruline de grande taille peut imiter le chant d'autres oiseaux.

Description. Longueur 16,5-19 cm (6½-7½ po). Grande taille. Dessus vert olive ; face noirâtre à rayure superciliaire blanche ; dessous jaune vif ; bec convexe et noir. Sautille dans les fourrés.
Habitat. Fourrés broussailleux, enchevêtrements de buissons.
Nidification. Nid d'herbes, de feuilles et de lam-beaux d'écorce, à 0,60-2,5 m (2-8 pi) du sol, dans un buisson épais aux branches enchevê-trées ; 3-6 œufs blancs tachetés de brun et de mauve. Environ 12 jours d'incubation. Les oisil-lons restent 8-11 jours au nid. Niche en colo-nies de plusieurs couples.
Nourriture. Insectes et baies.

135

Cardinal pyrrhuloxia

Cardinalis sinuatus

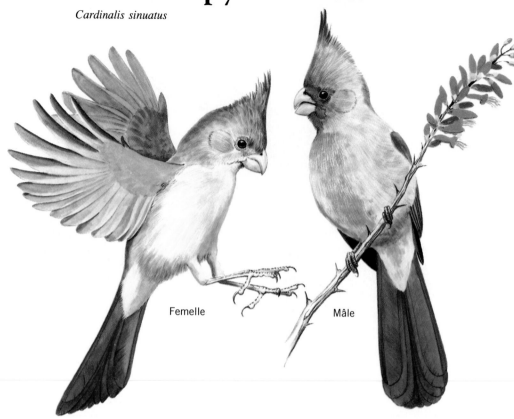

Femelle   Mâle

La baie colorée du cactus de Noël fait les délices du cardinal pyrrhuloxia.

Au premier coup d'œil, on les prendrait pour de curieux perroquets égarés loin de leur domicile tropical. Soudain le mâle s'agite ; il dresse les plumes rouge flamme qu'il porte en huppe sur la tête et lance une série de cris stridents, chacun ponctué par un battement de queue. Et là, on se rend compte aussitôt qu'on a affaire à un cardinal.

Son nom, *pyrrhuloxia*, vient de deux mots grecs : *pyrrhos* (couleur de feu) et *loxos* (oblique) ; les termes font référence aux tons rougeâtres du plumage de l'oiseau et à son bec incurvé comme celui d'un perroquet. C'est ce bec qui permet aux ornithophiles du sud-ouest des États-Unis de différencier la femelle de ce cardinal de celle du cardinal rouge, toutes deux de teinte chamois, dont les aires de distribution se recoupent en partie en cet endroit du continent.

Cardinal rouge et cardinal pyrrhuloxia ont d'autres traits en commun. Voletant au-dessus d'un prosopis au début du printemps, quand les bandes d'hiver se sont dispersées, le cardinal pyrrhuloxia cueille une baie dans un cactus de Noël et s'en va délicatement la déposer dans le bec de sa compagne qui l'attend sur une branche. Ce comportement nuptial est aussi celui du cardinal rouge à l'égard de sa compagne à laquelle les deux restent fidèles toute l'année.

Description. Longueur 19-20 cm (7½-8 po). Huppe ; bec robuste, jaune et arqué. Mâle : plumage gris ; huppe, face, gorge, poitrine, ailes et queue rouges. Femelle : semblable, mais plus chamois.
Habitat. Broussailles sèches et épineuses, fourrés près de l'eau, jardins environnants.

Nidification. Petit nid de brindilles, d'écorce et d'herbes, fixé à 1,5-5 m (5-15 pi) au-dessus du sol dans un prosopis ou un buisson épineux ; 2-5 œufs blanchâtres ou verdâtres marqués de brun ; 14 jours d'incubation assurée par la femelle. Les oisillons restent 10 jours au nid.
Nourriture. Fruits, graines, insectes.

Mâle

Femelle

Passerin bleu
(Gros-bec bleu)

Guiraca caerulea

Les couleurs dont se pare un oiseau ont plusieurs sources. Le brun, le jaune et le rouge viennent de pigments dans le plumage. Mais il n'existe pas de pigment bleu. Éclairez une plume bleue par-derrière et vous verrez qu'elle perd toute sa couleur. Le bleu que l'on voit est produit par le passage de la lumière à travers de fines couches filtrantes à la surface des plumes.

Le bleu peut s'obtenir d'autres façons. Comme la plupart des oiseaux, les mâles des passerins bleu et indigo muent à l'automne ; ils perdent alors leur superbe plumage nuptial et prennent une livrée brune semblable à celle de la femelle. Le passerin indigo mue de nouveau au printemps et reprend ses belles couleurs estivales. Mais pas le passerin bleu. Il use ses plumes. C'est ainsi qu'elles perdent, au cours de l'hiver, leurs extrémités brunâtres pour laisser voir, au printemps, la base du plumage qui est bleue. Les étourneaux sansonnets font la même chose, ainsi que les bruants des neiges et les goglus dont la complexe beauté disparaît durant l'hiver pour réapparaître dès la venue du printemps.

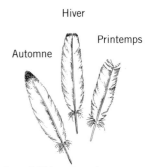

Hiver

Automne   Printemps

Durant l'hiver, les plumes s'émoussent ; au printemps, le passerin est redevenu bleu.

Description. Longueur 15-18 cm (6-7 po). Bec robuste ; deux bandes alaires rousses. Plumage nuptial du mâle bleu sombre. Femelle et mâle en automne : plumage brun. Émigre en bandes au printemps et en automne.
Habitat. Fourrés broussailleux ; enchevêtrements de hautes herbes près des routes et cours d'eau ;

orée des forêts ; champs cultivés en automne.
Nidification. Nid d'herbes, de radicelles et de tiges, fixé à 0,60-4 m (2-14 pi) du sol dans un arbre épais ou un buisson dense ; 2-5 œufs bleu pâle ; 11 jours d'incubation assurée par la femelle. Les oisillons restent 13 jours au nid.
Nourriture. Insectes, araignées, céréales, fruits.

Mâle

Femelle

Passerin indigo
(Bruant indigo)

Passerina cyanea

Comme les ténors qui font partie des chœurs de chant à l'église, le passerin indigo a la voix forte, mais pas nécessairement mélodieuse. Ce que son chant perd en qualité, cependant, il le gagne en persistance. Au milieu de l'été, quand la plupart des oiseaux se sont tus, lui égrène encore en decrescendo ses notes espacées.

On pourrait croire que tous les passerins indigo chantent de la même façon ; en réalité les mélodies diffèrent subtilement d'un sujet à l'autre. À tel point, d'ailleurs, que les mâles, intraitables quand il s'agit de défendre leur territoire, reconnaissent les intrus à leur voix et se révèlent plus agressifs devant les étrangers que devant leurs voisins avec lesquels ils partagent une paix fragile.

Néanmoins, des biologistes ont noté qu'au sein d'une même colonie, quelques oiseaux pouvaient partager le même chant. Il s'agirait de jeunes mâles qui, pour protéger leur territoire et se gagner les faveurs d'une compagne, imitent des confrères mieux établis qu'eux. En croyant entendre la voix d'un vénérable congénère, l'usurpateur ferait volte-face sans demander son reste. Le jeunot profiterait ainsi du prestige de son aîné pour sauvegarder son logis sans avoir à se battre.

Le passerin indigo couve parfois les œufs que le vacher dépose dans son nid.

Description. Longueur 11,5-14 cm (4½-5½ po). Bec conique. Plumage nuptial du mâle bleu vif ; plus sombre sur la tête. Femelle et mâle en automne, chamois avec des stries peu visibles sur la poitrine.
Habitat. Pâturages à broussailles, orée des bois.
Nidification. Nid d'herbes, de feuilles, de lambeaux d'écorce et de papier, à 1,5-5 m (5-15 pi) au-dessus du sol dans un arbuste, un petit arbre ou une touffe d'herbes hautes ; 3-6 œufs bleuâtres. Environ 13 jours d'incubation assurée par la femelle. Envol des oisillons 8-10 jours après l'éclosion.
Nourriture. Insectes, graines, baies.

Passerin azuré

(Bruant azuré)

Passerina amoena

Mâle

Femelle

Que ce soit le long des côtes humides du Pacifique ou sur les pentes arides des Rocheuses, le passerin azuré passe son temps à sautiller parmi les fleurs sauvages à la recherche des insectes et des graines dont il se nourrit. Les plantes prostrées comme l'érodium ne lui posent pas de problème. Mais lorsqu'il s'agit d'herbes hautes et délicates, comme l'avoine ou le millet long, le passerin azuré doit voleter au sommet de la fine tige et d'une patte l'incliner jusqu'au sol pour en extraire les graines.

On a prétendu que le bec conique particulier au passerin azuré et aux roselins témoignait d'une alimentation strictement végétarienne. C'est tout bonnement un mythe. En été, le passerin azuré mange autant d'insectes que de graines : sauterelles, livrées, coléoptères, abeilles et fourmis. La plupart du temps, l'oiseau s'en empare au sol, mais il lui arrive de les détacher des feuilles ou de les chasser dans les airs à la manière d'un moucherolle.

Ce sont d'ailleurs des insectes que les parents donnent à manger à leurs petits, et surtout des sauterelles car celles-ci présentent un avantage additionnel. Comme leur période de développement coïncide avec celle de la nidification, elles se trouvent à grossir au même rythme que l'appétit des oisillons.

Pas bête, le passerin azuré courbe les tiges au sol pour en déguster les graines.

Description. Longueur 11,5-14 cm (4½-5½ po). Bec conique. Mâle en plumage nuptial : tête, cou et gorge azurés ; deux bandes alaires blanches ; poitrine cannelle ; abdomen blanc. Femelle et mâle en automne : brun-gris ; bandes alaires pâles ; poitrine chamois.
Habitat. Collines broussailleuses, fourrés, boisés clairs, chaparrals, plaines à buissons d'armoise.
Nidification. Nid d'herbes à 0,45-3 m (1½-10 pi) du sol dans un buisson dense, une touffe de fougères ou un enchevêtrement de tiges ; 3-5 œufs bleu pâle ; 12 jours d'incubation assurée par la femelle. Envol à 10-15 jours.
Nourriture. Insectes et graines.

Mâle

Femelle

Passerin nonpareil
(Passerin ciris)

Passerina ciris

Autrefois, on mettait en cage le passerin nonpareil ; la loi l'interdit aujourd'hui.

Les Espagnols l'ont surnommé *mariposa*, papillon, tandis que, dans le sud des États-Unis, on l'appelle le *nonpareil*, l'oiseau dont la beauté est sans pareille. Ce nom lui est resté, même s'il est maladroit en français. Une légende amérindienne veut qu'ayant épuisé toutes ses couleurs sur les autres oiseaux, Dieu ait été forcé d'employer, pour colorer celui-là, les restes de sa palette.

On a tendance à croire que la couleur est constituée par des pigments. Or, ce n'est pas toujours le cas. Le pigment rouge, bien sûr, en est un qui absorbe toutes les longueurs d'ondes lumineuses, sauf celles du rouge, qu'il nous renvoie. Par contre, le bleu et les teintes chatoyantes de certains oiseaux ne proviennent pas de pigments, mais s'apparentent à des illusions d'optique créées par la structure microscopique des plumes. C'est la diffusion de la lumière par des particules présentes dans les plumes qui donne au passerin nonpareil son étonnante tête bleue et au passerin bleu, la teinte riche et profonde de son plumage. Dans le cas des couleurs irisées, comme le bleu des colibris et le noir luisant des carouges, celles-ci sont produites, comme un arc-en-ciel dans une bulle de savon, par le jeu des ondes lumineuses frappant une fine pellicule transparente. En définitive, la légende indienne dit bien la vérité ; étant à court de pigments, Dieu fut obligé d'inventer une nouvelle façon de créer de la couleur.

Description. Longueur 12,5-14 cm (5-5½ po). Mâle : tête bleue ; dos vert ; croupion et dessous rouges. Femelle : dessus vert ; dessous teinté de jaune. Oiseau timide, d'observation difficile.
Habitat. Boisés et fourrés près de cours d'eau, routes, jardins.
Nidification. Nid d'herbes, de feuilles et de tiges, parfois dans un fouillis de branches, un buisson épais ou un arbre à 1-2 m (3-6 pi) du sol, parfois plus haut, jusqu'à 8 m (25 pi), dans un amas de mousse espagnole ; 3-5 œufs bleu pâle maculés de brun ; 12 jours d'incubation assurée par la femelle. Envol des oisillons à 2 semaines.
Nourriture. Graines, insectes, araignées.

Dickcissel

Spiza americana

C'est l'oiseau errant. Le dick-cissel a été vu à 160 km au large dans l'Atlantique.

Reporter sur une carte géographique les habitats de nidi-fication et d'hivernage d'un oiseau, c'est affirmer, pour le moins implicitement, que ses coutumes sont immuables. Or, ce n'est pas le cas chez toutes les espèces et le dickcissel en est une preuve vivante. À la période coloniale, il semble avoir habité uniquement les terres herbeuses qui s'étendent entre le Dakota du Sud et l'Indiana d'une part, le Texas et la Louisiane d'autre part. Au début du XIXᵉ siècle, on le voit pénétrer dans la région des Appalaches tandis qu'un peuplement satellite se développe en Nouvelle-Angleterre et plus au sud sur la côte. À la fin du siècle, ce peuplement avait disparu pour une rai-son qu'on ignore, mais en même temps la population conti-nentale s'étendait vers le nord, l'ouest et l'est. Qui sait où l'on retrouvera le dickcissel prochainement ?

Ses migrations hivernales sont également imprévisibles. Les uns traversent l'Amérique Centrale pour aller passer l'hiver au Vénézuela. On voit chaque année quelques fantaisistes venir s'installer dans le Sud en été et repartir dans le Nord en au-tomne. D'autres encore semblent errer à l'aventure : on sait que l'île du Sable, à 160 km (100 mi) au large de la Nouvelle-Écosse, constitue une terre d'accueil pour les oiseaux qui va-gabondent sur l'Atlantique. Son hôte le plus fréquent serait, paraît-il, le dickcissel.

Description. Longueur 15-17,5 cm (6-7 po). S'apparente au bruant. Mâle en plumage nup-tial : dessus brun strié ; poitrine jaune à plas-tron noir ; raie superciliaire jaune ; épaulettes et tache alaire marron. Femelle et mâle en hiver : pas de plastron ; face et poitrine lavées de jau-ne. Tache alaire moins prononcée chez la femelle.

Habitat. Champs de céréales et pâturages.
Nidification. Nid d'herbes et de tiges, au sol ou à 0,60-4 m (2-14 pi) dans un buisson ou un arbre ; 3-5 œufs bleu pâle ; 13 jours d'incuba-tion assurée par la femelle. Les oisillons restent 9 jours au nid. Deux couvées par année.
Nourriture. Graines, céréales, insectes.

141

Tohi
à queue
verte

Pipilo chlorurus

Semblable à un tamia, le tohi à queue verte quitte son nid en trombe devant un intrus.

Un coyote trottine dans un boisé en pente douce quand soudain il s'arrête et tend l'oreille. Une petite boule grise, un tamia ébouriffé peut-être, sort en trombe du sous-bois. Le coyote allonge la foulée, mais se reprend aussitôt : la petite créature a disparu dans les herbes.

Le tohi à queue verte a souvent été confondu avec le tamia, et pas seulement par les coyotes. Ce roselin des altitudes a de curieuses mœurs de rôdeurs qui le servent bien durant la nidification. Il niche en effet sur le sol ou à faible hauteur dans les prés d'armoise. Quand un intrus s'approche, il ne reste pas immobile à attendre la suite des événements. Sa réaction est instantannée : s'élançant hors du nid les ailes refermées, il touche sol sur l'élan, la queue dressée, en tous points semblable à un tamia ou à quelque autre petit mammifère. C'est d'ailleurs l'effet qu'il recherche. Car le prédateur, croyant être sur le point de saisir son repas, ne s'attardera pas à chercher quelque nid hypothétique.

Les tohis à queue verte sont les plus petits et les plus nomades de tous les tohis. L'automne venu, tous quittent leur aire de nidification pour rejoindre leurs quartiers d'hiver. La plupart s'en vont passer l'hiver au Mexique, mais il en est qui font cap vers l'est ; et aussi loin au nord qu'en Nouvelle-Angleterre, il n'est pas rare d'apercevoir l'un de ces gracieux visiteurs se restaurant à une mangeoire.

Description. Longueur 15-17,5 cm (6-7 po). Dos et queue verdâtres, surtout au soleil ; vertex brun rougeâtre ; gorge blanche striée sur le côté ; côtés de la face et dessous gris. Timide ; fuit dans l'herbe ou derrière un tronc.
Habitat. Flancs de montagne secs et broussailleux, pinèdes clairsemées, prés d'armoise.

Nidification. Nid profond fait d'herbes, d'écorce et de brindilles, construit au sol ou à moins de 75 cm (30 po) de hauteur dans un buisson épais ou un cactus ; 2-5 œufs blancs fortement tachetés de brun. Durée de l'incubation et durée du séjour des oisillons au nid inconnues.
Nourriture. Graines, baies, insectes.

Tohi des canyons

Tohi des canyons *Pipilo fuscus*
Tohi de Californie *Pipilo crissalis*

Avec leur plumage brun terne et leurs mœurs sédentaires (ils s'unissent pour la vie et n'émigrent pas en hiver), les tohis des canyons ont peu d'éléments distinctifs pour se faire remarquer. Mais les premières impressions sont souvent trompeuses. Avec un peu de patience, l'observateur aura peut-être la chance d'assister à un duo de couinements.

Tandis qu'ils survolent leur territoire à la poursuite d'insectes, il arrive que le mâle et la femelle se perdent de vue. L'un des deux s'en va bientôt se percher au sommet d'un arbre et l'autre accourt aussitôt le rejoindre. C'est alors que la cérémonie commence : installés face à face, les deux oiseaux hochent la tête avec entrain en lançant des rafales de cris aigus comme pour réaffirmer leur engagement mutuel. Le rituel fini, le couple part reprendre sa besogne dans les hautes herbes ; le spectacle peut se répéter plusieurs fois par jour.

De telles marques extérieures d'affection ne sont pas étonnantes de la part d'oiseaux chez qui se succèdent les nichées. Depuis l'intérieur du Sud-Ouest, où se trouvent les tohis des canyons aux mœurs pacifiques, jusqu'à la côte du Pacifique que fréquentent les tohis de Californie, plus agressifs, les couples ont deux ou trois couvées par saison, chassant du nid la précédente dès que les œufs de la suivante sont pondus. Les oisillons de la dernière couvée ont la chance de demeurer plus longtemps au nid et la famille se déplace alors en groupe jusqu'à la fin de l'automne ou au début de l'hiver.

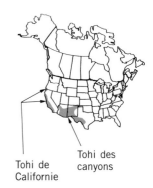

Tohi de Californie

Tohi des canyons

Irrité par sa propre réflexion dans une vitre, le tohi attaque sans hésiter.

Description. Longueur 20-25 cm (8-10 po). Tohi de Californie : plumage brun grisâtre ; dessous du croupion et de la queue chamois. Tohi des canyons : plus pâle ; vertex roux ; souvent une tache foncée sur la poitrine.
Habitat. Flancs de colline et défilés herbeux ou broussailleux ; boisés clairs ; jardins et pelouses.

Nidification. Nid de brindilles, d'herbes et de tiges, logé au sol ou jusqu'à 11 m (35 pi) du sol dans un buisson épais ou un arbre ; 2-6 œufs bleu-vert pâle ; 11 jours d'incubation assurée par la femelle. Les oisillons s'envolent à 8 jours. Jusqu'à trois couvées par saison.
Nourriture. Graines, céréales, insectes.

Bruant de Cassin

Aimophila cassinii

Pattes allongées, tête haute, queue étalée, le bruant de Cassin défend son territoire.

De tous les bruants d'Amérique du Nord, les bruants de Cassin sont sans contredit les moins colorés. Mais quand arrive la saison des amours, ils remplacent par le geste ce qu'il leur manque en couleurs. Leur habitat est la plaine sèche et herbeuse où les mâles trouvent dans les buissons clairsemés, les cactus ou les yuccas les perchoirs qu'il leur faut pour chanter. Ils ne semblent pas du tout incommodés par l'intense chaleur du printemps ou de l'été naissant qui pousse la faune à se cacher. Mais ils sont loin d'être imperturbables. Nargué par un rival, le mâle qui défend son territoire monte se percher à une hauteur de 5-6 m (15-20 pi) ; de là, il lance un trille long et doux et se laisse descendre vers le sol, tête dressée, queue étalée, pieds allongés avec menace. La plupart des intrus, impressionnés par ce manège, s'en vont sans demander leur reste. Et non contents de chanter aux heures chaudes où tous les oiseaux se taisent, les bruants de Cassin peuvent se faire entendre à toutes les heures de la nuit.

Mais le silence retombe quand les petits se sont envolés du nid : on croirait que le bruant de Cassin a disparu. Il est vrai qu'il se déplace souvent alors au sud de son aire de nidification ; mais même quand il demeure sur place, il est très difficile à observer. Une boule brune volant furtivement à découvert, des bruissements de souris qui fouine dans les herbes sèches : ce sont là les seules traces de sa présence.

Description. Longueur 12,5-15 cm (5-6 po). Bruant grisâtre à longue queue. Dessus brun-gris strié ; dessous chamois ; raie superciliaire chamois. S'identifie à ses trilles dans son aire de nidification.
Habitat. Plaines sèches de l'Ouest à herbes courtes et bosquets éparpillés.

Nidification. Nid de tiges et d'herbes, dissimulé au sol dans une touffe d'herbes ou à la base d'un buisson ; également près du sol dans un fouillis de cactus ou de broussailles ; 3-5 œufs blancs. Durée de l'incubation et durée du séjour des oisillons au nid inconnues.
Nourriture. Insectes, graines et boutons floraux.

Bruant à calotte brune

Aimophila ruficeps

Il n'est jamais facile de donner un nom à un oiseau et la tâche est encore plus compliquée si l'on n'a jamais eu l'occasion de voir le sujet dans la nature. Ainsi, lorsque le naturaliste John Cassin, de Philadephie, entreprit de donner un nom au bruant à calotte brune, en 1852, il l'appela le bruant des marais de l'Ouest. Jamais oiseau n'avait été plus mal nommé, lui qui ne fréquente ni les marais ni l'Ouest, mais bien plutôt les flancs des collines arides et rocailleuses du Sud où la végétation est clairsemée.

Il se trouve que Cassin n'avait jamais vu cet oiseau dans la nature ; il se fondait sur les maigres informations que lui avait fait parvenir un collectionneur de Californie en même temps que le spécimen à l'étude. Or selon ces informations, il avait cru comprendre que l'oiseau habitait près de l'eau.

En latin comme dans chaque langue vernaculaire, le nom de l'oiseau est choisi de manière à refléter autant que possible ses traits distinctifs ou son habitat. Mais le nom prête parfois plus à la confusion qu'il ne jette de lumière sur le sujet. Cela peut arriver parce que la première observation était erronée. Ou parce que, dans la langue populaire, les termes ont été déformés. Occasionnellement, les indications concrètes que transmet le nom ne donnent qu'un aspect parcellaire de la réalité, comme par exemple dans le cas du viréo de Philadelphie, qui ne fréquente que brièvement au cours de l'année la ville dont il porte le nom.

Peu agile à prendre son vol, le bruant à calotte brune préfère le sol à l'air.

Description. Longueur 12,5-15 cm (5-6 po). Dessus brun à vertex fauve ; raie superciliaire, cercle autour des yeux et raie sous les yeux blanc terne ; « moustaches » noires ; dessous gris. **Habitat.** Flancs de collines rocheuses et à découvert ; boisés clairsemés à sous-bois clair. **Nidification.** Nid de brindilles, d'herbes, de lambeaux d'écorce, enfoncé dans le sol sous un surplomb rocheux, dans une touffe d'herbes ou à la base d'un jeune arbre, ou à 30-90 cm (1-3 pi) de hauteur dans un arbre ou une armoise ; 2-5 œufs bleu pâle. Durée de l'incubation et durée du séjour des oisillons au nid inconnues. **Nourriture.** Insectes et graines.

Bruant hudsonien
(Pinson hudsonien)

Spizella arborea

Le bruant hudsonien vole au lemming un peu de fourrure pour tapisser son nid.

Le bruant hudsonien niche dans le nord du Canada et notamment, bien sûr, autour de la baie d'Hudson. Sans être très coloré, il se reconnaît à son capuchon brun-rouge et au point noir qu'il porte sur la poitrine. Le bruant des champs, qui lui ressemble beaucoup, s'en distingue par l'absence de point sur la poitrine et par son bec rose. Le bruant familier n'a pas, non plus, de point sur la poitrine ; il arbore par ailleurs une rayure noire de chaque côté des yeux. Quant au bruant des marais, il a, lui aussi, un point sur la poitrine, mais il est plus terne que le bruant hudsonien.

Les bruants, on le sait, se nourrissent principalement de graines. Ils pèsent en moyenne 30 g et peuvent absorber le quart de leur poids en graines chaque jour. Des observateurs américains ont estimé que les bruants hudsoniens qui hivernent dans l'Iowa engloutissent plus de 875 tonnes de graines chaque année. Par bonheur, ce sont pour la plupart des graines de mauvaises herbes.

Cet oiseau robuste ne craint pas l'hiver ; il n'hésite pas à picorer les champs gelés de la prairie, même par des froids sibériens. On le voit voleter en bandes nombreuses à l'affût des herbes dont la tête se dresse hors de la neige, tout en lançant son mélodieux gazouillis.

Description. Longueur 14-16,5 cm (5½-6½ po). Dessus brun avec stries ; deux bandes alaires blanches ; vertex marron ; dessous gris clair ; point noir au milieu de la poitrine ; bec noir dessus, jaune dessous.
Habitat. Champs broussailleux, marais, routes ; niche dans les fourrés du Grand Nord.

Nidification. Nid d'herbes, de lanières d'écorce et de radicelles, posé au sol ou fixé à 0,30-1,5 m (1-5 pi) de hauteur dans un saule rabougri ou un arbuste ; 3-6 œufs bleu pâle tachetés de brun ; 13 jours d'incubation assurée par la femelle. Les oisillons restent 10 jours au nid.
Nourriture. Graines, insectes, araignées.

Bruant familier
(Pinson familier)

Spizella passerina

Presque tous les bruants du Nouveau Monde tapissent leur nid de poils de bête quand ils le peuvent ; mais le bruant familier en met une quantité tellement généreuse qu'on l'a surnommé en certains endroits l'oiseau à poil. Quand les chevaux faisaient partie du paysage quotidien, ils lui fournissaient le gros de ses matériaux ; il utilisait les longs crins de la crinière ou de la queue pour bâtir le corps du nid ; les poils plus petits, pour le tapisser. Là où on fait l'élevage des chevaux, les bruants ont gardé les mêmes méthodes et on aperçoit de temps à autre l'un d'eux voleter autour d'une queue puis s'envoler avec un long poil qu'il traîne au vent dans son bec. Mais, autres temps autres mœurs, le bruant moderne doit plus souvent qu'autrement se contenter de radicelles pour édifier son nid. Il essaie toutefois d'en tapisser l'intérieur avec tous les poils que chevaux, chiens, bestiaux, cerfs, lapins, ratons laveurs et même humains veulent bien lui fournir.

D'autres espèces de bruants sont demeurées éclectiques. Le bruant fauve utilise la fourrure du caribou ; le bruant à couronne dorée, celle de l'orignal ; le bruant hudsonien, celle du lemming. Le bruant à gorge noire réussit à soutirer quelques poils au porc-épic sans toucher à ses piquants. Quand la fourrure se fait rare, le bruant emploie des plumes, de fines radicelles ou des herbes pour que le nid soit chaud et douillet quand ses petits y verront le jour.

Laborieux et tenace, le bruant familier soutire aux chevaux des crins pour son nid.

Description. Longueur 11,5-14 cm (4½-5½ po). Dessus rayé brun et noir ; vertex marron ; raie superciliaire blanche ; trait noir de part et d'autre de l'œil ; dessous uniformément gris. Juvénile : vertex rayé de brun.
Habitat. Fermes, jardins, pinèdes.
Nidification. Nid d'herbes, de tiges et de radicelles, souvent tapissé de poil, dans un buisson ou un arbre très feuillu, à 0,30-12 m (1-40 pi) du sol ; 3-5 œufs vert-bleu clair piqués de brun, de mauve et de noir ; 11-14 jours d'incubation assurée par la femelle. Les oisillons quittent le nid à 8-12 jours. Deux couvées par année.
Nourriture. Graines, insectes.

Bruant des plaines
(Pinson des plaines)

Spizella pallida

La femelle du bruant des plaines joue l'oiseau blessé pour écarter le prédateur.

On pourrait croire qu'au jour de la grande distribution des coloris, les bruants, et surtout le bruant des plaines, sont arrivés les derniers tant ils sont ternes. À côté des belles parulines aux livrées éblouissantes, les bruants font très plébéiens avec leurs uniformes gris et brun. Dans le domaine de la voix, ils n'ont pas été plus gâtés. Leur chant n'a rien qui s'apparente aux timbres graves des orioles ou aux notes cristallines des grives. Dans ce domaine, le bruant des plaines est tout à fait représentatif de sa famille ; son chant se limite à deux ou trois cris sonores assez peu mélodieux qui feraient plutôt penser à des bourdonnements d'insectes.

C'est par quelques détails subtils qu'on en vient à admirer ce petit oiseau. Perché au sommet d'un buisson par un clair matin d'été, il ne manque pas d'allure. Sur le dessus de la tête et sur le dos, il arbore un plumage finement tissé de gris et de brun à la manière des beaux draps anglais. Le juvénile, lui, porte un chandail brun chamois à col gris qu'il troquera, un peu plus tard, pour le tweed de ses parents. Le mâle, prévenant, donne souvent la becquée à la femelle pendant qu'elle couve. Celle-ci sait faire preuve de rares talents de comédienne quand un intrus s'approche du nid. Elle feint d'être blessée pour entraîner plus loin le prédateur ; mais au moment où il s'apprête à la happer, elle s'envole adroitement.

Description. Longueur 11,5-12,5 cm (4½-5 po). Oiseau de petite taille. Dessus et vertex brun rayé ; tache auriculaire finement bordée de noir dessus et dessous ; abdomen uniformément chamois grisâtre. Juvénile : semblable au juvénile du bruant familier, mais croupion brun.
Habitat. Terrains broussailleux à découvert.

Nidification. Nid d'herbes et de brindilles, au sol ou à moins de 1,5 m (5 pi) du sol dans un buisson dense ou une touffe de hautes herbes ; 3-5 œufs bleu clair marqués de brun ; 11-14 jours d'incubation assurée par le couple. Envol des oisillons à 7-9 jours. Deux couvées par an.
Nourriture. Graines, insectes.

Bruant de Brewer

(Pinson de Brewer)

Spizella breweri

Le plateau du Grand Bassin, aux États-Unis, déploie ses vastes étendues couvertes d'armoises odorantes entre les montagnes Rocheuses, la Sierra Nevada et la chaîne des Cascades. C'est une région aride où pas un nuage ne vient troubler la pureté du ciel. C'est aussi l'endroit où réside le bruant de Brewer, un petit oiseau terne dont le plumage épouse les coloris brun et chamois de son environnement.

Certes, ce bruant fréquente les prairies herbeuses et les boisés ; mais c'est ici, dans ce qu'on appelle le désert d'armoise, qu'il est vraiment chez lui en hiver. Un cercle blanc autour des yeux permet de le distinguer des autres bruants.

En dépit de son allure modeste, ce petit oiseau n'en porte pas moins un nom célèbre en ornithologie, celui de Thomas Mayo Brewer qui vécut à Boston au XIXe siècle. Brewer était un homme aux multiples talents qui exerça simultanément les carrières de médecin, de journaliste et d'éditeur. C'était aussi un ornithophile passionné et John James Audubon l'avait en grande estime.

Le bruant de Brewer a d'autres titres de gloire. Il est capable de survivre à un régime sec de trois semaines, exclusivement composé de graines. Il compense le manque d'eau en s'accordant de multiples baignades quand vient enfin la pluie. C'est un oiseau joyeux : à l'aube, à midi et au crépuscule, il lance une mélodieuse cascade de sons dans une gamme étonnante de tonalités et de rythmes, qui n'est pas sans rappeler le chant du serin.

L'humidité des graines suffit à hydrater le bruant de Brewer durant la sécheresse.

Description. Longueur 11,5-12,5 cm (4½-5 po). Dos et tête à fines raies brunes ; cercle blanc autour des yeux ; pas de raie superciliaire, tache auriculaire ou vertex marron ; dessous chamois-gris. Juvénile : plus terne que celui du bruant des plaines ; aucun motif sur la tête.
Habitat. Désert d'armoise ; champs en friche.

Nidification. Nid d'herbes, de tiges et de radicelles tissées serré, au sol ou dans une armoise ou un cactus à moins de 1 m (4 pi) du sol ; 3-5 œufs vert-bleu tachetés de brun, de noir et de mauve ; 13 jours d'incubation. Durée du séjour des oisillons au nid inconnue.
Nourriture. Graines, insectes.

Bruant des champs
(Pinson des champs)

Spizella pusilla

Comme la plupart des bruants, celui-ci ne brille pas par la beauté de son plumage. Mais sa terne livrée ne veut pas dire que le personnage soit sans attrait. Le bruant des champs a d'autres façons d'attirer l'attention.

Les mâles se battent férocement pour la conquête de leur territoire. Les duels commencent au printemps et se prolongent durant toute la nidification. À deux ou à plusieurs, les mâles se donnent la chasse et leurs poursuites effrénées se terminent souvent par un combat à coup de bec et de griffes. Quand les œufs sont éclos, le climat s'envenime encore davantage. Les mâles claironnent leur présence et livrent bataille aux intrus. Mais en dépit de toutes ces manœuvres, les nids, construits au sol, sont bien souvent détruits par les prédateurs et tout est à refaire. Un couple peut devoir s'y reprendre jusqu'à sept fois avant de réussir à élever une couvée.

Mais tout cela se fait en musique. Si la femelle est silencieuse, le mâle chante pour deux. Son chant est harmonieux. Il commence par émettre quelques sifflements doux et lents qui deviennent de plus en plus rapides et se terminent par un trille. On l'entend résonner haut et clair dans les champs et les pâturages, depuis le printemps jusqu'au milieu ou à la fin de l'été. À ce moment, la plupart des oiseaux se sont tus. Lui, heureux sans doute d'avoir enfin élevé une couvée, reprend ses sifflements et ses trilles avec un regain d'énergie.

Le bruant des champs défend son bien à coups de bec et de griffes.

Description. Longueur 12,5-15 cm (5-6 po). Dessus à rayures brun velouté ; deux bandes alaires blanches ; vertex roux ; bec rose ; face grise ; contour de l'œil blanc ; dessous gris clair.
Habitat. Champs herbeux et broussailleux ; également pâturages.
Nidification. Nid d'herbes et de feuilles, caché au sol ou fixé à moins de 3 m (10 pi) dans un buisson ou un arbre feuillu ; 3-6 œufs vert pâle ou bleuâtres finement maculés de brun terre-de-Sienne ; 11-17 jours d'incubation assurée par la femelle. Les oisillons restent 8 jours au nid. Jusqu'à trois couvées par année.
Nourriture. Insectes, araignées, graines.

Bruant
à tête grise

Spizella atrogularis

Est-ce un junco, est-ce un bruant, cet oiseau couleur de cendre qui volette de-ci de-là d'un air désinvolte ? Ses manières fuyantes ne laissent guère le temps de le savoir. Or, c'est bien un bruant, mais sa tête et son corps gris sombre rappellent avec insistance les coloris du junco ardoisé. Dans tout ce gris, d'ailleurs, le brun des ailes et de la queue paraît curieusement déplacé ; on dirait qu'un artiste a arbitrairement disposé ces taches de couleur comme s'il ne connaissait pas son sujet. Dans les maquis à la végétation prostrée, les bruants à tête grise voltigent souvent près du sol, à travers les broussailles. Mais leur envol est si rapide qu'ils sont partis avant même qu'on les ait repérés.

Durant la saison des amours et celle de la nidification, leur timidité disparaît. Groupés en petites colonies, les mâles changent de perchoir à tout moment pour lancer d'une voix sonore leurs trilles spectaculaires que les vallées reprennent en écho. Lorsqu'ils sont à découvert, il est facile de distinguer leur jolie tête grise et leur masque noir qui se prolonge en un long plastron sous le bec.

La femelle est dépourvue des attributs esthétiques noirs, ce qui est rare chez les bruants où les deux sexes sont généralement identiques. Et quand elle couve, elle monte la garde à sa manière. Au manège pour tromper l'intrus, propre aux autres bruants, elle préfère la dissimulation. Mais ne vous y trompez pas : elle n'hésitera pas à attaquer au besoin !

Le bruant à tête grise est habile à voler en se faufilant entre les herbes.

Description. Longueur 11,5-12,5 cm (4½-5 po). Mâle : surtout gris ; dos rayé de brun ; face et gorge noires : bec rose. Femelle et juvénile : semblables, mais face et gorge grises.
Habitat. Pentes broussailleuses, déserts plats, plaines d'armoise.
Nidification. Nid d'herbes et de tiges, fixé à 1 m (4 pi) ou moins de hauteur dans un buisson épais ; 2-4 œufs bleu pâle, quelquefois mouchetés de noir ou de brun foncé ; 13 jours d'incubation. Durée du séjour des oisillons au nid inconnue.
Nourriture. Insectes, graines.

Bruant vespéral
(Pinson vespéral)

Pooecetes gramineus

Le bruant vespéral salue le coucher du soleil d'une voix mélodieuse.

Quand le jour s'achève et que l'ombre violette du crépuscule gagne les champs et les pâturages, une voix plaintive monte dans l'air du soir, douce et mélodieuse. C'est celle du bruant vespéral. Certes, du haut de son perchoir ou par terre entre les plantes, il peut chanter à toute heure durant la journée, mais il a un faible pour la fin du jour. Il lui arrive alors de s'élever brusquement à 15 m (50 pi) dans les airs et là, curieusement, son chant se modifie. Il lance deux notes claires et identiques, puis des gazouillis et des trilles qui résonnent comme la voix même de l'été.

Si étonnants et dramatiques qu'ils soient, ces vols chantants seraient, selon certains, les reliquats d'un passé lointain, commun à toute l'espèce. Car ces oiseaux — le bruant à joues marron, le bruant vespéral, le bruant chanteur — ont tous la même voix argentine et perlée. Lorsqu'ils interprètent la mélodie propre à leur espèce, ils conservent une certaine tonalité reconnaissable chez tous les bruants.

Mais tous les bruants ne sont pas des virtuoses, beaucoup s'en faut. Certains émettent des sons monocordes qui n'ont absolument rien de musical. Pourtant, si la plupart d'entre eux chantent sans contrainte et de fort jolie manière au printemps, en été, et quelquefois la nuit, le bruant vespéral est le seul à nous sérénader fidèlement à l'heure du crépuscule.

Description. Longueur 12,5-16,5 cm (5-6½ po). Plumage brun grisâtre clair rayé de brun ; rémiges externes de la queue blanches ; cercle blanc autour des yeux ; tectrices alaires marron ; dessous finement rayé sans point central ; bec partiellement rosé. Chante à ravir le soir.
Habitat. Prés, champs, pelouses.

Nidification. Nid d'herbes, de tiges et de radicelles, enfoncé dans le sol dans un endroit dissimulé ; 3-6 œufs bleu clair ou verts, maculés de brun ; 11-13 jours d'incubation assurée par la femelle. Les oisillons restent 7-12 jours au nid. Deux couvées par année.
Nourriture. Insectes, graines, céréales.

Bruant à joues marron
(Pinson à joues marron)

Chondestes grammacus

Cette charmante petite boule de plumes a des couleurs ravissantes et une voix merveilleuse, mais elle ne se comporte pas du tout comme le bruant qu'elle est. Quand vient la saison des amours, le mâle se pavane comme s'il était un dindon : il dresse la tête avec arrogance, brandit fièrement la queue et laisse traîner ses ailes négligemment dans le sable. Or, tandis que le dindon n'affiche ce comportement que sur son propre territoire durement acquis, le bruant à joues marron ne se gêne pas pour faire le beau n'importe où, n'importe quand : il lui suffit d'apercevoir une femelle intéressante ! Ce manège de séducteur est d'autant plus étonnant que le bruant à joues marron est monogame.

Autre trait distinctif, fort rare chez les bruants : il lui arrive fréquemment de chanter en même temps qu'il vole dans les airs. Et contrairement au bruant vespéral dont la mélodie en altitude diffère de son chant habituel au sol, notre bruant lance les mêmes trilles et les mêmes fugues claironnantes par terre et du haut des airs. Dans tous les habitats qu'il fréquente, terres en friche ou plaines d'armoise, pâturages alpins ou collines broussailleuses, terres cultivées ou vergers, le bruant à joues marron claironne avec entrain sa joie de vivre d'une voix puissante et mélodieuse.

De la parade à la bataille, il n'y a qu'un pas parmi les bruants à joues marron.

Description. Longueur 14-16,5 cm (5½-6½ po). Dessus rayé de brun ; tête rayée de marron ; joues marron ; raie superciliaire, cercle autour des yeux et « moustache » blancs ; trait noir près du bec ; ventre blanc ; point noir sur la poitrine. **Habitat.** Terrains secs très peu boisés. **Nidification.** Nid d'herbes, de brindilles et de ti- ges, posé au sol ou fixé à 1-9 m (3-30 pi) du sol dans un buisson ou un petit arbre ; 3-6 œufs blanchâtres, marqués et lavés de noir et de brun foncé ; 12 jours d'incubation assurée par la femelle. Les oisillons restent 10 jours au nid. **Nourriture.** Graines, insectes.

Bruant à gorge noire
(Pinson à gorge noire)

Amphispiza bilineata

Dans le milieu désolé où vit le bruant à gorge noire, il y a quand même des prédateurs.

Les bruants d'Amérique du Nord sont des oiseaux résistants et bien adaptés à leur environnement. Ils font preuve de tant de souplesse dans leurs mœurs qu'il semble y avoir un bruant pour chaque type d'habitat. Le bruant des neiges, par exemple, ne fréquente que l'univers arctique, là où l'hiver et l'été se rencontrent sans laisser de place au printemps. Le bruant maritime habite le monde marginal qui se découvre entre deux marées. Mais le plus étonnant de tous est le bruant à gorge noire, hôte habituel d'une région où la température est caniculaire et la pluie, quasi inconnue.

Ce bruant du désert a un courage invincible. Plus le terrain est rocailleux, sec, aride, plus il semble s'y plaire. En 1932, Joseph Grinnell a pu observer un bruant à gorge noire installé à moins de 45 m (150 pi) du dernier rebord au fond du gouffre de la Vallée de la Mort. Cet oiseau noir et blanc réussit à trouver dans les insectes, les plantes et les graines qu'il mange une quantité d'eau suffisante pour ne pas se déshydrater, ce qui lui permet d'occuper un territoire que ne lui dispute aucun rival.

À peine l'aurore pointe-t-elle à l'horizon que le mâle se perche au sommet d'un cactus ou d'un buisson de larréa et lance son chant sonore et puissant. Angoissés par l'aridité absolue du désert, les ornithophiles reçoivent sa voix comme un message d'espoir et de fierté ; au seuil même de l'existence, un oiseau clame sa joie de vivre avec un chant que la nature entière semble boire avec ivresse.

Description. Longueur 11,5-14 cm (4½-5½ po). Dessus uniformément gris ; tache grise sur la calotte et l'oreille ; raies superciliaire et auriculaire blanches ; gorge noire ; dessous blanc. Juvénile : semblable, mais sans gorge noire.
Habitat. Collines désertiques à buissons et cactus clairsemés.

Nidification. Nid d'herbes, de tiges, de brindilles et de fibres végétales, dissimulé dans un buisson épais à 15-45 cm (6-18 po) du sol ; 3-4 œufs blancs ou bleu pâle. Durée de l'incubation et durée du séjour des oisillons au nid inconnues.
Nourriture. Graines, insectes.

Bruant de Bell
(Pinson de Bell)

Amphispiza belli

D'une touffe échevelée d'armoises, que l'observateur le plus attentif ne peut distinguer des millions de touffes qui l'environnent, tombe une petite créature brunâtre qui s'éloigne furtivement. Un oiseau ? Une souris ? L'indéfinissable bestiole parcourt quelques mètres et disparaît dans la broussaille.

Si l'observateur la poursuit, elle change de direction et accélère sa course, tête tendue vers l'avant, pareille au sprinter qui se détache du peloton, queue relevée très haut dans une apparente attitude de mépris face au danger. Inutile de la poursuivre, car cette petite bestiole est un oiseau, le bruant de Bell, passé maître au jeu de cache-cache.

L'observateur en sera quitte, s'il a de la chance, pour voir une petite boule de plumes grises se percher au sommet d'un buisson et laisser échapper un *psitt* ironique avant d'aller se perdre dans les armoises.

Là où a commencé la course, quelque part dans un buisson entre 15 et 45 cm (6-18 po) du sol, il y a fort à parier que se dissimule un nid contenant trois ou quatre œufs. Il est construit avec les matières qu'affectionnent de façon générale les bruants : brindilles, petites branches, herbes flétries, tigelles. Mais alors que la plupart de ses congénères se contentent d'un peu d'herbe ou d'écorce déchiquetée, le bruant de Bell, décidément plus douillet, tapisse son nid de plumes et de fourrure de lapin, voire même de laine de mouton quand des troupeaux viennent paître parmi les armoises.

Le bruant de Bell a des manières de souris et doit leur disputer sa pitance.

Description. Longueur 12,5-15 cm (5-6 po). Oiseau grisâtre : dos rayé cendré ; deux bandes alaires claires ; tache sombre entre les yeux et le bec ; yeux cerclés de blanc ; gorge blanche à « moustaches » noirâtres ; dessous blanchâtre ; flancs striés, point noir sur la poitrine.
Habitat. Broussailles arides, plaines d'armoise.

Nidification. Nid de brindilles, d'herbes et de lanières d'écorce, dissimulé au sol ou dans un buisson à moins de 1 m (4 pi) du sol ; 3-5 œufs bleu pâle marqués et lavés de brun et de noir ; 13 jours d'incubation. Durée du séjour des oisillons au nid inconnue. Deux couvées par année.
Nourriture. Insectes, graines.

Femelle

Bruant noir et blanc

(Pinson noir et blanc)

Calamospiza melanocorys

Mâle en
plumage nuptial

La convivialité règne près des abreuvoirs où les bruants noir et blanc se retrouvent.

Le jour achève dans la Prairie. Le bruant vespéral ne s'est pas encore mis à chanter que le bruant noir et blanc descend boire parmi les hommes et les bêtes. Pendant que tourne, tout là-haut, la roue du moulin, les oiseaux assoiffés garnissent en guirlande les abreuvoirs métalliques où viennent se désaltérer les bovins qui paissent là où vagabondaient autrefois les grands troupeaux de bisons. Dans le Nebraska d'alors, c'était l'époque de la transhumance ; l'herbe suivait le printemps et les bisons suivaient l'herbe. Les bisons ont disparu. Femelles rayées ou mâles d'encre, les bruants noir et blanc sont seuls, maintenant, à vivre en nomade.

Quand l'année est bonne, ils affluent. L'année d'après, ils n'y sont plus. Leur venue est de bon augure pour les cultivateurs. « S'ils arrivent en grandes bandes, disent-ils, si les clôtures en sont pleines et que les hautes herbes ploient sous le nombre, la récolte sera bonne ; il y aura beaucoup à manger pour eux et pour nous. »

Fin juillet, le bruant noir et blanc émigre vers le sud. Reviendra-t-il au même endroit le printemps prochain ? Les cultivateurs vont attendre avec inquiétude le retour de cet oiseau de bon augure qui lance ses notes aiguës et ses trilles en s'élevant vers le ciel au point du jour.

Description. Longueur 14-17,5 cm (5½-7 po). Mâle en plumage nuptial : noir ; tache alaire blanche ; bec blanchâtre. Femelle et mâle en hiver : brunâtre, fortement rayé de noir ; tache alaire pâle. Vole en grands groupes l'hiver.
Habitat. Prairie sèche, plaines d'armoise, désert de broussailles.

Nidification. Nid d'herbes, de tiges et de radicelles lâchement tressées, dissimulé au sol dans l'herbe ; 3-7 œufs vert-bleu pâle parfois tachetés de brun ; 12 jours d'incubation probablement assurée par la femelle. Durée du séjour des oisillons au nid inconnue.
Nourriture. Insectes, graines, céréales.

Bruant des prés
(Pinson des prés)

Passerculus sandwichensis

Des millions d'entre eux passent une partie de leur vie dans les prés salés qui, du Labrador à la Floride, bordent l'océan Atlantique, dans l'embrun du grand souffle de l'océan. Mais ces petits bruants sont tout aussi heureux à l'intérieur des terres, dans la prairie centrale et jusqu'en Arctique. Comme toutes les espèces répandues sur un vaste territoire, les sous-espèces, distinctes par la taille et les coloris, se sont multipliées. L'une d'entre elles, le bruant d'Ipswich, a choisi, pour se reproduire, une plage de 32 km (20 mi) de long sur l'île du Sable, au large de la Nouvelle-Écosse. Quand vient l'hiver, il émigre plus au sud, vers une partie de la côte de l'océan Atlantique où se trouvent les dunes d'Ipswich, au Massachussetts. C'est là qu'on l'a identifié pour la première fois. L'isolement ayant entraîné le croisement consanguin, des traits distinctifs se sont perdus, d'autres sont apparus avec comme conséquence que le nouveau groupe ne s'accouple plus avec la population d'origine.

Telle est l'opinion des zoologistes. Les ornithophiles se contentent du plaisir d'observer le bruant des prés, aussi à l'aise dans les prés salés, derrière la côte surpeuplée de New York, que sur les rives lointaines des Aléoutiennes, dans l'île Sandwich. C'est là que le premier bruant des prés a été capturé par des ornithologues qui allaient plus tard le définir comme une nouvelle espèce.

De rivage en rivage, de saison en saison, le bruant des prés se délecte d'araignées.

Description. Longueur 10-15 cm (4-6 po). Corps finement rayé de brun ; raie superciliaire jaune ; queue longue, un peu fourchue. Forme de la côte du Pacifique : plus sombre. Forme d'Ipswich : plus gros, raie superciliaire blanchâtre.
Habitat. Champs et prés près de l'eau ; marais d'eau douce ou saumâtre ; dunes herbeuses.

Nidification. Nid d'herbes, de tiges et de mousse, dissimulé dans la végétation ; 3-6 œufs blanchâtres ou bleuâtres, maculés de brun ; 12 jours d'incubation assurée par le couple. Les oisillons restent 14 jours au nid. Deux couvées par an.
Nourriture. Graines, insectes, araignées.

Bruant sauterelle

(Pinson sauterelle)

Ammodramus savannarum

En pariade, le bruant sauterelle lance des sons si aigus qu'ils nous sont inaudibles.

Si les oiseaux chanteurs devaient se soumettre à une évaluation comparative de leur chant, le bruant sauterelle se situerait assez bas dans l'échelle des talents artistiques ; il irait sans doute rejoindre le paon qui ne brille certes pas par sa voix. Certains ornithologues refusent même de qualifier de « chant » les ramages de ce bruant, pareils aux *cri-cri* d'une sauterelle. Mais la femelle n'est pas de cet avis ; quand, du haut des airs, le mâle lance son appel — dont bien des notes, trop aiguës, nous sont inaudibles —, elle ne manque jamais de succomber au charme.

Familiers des premiers colons qui défrichèrent les forêts et les bois pour en faire des champs et des pâturages, de fait les bruants sauterelles affectionnent les terres agricoles et les prés. C'est là qu'ils trouvent les insectes et les graines dont ils se nourrissent. Mais bien que les terres à moisson soient leur lieu de prédilection, les travaux des champs risquent à tout moment de détruire leur nid construit au sol. Aussi optent-ils quelquefois pour les terres laissées en friche où la végétation clairsemée leur permet de fouiner sans difficulté.

Le développement urbain, la disparition des pâturages : autant de facteurs qui ont nui à l'expansion démographique du bruant sauterelle. Autrefois, la femelle protégeait son nid en exécutant des manœuvres de diversion devant les prédateurs. Ce type de défense ne lui sert plus en face des gros appareils mécaniques qui travaillent la terre et détruisent en l'espace d'un instant son nid et sa précieuse couvée.

Description. Longueur 10-12,5 cm (4-5 po). Petit pinson à queue courte, bec relativement gros et tête plate. Dessus brun, strié ; dessous chamois uni. L'œil noir est très visible dans la face chamois.
Habitat. Prés, champs, cultures céréalières.
Nidification. Nid d'herbes, tapissé de racines ou de poil et enfoncé dans le sol à la base d'une plante ou d'une touffe d'herbes ; 3-6 œufs blanchâtres maculés de brun ; 12 jours d'incubation assurée par la femelle. Les oisillons restent 9 jours au nid. Niche en colonies éparpillées.
Nourriture. Insectes, araignées, céréales, graines.

Bruant à queue aiguë
(Pinson à queue aiguë)

Ammodramus caudacutus

Le riche tapis vert des prés de foin salé peut sembler inhabité. Mais si un épervier en maraude vient jeter le désarroi dans une bruyante colonie de carouges à épaulettes, très vite la scène s'anime. D'entre les herbes surgit une minuscule face pointue, marquée d'un triangle orange vif ; on compte bientôt une demi-douzaine de spectateurs. Ce sont des bruants à queue aiguë. Excités par toute cette agitation, ils étirent le cou tant et si bien que l'un d'eux finit par s'élever dans les airs ; tête dressée, queue abaissée, il se hisse à une trentaine de centimètres (1 pi) et parcourt 5 ou 6 m (20 pi) avant de plonger à nouveau dans la verdure marécageuse où il disparaît. Ni vu, ni connu !

Pour user d'un euphémisme, disons que les bruants à queue aiguë n'abusent pas de leurs ailes ; une fois installés dans leur territoire, ils marchent beaucoup plus qu'ils ne volent. Voilà pourquoi on les voit peu en dépit de leur nombre. On ne les entend guère, non plus ; dépourvue de musicalité, leur voix n'a pas plus de puissance que leurs ailes ; elle se perd dans la cacophonie des sons qui émergent des marais d'eau douce ou saumâtre en bordure de l'océan.

Toutefois, ne jugeons pas paresseux ces petits oiseaux discrets. Dans les marécages grouillants de vie, ils s'affairent tout l'été à débusquer insectes, araignées et petits escargots pour s'en faire des festins : menu plus recherché, on en conviendra, que les graines dont se contente d'ordinaire le bruant !

Le bruant à queue aiguë vole peu, chante mal, mais il est mignon avec sa tête pointue.

Description. Longueur 11,5-14 cm (4½-5½ po). Dessus brun, strié ; triangle chamois vif de chaque côté de la tête ; dessous blanchâtre ; poitrine finement striée chez les sujets près de la mer, chamois vif uni chez ceux de l'intérieur. **Habitat.** Marais salés sur la côte ; marais herbeux et prés humides à l'intérieur.

Nidification. Nid d'herbes et d'algues, caché dans une touffe d'herbes ou de laiches ou sous des tiges séchées ; 3-7 œufs verdâtres maculés de brun ; 11 jours d'incubation assurée par la femelle. Les oisillons restent 10 jours au nid. **Nourriture.** Insectes, araignées, crevettines et graines.

Bruant maritime
(Pinson maritime)

Ammodramus maritimus

Parce que son habitat, les marais salés, est menacé, le bruant maritime l'est aussi.

Les bruants maritimes semblent avoir tout ce qu'il faut pour envisager le présent avec insouciance et l'avenir avec sérénité : leur habitat s'étend sur plus de 4 000 km de rivage au bord de l'Atlantique et du golfe du Mexique ; leur régime alimentaire est par le fait même abondant et varié ; créatures des marais salés, la nature les a pourvus de bons pieds pour fouler le sol mouvant ; leurs nids, bien cachés parmi les laiches en touffes, sont à l'abri des prédateurs.

Hélas ! ils sont soumis à la vulnérabilité inhérente aux espèces côtières. Les rivages qu'ils habitent sont longs mais étroits ; tout les menace. Une sous-espèce logée près de la mer, en Floride, semble avoir disparue. En 1968, on en avait recensé 1 800 sujets, mais la construction domiciliaire, l'assèchement des marais, les incendies, les programmes de destruction des moustiques ont eu raison d'eux. Il ne restait plus que quelques mâles au début des années 1980.

La disparition d'une sous-espèce animale ne fait pas les manchettes. Et pourtant, c'est un réservoir génétique de tolérance à un environnement donné — chaleur, froid, sécheresse, humidité, altitude — qui disparaît avec elle ; on n'en retrouve jamais la copie exacte chez un autre groupe. Or, ces traits pourraient, par reproduction croisée, permettre à d'autres espèces de s'adapter éventuellement aux changements naturels ou artificiels de toutes sortes qui ne peuvent manquer de survenir dans un avenir plus ou moins lointain.

Description. Longueur 12,5-15 cm (5-6 po). Dessus gris olive foncé ; rayure jaune au-dessus des yeux allant jusqu'au bec ; gorge et « moustaches » blanches ; dessous blanchâtre à stries cendrées. Quelques formes plus claires.
Habitat. Marais d'eau salée.
Nidification. Nid de laiches et de quenouilles lo-gé dans une touffe d'herbes à 7,5-22 cm (3-9 po) du sol boueux ; 3-6 œufs blancs ou vert pâle, tachetés de brun ; 12 jours d'incubation assurée par la femelle. Les oisillons restent 10 jours au nid. Parfois deux couvées par année.
Nourriture. Petits crabes, escargots, insectes, araignées et graines.

Bruant chanteur
(Pinson chanteur)

Melospiza melodia

C'est le grand virtuose des bruants. Le mâle connaît plus de 20 mélodies différentes qu'on peut entendre par une claire matinée de mai. Avant que finisse la journée, le bruant chanteur aura improvisé sur ces thèmes connus plus d'un millier de variations nouvelles, toutes aussi ravissantes les unes que les autres.

Le bruant se sert de son chant pour réclamer un territoire ; il s'en sert aussi pour courtiser sa femelle. Mais comme notre bruant chanteur est un musicien dans l'âme, il ne s'arrête pas là. Il va chanter pendant presque tout l'été et jusqu'à l'arrivée de l'automne. S'il choisit d'hiverner dans le Nord, il va même continuer de chanter pendant que la neige tombe mollement autour de lui. La vedette du couple, c'est le mâle bien entendu ; mais la femelle se joint à lui dans les quelques jours qui précèdent la nidification. Son chant est plus court et sa voix, moins forte, mais elle gazouille harmonieusement.

Le jeune bruant chanteur commence à s'exercer la voix en même temps qu'il s'apprête à risquer son premier vol. Il ajoute d'abord quelques cris à ses gazouillis d'oisillon ; au début de l'automne, sa voix commence à ressembler à celle de l'adulte. Au printemps, il a troqué ses mélodies d'apprenti-chanteur pour celles de ses parents et module dans le bon ordre les phrases musicales de base. Dans peu de temps, il aura son propre répertoire de variations et commencera sa carrière de virtuose.

Plumes gonflées d'air, ailes dressées, le bruant chanteur défend son territoire.

Description. Longueur 12,5-17,5 cm (5-7 po). Queue large et longue. Dessus brun strié ; dessous blanchâtre à stries foncées ; une tache au milieu de la poitrine ; queue teintée de roux. Formes plus foncées, plus pâles, plus grises. Agite la queue de bas en haut en volant.
Habitat. Fourrés, routes, jardins.

Nidification. Nid d'herbes et de tiges, caché au sol au début du printemps, fixé à 9 m (30 pi) de hauteur en fin de saison ; 3-6 œufs vert pâle maculés et tachetés de brun ; 12-15 jours d'incubation assurée par la femelle. Les oisillons restent 10 jours au nid. Jusqu'à trois couvées.
Nourriture. Insectes, graines, céréales, baies.

Bruant de Lincoln
(Pinson de Lincoln)

Melospiza lincolnii

Pour dénicher insectes et graines, le bruant de Lincoln gratte le sol avec énergie.

En juin 1833, Thomas Lincoln — sans lien de parenté avec l'ex-président des États-Unis — entreprend, à l'âge de 21 ans, une excursion d'été en compagnie du célèbre John James Audubon. À bord du *Ripley,* ils vont remonter les côtes de la Nouvelle-Écosse et du Cap-Breton pour atteindre les rives du Québec. Le voyage se révèle difficile : mauvais temps, manque de provisions, mal de mer. Mais il leur donne l'occasion de découvrir de vastes colonies d'oiseaux de mer et d'observer de nouvelles plantes dans une région qui, à l'époque, est encore peu connue.

Près de l'embouchure de la rivière Natashquan, Audubon et son groupe mettent pied à terre pour chasser. Le naturaliste entend soudain un chant d'oiseau qu'il ne connaît pas. À sa demande, le jeune Lincoln poursuit l'oiseau et le capture. Il s'agit effectivement d'une espèce non encore identifiée, la seule qu'ils vont rencontrer durant tout leur voyage. En l'honneur de Lincoln, Audubon la baptise le « pinson de Tom ».

L'oiseau qu'on appelle aujourd'hui bruant de Lincoln passe l'été dans les tourbières broussailleuses du Grand Nord ou dans les prés alpins de l'Ouest, à des altitudes pouvant aller jusqu'à 3 300 m. Il est assez commun mais, craintif et timide, il se tient de préférence sous des couvertures végétales épaisses, même durant le long voyage qui l'amène dans le sud des États-Unis et en Amérique Centrale où il passe l'hiver.

Description. Longueur 12,5-15 cm (5-6 po). Dessus gris olive strié ; calotte rayée de roux ; dessus des yeux et côtés de la tête gris clair ; étroit cercle blanc autour des yeux ; dessous blanchâtre ; région chamois finement striée sur la poitrine. Craintif.
Habitat. Tourbières, prés alpins dans le Nord.

Nidification. Nid d'herbes sèches, au sol, dans un buisson ou dans une touffe ; 3-6 œufs vert pâle maculés de brun ; 14 jours d'incubation assurée par la femelle. Les oisillons restent environ 20 jours au nid. Parfois deux couvées.
Nourriture. Insectes, céréales, graines.

Bruant des marais
(Pinson des marais)

Melospiza georgiana

Sombre, mystérieux, timide, le bruant des marais se cache parmi les joncs ou les herbes hautes des tourbières qui bordent les lacs ou les cours d'eau lents. Il passe le plus clair de son temps à marcher sur le sol spongieux et se laisse peu voir, sauf quand il chante ; il se perche alors sur un roseau ou une quenouille. Mais sitôt qu'il se croit observé, il s'envole en toute hâte, plonge dans une touffe de laiches et disparaît.

Moins réticent que ses congénères devant l'eau, il patauge avec entrain dans la vase à la recherche d'insectes ou de graines qui flottent et construit son nid près d'une nappe liquide. Le bruant des marais le fixe parfois à 1,8 m (6 pi) du sol dans un buisson d'aulne, mais le plus souvent il le cache tout près de l'eau dans une touffe de laiches ou de carex. Coquetterie de l'espèce : l'entrée n'est pas sur le dessus du nid, mais bien sur le côté.

Voltigeant de branche en branche jusqu'au sommet d'un buisson, ce chanteur accompli aborde son concert avec la mine concentrée d'un virtuose. Son trille ressemble beaucoup à celui du bruant familier, mais il est plus doux : ce sont des notes cristallines qu'il égrène rapidement. Mais il a un autre chant, qu'il fait entendre plus rarement : un crescendo de *pîît-pîît-pîît* lents et riches. Enfin, comble du raffinement, notre virtuose est capable de moduler en même temps deux notes différentes et selon des rythmes différents.

Construit de laiches et de carex, le nid du bruant des marais a une entrée latérale.

Description. Longueur 11,5-14 cm (4½-5½ po). Dessus marron et rayé ; vertex roux ; face et poitrine grises ; gorge blanche ; flancs teintés de chamois. Juvénile : semblable, mais avec des raies noirâtres sur le vertex.
Habitat. Marais de carex et de laiches ; prés humides ; tourbières.

Nidification. Nid d'herbes paludéennes, fixé à moins de 1,8 m (6 pi) de haut dans des touffes de laiche ou de carex ; 3-6 œufs vert pâle maculés et tachetés de brun ; 12-15 jours d'incubation assurée par la femelle. Envol à 13 jours.
Nourriture. Insectes et graines de plantes des marais.

Bruant à couronne dorée

(Pinson à couronne dorée)

Zonotrichia atricapilla

Le bruant à couronne dorée mange des graines, des pousses et des fleurs.

Des ornithophiles de la côte du Pacifique ont longtemps soupçonné les bruants à couronne dorée de revenir, année après année, dans le même territoire d'hivernage. Mais comment le vérifier ? Pour en savoir plus long, des ornithologues ont capturé 480 bruants à couronne dorée dans des stations de baguage un peu partout au centre de la Californie et les ont transportés d'une station à une autre avant de les relâcher. Les résultats ont été étonnants. Un grand nombre d'adultes transplantés au début de l'hiver sont revenus à la station de baguage initiale, mais aucun juvénile n'en faisait partie. Parmi les sujets de tous âges transplantés en fin d'hiver, il s'en est trouvé peu à revenir. Les ornithologues en ont conclu que l'attachement de l'oiseau à un lieu donné diminue à mesure que la saison avance.

L'hiver suivant, aucun adulte du deuxième groupe ne revint à la nouvelle station, ni aucun des jeunes oiseaux transplantés après la mi-janvier, bien que certains, déménagés plus tôt, soient revenus. Il semble donc que les bruants à couronne dorée s'attachent à leur territoire *au milieu* de leur premier hiver. Cela leur donne le temps d'explorer les environs et de trouver un logis agréable pour les hivers à venir.

La fidélité de leurs habitudes va plus loin. Un ornithophile, après avoir marqué quelques sujets, photographia leur comportement autour d'une mangeoire. Il put ainsi constater que les oiseaux s'y installent toujours au même endroit pour picorer, même quand ils se trouvent seuls.

Description. Longueur 15-17,5 cm (6-7 po). Oiseau robuste, élancé, à longue queue. Dessus brun et rayé ; larges raies superciliaires noires ; vertex jaune vif ; dessous uniformément gris.
Habitat. Fourrés épais en hiver ; prés alpins et clairières en forêt l'été.
Nidification. Nid de tiges, d'herbes, de frondes de fougères séchées et de feuilles, au pied d'un arbre ou enfoncé dans un talus ; 3-5 œufs blanchâtres ou bleu très pâle, piquetés et marquetés de brun. Durée de l'incubation et du séjour des oisillons au nid inconnue.
Nourriture. Boutons, fleurs, graines, quelques insectes.

Bruant à couronne blanche

(Pinson à couronne blanche)

Zonotrichia leucophrys

Les bruants sont des oiseaux timorés et craintifs qui se laissent difficilement observer. Il n'est donc pas facile de les distinguer les uns des autres sur le terrain.

Par exemple, le bruant d'Ipswich et le bruant des marais se ressemblent comme des jumeaux. Quant au bruant à queue aiguë qui file sous la végétation comme une souris, il est à peu près impossible à entrevoir. Le bruant de Baird s'identifie à sa voix, mais il ne chante ni en hiver, ni durant la migration. Le bruant de Henslow, même s'il chante, chante trop brièvement ; à peine a-t-on perçu son chant que déjà l'oiseau s'envole. Enfin, le bruant hudsonien visite assez fréquemment les mangeoires en hiver pour qu'on apprenne à le reconnaître, mais il ne chante pas en dehors de son aire de nidification.

Une seule exception parmi ces oiseaux timides : le bruant à couronne blanche. Hôte des régions alpines et de la zone subarctique du Canada, c'est, de tous les bruants, celui qui nous est le plus familier. C'est aussi l'un des plus jolis avec son vertex aux plumes dressées en courte huppe et son petit corps dodu qu'il cambre fièrement.

Mais il n'a pas que sa beauté pour séduire. En grand nombre autour des mangeoires, le bruant à couronne blanche nous réjouit en chantant à cœur-joie en hiver et durant la migration. En été, le mâle lance un ou deux sifflements lents et mélancoliques qu'il fait suivre de notes rapidement égrenées et de plus en plus graves.

Dans le Nord, le bruant à couronne blanche cherche des graines dans la neige.

Description. Longueur 14-17,5 cm (5½-7 po). Oiseau robuste et svelte. Dos brun et strié ; vertex à larges raies noires et blanches ; bec rose ; face et dessous uniformément gris. Juvénile : vertex brun et chamois.
Habitat. Fourrés épais, orées de forêt, pelouses, jardins ; forêt nordique à épinettes.

Nidification. Nid fait d'herbes, de radicelles et de brindilles, logé au sol ou fixé dans un arbre jusqu'à 11 m (35 pi) de hauteur ; 3-5 œufs bleu pâle marqués de roux ; 11-16 jours d'incubation assurée par la femelle. Les oisillons restent 10 jours au nid.
Nourriture. Insectes, graines et céréales.

Bruant à face noire
(Pinson à face noire)

Zonotrichia querula

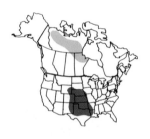

Le bruant à face noire fait son nid dans les tourbières du Grand Nord canadien.

Au début du XXᵉ siècle, les mœurs de la plupart des oiseaux de l'Amérique du Nord étaient déjà bien connues. Ce n'était pourtant pas le cas du bruant à face noire ; vers 1930, personne n'avait encore vu les œufs de cet oiseau craintif. Le hasard voulut que deux équipes d'ornithologues s'attaquèrent en même temps au mystère et que leurs efforts pour faire avancer la science se transformèrent en défi international.

En 1931, George Miksch Sutton réunit une équipe de quatre spécialistes américains et partit avec eux vers le nord à la recherche des œufs mystérieux. Arrivés sur le rivage occidental de la baie d'Hudson, le 14 mai, ils se retrouvèrent dans la neige jusqu'aux genoux. Le premier bruant à face noire se montra trois jours plus tard. Mais il fut suivi, peu après, d'un groupe de « moineaux » beaucoup moins bien accueillis : quatre ornithologues canadiens engagés dans un projet identique.

Pendant 15 jours, les deux équipes passèrent au peigne fin la forêt d'épinettes rabougries. Le 16 juin, à 9 heures, Sutton, qui trébuchait dans la vase d'une tourbière, fit lever une femelle couveuse. Fourrageant dans la sphaigne et le thé du Labrador, il trouva un nid qui contenait quatre œufs bleu-vert très pâles et maculés de brun. S'emparant des adultes, du nid et des œufs à titre de preuves, il revint péniblement vers ses compagnons pour annoncer son succès au monde entier.

Description. Longueur 17,5-19 cm (7-7½ po). Oiseau robuste à longue queue. Dos strié de brun ; face, gorge et vertex noirs ; bec rose ; joues chamois ; dessous blanc. Juvénile : noir plus ou moins masqué sur la face et le vertex.
Habitat. Fourrés, lisières de forêt, broussailles ; niche dans la forêt septentrionale d'épinettes.

Nidification. Nid de mousse, d'herbes et de tiges, dissimulé dans la mousse à la base d'un petit arbre ou d'un arbuste ; 3-5 œufs blancs ou blanc-vert, très maculés de brun ; 13 jours d'incubation. Durée du séjour des oisillons au nid inconnue. À ce jour, très peu de nids trouvés.
Nourriture. Graines, céréales, insectes, baies.

Femelle en hiver

Bruant à collier gris

Calcarius mccownii

Mâle en
plumage nuptial

Tout au cours du XIXe siècle, l'armée américaine joua un rôle important dans l'étude de l'histoire naturelle de l'Ouest américain. Parallèlement à leurs fonctions officielles qui consistaient à explorer le territoire et à faire des relevés pour la construction du chemin de fer, de nombreux officiers s'adonnèrent à l'observation de la nature ; ils décrivirent et recueillirent des spécimens de la faune et de la flore et les rapportèrent dans l'Est.

C'est ainsi que la découverte du bruant à collier gris mit en cause deux capitaines. En juin 1805, l'expédition Lewis et Clark se trouvait dans ce qui est aujourd'hui le Montana. Le capitaine Lewis, en explorant l'embranchement d'une rivière, y remarqua la présence en grand nombre d'un petit oiseau brun foncé qui avait quelques plumes blanches à la queue et se comportait comme une alouette. Lewis nota que le mâle s'élevait à 20 m (60 pi) dans les airs et que, après s'être immobilisé en battant rapidement des ailes, il chantait d'une voix très douce pendant une minute avant de redescendre.

Mais Lewis ne rapporta aucun spécimen et l'oiseau resta sans nom. Ce fut au capitaine McCown, 50 ans plus tard, de lui donner le sien en latin. Ayant fait feu sur des alouettes cornues, au Texas, il identifia, parmi les victimes, un petit oiseau brun, encore inconnu, qui avait des plumes blanches à la queue. Et c'est ainsi que fut confirmée la découverte de Lewis !

Le bruant à collier gris descend comme un parachutiste tout en chantant.

Description. Longueur 14-15 cm (5½-6 po). Dessus brun et strié. Motif caudal : T renversé noir sur fond blanc. Mâle en plumage nuptial : face et dessus gris ; vertex et tache pectorale noirs ; gorge blanche ; tache rouille sur les ailes. Femelle et mâle en hiver : brun strié, tache alaire rouille. Voyage par bandes en hiver.

Habitat. Plaines et prairies à herbe courte.
Nidification. Nid fait d'herbes, en cuvette dans le sol ; 3-6 œufs chamois, olive ou rosâtres, maculés et lavés de brun et de mauve ; 12 jours d'incubation assurée par la femelle. Les oisillons restent 12 jours au nid.
Nourriture. Graines, insectes.

Femelle en hiver

Mâle en
plumage nuptial

Bruant lapon
(Bruant de Smith)

Calcarius lapponicus

Le bruant lapon est heureux dans son nid, sur une plaque dénudée de la toundra.

Le bruant lapon est souvent le seul oiseau chanteur à nicher dans le nord de l'Alaska et dans le Grand Nord canadien. Il n'y serait sans doute pas lui non plus, si ce n'était d'une population d'insectes qui, elle aussi, a appris à survivre à l'humidité des terres basses et à l'aridité de la toundra qui domine les rivages de l'océan Arctique.

L'été, dans l'Arctique, est court ; la nidification doit donc être hâtive. La femelle du bruant lapon pond dès le début de juin, alors que seules quelques plaques de toundra ont émergé de la neige. Bientôt il y a dans chaque nid quatre ou cinq becs constamment ouverts et rien à y mettre si ce n'est quelques araignées et de minuscules moucherons. Mais les parents connaissent leur Grand Nord. Parmi les mousses et les lichens se cachent des chrysalides de tipules et des larves en forme de limaces, un vrai festin pour des oisillons affamés.

En juillet, c'est le festival des insectes dans la toundra. Jamais table naturelle n'apparaît mieux garnie. Moustiques, moucherons, tipules adultes, toutes les créatures à vol lent et longues pattes dansent par millions dans la végétation prostrée avant l'accouplement. Ce sont des proies faciles pour les oisillons encore maladroits. Le banquet est de courte durée cependant. Il se termine brusquement une vingtaine de jours plus tard, mais il aura permis aux bruants lapons de mener leurs petits à l'autonomie.

Description. Longueur 14-16,5 cm (5½-6½ po). Dessus brun strié ; dessous blanc ; rémiges externes de la queue blanches. Mâle en plumage nuptial : face et gorge noires ; raie superciliaire blanche ; nuque marron. Femelle et mâle en hiver : face chamois, tache auriculaire sombre. **Habitat.** Champs, bords de lac et grèves arides, l'hiver ; l'été, niche dans la toundra arctique. **Nidification.** Nid d'herbes et de mousse, enfoncé dans le sol près d'un buisson, dans la toundra ; 3-7 œufs verdâtres ou chamois, maculés de brun ; 13 jours d'incubation assurée par la femelle. Les oisillons restent 10-12 jours au nid. **Nourriture.** Insectes, graines.

Femelle en hiver

Bruant à ventre noir

Calcarius ornatus

Mâle en plumage nuptial

Les prédateurs et les intempéries rendent la vie si précaire dans les nids construits au sol que plusieurs espèces y ont peu à peu écourté sinon éliminé le séjour des oisillons. Par sélection naturelle, sans doute, les oisillons voient clair dès leur naissance et peuvent marcher sitôt que leur duvet est sec.

Curieusement, aucun oiseau chanteur ne fait partie de ces espèces. Les petits naissent toujours aveugles, nus et sans défense ; ils doivent de toute nécessité passer quelque temps au nid. Par contre, ici aussi, les lois de la sélection naturelle ont fait en sorte que leur développement soit très rapide.

Pour en savoir davantage sur le sujet, des biologistes ont étudié la nidification des bruants à ventre noir au Manitoba et en Saskatchewan.

La période d'incubation est de 12 jours et le séjour des petits au nid ne dépasse pas 10 jours. L'oisillon naissant pèse à peine 1,5 g (0.530 oz) et entrouve à peine son bec, mais le lendemain, il dresse déjà la tête pour manger. À cinq jours, il voit clair et ses plumes percent ; trois jours plus tard, les premières plumes alaires apparaissent ; au dixième jour, ayant multiplié par 10 son poids à la naissance, il commence à ramper hors du nid. Deux jours plus tard, l'oisillon fait des vols courts mais soutenus sur l'herbe de la toundra ; deux semaines plus tard, bien nourri par ses parents, il est autonome. Et il n'a pas encore un mois.

Le nid au sol est commode, mais il est constamment exposé aux prédateurs.

Description. Longueur 14-16,5 cm (5½-6½ po). Dessus brun, strié ; queue blanche à tache triangulaire noire. Mâle en plumage nuptial : motif noir et blanc sur la tête ; nuque marron ; poitrine noire. Femelle et mâle en hiver : plumage terne et strié ; trace de marron sur la nuque ; face chamois. Voyage par bandes en hiver.

Habitat. Prairies et plaines à hautes herbes.
Nidification. Nid d'herbes sèches, logé à la surface du sol ou creusé en cuvette ; 3-6 œufs blanchâtres ou bleu pâle, maculés de brun et de noir ; 12 jours d'incubation assurée par la femelle. Les oisillons quittent le nid à 10 jours.
Nourriture. Graines, insectes.

Bruant des neiges
(Plectrophane des neiges)

Plectrophenax nivalis

Mâle en
plumage nuptial

Femelle en hiver

Le plumage tacheté du bruant des neiges se confond avec la toundra et le protège en été.

Le vent aigre arrache aux arbres leurs dernières feuilles ; des nuages roulent, déchiquetés, dans un ciel livide où des bandes d'oies sauvages fuient vers le sud pendant qu'avance une nuée de flocons de neige. C'est dans cette ambiance sinistre que soudain se fait entendre un gazouillis bref mais très musical qui se termine par un *tcheur* sonore. Ces flocons blancs, de la neige ? Pas tout à fait. Ce sont les bruants des neiges dont l'arrivée signale la venue imminente de l'hiver.

Aucun oiseau chanteur ne niche plus au nord qu'eux ; on les trouve même dans l'île Ellesmere. Le bruant des neiges est bien nommé, car il est chez lui dans la neige. Cet oiseau niche à la lisière même des solitudes glacées de l'Arctique et il ne dépasse pas, dans le Sud, les limites des chutes de neige. Les congères sont pour lui des abris douillets où dormir confortablement durant les froides nuits d'hiver. Dès que les vents ou le faible soleil de l'Arctique ont dénudé quelques plaques de sol où il peut picorer des graines, le bruant des neiges s'estime content de son sort et se remet à chanter.

Il y a quelque 30 ans, le bruant des neiges faisait partie du menu des Québécois. C'est lui qu'on capturait lors de ses migrations et qu'on vendait ou qu'on mangeait sous le nom d'« oiseaux blancs » ou d'« ortolans ». L'Office national du film (ONF) a immortalisé cette chasse aux lacets et cette coutume ancienne dans un court métrage intitulé *Les oiseaux blancs de l'île d'Orléans*. La pratique est maintenant interdite.

Description. Longueur 14-17,5 cm (5½-7 po). Presque tout blanc. Mâle en plumage nuptial : dos, bout des ailes et centre de la queue noirs. Femelle et mâle en hiver : dos, tête et vertex teintés de brun.
Habitat. Terrains, champs, grèves et dunes dénudées ; niche dans la toundra arctique.

Nidification. Nid d'herbes, de mousse et de lichen dans une crevasse ; 3-9 œufs bleuâtres ou blancs, tachetés de brun et de mauve ; 10-15 jours d'incubation par la femelle. Envol des oisillons à 10-17 jours. Souvent deux couvées.
Nourriture. Graines, insectes, araignées, puces de sable.

Mâle

Femelle

Goglu

Dolichonyx oryzivorus

D u Brésil et de l'Argentine, les goglus nous arrivent chaque printemps par petites bandes, le mâle joliment vêtu de sa livrée nuptiale, la femelle en tenue de bruant. Ils montent par la Floride pour aller nicher dans le nord des États-Unis et le sud du Canada. En cours de route, ils se régalent de graines de pissenlit dans les prés et remplissent l'air sonore de leurs gazouillis. Comme ils n'ont qu'une couvée, ils passent l'été à voleter de-ci de-là en subissant une mue qui leur laisse les coloris les plus ternes des bruants. Quand ils repartent vers le sud, ils sont si différents que pendant longtemps on a cru qu'il s'agissait d'une autre espèce.

À l'automne, ils voyagent par grands vols et se nourrissent de céréales dans les champs moissonnés. Pendant des décennies, ils ont picoré les rizières de la Caroline du Sud d'où ils repartaient, gras comme des voleurs. On en tuait alors des milliers aux États-Unis, comme au Québec les « oiseaux blancs », pour les vendre sous le nom de *butterbirds*. Il s'en est tant détruit que les goglus n'ont pas encore retrouvé leur nombre. Mais maintenant, les rizières ont disparu, une loi empêche qu'on les tue et tout le monde reconnaît dans ces oiseaux de couleur terne les charmants goglus du printemps.

Les goglus sont bien reçus car ils dévorent les graines des mauvaises herbes.

Description. Longueur 14-19 cm (5½-7½ po). Bec court de bruant. Mâle en plumage nuptial : tête et dessous noirs ; nuque jaune ; scapulaires et croupion blancs. Femelle, juvénile et mâle en hiver : jaune chamois ; dos et flancs striés ; vertex rayé.
Habitat. Prés, champs de céréales, marais.

Nidification. Nid d'herbes à parois minces, dissimulé au sol dans une touffe épaisse d'herbe ou de trèfle ; 4-7 œufs gris pâle ou havane, maculés de brun et de mauve ; 13 jours d'incubation assurée par la femelle. Les oisillons restent 10-14 jours au nid.
Nourriture. Insectes, graines, céréales.

Sturnelle des prés

Sturnelle des prés *Sturnella magna*
Sturnelle de l'Ouest *Sturnella neglecta*

Sturnelle des prés

Sturnelle de l'Ouest

Elles se ressemblent tellement, ces deux sturnelles, celle des prés et celle de l'Ouest, que, s'il leur arrivait de percher côte à côte, seul un ornithophile chevronné parviendrait à les identifier correctement. En vol, la similitude est aussi troublante : toutes deux laissent voir des taches blanches dans la queue et toutes deux planent ou rament en abaissant un peu leurs courtes ailes raides.

Leurs modes de vie se ressemblent aussi. Elles fréquentent les terres herbeuses peu boisées et font leur nid dans des dépressions peu profondes, aménagées au pied de touffes d'herbe dont elles tissent le bout des brins pour s'en faire un dôme de verdure. Les œufs sont semblables, les oisillons aussi et les mâles des deux espèces, polygames, entretiennent plusieurs nids en même temps.

Mais lorsque nos deux sturnelles ouvrent le bec pour chanter, l'amateur le moins doué reconnaît en elles deux espèces distinctes. Il y a tant de différence entre les deux mélodies que toutes les autres similitudes s'effacent. La sturnelle des prés a une voix haut perchée ; elle émet cinq ou sept sifflements lents qui résonnent comme un chant triste, solitaire, presque poignant ; la sturnelle de l'Ouest lance de riches notes glougloutantes d'une voix assurée et puissante. Pour les différencier, il faut donc les écouter. La sturnelle sûre d'elle, c'est celle de l'Ouest ; la mélancolique, c'est la sturnelle des prés.

Description. Longueur 20-26,5 cm (8-10½ po). Oiseau robuste ; dessus strié ; rémiges externes de la queue blanches ; poitrine jaune marquée d'un V noir. Sturnelle de l'Ouest : plus pâle. Chant : sifflements aigus, chez la sturnelle des prés ; notes flûtées, chez celle de l'Ouest.
Habitat. Terres herbeuses, pâturages, marais.

Nidification. Nid d'herbes et de tiges, recouvert d'un dôme tressé et caché dans une touffe d'herbe ; 3-7 œufs blancs ou rosés, maculés de brun et de mauve ; 13-14 jours d'incubation assurée par la femelle. Les oisillons restent 12 jours au nid. Deux couvées par année.
Nourriture. Insectes, araignées, céréales, graines.

172

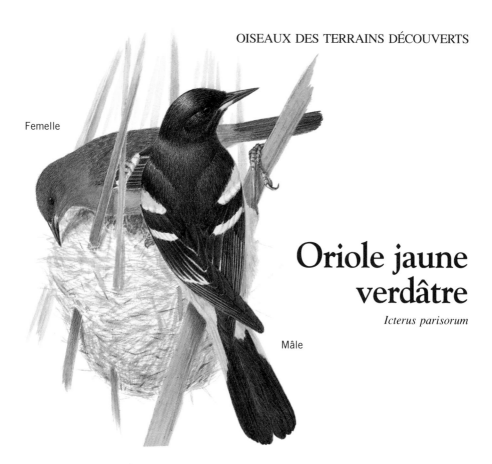

Femelle

Mâle

Oriole jaune verdâtre

Icterus parisorum

Une cascade de notes : quatre orioles jaune verdâtre chantent sur un ocotillo en fleur.

D ans leur étonnant plumage jaune citron et noir, une demi-douzaine d'orioles jaune verdâtre mâles, accompagnés de leurs femelles, traversent un étroit défilé et leur silhouette bigarrée se détache sur un fond de ciel bleu sombre et des murailles d'un gris non moins sombre.

Le vol entier se glisse entre les feuilles d'un cotonnier — et disparaît. Toutes les couleurs ont été absorbées par le vert intense du feuillage qui ne semble pas tant dissimuler les oiseaux que les assimiler. Faudrait-il croire que, par un tour de passe-passe, le noir des plumes s'est fait ombre, le vert, chlorophylle, et le jaune, rayon de soleil ? La même magie s'observe, quoique à un degré moindre, chez d'autres espèces qui conjuguent les orange brûlé et les rouges scintillants : en vol, on les voit briller de tous leurs feux ; dans la verdure, ils s'éclipsent complètement.

L'oriole jaune verdâtre trouve sa nourriture dans le feuillage du cotonnier qu'il explore, non pas en voletant, mais en grimpant de branche en branche pour cueillir des insectes sur les brindilles, les tiges et les feuilles. Ses mouvements sont si lents qu'ils en deviennent imperceptibles. Ainsi serait-il bien protégé contre les prédateurs, si ce n'était de son chant. Car sa voix est si claironnante qu'elle révèle à toutes les créatures vivant dans le défilé l'endroit où il se trouve. Et même la femelle chante près du nid, sans la moindre inquiétude.

Description. Longueur 16,5-20 cm (6½-8 po). Mâle : dessous jaune citron ; tête, gorge, ailes et dos noirs, ainsi que presque toute la queue. Femelle : dessus vert-gris strié ; dessous jaune verdâtre.
Habitat. Bois arides, déserts de broussailles, jardins.

Nidification. Nid d'herbes profond, fixé aux branches d'un yucca ou d'un arbre, loin du tronc ; 2-4 œufs bleu pâle maculés de brun et de mauve ; 14 jours d'incubation assurée par la femelle. Les oisillons restent 14 jours au nid. Deux couvées par an.
Nourriture. Insectes, baies, nectar des fleurs.

Mâle

Carouge à épaulettes

Carouge à épaulettes *Agelaius phoeniceus*
Carouge de Californie *Agelaius tricolor*

Femelle

Carouge à épaulettes

Carouge de Californie

Le faible soleil de mars éclaire un monde que les froids ont décoloré. Dans un marais ravagé par l'hiver, un carouge aux plumes luisantes grimpe le long d'une tige de carex et s'immobilise dans l'attente d'un signal mystérieux. Soudain, il fléchit les ailes et fait scintiller ses épaulettes vermillon. *Quand-qui-ri, quand-qui-ri* : le chant joyeux, en gamme ascendante, est repris en chœur par une puis plusieurs voix invisibles. Il n'y a plus de doute : le carouge à épaulettes est revenu avec le printemps !

Cet oiseau peu sauvage hiverne dans les États américains du Sud, où il fraternise avec les quiscales et les vachers, ainsi que dans le sud de la Colombie-Britannique et dans l'extrême sud de l'Ontario. Tôt au printemps, les mâles adultes montent vers le nord établir leur territoire. Quelques semaines plus tard, avec l'arrivée des femelles, les danses nuptiales commencent. Les marais se colorent d'éclats rouges, tant les mâles affichent leurs épaulettes avec ostentation. Parfois, bien sûr, le rituel dégénère en chasse éperdue ! À peine les couples formés et la paix installée, surviennent les mâles de la dernière couvée pour jeter la pagaille dans le groupe : les anciens défendent leur territoire ; les femelles sont toutes occupées à couver. Sans nid ni compagne, les jeunes n'ont plus qu'à s'amuser entre célibataires jusqu'à l'année suivante.

Description. Longueur 17,5-24 cm (7-9½ po). Mâle : noir ; épaulettes rouges, bordées de chamois chez le carouge à épaulettes, de blanc chez le carouge de Californie. Femelle : fortement striée de brun, plus foncé chez la femelle carouge de Californie.
Habitat. Marais, prairies.

Nidification. Nid d'herbes fixé à des roseaux ou à un petit buisson ; 3-5 œufs bleu pâle marqués de lignes brunes ou noirâtres en zigzag ; environ 12 jours d'incubation assurée par la femelle. Les oisillons restent 10-13 jours au nid. Le carouge de Californie niche en grandes colonies.
Nourriture. Graines, céréales, insectes, araignées.

Femelle

Mâle

Carouge à tête jaune

Xanthocephalus xanthocephalus

D ans un marais de hautes herbes, un carouge à la forme massive grimpe par petits bonds dans un scirpe vigoureux. Son capuchon jaune brille au soleil d'un éclat inusité. Lentement, délibérément, il déploie sa queue luisante en éventail. Le regard fixé sur sa belle, il ouvre les ailes en un geste dramatique d'invitation, fait ensuite un salut profond de la tête, ouvre le bec et — tout se gâte. Ce si bel oiseau émet le son le plus discordant qui se puisse entendre.

Même les critiques les plus généreux reconnaissent que le ramage du carouge à tête jaune est loin d'égaler son plumage. On dirait, selon W. L. Dawson, « le gémissement désespéré d'un léopard à l'agonie. » Qu'à tant de grâce et d'élégance se joigne une voix aussi désagréable, voilà qui est navrant !

Les carouges à tête jaune affectionnent les marais profonds dont les eaux empêchent les ratons laveurs et les mouffettes de s'approcher de leur nid. Les carouges à épaulettes préfèrent, eux, les marais à eaux peu profondes. Les deux groupes peuvent donc cohabiter autour du même terrain marécageux, puisqu'ils n'en occupent pas les mêmes zones.

Par contre, comme les carouges à épaulettes, les carouges à tête jaune nichent en colonies pour se protéger des éperviers et des corneilles. Qu'un busard ne s'avise pas d'approcher d'un nid ; il aura à affronter un nuage noir et jaune d'oiseaux irrités qu'il trouvera plus sage d'éviter.

Le carouge à tête jaune salue sa belle avec toute la raideur d'un ancien aristocrate.

Description. Longueur 20-25 cm (8-10 po). Mâle adulte : noir ; tête et haut de la poitrine jaune intense ; petites taches alaires blanches. Femelle : plutôt brune ; face et poitrine jaunes.
Habitat. Marais d'eau douce ; champs, parcs à bestiaux en hiver.
Nidification. Nid profond de tiges et d'herbes, fixé à 0,30-1,8 m (1-6 pi) au-dessus de l'eau dans des plantes ; 3-5 œufs bleu pâle, tachetés de brun et de marron ; 13 jours d'incubation assurée par la femelle. Les oisillons restent 9-12 jours au nid. Niche d'habitude en colonies.
Nourriture. Insectes, petits escargots, graines, céréales.

Mâle à l'automne

Quiscale rouilleux
(Mainate rouilleux)

Euphagus carolinus

Mâle en plumage nuptial

Barbotant dans l'eau peu profonde, le quiscale rouilleux pêche son dîner.

Le quiscale rouilleux, qui s'appelait naguère « mainate », emprunte à d'autres espèces un certain nombre de ses traits distinctifs. Son bec ressemble à celui d'une grive et il se nourrit en eau peu profonde comme un chevalier. Ainsi peut-on le voir, de l'eau à hauteur de ses fines pattes noires, capturer des insectes aquatiques et des larves qui flottent à fleur de surface, dégager de la vase des petits crustacés et pêcher des poissons et des têtards. Son cri d'appel ressemble à celui de la grenouille des bois au printemps : un *tchouc* puissant et rauque.

Les quiscales rouilleux se déplacent en grands vols bruyants en automne, en hiver et au début du printemps, se joignant à d'autres espèces de la même famille. En période de nidification, pourtant, ce sont des oiseaux solitaires qui construisent un nid volumineux dans les régions sauvages du Canada et de l'Alaska. Quand les petits ont quitté le nid, la mue d'été est terminée. C'est l'automne et les oiseaux partent hiverner un peu partout dans l'est des États-Unis ainsi que dans le sud de l'Ontario.

Leur plumage est complètement différent. Disparus, le noir irisé de vert du mâle, le gris ardoise de la femelle. Les voilà tous, juvéniles compris, vêtus d'un manteau brun-roux qui met en valeur leurs pâles yeux jaunes. Cette livrée d'automne, plus terne que celle de l'été, disparaît durant l'hiver. Bien avant le début du printemps, les oiseaux auront repris leur beau plumage nuptial pour amorcer le voyage de retour vers leurs sites de nidification dans le Nord.

Description. Longueur 21,5-25 cm (8½-10 po). Bec effilé ; yeux jaunes. Mâle en plumage nuptial noir luisant ; en automne : tête, poitrine et dos teintés de roux. Femelle : noirâtre, parfois gris terne ; yeux jaunes.
Habitat. Bois marécageux, champs inondés ; niche dans les tourbières du Nord.

Nidification. Nid de brindilles et d'herbes, fixé à 0,60-6 m (2-20 pi) de hauteur dans un buisson ou une épinette ; 4-5 œufs bleu pâle maculés de brun ; 14 jours d'incubation assurée par la femelle. Les oisillons restent 14 jours au nid.
Nourriture. Insectes, escargots, poissons, têtards, graines, céréales, baies.

Quiscale de Brewer
(Mainate de Brewer)

Euphagus cyanocephalus

Mâle

Femelle

De tous les quiscales, le quiscale de Brewer, qu'on avait coutume d'appeler « mainate à tête pourprée », est le moins réticent à fréquenter l'homme. On le voit souvent arpenter les pelouses et les parcs urbains avec la démarche nonchalante des oiseaux aussi habiles à voler qu'à marcher. Il ponctue chaque pas d'un hochement de tête, aussi désinvolte dans un décor urbain que dans les prés et les clairières de la montagne. Désinvolte et effronté aussi : on a déjà vu des quiscales s'installer dans un poulailler et intimider les volailles pour leur voler leur grain.

Les quiscales de Brewer nichent en colonies peu denses. Mais sitôt les oisillons élevés, ils se joignent en groupes à des vols de carouges, de vachers, d'étourneaux sansonnets et d'autres quiscales pour former des bandes de dizaines de milliers d'oiseaux au plumage luisant. Ils noircissent les champs de leur présence et forment dans les airs une trombe menaçante qui monte et descend, tourne et virevolte, accélère et ralentit avec une synchronisation stupéfiante.

Une si parfaite harmonie n'est en réalité que visuelle. Dans cette masse volante, chaque oiseau émet le cri d'appel qui caractérise son espèce ; mais tous ensemble, ils produisent une cacophonie de grincements, de couinements, de raclements, de sifflements rauques qui plongent dans un étonnement incrédule tous ceux qui les entendent.

Les quiscales de Brewer intimident des poules pour manger leur grain.

Description. Longueur 19-24 cm (7½-9½ po). Bec effilé. Mâle en plumage nuptial noir luisant, tête nuancée de pourpre ; yeux blanchâtres. Femelle : gris terne ; yeux noirs. Hoche la tête en sautillant.
Habitat. Terrains peu boisés, fermes, parcs, pelouses.

Nidification. Nid de brindilles, d'aiguilles de pin et d'herbes, jusqu'à 45 m (150 pi) du sol dans un conifère ; 3-7 œufs gris ou verdâtres, maculés de brun et de gris ; 12-14 jours d'incubation assurée par la femelle. Les oisillons restent 14 jours au nid. Niche en colonies.
Nourriture. Insectes, céréales, graines.

Mâle

Femelle

Quiscale à longue queue

Quiscale à longue queue *Quiscalus mexicanus*
Quiscale des marais *Quiscalus major*

Quiscale à longue queue

Quiscale des marais

On ne comprend pas pourquoi le quiscale à longue queue et le quiscale des marais n'en sont jamais venus à former une seule espèce. Leur apparence et leurs mœurs sont similaires. Ils vivent en terrain peu boisé, près de l'eau, et se nourrissent de créatures aquatiques ; ils dérobent des œufs et des oisillons aux autres oiseaux. Leurs mâles, polygames, exécutent la même danse nuptiale, hochent la queue, saluent de la tête et déploient les ailes et la queue de la même façon en émettant les mêmes cris râpeux. En fait, seules leurs mélodies d'amour diffèrent. Le chant du quiscale à longue queue se compose de sons perçants et puissants suivis de miaulements grêles, tandis que celui du quiscale des marais est plus grave, plus rauque et plus guttural.

Malgré toutes leurs similitudes, même dans les territoires qu'elles partagent en Louisiane et au Texas, où elles nichent en vastes colonies mixtes, les deux espèces ne s'accouplent jamais. C'est d'autant plus étonnant quand on songe que des oiseaux en apparence aussi différents les uns des autres que les bruants azurés et les bruants indigo, ou les cardinaux à poitrine rose et les cardinaux à tête noire, s'hybrident : leurs voix, toutefois, sont très semblables et c'est peut-être la clé du mystère. Tout semble indiquer que chez l'oiseau, la femelle reconnaisse son mâle moins à son plumage qu'à son ramage.

Description. Longueur 30-40 cm (12-17 po). Mâle : dos luisant, queue carénée, yeux blancs ou jaunes ; femelle : brune, poitrine brun clair. Quiscale des marais ; mâle : plus terne, yeux clairs ; femelle : poitrine chamois, yeux bruns. **Habitat.** Boisés près de cours d'eau, bosquets, villes. Quiscale des marais : marais salés de la côte ; aussi, lacs et cours d'eau de la Floride. **Nidification.** Nid de brindilles et d'herbes, fixé à 0,60-15 m (2-50 pi) du sol ; 3-4 œufs bleu pâle maculés de brun, de pourpre et de noir ; 14 jours d'incubation assurée par la femelle. Les oisillons restent 21 jours au nid. **Nourriture.** Insectes, petits oiseaux, céréales.

Quiscale bronzé
(Mainate bronzé)

Quiscalus quiscula

Tête dressée dans le miroitement noir pourpré de son plumage, un quiscale bronzé mâle s'avance avec élégance dans l'herbe tendre du printemps et s'arrête devant trois femelles. Dressant encore plus la tête, il laisse tomber ses ailes, ébouriffe ses épaulettes, ouvre son long bec noir et se met à chanter. Bien que ce chant ait la musicalité d'un grincement de porte, les femelles, pour l'instant indifférentes, ne paraissent nullement épouvantées. Car elles reconnaissent dans ces sons discordants le chant d'amour du quiscale bronzé, avec lequel il finira par séduire sa compagne, quoi qu'on en pense. S'il se classe parmi les oiseaux chanteurs, ce n'est pas à cause de l'agrément de sa voix. C'est parce qu'il est doté de tous les attributs physiques qui lui permettent de chanter.

Les oiseaux sont dépourvus de cordes vocales. Ni la forme de leur bec, ni celle de leur langue n'influe sur leur chant. Chez eux, en effet, l'organe vocal n'est pas le larynx, comme chez les mammifères, mais un organe spécial, le syrinx, placé à la base de la trachée, là où les bronches émergent des poumons. En faisant varier la pression de l'air qui sort des poumons et pénètre dans le syrinx, l'oiseau est capable de modifier le timbre et la puissance d'une note. Voilà pourquoi il ne peut pas articuler des consonnes ; rien que des voyelles. Mais hélas ! trois fois hélas ! les voyelles du quiscale bronzé ont toute la beauté d'une poulie qui grince.

Sa voix dissonante ne gêne pas le quiscale bronzé qui se gonfle devant la femelle.

Description. Longueur 25-31,5 cm (10-12½ po). Forte taille ; bec robuste ; queue carénée ; yeux jaunes, plus petits que ceux du quiscale à longue queue. Mâle : plumage noir irisé de pourpre, de vert ou de bronze. Femelle : plus terne ; queue courte.
Habitat. Bosquets, villes, fermes.

Nidification. Nid robuste de brindilles, de tiges et d'herbes, parfois de boue, à moins de 14 m (45 pi) du sol ; 4-7 œufs bleuâtres ou rosés, lavés ou maculés de brun ; 14 jours d'incubation assurée par la femelle. Envol à 18-20 jours.
Nourriture. Insectes, graines, céréales, salamandres, œufs et oisillons, petits poissons.

Femelle

Mâle

Vacher à tête brune

Molothrus ater

Il n'a pas l'air si méchant, le petit oiseau noir à capuchon brun qui se promène avec insouciance sur la pelouse. Et sa compagne, de brun modestement vêtue, paraît encore plus innocente. Ils sont pourtant apparemment responsables d'avoir à eux deux réduit de moitié les populations de plusieurs oiseaux chanteurs de l'Est.

Les vachers sont des oiseaux errants qui suivaient autrefois les bisons et les bovins dans la plaine. Quand on abattit les forêts, ils étendirent leur territoire de part et d'autre jusqu'à la mer. Ce sont des oiseaux nomades ; ils ne font pas de nid. La femelle dépose tout simplement ses œufs dans des nids d'autres espèces et les abandonne aux bons soins de parents adoptifs. Ceux-ci sont généralement des oiseaux plus petits — viréos ou parulines — et les petits vachers ont tôt fait d'évincer leurs frères d'occasion quand vient le temps de manger. À leur sortie du nid, ils vont rejoindre des vols de vachers au passage. Comment les reconnaissent-ils ? Mystère.

Si la disparition de la forêt a décuplé leur aire de distribution, la multiplication des villes leur a fourni de quoi vivre car ce sont des oiseaux qui tirent profit du développement urbain. Comme ils ont l'habitude de se nourrir et de se reproduire en terrain découvert, chemins, routes, lotissements leur sont favorables. Des populations entières d'oiseaux ont disparu à cause de leur parasitisme. Mais les vachers ne sont pas seuls responsables ; l'homme leur a facilité les choses.

Il y a rivalité injuste quand un oisillon vacher encombre le nid d'une paruline.

Description. Longueur 15-20 cm (6-8 po). Taille petite ; bec robuste et sombre ; queue courte. Mâle : noir luisant ; tête brun luisant. Femelle : uniformément brun grisâtre. Fourrage au sol avec des carouges et des étourneaux.
Habitat. Lisières de forêt, fourrés, villes, bords de route.

Nidification. Aucun nid ; 10-12 œufs blancs mouchetés de brun, pondus dans le nid d'une autre espèce : parulines, viréos, roselins ou petits moucherolles ; 12 jours d'incubation assurée par la femelle suppléante. Les oisillons restent 10 jours au nid.
Nourriture. Céréales, baies, graines, insectes.

Roselin brun

Leucosticte arctoa

Mâle à calotte grise

D es hauteurs d'une montagne retentit une note unique. Elle flotte dans l'air rendu léger par une altitude de 3 600 m (12 000 pi), puis se diffuse dans la vallée. Bientôt apparaît un vol de petits oiseaux au corps sombre dont les ailes pâles brillent dans la lumière du matin. Ils se posent à la lisière d'un champ de neige et commencent à picorer. Quel est donc cet oiseau robuste qui ne craint pas la haute toundra ? C'est l'incontournable roselin brun, un petit oiseau aux couleurs tendres qui fréquente le sommet des montagnes, depuis le centre du Yukon jusqu'au sud de la Colombie-Britannique.

Il n'y a pas si longtemps, un ornithophile des Rocheuses aurait eu du mal à identifier ce vol d'oiseaux. Avant 1983, il fallait en effet faire la distinction entre trois espèces de roselins bruns en Amérique du Nord : le roselin brun à calotte grise, très répandu, le roselin brun à calotte brune, plus rare, et le roselin brun noir. En dépit de certaines dissemblances, ils sont maintenant considérés comme les trois sous-espèces d'une seule espèce, celle du roselin brun.

La taxonomie est une science méthodique, mais elle demeure éminemment subjective. La frontière est mince entre une espèce et une sous-espèce. Dans le cas de ces roselins, de nouveaux témoignages sont survenus au moment où on modifiait du tout au tout la classification scientifique de plusieurs animaux, dont celle des oiseaux. De sorte qu'il n'est pas impossible que nos trois sous-espèces soient de nouveau promues au rang d'espèces. L'identification sera plus difficile, mais le défi plus grand.

Oiseau granivore, le roselin brun a un bec fait pour croquer les graines.

Description. Longueur 14-16,5 cm (5½-6½ po). Front noir sur un capuchon gris. Mâle : brun ; flancs, abdomen, épaulettes et croupion teintés de rose. Femelle : plus terne. Sud des Rocheuses : tête brune. Nord des Rocheuses : tête noire teintée de rose.

Habitat. Toundra alpine ; plaines en hiver.

Nidification. Nid volumineux d'herbes, de plumes et de mousse, dissimulé dans des crevasses de rocher ou dans des falaises au-delà de la limite de boisement ; 2-6 œufs blancs ; 12-14 jours d'incubation assurée par la femelle. Les oisillons restent 20 jours au nid.

Nourriture. Graines ; quelques insectes.

Roselin familier

Carpodacus mexicanus

Mâle

Femelle

Les roselins étaient autrefois capturés et vendus par des oiseleurs peu scrupuleux.

Les habitants de l'Ouest américain connaissent depuis toujours ce joli petit oiseau peu farouche. Le mâle à tête framboise et la femelle brune et rayée y sont aussi à l'aise dans les villes et les banlieues qu'à la campagne.

Depuis 1941, le roselin familier est également devenu, malgré lui, un habitant de l'est du continent. Cette année-là, en effet, le professeur Edward Fleisher, de New York, fit la surprenante découverte de vingt roselins familiers dans une animalerie du quartier de Brooklyn où ils étaient vendus sous le nom de « roselin de Hollywood ».

Les roselins familiers, comme toutes les espèces indigènes, sont protégés par le Traité sur les oiseaux migrateurs. Alertée, la société Audubon fit enquête dans une vingtaine d'animaleries pour constater que toutes vendaient ce fameux roselin de Hollywood. Les expéditions, qui provenaient de la Californie, furent aussitôt prohibées, mais des milliers d'oiseaux avaient eu le temps d'être capturés et vendus dans l'Est. Devant l'indignation générale, quelques propriétaires relâchèrent les leurs. C'est ainsi qu'un premier roselin familier mâle fut aperçu le 11 avril 1941 à Long Island, suivi d'un groupe de sept, l'année suivante, toujours dans la région de New York.

Plusieurs générations de roselins sont nées depuis et les descendants des sujets transplantés, qui se sont multipliés dans l'Est jusque chez nous, entreprennent maintenant de rejoindre leur base. Entre les roselins familiers de l'Est et ceux de l'Ouest, il n'y aurait plus qu'un écart de 150 km.

Description. Longueur 12,5-14 cm (5-5½ po). Ressemble à un moineau. Mâle : strié ; front, rayure superciliaire et poitrine rose-rouge ; flancs finement striés. Femelle : brun rayé ; aucune trace de rouge.
Habitat. Villes et banlieues ; fermes ; déserts ; fourrés.

Nidification. Nid d'herbes, de tiges et de feuilles, fixé à 1,5-2 m (5-7 pi) du sol dans un trou de pic, un creux d'arbre ou dans du feuillage épais ; 2-6 œufs bleutés finement maculés ; 12-14 jours d'incubation assurée par la femelle. Les oisillons restent 11-19 jours au nid.
Nourriture. Graines, fruits, fleurs, miettes de pain.

Sizerin flammé

(Sizerin à tête rouge)

Carduelis flammea

On est en plein février, au plus froid de l'hiver Le ciel est bleu. La terre est blanche. L'air est cristallin. Rien ne bouge. Soudain, surgit du Nord un concert de notes frémissantes, suivi d'un vol agité de petits oiseaux. Comme une tornade sombre, ils s'abattent sur les bouleaux et se posent en festons sur les branches. On dirait une troupe bourdonnante de comédiens en costumes de scène. Ils se jettent sur les chatons, ces jolis épis en forme de queue de chat qui contiennent les fruits de la plante, et laissent tomber une pluie de gousses vides. Le froid ne les dérange pas. Bien au contraire. Ils semblent ravis d'être seuls à voler.

Longtemps après que les derniers oiseaux migrateurs ont fui vers le sud pour éviter l'hiver, les sizerins flammés, qu'on appelait il y a quelques années les sizerins à tête rouge, descendent du Grand Nord pour envahir les régions limitrophes de là frontière canado-américaine. Certains hivers ils abondent dans une région ; d'autres années, ils en sont absents. Agité, nerveux, le vol entier semble animé d'un comportement monolithique. Un des oiseaux s'envole-t-il que tous le suivent. L'un d'entre eux se nourrit-il que tous se mettent à picorer. Si on les dérange, ils prennent la fuite tous à la fois, dans un remue-ménage d'ailes et de pépiements, mais la minute d'après, ils seront probablement tous de retour en train de picorer joyeusement. La présence humaine ne les dérange pas. En mars, quand les beaux jours déjà s'annoncent, le vol repart en direction des contrées nordiques où la forêt d'épinettes se change en maigre toundra et où l'hiver n'est jamais loin.

Quand le sizerin flammé s'installe dans une mangeoire, rien ne l'inquiète.

Description. Longueur 11,5-14 cm (4½-5½ po). Oiseau petit, pâle, strié ; bec conique jaune ; front rouge ; cou noir. Mâle : poitrine rose. Femelle : pas de rose sur la poitrine.
Habitat. Champs et fourrés broussailleux ; niche dans la brousse et la toundra arctique.
Nidification. Nid de brindilles et d'herbes logé à 1-2 m (3-6 pi) du sol dans un buisson ; 3-7 œufs bleu pâle finement mouchetés de brun, de gris et de mauve ; 11-15 jours d'incubation assurée par la femelle. Les oisillons restent 12-14 jours au nid.
Nourriture. Graines, surtout celles des bouleaux, des aulnes et des saules ; insectes en été.

Femelle

Mâle à dos noir

Chardonneret mineur

Carduelis psaltria

Le chardonneret mineur mâle séduit la femelle en lui donnant la becquée.

Quand vient l'heure de se choisir un compagnon, la femelle du chardonneret mineur doit avoir l'embarras du choix, si toutefois c'est le plumage de son compagnon qui motive ce choix. Chez ces chardonnerets, en effet, les coloris du mâle adulte sont extrêmement divers. Les parties supérieures peuvent varier du vert olive au noir ; les parties inférieures sont jaune vif ou jaune clair. Les juvéniles conservent leur livrée vert-gris la première année, semblable à celle de la femelle. Bref, la gamme est ample et variée.

On prétend que le mâle se pare d'attributs spéciaux pour séduire la femelle : plumage coloré, crête ou caroncules brillantes, huppe sur la tête, sacs d'air qu'il gonfle avec puissance. Or, parmi les chardonnerets mineurs mâles, les jeunes sont loin d'avoir la splendeur de leurs aînés. Cela ne les empêche pas de trouver une compagne avec autant de succès qu'eux.

D'autre part, les femelles des quelques espèces qui s'hybrident sont presque identiques les unes aux autres, tandis que les mâles ont des plumages très différents ; néanmoins, chants d'amour et danses nuptiales sont très similaires.

Faudrait-il en déduire que les femelles de ces espèces sont insensibles aux couleurs des mâles, mais qu'elles se laissent plutôt guider par la qualité du chant et des comportements amoureux ? On comprendrait alors comment le jeune mâle chardonneret mineur séduit sa compagne : il lui chante probablement une ritournelle de sa voix la plus charmeuse et lui offre les plus belles graines de chardon.

Description. Longueur 10-11,5 cm (4-4½ po). Petite taille ; dessous jaune ; ailes noires à tache blanche. Mâle : vertex et dos noirs (reflets verdâtres dans le Sud-Ouest et la Californie). Femelle : tête et dos verdâtres. S'observe en vol. Vole en bandes.
Habitat. Fourrés, broussailles, boisés clairs.

Nidification. Nid de fibres végétales soyeuses, d'herbes fines et de duvet végétal, fixé à 0,60-9 m (2-30 pi) du sol sur une branche d'arbre ; 3-6 œufs bleu pâle ou verdâtres ; 12 jours d'incubation assurée par la femelle. Durée du séjour des oisillons au nid inconnue.
Nourriture. Graines.

Chardonneret gris

Carduelis lawrencei

Mâle

Femelle

Comme tous les oiseaux, les chardonnerets gris vivent là où la nature leur offre l'environnement qui leur convient et la nourriture dont ils ont besoin. Mais leurs besoins étant très spécifiques, leur habitat s'en trouve forcément restreint. Durant la nidification, par exemple, les chardonnerets gris mangent surtout des graines d'amsinckia, plante annuelle à feuilles étroites qui pousse dans des endroits secs et peu boisés. Leur aire de nidification se trouve donc limitée au territoire occupé par la plante : la Californie, le sud-ouest de l'Arizona et la Baja California — ou basse Californie — qui se trouve au Mexique. Quand l'hiver a été pluvieux, l'amsinckia abonde et produit une multitude de fleurs jaunes ou orangées. Mais si l'hiver a été sec, le territoire de l'oiseau se restreint d'autant plus.

L'approvisionnement en eau présente également un problème dans cet environnement presque aride. L'oiseau s'installe autant que possible sur les berges des cours d'eau et des ruisseaux. Mais la sécheresse est un fléau endémique de ces régions ; quand elle se produit, le chardonneret gris doit recourir à des expédients. Il cherche à loger près d'un réservoir qui déborde, un robinet de jardin qui coule, un bain d'oiseaux, bref en territoire habité par l'homme. Cela dit, notre chardonneret a l'âme d'un romanichel ; ce qu'il ne trouve pas dans une vallée, il ira le chercher dans une autre.

Le chardonneret gris aime se baigner et prend son eau là où il la trouve.

Description. Longueur 10-11,5 cm (4-4½ po). Petite taille ; surtout gris ; deux bandes alaires jaunes. Mâle : face et haut de la gorge noirs ; poitrine jaune. Femelle : face grise ; moins de jaune sur la poitrine. S'observe en vol comme les autres chardonnerets.
Habitat. Bois clairs et secs ; fourrés.

Nidification. Nid d'herbes, de lichen et de tiges, fixé à 1-12 m (3-40 pi) du sol dans un buisson ou un arbre ; 3-6 œufs bleuâtres. Incubation, assurée par la femelle, de durée inconnue. Les oisillons restent 13 jours au nid. Niche en petites colonies.
Nourriture. Graines ; quelques insectes.

Mâle

Femelle

Chardonneret jaune

Carduelis tristis

D'un océan à l'autre et du nord du Mexique au sud du Canada, les vols de chardonnerets jaunes viennent jeter une note de gaieté dans les boisés clairsemés avec leurs jolis coloris noir et jaune (atténués dans l'Ouest), leur vol cascadant au-dessus de collines et de vallées imaginaires dans le ciel et leur *pèr-ri-o-ri* mélodieux.

Dans l'Ouest, les chardonnerets se reproduisent en mai ou en juin, mais dans l'Est, ils n'élèvent pas leurs petits avant août et même septembre, quand ils ont amassé une bonne provision de graines. Ce sont celles du chardon qu'ils préfèrent et ce trait distinctif leur a valu le nom qu'ils portent : chardon, chardonneret.

Les oiseaux granivores nourrissent leurs petits avec des insectes ; les chardonnerets jaunes leur donnent à manger des graines de chardon décortiquées et à demi digérées. Les parents en remplissent leur jabot et y mettent quelques chenilles et de tendres pucerons pour ajouter des protéines et de la saveur. Après un moment, ils régurgitent cette pâtée, une particule à la fois, dans le bec des oisillons affamés. De la sorte, l'adulte peut nourrir en une seule fois toute la couvée plutôt que d'en satisfaire un ou deux à chaque aller-retour comme le font la plupart des oiseaux.

Et quel joli nid occupent les oisillons, avec ses parois épaisses et finement tressées ! Tant et si bien qu'à chaque grosse averse — et il s'en produit souvent en fin d'été — il risque de s'inonder. L'un ou l'autre des adultes s'installe alors sur le nid, ailes déployées, et sous ce magnifique parapluie de plumes jaunes et noires, les petits restent douillettement au sec.

Le chardonneret jaune fait le parapluie au-dessus du nid pour le protéger de la pluie.

Description. Longueur 10-12,5 cm (4-5 po). Petite taille. Mâle en plumage nuptial : jaune vif ; ailes, queue et front noirs ; croupion blanc. Femelle et mâle en hiver : grisâtre ; ailes et queue noires, sans capuchon. Vole en bandes ; se nourrit de graines de chardon dans les mangeoires. **Habitat.** Champs, bosquets, fourrés, fermes.

Nidification. Nid de fibres végétales et de duvet de plante, fixé à 0,30-18 m (1-60 pi) du sol dans un arbuste ou un arbre ; 4-6 œufs blanc bleuté ; 12-14 jours d'incubation assurée par la femelle. Les oisillons restent 11-17 jours au nid. **Nourriture.** Graines de chardon, autres graines, insectes et baies.

Moineau domestique

Passer domesticus

Femelle

Mâle

Le moineau domestique — comme l'indique son nom latin *domesticus* qui veut dire « appartenant à une maisonnée » — s'accommode bien de la présence humaine. Quand un New Yorkais, du nom de Nicolas Pike, en importa un groupe d'Angleterre en 1850, personne ne pouvait soupçonner que ce petit oiseau d'allure inoffensive — mais de fait très agressif — allait remplacer le merle-bleu et l'hirondelle bicolore et se multiplier au point de devenir une nuisance partout.

Le premier groupe fit des petits comme le veut la nature. Bientôt on vit des moineaux dans les villes et les campagnes avoisinantes ; peu de temps après, ils s'étaient répandus aux quatre points cardinaux du continent, non seulement grâce à leur fécondité, mais aussi parce qu'ils avaient emprunté le chemin de fer — eh oui ! L'explication est simple ; ils allaient picorer des céréales dans les wagons qui en assuraient le transport ; on les y enfermait par mégarde et les moineaux n'en ressortaient qu'une fois le train parvenu à destination.

En Europe, on savait gré aux moineaux de dévorer quantités de chenilles et de parasites du tilleul. Plusieurs villes américaines étaient plantées de tilleuls ; elles firent, elles aussi, venir des moineaux. En moins de 50 ans, cet oiseau indésirable fut comme chez lui partout aux États-Unis et au Canada. Aujourd'hui, ces oiseaux brun et gris, qui se battent férocement entre mâles pour la conquête d'une femelle et se réunissent en bandes piaillantes, fréquentent les villes, les banlieues et les terres agricoles à la campagne. Ils sont partout.

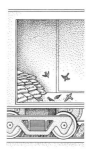

À son arrivée en Amérique, le moineau se répandit avec l'aide du chemin de fer.

Description. Longueur 12,5-15 cm (5-6 po). Dessus brun strié. Mâle : vertex gris, joues blanchâtres, haut de la gorge noir. En été : poitrine et bec noirs. En hiver : bec jaune, poitrine grise. Femelle : vertex brun ; poitrine uniforme.
Habitat. Villes, banlieues, fermes.
Nidification. Nid fait d'herbes et de ficelle, logé dans un nichoir ou dans une cavité d'arbre ou de bâtiment ; 3-7 œufs blancs ou bleuâtres marqués de brun ; 11-14 jours d'incubation assurée par la femelle. Les oisillons restent 15-17 jours au nid. Deux couvées au moins par an.
Nourriture. Insectes, araignées, baies, graines et céréales ; miettes de pain à la ville.

Oiseaux des forêts

On trouve de tout dans la forêt, des boisés d'aulne imbibés de soleil et de sombres cédraies, mais aussi les peuplements de bois dur des Appalaches. Chacune est un monde. Sur son sol niche la paruline couronnée, tandis que le cardinal et le troglodyte vivent à ses frontières ; les pics la libèrent des insectes qui attaquent ses arbres et les orioles transforment sa voûte de verdure en salle de concert.

Colibri à gorge bleue

Coulicou
à bec noir

Coccyzus erythropthalmus

Le coulicou à bec noir dépose parfois un œuf dans le nid d'un bruant familier.

Les coulicous à bec jaune et les coulicous à bec noir sont parfaitement capables de construire un nid et d'élever des petits. De temps à autre, cependant, ils déposent un œuf dans le nid d'un autre oiseau et ce cadeau, comme le cheval de Troie, fera le malheur des oisillons de l'hôte.

Les petits du coulicou naissent nus et d'un noir de charbon ; les adultes doivent les tenir au chaud pendant au moins six jours. Ils se hérissent alors de petits tubes sur lesquels ils tirent avec entrain pour en faire sortir des plumes ; peu de temps après les voilà vêtus d'un beau plumage. Quelques jours plus tard, les oisillons s'aventurent hors du nid et grimpent maladroitement entre les branches enchevêtrées parmi lesquelles se trouve le nid. Si l'un d'eux tombe, il est assez fort pour se relever, retrouver le buisson familial et reprendre sa place au nid. Bref, on imagine comment leur dynamisme et leur vitalité peuvent causer la disparition pure et simple des héritiers légitimes, de mœurs moins précoces, lorsque le petit coulicou voit le jour dans un autre nid que le sien.

En règle générale, le coulicou à bec noir s'occupe de ses petits. Pourquoi sème-t-il ainsi ses œufs à l'occasion ? La question n'est pas élucidée. Mais le nid d'adoption ne semble pas choisi au hasard. Si celui du coulicou à bec noir est une plateforme fragile assemblée lâchement, le nid où il dépose un œuf est toujours solidement construit. Peut-être n'a-t-il pas assez confiance en ses talents d'architecte pour mettre tous ses œufs... dans le même panier ?

Description. Longueur 28-32 cm (11-12½ po). Oiseau élancé à longue queue. Dos brun ; dessous blanc ; rémiges de la queue à bouts blancs, visibles d'en dessous et en vol ; bec noir ; aucune marque rousse sur les ailes. Furtif.
Habitat. Terrains boisés, lisières de forêt, vergers, fourrés.

Nidification. Nid de brindilles et d'herbes, fragile et presque plat, à 0,60-3 m (2-10 pi) du sol dans un arbre ou un fourré épais ; 2-5 œufs bleu-vert ; 14 jours d'incubation assurée par le couple. Les oisillons restent 14 jours au nid.
Nourriture. Chenilles ; aussi insectes et baies.

Coulicou
à bec jaune

Coccyzus americanus

À proprement parler, le coulicou à bec jaune ne chante pas ; il n'émet que des sons bizarres, le plus souvent annonciateurs des orages d'été, d'où son surnom de « corneille de la pluie » que lui ont donné les gens de la campagne sans doute sans l'avoir jamais vu. Car c'est un oiseau timide qui circule furtivement entre les arbres et les fourrés. Pour traverser une clairière, il file avec une grâce si fugace qu'à peine a-t-on le temps d'entrevoir sa mince silhouette. Dans le feuillage, il poursuit ses proies avec des mouvements de reptation que bien peu d'observateurs auront eu la chance de voir.

Le coulicou est très utile parce qu'il dévore une grande quantité d'insectes et qu'il a un appétit sans borne pour les chenilles velues.

Si peu de gens peuvent prétendre avoir vu le coulicou à bec jaune, beaucoup l'ont entendu. De mai à octobre, il habite une grande partie de l'Amérique du Nord. À n'importe quelle heure du jour ou de la nuit, sa voix étrange jaillit des bois et des broussailles qui bordent les routes. *Clouc-clouc-clouc, clouc-clouc-clouc* chante le coulicou à bec noir en faisant une légère pause entre des groupes de trois ou quatre notes. *Clouc-clouc-clouc-clouc-clouc* lui répond le coulicou à bec jaune en une longue série de sons gutturaux, assourdis et graves, qui s'espacent vers la fin. Venus des profondeurs de la végétation, ces deux chants ont quelque chose d'irréel.

Le coulicou à bec jaune se régale de chenilles velues qu'il cueille dans les arbres.

Description. Longueur 28-33 cm (11-13 po). Oiseau svelte à longue queue. Dessus brun ; dessous blanc ; rectrices externes de la queue à larges bouts blancs, visibles d'en dessous et au vol · bec partiellement jaune ; marque roussâtre sur les ailes, visible au vol. Furtif.
Habitat. Boisés, fourrés ; vergers, broussailles.

Nidification. Nid fragile de brindilles, à 0,60-3,5 m (2-12 pi) du sol sur une branche horizontale, d'arbre ou de buisson épais ; 1-5 œufs vert-bleu ; 14 jours d'incubation assurée par le couple. Les oisillons restent 14 jours au nid.
Nourriture. Chenilles, insectes, baies, grenouilles, petits lézards.

Engoulevent de Caroline

Caprimulgus carolinensis

L'engoulevent de Caroline se signale par l'énormité de sa cavité buccale.

C'est le plus grand engoulevent à s'aventurer au Canada, le plus grand aussi en Amérique du Nord. L'engoulevent de Caroline, comme tous ceux de son groupe, chante d'une voix forte entre le crépuscule et l'aube. Doté d'une cavité buccale immense, il plane sans bruit dans les ténèbres de la nuit et gobe les insectes ailés, parfois même les petits oiseaux.

Les anciens croyaient qu'il suçait le lait des chèvres durant la nuit. De cette légende lui vient son nom latin, *caprimulgus*, qui signifie « celui qui tète les chèvres ». S'il fréquente, en effet, les troupeaux, comme l'avaient remarqué les bergers, ce n'est pas pour boire le lait des femelles, mais bien parce que les bêtes attirent les insectes et les font lever sous leurs pieds.

L'engoulevent de Caroline est doté d'un merveilleux coloris grâce auquel il devient invisible aux yeux de ses prédateurs. Pour l'observer, il faut scruter le bord des routes le soir ; il se perche bas dans les arbres et ses yeux luisent dans la lumière des phares d'automobiles ou dans celle de la lune.

Le mâle courtise la femelle selon un rituel qui comporte une danse nuptiale, ailes tombantes et queue étalée, rehaussée de quelques cris et gloussements pour faire bonne mesure. Plus tard, il participe un peu à l'éducation des petits, surtout lorsque sa compagne entreprend une seconde couvaison.

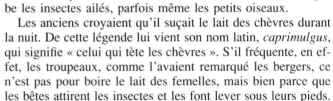

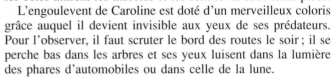

Description. Longueur 28-30 cm (11-12 po). Corps marron finement marqué de noir ; gorge brune. Mâle : rectrices externes de la queue blanc terne. Mœurs nocturnes ; se repose au sol durant le jour. Se reconnaît à son cri : un doux *tchouk-ouîl-ouîd-ôôô*.
Habitat. Pinèdes ; forêts près d'un cours d'eau.

Nidification. Nid peu profond creusé dans le sous-bois parmi les feuilles ; 2 œufs luisants, rosés ou chamois, tachetés de brun et de lilas ; 20 jours d'incubation assurée surtout par la femelle. Les oisillons restent 17 jours au nid.
Nourriture. Lépidoptères, coléoptères et autres grands insectes capturés au vol.

Engoulevent bois-pourri

Caprimulgus vociferus

O n dit de cet oiseau qu'il ne se fatigue jamais d'entendre sa voix. Un ornithologue a rapporté que l'un d'entre eux avait répété 1 088 fois son cri avant de se taire. C'est une transcription onomatopéique de son chant qui lui a donné le nom de « bois-pourri » et non une affinité de l'oiseau pour le bois vermoulu. Son cri est un retentissant *ouîp-pour-ouîl*, qu'il lance durant l'été pour repérer une femelle ou un rival.

Comme son cousin de Caroline, cet engoulevent est passé maître dans l'art du camouflage. Son plumage reproduit tellement bien les couleurs du sol où il niche que la femelle ne se sent pas obligée de se cacher davantage ; elle couve ses œufs à la vue de tous, persuadée qu'on ne la discernera pas de son entourage. Les yeux de l'oiseau sont deux minces fentes de jour ; la nuit, ils s'ouvrent ronds et grands.

L'engoulevent vole généralement à moins de 7 m du sol ; il se déplace rapidement, bouche grande ouverte, et gobe les insectes qui se trouvent sur son passage avec la vitesse et la dextérité d'une chauve-souris.

Le cycle de reproduction de l'engoulevent bois-pourri est une autre de ces merveilles comme on en découvre souvent dans la nature ; il est étroitement lié aux phases de la lune. Les œufs éclosent à la pleine lune pour que les parents trouvent plus facilement de quoi nourrir les oisillons affamés.

L'engoulevent bois-pourri s'ébat dans le sable pour nettoyer son plumage.

Description. Longueur 23-25 cm (9-10 po). Corps brun-gris finement marqué de noir ; gorge noirâtre. Mâle : grande tache blanche sur la queue. Mœurs nocturnes ; de jour, se repose au sol ou sur une branche dans le sens de la longueur. Son cri ressemble à « bois-pourri ».
Habitat. Forêts feuillues.

Nidification. Nid simplement creusé dans le sous-bois, parmi les feuilles ; 2 œufs blanchâtres ou crème, tachetés de brun et de gris ; 17-20 jours d'incubation assurée par la femelle. Les oisillons restent 20 jours au nid.
Nourriture. Grands coléoptères et autres insectes nocturnes capturés au vol.

Femelle

Mâle

Colibri à gorge bleue

Lampornis clemenciae

Limite nord de l'aire
de nidification

Le colibri à gorge bleue vole
un peu de sa toile à l'araignée
pour construire son nid.

Les ornithologues s'accordent à reconnaître que les colibris sont passés maîtres dans l'art de construire leurs nids. Ce sont de petits monticules de duvet végétal, tapissés de lichen, de mousse ou de feuilles, délicatement façonnés et maintenus ensemble par du fil d'araignée ou de la soie de chenille. L'intérieur est capitonné de plumes ou de fourrure.

C'est la femelle qui le construit sur une branche d'arbre, une tige, une brindille ou parfois même sur le nid d'une autre espèce. Il lui arrive de retourner au nid qu'elle occupait l'année précédente ; dans ce cas, elle lui ajoute un étage ou deux. Dès que la plate-forme est prête, elle la met en forme avec son abdomen et élève les parois. Ce sont, évidemment, de tout petits nids. Par exemple, celui du colibri à gorge bleue, le plus gros colibri d'Amérique du Nord, mesure 6 cm de diamètre et 5 cm de hauteur ; celui du colibri calliope, seulement 3,5 cm de diamètre.

La femelle y pond deux œufs blancs de la taille d'un haricot sec ; lorsqu'ils sont éclos, elle introduit son bec dans celui des petits et les nourrit en régurgitant des insectes qu'elle a partiellement digérés. Malheur au prédateur ailé qui vient menacer sa couvée ! Qu'elle que soit sa taille, elle n'hésite pas à l'attaquer d'une volée de coups de bec douloureux qu'elle lui assène avec la rapidité de l'éclair.

Description. Longueur 11,5-12,5 cm (4½-5 po). Colibri robuste. Dessus vert irisé ; 2 raies blanches sur la face ; queue noirâtre à bout des rectrices externes blanc. Mâle : gorge bleue. Plane brièvement comme un martinet.
Habitat. Défilés boisés près du Mexique.
Nidification. Petit nid de duvet végétal et de mousse, lié par du fil d'araignée et fixé à la tige d'une plante à fleurs, d'une fougère ou d'un sarment, souvent au-dessus de l'eau vive ; 2 œufs blancs. Durée de l'incubation, par la femelle, et durée du séjour des oisillons au nid inconnues.
Nourriture. Nectar et pollen des fleurs ; insectes capturés au vol.

Femelle

Mâle

Colibri à gorge rubis

Archilochus colubris

Un seul colibri fréquente tout l'est du Canada à partir de l'Alberta, le colibri à gorge rubis. Doté, comme tous les colibris, d'une longue langue protractile, il cueille le nectar et les minuscules insectes qui se trouvent dans le calice des fleurs. Comme tous les colibris aussi, il a une absolue prédilection pour les inflorescences rouges. Une mangeoire suspendue dans le jardin et remplie d'un liquide sucré et carminé attire ce charmant visiteur, au demeurant peu farouche. On l'aura vu s'approcher sans méfiance du nez rose d'un chien, médusé qu'on prenne son museau pour une fleur.

Musaraigne exceptée, l'oiseau-mouche est l'animal qui a le métabolisme le plus actif parmi les vertébrés à sang chaud. Fleurs et provisions de mangeoires ne suffiraient donc pas à alimenter cette minuscule dynamo. Il compte sur de petits insectes — lépidoptères, fourmis, pucerons, moustiques — pour lui fournir les protéines dont il a besoin. Le colibri ne déteste pas non plus les araignées. En leur volant un peu de toile pour son nid, il croque, quant à y être, les insectes qui s'y sont pris et — ma foi, pourquoi pas ? — la maîtresse des lieux.

Le colibri à gorge rubis ramone également les cavités creusées dans l'écorce des arbres par le pic maculé. On raconte qu'il synchronise son arrivée dans le Nord avec celle de ce pic dont les trous lui offrent à manger avant que les fleurs s'épanouissent en abondance.

Il arrive au colibri à gorge rubis de disputer une fleur à un bourdon.

Description. Longueur 7,5-9,5 cm (3-3¾ po). Dessus vert irisé, sans teinte de roux ; dessous blanchâtre. Mâle : gorge rouge rubis ; queue noirâtre, un peu fourchue. Femelle : aucune trace de rouge ; queue en éventail, à rémiges externes marquées de blanc au bout.
Habitat. Forêts de feuillus, vergers, banlieues.

Nidification. Nid de duvet végétal et de fil d'araignée, couvert de parcelles de lichen, fixé à 1,5-6 m (5-20 pi) du sol sur une branche ; 2 œufs blancs ; 20 jours d'incubation assurée par la femelle. Les oisillons restent 20-22 jours au nid.
Nourriture. Nectar et pollen des fleurs ; petits insectes dans les fleurs et les toiles d'araignée.

Mâle

Femelle

Colibri calliope

Stellula calliope

Un colibri calliope mâle a réussi l'exploit de soulever une femelle inconsciente.

Le colibri calliope pèse tout juste 2,8 g. C'est le plus petit des colibris, le plus petit aussi de tous les oiseaux qui nichent en Amérique du Nord. Mais le mâle n'en a cure quand il courtise une femelle. Il commence par s'élever à 30 m dans les airs, puis pique vers elle, la salue au passage d'un bref bourdonnement, repart vers les hauteurs et répète à plusieurs reprises cette acrobatie étourdissante. Avec son dos vert irisé et sa gorge marquée de rayures chatoyantes, c'est un oiseau de belle allure, et d'une robustesse étonnante pour sa taille. On a déjà vu un vaillant petit mâle essayer d'emporter en lieu sûr une femelle qui venait de s'assommer sur une baie vitrée ; il avait réussi à l'agripper par le bec et à la soulever de terre, mais elle lui échappa et retomba.

Avec une si petite taille, le colibri calliope a tout un défi à relever pour survivre aux basses températures des régions où il niche : la Sierra Nevada, la chaîne Cascade, les Rocheuses, et, croit-on, l'intérieur de la Colombie-Britannique. Il y parvient en passant la nuit en hibernation. Pour économiser de l'énergie, il abaisse la température de son corps et ralentit son rythme cardiaque et respiratoire. La femelle qui couve ne peut pas en faire autant, mais elle compte sur la chaleur du nid pour la réchauffer. Si son nid est logé comme il se doit sous une branche surplombante, ses œufs seront protégés des intempéries et elle aussi.

Description. Longueur 7,5-8 cm (3-3¼ po). Petite taille ; bec court. Dessus vert irisé ; dessous blanchâtre ; flancs lavés de chamois. Mâle : gorge à rayures pourpre. Femelle : gorge tachetée de noir.
Habitat. Prés en montagne ; forêts conifériennes dans l'Ouest.

Nidification. Nid de mousse, d'aiguilles de pin et d'écorce liées avec du fil d'araignée, fixé à 0,60-21 m (2-70 pi) du sol, parfois sur le nid de l'année précédente, et même sur plusieurs ; 2 œufs blancs ; 15 jours d'incubation assurée par la femelle. Les oisillons s'envolent à 20 jours.
Nourriture. Nectar, petits insectes, araignées.

Mâle

Femelle

Colibri
à queue large

Selasphorus platycercus

D ans un pré baigné de soleil où les fleurs sauvages poussent à profusion dans l'ombre tamisée des pins, un bruit
étrange naît et croît, une rumeur sourde qui s'entend bien mais
se discerne mal. Est-ce une hallucination ? Soudain apparaît
un vol chatoyant de petits oiseaux vert et rouge qui butinent
à qui mieux mieux. Ce qu'on entend, ce n'est pas un chant ;
c'est la musique que fait le colibri à queue large en volant.

Il bat des ailes si vite — à raison de quelque 50 à 75 battements à la seconde — que l'œil humain ne perçoit qu'une image floue. Comme l'hélicoptère, l'oiseau-mouche peut faire du
sur place en plein vol pour pomper le nectar ou cueillir les
insectes qui reposent au fond du calice des fleurs ; il peut
grimper ou descendre à la verticale, voler de côté et même à
reculons. Au vol, ses ailes émettent un bourdonnement caractéristique. L'oiseau fait aussi entendre un petit gazouillis mélodieux, mais de faible amplitude, qu'il suffit d'entendre une fois
pour pouvoir le reconnaître sans erreur par la suite.

Non seulement est-il un champion de prouesses aériennes,
mais encore se pare-t-il de si somptueuses couleurs qu'on
croirait un oiseau tropical. Il a les parties supérieures d'un vert
chatoyant, une touche de rubis sur la gorge, les parties inférieures blanches et une queue qui est un véritable bijou. On
songe aux autres colibris, au colibri calliope, aux colibris à
gorge bleue et à gorge rubis, qui sont tout aussi beaux, tout
aussi polychromes et l'on aimerait pouvoir les réunir tous pour
une photo de famille !

Dans l'air, le bout effilé des
ailes du colibri à queue large
produit un son perlé.

Description. Longueur 10-11,5 cm (4-4½ po).
Dessus vert irisé ; dessous blanc. Mâle : gorge
rubis ; queue arrondie et noirâtre teintée de roux.
Femelle : gorge blanche ; flancs roux ; extrémité
des rémiges de la queue blanche. Les ailes du
mâle produisent un trille en vol.
Habitat. Forêts et prés en montagne.

Nidification. Nid de duvet végétal lié avec du fil
d'araignée, fixé à une branche horizontale, à
0,30-4,5 m (1-15 pi) du sol ; 2 œufs blancs ;
16 jours d'incubation assurée par la femelle.
Les oisillons s'envolent à 23 jours.
Nourriture. Nectar et insectes dans les fleurs ;
insectes capturés au vol et sur le feuillage.

Mâle

Femelle

Colibri roux

Selasphorus rufus

Ce n'est pas toujours dans un arbre ou un buisson que le colibri roux fait son nid.

Juillet règne en maître dans les montagnes du Colorado et les colibris roux s'en donnent à cœur joie sur les plateaux. Dans leur plumage d'un beau roux métallique, les mâles se livrent avec ostentation à des combats aériens tandis que les femelles aux teintes plus douces et les juvéniles butinent parmi les fleurs. À les voir ainsi s'ébattre en pleine saison de nidification, on pourrait croire que les colibris roux viennent en grand nombre nicher dans la région. Non point ! Ils sont de passage, tout simplement. Bien qu'on soit à peine à la mi-été, ils ont déjà quitté leur territoire de nidification en Colombie-Britannique et se dirigent par petites étapes vers leurs quartiers d'hiver au Mexique.

Normalement, les oiseaux migrateurs de l'Amérique du Nord volent vers le nord au printemps pour rejoindre leur aire de nidification, vers le sud à l'automne pour retrouver les territoires où ils hivernent. Mais les colibris roux ne font pas les choses comme tout le monde. Ils volent vers le nord-ouest en fin d'hiver et vers le sud-est en été, en empruntant des itinéraires complètement différents à l'aller et au retour.

Pourquoi agissent-ils ainsi ? Pour la bonne et simple raison que, en montant vers le nord par la côte du Pacifique, ils trouvent un climat tempéré par la proximité de l'océan où déjà les fleurs sont abondantes au tout début du printemps. Sitôt les jeunes sortis du nid, ils reprennent la route du sud, cette fois-ci par l'est où ils profitent de la belle floraison des prés alpins en fin d'été. Grâce à ce double itinéraire, les colibris roux sont assurés de toujours assouvir leur faim.

Description. Longueur 8,5-10 cm (3½-4 po). Mâle : roux à poitrine blanche ; gorge rouge orangé. Femelle : flancs et queue lavés de roux. Les ailes du mâle produisent un son perlé aigu au vol.
Habitat. Forêts, clairières en forêt.
Nidification. Nid de duvet végétal, de mousse et d'écorce, décoré de parcelles de lichen, fixé à 1,5-16 m (5-50 pi) du sol dans un arbre ou un buisson ; 2 œufs blancs. Incubation de durée inconnue, assurée par la femelle. Les oisillons quittent le nid à 20 jours.
Nourriture. Nectar et insectes dans les fleurs ; sève des arbres.

Pic de Lewis

Melanerpes lewis

D'un pieu de clôture, un oiseau noir à reflets verts, à la face cramoisie et à l'abdomen rougeâtre, s'élance dans les airs pour attraper un éphémère. Trompé par son vol gracieux et soutenu, l'amateur peu avisé pourrait croire qu'il a sous les yeux une petite corneille ou un tyran. Il aurait tort, car ce qu'il voit, c'est un pic de Lewis. Mais il serait excusable : le pic de Lewis a des manières fort inusitées pour un pic. Il ne grimpe pas aux arbres et il ne frappe pas l'écorce de son bec pour en faire sortir les insectes térébrants. Il préfère fondre sur sa proie en plein vol, comme un rapace, et en cela, il ressemble à un seul autre pic, le pic à tête rouge.

Le pic de Lewis a d'autres traits spécifiques qui le situent dans une classe à part parmi ses congénères. C'est le seul pic à se percher à découvert sur des fils électriques ou des pieux de clôture, le seul aussi à avoir des ailes et une queue uniformément sombres. Son vol est différent. Porté par les courants d'air, il se laisse planer sans effort d'un mouvement rectiligne, n'imitant en rien celui curviligne des autres pics.

Cet oiseau étonnant porte le nom de Meriwether Lewis qui, avec William Clark, de 1804 à 1806, parcourut le territoire que la France venait de vendre aux États-Unis. On doit à ces deux explorateurs une mine de renseignements sur la région du sud des États-Unis, et la découverte de ce pic singulier.

Le pic de Lewis préfère les insectes, mais il fait des provisions de noix.

Description. Longueur 25-28 cm (10-11 po). Presque tout noir ; poitrine et collier gris ; face rouge ; abdomen rosé ; ailes larges et arrondies. Vol droit et non ondulant comme celui des pics.
Habitat. Pinèdes clairsemées, bosquets, boisés clairs.
Nidification. Pond 5-9 œufs blancs dans une cavité creusée par le mâle dans une branche morte à 1-45 m (4-150 pi) du sol ; 12 jours d'incubation par le couple (le mâle couve de nuit). Les oisillons quittent le nid à 4-5 semaines.
Nourriture. Insectes capturés sur l'écorce ou au vol (picore peu l'écorce comme les autres pics) ; baies, noix.

Juvénile

Mâle

Pic à
tête rouge

Melanerpes erythrocephalus

Quand les nids sont rares, le pic à tête rouge s'empare du sien par la force.

Les pics à tête rouge sont des oiseaux d'une grande beauté mais aussi d'une grande agressivité ; ils attaquent sans hésitation tous les visiteurs ailés — serait-ce même des pics de leur espèce — qui s'approchent indûment de leur nid ou de leur garde-manger. Et quand vient l'heure de manger, ce sont aussi de grands opportunistes.

Comme le pic de Lewis, le pic à tête rouge peut se percher à découvert pour guetter les proies qu'il capture au vol. C'est un glouton qui fait bombance de tout : araignées, vers de terre, œufs et oisillons, souris, noix, baies et maïs. On le voit dans les mangeoires de jardin en hiver et il peut aller jusqu'à croquer l'écorce des arbres.

Les pics à tête rouge fréquentent les boisés clairsemés ; ils sont communs partout à l'est des Rocheuses : dans le sud de la Saskatchewan, du Manitoba et de l'Ontario et dans le sud-ouest du Québec. Récemment, comme les merles-bleus, ils ont connu un déclin abrupt à cause de la concurrence féroce que leur livrent les étourneaux sansonnets. Mais il y a plus grave encore. Le pic à tête rouge niche dans le bois mort. Or, dans les habitats qu'il fréquente, les arbres morts ou en train de dépérir sont ou bien taillés pour en faire du bois de chauffage ou tout simplement éliminés pour prévenir les incendies. Cette pratique, conforme à une saine gestion de la richesse forestière, met en danger la survie du pic à tête rouge qui a absolument besoin de bois mort pour vivre.

Description. Longueur 21,5-24 cm (8½-9½ po). Adulte : dessus noir ; tête rouge ; dessous, tache alaire et croupion blancs. Juvénile : semblable mais plus brun ; tête brune ; tache alaire marquée de deux barres.
Habitat. Bosquets, boisés clairsemés, régions agricoles, arbres feuillus.

Nidification. Pond 4-7 œufs blancs dans une cavité creusée à 1,5-25 m (5-80 pi) du sol dans une branche morte ; 14 jours d'incubation assurée par le couple. Les oisillons quittent le nid à 27 jours. Souvent deux couvées par an.
Nourriture. Insectes térébrants et noix ; parfois insectes capturés au vol.

Pic glandivore

Melanerpes formicivorus

Au sommet d'un grand arbre, une compagnie d'oiseaux noir et blanc à face de clown jacassent à qui mieux mieux d'une voix rauque, en agitant leurs ailes comme des êtres humains ponctuant leur dire de coups de poing sur la table. Une querelle donc ? Mais non, une conversation tout à fait anodine, et sans doute amicale, entre pics glandivores.

Leur convivialité est proverbiale. Tout se décide par petits comités de 3 à 10 oiseaux. Tous ensemble, ils emmagasinent assez de glands pour survivre jusqu'à l'été suivant. Le rituel est immuable. Ils choisissent un arbre convenable, platane ou chêne, et percent dans le tronc une série de petits trous qu'ils truffent ensuite de glands. Toute la colonie partage le travail et en déguste les fruits, le temps venu.

Le même esprit de collaboration se manifeste lorsque vient le temps d'élever les petits. Quand une femelle pond, tous les oiseaux du groupe participent à l'incubation et se relaient sur les œufs plusieurs fois par heure. Les oisillons sont ensuite nourris par la colonie entière. Les couples peuvent ainsi élever deux ou trois couvées par an.

Cette culture du gland — si on peut l'appeler ainsi — éprouve de grandes difficultés quand les fruits du chêne viennent à manquer une année. Voilà pourquoi les colonies les plus stables et les plus nombreuses sont celles qui fréquentent des chênaies peuplées d'une demi-douzaine d'essences distinctes ; quels que soient les aléas du temps, l'une ou l'autre finit bien par donner des fruits.

Avec une diligence exemplaire, le pic glandivore truffe un tronc de glands.

Description. Longueur 20-24 cm (8-9½ po). Dessus noir ; calotte rouge ; masque noir ; front, gorge et croupion blancs. Petites colonies.
Habitat. Chênaies, bosquets, défilés boisés dans l'Ouest américain.
Nidification. Pond 4-6 œufs blancs dans une cavité creusée à 3,5-18 m (12-60 pi) de hauteur dans un chêne, ou un autre arbre, mort ; 14 jours d'incubation assurée par la colonie. Les oisillons restent 4 semaines au nid. Souvent deux couvées par an.
Nourriture. Insectes, fruits, glands. Emmagasine des glands dans les troncs d'arbre, les pieux de clôture et les poteaux.

Pic à front doré

Melanerpes aurifrons

Le pic à front doré fait sa cour en lançant son chant d'amour vers le ciel.

Dans un prosopis des prairies du Texas où cet arbuste abonde et qu'affectionnent tout particulièrement les pics à front doré, le couple creuse un trou unique pour y faire son nid et il le réutilise deux ou même plusieurs années de suite. Là où il n'y a pas de prosopis, dans les bosquets de caryers et les chênaies mixtes que ces oiseaux fréquentent aussi, le couple peut creuser deux trous ou davantage par saison de nidification.

Dans certaines régions, les pics à front doré mettent tant d'énergie à entamer les poteaux de téléphone ou les pieux de clôture que leur activité devient dangereuse. Dans ce bois sans vie, eux ne voient que des arbres morts ; or c'est le type de logis qu'ils choisissent de préférence pour y faire leur nid. (À défaut de bois mort, ils se résigneront à du bois vivant.) Le site choisi, mâle et femelle s'activent à creuser le trou.

Ils mettent 6 à 10 jours de travail, parfois jusqu'à trois semaines, à dégager une entrée de 3,5-5 cm dans l'écorce superficielle, à aménager, en ligne droite, un passage étroit et finalement à creuser le tronc vers le bas pour obtenir une cavité de 15 à 45 cm ; on a même trouvé des cavités qui atteignaient 75 cm de profondeur. Ils en évasent légèrement la partie inférieure et y laissent un peu de bran de scie pour coussiner le fond. Ils n'y ajoutent rien de plus. Voulez-vous savoir si un arbre renferme un nid de pic ? Cherchez le bran de scie au sol.

Description. Longueur 21,5-25 cm (8½-10 po). Dessus fortement rayé de noir et de blanc ; face et dessous fauve grisâtre ; front et nuque jaune doré ; croupion blanc visible au vol. Mâle : tache rouge au sommet de la tête.
Habitat. Boisés secs, bosquets et buissons de prosopis.

Nidification. Pond 4-7 œufs blancs dans un trou creusé à 1-7,5 m (3-25 pi) du sol dans une branche ou un tronc morts ou un pieu de clôture ; 14 jours d'incubation assurée par le couple. Premier vol à 4 semaines, mais les oisillons demeurent plus longtemps avec les parents.
Nourriture. Insectes, fruits, glands.

Mâle

Femelle

Pic à ventre roux

Melanerpes carolinus

Le pic à ventre roux a les caractéristiques de la plupart des pics d'Amérique du Nord : il a un corps robuste, bien fait pour grimper aux arbres. Ses courtes pattes à longs doigts et ses griffes acérées incurvées vers le bas mordent solidement dans l'écorce. Grâce à des rémiges centrales très rigides, sa queue, qui est naturellement rabattue, peut lui servir d'appui quand il grimpe. Son bec dur et droit en forme de ciseau lui permet d'extirper les bestioles cachées sous l'écorce, de creuser des trous pour atteindre les insectes térébrants et de tambouriner à coups rapides ses appels à l'amour au printemps. Un petit masque de plumes très fines, presque des poils, empêche le bran de scie de pénétrer par les narines dans ses poumons quand il creuse des trous dans les arbres. Enfin, pour se protéger des fortes secousses que provoquent les rafales de coups qu'il assène, il a un cou très fort et un crâne épais. Un intervalle entre la membrane externe et le cerveau contribue en outre à amortir les chocs à la tête.

Mais la caractéristique la plus surprenante du pic, c'est sa longue langue cylindrique et protractile. Comme elle se termine par une pointe cornée, il s'en sert pour harponner des insectes comme les sauterelles. Mais elle est aussi enduite d'une substance visqueuse à laquelle collent les fourmis. En Floride où le pic à ventre roux hiverne, cet organe polyvalent lui permet même d'extraire le jus et la chair des succulentes oranges, ce qui n'est guère apprécié des producteurs d'agrumes.

Le pic à ventre roux a un faible pour les oranges, au grand dam des producteurs.

Description. Longueur 21,5-25 cm (8½-10 po). Dessus rayé de noir et de blanc ; face et dessous fauve grisâtre ; abdomen lavé de roux ou d'orange. Mâle : vertex et nuque rouges. Femelle : nuque rouge. Croupion blanc visible au vol.
Habitat. Boisés clairs, régions agricoles, vergers, arbres feuillus, parcs.

Nidification. Pond 3-8 œufs blancs dans une cavité creusée à 1,5-21 m (5-70 pi) du sol dans une branche ou un tronc morts ou un poteau ; 14 jours d'incubation assurée par le couple. Premier vol à 24-26 jours, mais les oisillons demeurent plus longtemps avec les parents.
Nourriture. Insectes, fruits, graines.

Pic
flamboyant
(Pic doré)

Colaptes auratus

Apercevez-vous un oiseau de bonne taille avec le croupion d'un blanc lumineux, le dessous des ailes vivement coloré, un grand croissant noir en travers de la poitrine, un croissant rouge vif en travers de la nuque et les parties inférieures mouchetées de nombreux points noirs ? Se trouve-t-il dans un pré dépourvu d'arbres ? Ce que vous voyez, c'est un pic flamboyant, le moins pic de tous les pics.

On avait coutume de l'appeler le pic doré. Il passe le plus clair de son temps au sol où il se nourrit d'insectes, de fruits, de graines — mais surtout de fourmis dont il fait une consommation supérieure à celle de tout autre oiseau en Amérique du Nord. Sa langue, qui se distend de 15 cm, est enduite d'une substance visqueuse lui facilitant la tâche.

Il niche habituellement dans les arbres, mais dans les régions agricoles, les parcs et les habitats découverts, il creuse son nid dans des poteaux, des pieux de clôture, des murs de grange ou sous les avant-toits des maisons. Dans le Sud-Ouest, il met à profit les cierges géants appelés saguaros.

Le pic flamboyant est omniprésent en Amérique du Nord, mais son apparence varie selon les régions. Dans l'Est, il présente du jaune sous les ailes ; la queue et les raies malaires (« moustaches ») sont noires ; dans l'Ouest, il a du rouge sous les ailes ; la queue et les rayures malaires sont rouges ; dans le Sud-Ouest, il ressemble à son frère de l'Est, mais il a une rayure malaire rouge. Dans les régions communes, ils peuvent s'accoupler entre eux, ce qui contribue à multiplier les formes.

Le pic flamboyant fait même son nid dans le bois pourri des maisons.

Description. Longueur 25-35,5 cm (10-14 po). Dessus fauve rayé de noir ; bande noire sur la poitrine ; croupion blanc. Mâle de l'Est : ailes jaune d'or et « moustaches » noires. Mâle de l'Ouest : ailes avec éclats de rouge, « moustaches » rouges. Mâle du Sud-Ouest : ailes avec éclats de jaune, « moustaches » rouges. Les femelles sont semblables, mais sans moustache.
Habitat. Boisés, déserts, banlieues.
Nidification. Pond 3-14 œufs blancs dans une cavité à 2,5-30 m (8-100 pi) du sol dans un arbre ou un cactus ; 12 jours d'incubation assurée par le couple. Envol à 25-28 jours.
Nourriture. Fourmis et autres insectes ; fruits.

Pic maculé

Pic maculé *Sphyrapicus varius*
Pic à nuque rouge *Sphyrapicus nuchalis*

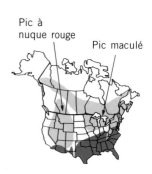

Pic à nuque rouge
Pic maculé

R épandu dans l'est et le nord de l'Amérique du Nord, le
pic maculé, comme son cousin des Rocheuses, le pic à
nuque rouge, se nourrit de la sève des arbres dont il tire le
cinquième de son régime alimentaire. Pour l'extraire, il pratique des trous minuscules dans plus de 250 espèces d'arbres
et de buissons et ouvre ainsi une source d'alimentation dont
profitent de petits mammifères, des colibris et d'autres espèces
de pics. La sève attire également des insectes dont il se nourrit ; il complète son régime alimentaire avec des baies.

Les pics forment un groupe dont la langue protractile, enduite d'une matière visqueuse et terminée par une pointe
cornée, leur permet de ramoner les crevasses où se réfugient
les insectes dans le tronc des arbres. À l'intérieur du groupe
des pics existe un sous-groupe de petits pics appartenant surtout à la famille *Sphyrapicus* ; avec leur langue tapissée de fins
poils, ils peuvent laper la sève des arbres. En français, on les
appelle indistinctement des pics ; en américain, les premiers
s'appellent *woodpeckers* ou « piqueurs de bois » et les seconds,
sapsuckers ou « suceurs de sève ».

Quand les mâles arrivent dans leur aire de nidification, qui
recouvre la majeure partie du sud du Canada, ils s'empressent
de creuser les trous d'où coulera la sève nourricière. Et le tam-
tam de leur bec contre le tronc marque l'arrivée du printemps.

Le pic maculé creuse des
trous pour se nourrir de sève
et des insectes qu'elle attire.

Description. Longueur 20-22,5 cm (8-9 po).
Dessus noir et blanc ; tache alaire blanche ; face
rayée de noir et de blanc ; croupion blanc visible au vol. Pic maculé : mâle, vertex et gorge
rouges ; femelle, gorge blanche. Pic à nuque
rouge : mâle, vertex, gorge et nuque rouges ; femelle, gorge blanche ou rouge.

Habitat. Forêts, boisés, bosquets de trembles.
Nidification. Pond 4-7 œufs blancs dans une
cavité creusée à 3-14 m (10-45 pi) du sol dans
un tronc mort ou un tremble vivant ; 13 jours
d'incubation assurée par le couple. Les oisillons
quittent le nid à 4 semaines.
Nourriture. Sève des arbres, insectes, baies.

205

Pic à
poitrine
rouge

Sphyrapicus ruber

Avec sa langue fine et velue, ce pic va cueillir la sève dans les crevasses de l'écorce.

Pourrait-on croire qu'avec sa tête écarlate, son abdomen jaune et ses taches blanches sur des ailes noir de corbeau, ce si joli membre de la famille des pics a très mauvaise réputation ? Depuis longtemps, on l'accuse, lui comme ses cousins, le pic maculé, le pic à nuque rouge et le pic de Williamson — tous membres de la famille des *Sphyrapicus* — de causer la mort des arbres dont la sève précieuse s'écoule par les trous qu'ils creusent dans le bois.

Ces petits pics à la langue poilue pratiquent, il est vrai, des trous dans l'écorce et se nourrissent de la sève qui en jaillit. Ils font même pire ; ils mangent un peu de cambium, tissu générateur très tendre situé juste sous l'écorce. D'aucuns estiment, par ailleurs, que ces rangs superposés de petits trous tout autour des troncs ne sont guère jolis à voir. Mais il y a loin à affirmer qu'en agissant de la sorte, ils nuisent à la croissance de l'arbre.

Sur un sujet sain, ces lésions guérissent rapidement et l'arbre est même libéré par l'oiseau d'insectes qui pourraient lui nuire plus gravement. Il peut néanmoins arriver qu'un pic trop friand cause à l'arbre des dommages dont il ne se remet pas. Dans certains cas aussi, des champignons s'infiltrent dans les lésions et laissent dans le bois des cicatrices qui en diminuent la valeur. Ce sont des accidents isolés qui ne posent aucune menace globale. Mais l'homme a vite fait de voir la paille dans l'œil de l'autre et non la poutre dans le sien !

Description. Longueur 20-22,5 cm (8-9 po). Ailes et dos noirs marqués de blanc ; tache alaire blanche ; tête et poitrine rouges ; croupion blanc visible au vol. Femelle identique au mâle. Juvénile : plus tacheté ; parties rouges, teintées de brun ; vertex noir.
Habitat. Forêts, boisés, vergers et bosquets de trembles sur la côte nord-ouest du Pacifique.
Nidification. Pond 4-7 œufs blancs, dans une cavité creusée à 3-14 m (10-45 pi) du sol dans une branche ou un tronc, morts ou vivants ; 13 jours d'incubation assurée par le couple. Les oisillons quittent le nid à 4 semaines.
Nourriture. Sève des arbres, insectes, baies.

Mâle

Femelle

Pic de Williamson

Sphyrapicus thyroideus

Les premiers naturalistes à étudier les oiseaux de l'Amérique du Nord eurent quelques difficultés à les classifier correctement. Devant tel petit oiseau aux couleurs insignifiantes, comment penser de prime abord qu'il puisse s'agir de la femelle d'un oiseau chanteur aux coloris éblouissants ?

Une famille, celle des pics, n'a pas vraiment présenté de problème. Il est vrai que les naturalistes américains ont établi une distinction entre *sapsuckers* et *woodpeckers*. Néanmoins, tous les ornithologues considèrent que les oiseaux qui grimpent aux arbres, nichent dans un trou et tambourinent sont d'abord et avant tout des pics. La femelle, dans la plupart des cas identique au mâle, est en principe facile à identifier.

N'empêche que... En 1852, des explorateurs découvrirent dans l'Ouest un pic brun à tache pectorale noire qu'ils appelèrent le pic à poitrine noire. Peu après ils en trouvèrent un autre, également inconnu. Noir, blanc et jaune, il fut appelé le pic de Williamson en l'honneur de celui qui l'avait observé le premier. Quelque 20 ans plus tard, un naturaliste aperçut nos deux pics nourrissant ensemble des petits dans le même nid. C'était indubitablement le mâle et la femelle d'une même espèce, parfaitement inconscients qu'en tant que pics, ils auraient dû se ressembler comme des jumeaux.

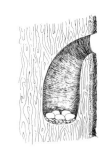

Petite merveille d'ingénierie, le nid du pic exige deux semaines de travail à deux.

Description. Longueur 21,5-22,5 cm (8½-9 po). Mâle : surtout noir ; haut de la gorge rouge ; face marquée de deux rayures blanches ; tache alaire blanche ; abdomen jaune vif ; croupion blanc visible au vol. Femelle : corps rayé de blanc, de brun et de noir ; tête brune.
Habitat. Pinèdes en montagne.

Nidification. Pond 3-7 œufs blancs dans une cavité creusée à 1,5-18 m (5-60 pi) du sol dans un pin ou un tremble morts ; 14 jours d'incubation assurée par le couple. Les oisillons quittent le nid à 4-5 semaines.
Nourriture. Sève des arbres, fourmis, larves d'insectes térébrants, insectes.

Pic chevelu

Picoides villosus

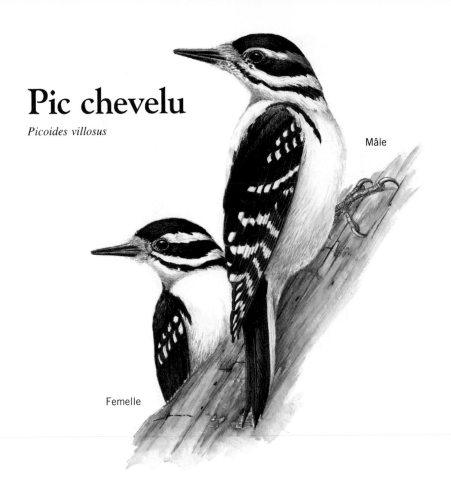

Mâle

Femelle

Des poils légers devant les narines empêchent le pic d'aspirer le bran de scie.

Le pic chevelu commence dès l'hiver à faire la cour à sa partenaire et il prend tout le temps qu'il faut. Juché sur un perchoir, il annonce d'abord à la cantonade, par une rafale de coups de bec, qu'il s'est délimité un territoire. Par la même occasion, il informe les femelles du voisinage qu'il serait bien aise d'avoir une compagne. Celle qui est intéressée lui répond par une autre rafale de coups de bec. Après quelques semaines de conversation à distance en morse, ils exécutent ensemble un vol particulier au cours duquel ils font claquer leurs ailes contre leurs flancs ou les agitent rapidement dans un mouvement papillonnant. On a l'impression, à les voir, qu'ils s'immobilisent en plein vol.

Finalement, le couple se forme et creuse ensemble un nid. Chaque fois qu'ils se rencontrent, ils se saluent d'un cri bref. Quand de trois à six œufs garnissent la cavité, ils se partagent l'incubation. Le mâle couve ou nourrit les petits de nuit ; la femelle le remplace à la pointe du jour. Ils alternent durant la journée, en observant toujours le même rituel : la garde montante s'arrête devant le nid, se pose un peu en deçà de l'entrée, salue d'un petit cri en faisant signe de la tête et se range de côté. La garde descendante, celle qui couve, répond, sort du nid et s'éloigne d'un vol lent. Cette relation cérémonieuse se poursuit aussi longtemps que les petits restent au nid.

Description. Longueur 21,5-25 cm (8½-10 po). Plus gros que le pic mineur ; bec plus long. Dessus noir et blanc ; face rayée de noir et de blanc ; dessous tout blanc. Mâle : tache rouge sur la nuque. Cri d'appel : un *pîîîc* strident.
Habitat. Forêts, vergers, parcs.
Nidification. Sur un lit de bran de scie, pond 3-6 œufs blancs dans une cavité creusée à 1-17 m (3-55 pi) du sol dans une branche morte ou un arbre vivant ; 14 jours d'incubation assurée par le couple (le mâle, de nuit). Les oisillons restent 28-30 jours au nid.
Nourriture. Insectes térébrants, baies, graines.

Femelle

Mâle

Pic mineur

Picoides pubescens

C'est le plus petit des pics, mais non le moins bruyant dans les concerts qu'exécute la confrérie. Par ce tambourinage, qui s'apparente au chant des oiseaux chanteurs, l'oiseau fait savoir à tout le monde qu'il a pris possession d'un territoire ; il avertit les intrus de s'en écarter et invite les femelles à y venir. Un tambourinage beaucoup plus lent assure la communication entre le mâle et la femelle. Il ne ressemble en rien à ce qu'on entend quand l'oiseau cherche des insectes ou se creuse un nid.

Le rituel du tambourinage diffère selon les espèces. Chez le pic mineur, la rafale dure deux minutes sans interruption et elle est si rapide qu'on ne distingue plus la tête. Chez le pic chevelu, les tambourinages sont à la fois plus sonores et plus brefs, tandis que les pics du genre *Sphyrapicus* ajoutent quelques *tap-tap-tap* à la fin.

Pour personnaliser son tambourinage, chaque pic adopte un perchoir — souche, pieu, branche d'arbre — dont la résonance, pourrait-on croire, lui est particulièrement agréable. Les pics *Sphyrapicus,* quant à eux, adorent tambouriner sur le métal. Mais quelle que soit la nature du perchoir, il appartient toujours à celui qui se l'est approprié. Ainsi, dans un couple de pics mineurs, le mâle et la femelle ont leurs trois ou quatre perchoirs personnels sur le territoire et chacun respecte ceux de l'autre aussi longtemps que dure le couple.

Près des endroits où il mange, on a vu le pic mineur se nettoyer dans la neige.

Description. Longueur 15-17,5 cm (6-7 po). Plus petit que le pic chevelu ; bec plus court. Dessus noir et blanc ; face rayée de blanc et de noir ; dessous tout blanc. Mâle : tache rouge sur la nuque. Cri d'appel : un doux *pîîîc*.
Habitat. Boisés clairsemés, vergers, parcs.
Nidification. Pond 3-7 œufs blancs, soit dans une cavité creusée à 1,5-15 m (5-50 pi) du sol dans une branche morte ou une souche, soit dans un nichoir ; 12 jours d'incubation assurée par le couple. Les oisillons restent 24 jours au nid. Parfois deux couvées par an dans le sud des États-Unis.
Nourriture. Insectes térébrants, baies, graines.

209

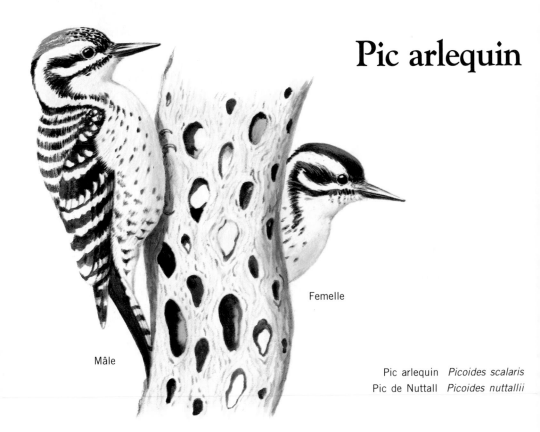

Pic arlequin

Femelle

Mâle

Pic arlequin *Picoides scalaris*
Pic de Nuttall *Picoides nuttallii*

Pic arlequin

Pic de Nuttall

On a autant de mal à s'imaginer un pic sans arbre qu'un canard sans eau. Et pourtant, le petit pic arlequin arrive à survivre dans les déserts du Sud-Ouest américain où les arbres sont à peu près inexistants. À défaut d'arbres, cependant, il y a les grands cactus cierges, les saguaros, qui peuvent atteindre 18 m de haut et dont les articles colonnaires ressemblent à des troncs. Le pic arlequin, tout comme ses cousins, le pic des saguaros et une forme du pic flamboyant, s'y creuse un nid, dévore les insectes qui le parasitent et n'en dédaigne pas les fruits.

Aux limites des régions plus arides où se trouvent des défilés boisés, des fourrés de prosopis et des bosquets de cotonniers, le pic arlequin survit, comme tout bon pic, grâce à ses habiletés de grimpeur et de foreur. C'est ainsi qu'il explore et sonde toutes les parties de toutes les plantes. On voit même parfois le mâle et la femelle accomplir ensemble cette tâche et se diviser le travail. Leur instinct remarquable pour dépister les larves de coléoptères a longtemps intrigué les observateurs. Certains ont avancé que les oiseaux entendaient les bestioles bouger sous l'écorce ; d'autres soutiennent qu'en tambourinant, ils repèrent l'insecte comme le charpentier repère une poutre en cognant sur le mur. Seuls les pics savent ce qu'ils font, mais ils le savent bien ; comme écheniilleurs, on ne fait pas mieux qu'eux.

Description. Longueur 16,5-19 cm (6½-7½ po). Petite taille ; dessus rayé ; face blanche à rayures noires ; vertex rouge chez le mâle, noir chez la femelle. Pic de Nuttall plus noir ; aires territoriales et habitats distincts.
Habitat. Broussailles et fourrés arides. Lieux moins arides pour le pic de Nuttall.

Nidification. Pond 2-7 œufs blancs dans une cavité creusée à 0,60-18 m (2-60 pi) du sol dans un arbre ou un cactus. Durée de l'incubation, assurée par le couple, et durée du séjour des oisillons au nid inconnues.
Nourriture. Insectes térébrants, chenilles, fruits du cactus.

Pic à face blanche

Picoides borealis

Si vous vous promenez à travers une pinède clairsemée du sud-est des États-Unis, vous verrez peut-être le résultat des travaux du pic à face blanche : une série de petits trous d'où coule une sève résineuse. Les pics s'attaquent souvent aux arbres mourants ; mais celui-ci a des goûts très précis. Il recherche les pins infestés d'un certain champignon parasitaire, dont le cœur est sans doute plus facile à perforer. Après y avoir creusé un nid pour le repos ou la reproduction, le pic à face blanche perce plusieurs petits trous tout autour pour faire écouler la résine gluante qui éloignera les prédateurs. On s'étonne d'ailleurs de l'habileté avec laquelle l'oiseau lui-même réussit à la contourner.

Autrefois, le champignon en question s'attaquait généralement aux pins âgés de plus de 70 ans. Mais les pins ont rarement aujourd'hui le loisir d'atteindre cet âge canonique et, par conséquent, le pic à face blanche se retrouve à court de sites pour nicher. En outre, grâce à de meilleures techniques de prévention contre les incendies de forêt, les sous-bois ont maintenant la chance de croître. C'est dire qu'il y a de moins en moins de forêts dégagées, comme celles où vit le pic à face blanche. C'est ainsi que des pratiques par ailleurs louables pour la gestion des ressources forestières peuvent avoir pour effet de nuire à une espèce d'oiseaux dont l'extinction paraît maintenant probable.

Description. Longueur 20-21,5 cm (8-8½ po). Dessus rayé de noir et de blanc ; vertex noir ; joues blanches. Mâle : tache rouge à peine visible derrière l'œil. Se tient en petits groupes. **Habitat.** Pinèdes clairsemées. **Nidification.** Pond 2-5 œufs blancs dans une cavité creusée à 5-30 m (18-100 pi) du sol dans le cœur en pourriture d'un pin vivant ; 13 jours d'incubation assurée par le couple (le mâle couve de nuit). Les oisillons restent 26-29 jours au nid. Niche dans les hautes pinèdes, en colonies éparses ; utilise parfois le même trou pendant plusieurs années. **Nourriture.** Insectes térébrants.

Femelle

Mâle

Pic tridactyle
(Pic à dos rayé)

Picoides tridactylus

Les tétradactyles ont quatre doigts, deux-deux ; les tridactyles, trois en avant.

Les oiseaux ont en règle générale quatre doigts, trois tournés vers l'avant et un vers l'arrière. Chez les pics, la disposition diffère : deux en avant et deux en arrière, tous les quatre munis d'ongles pointus et recourbés. Comme les pics sont des oiseaux grimpeurs, on croit que cet arrangement inusité leur donne un meilleur appui, plus d'équilibre et une prise plus solide sur l'écorce des troncs et des branches, surtout quand ils grimpent à la verticale.

Pourquoi, dans ce cas, trouve-t-on dans le Grand Nord deux espèces de pic, le pic tridactyle et le pic à dos noir, nantis de seulement trois doigts, tous tournés vers l'avant ? Mystère ! On sait qu'ils partagent ce trait avec certains oiseaux de mer et de rivage qui arpentent des sols couverts de cailloux, de sable, d'herbe ou de boue. Mais ce rapprochement n'explique en rien le cas du pic tridactyle.

Quand on observe les mœurs alimentaires du pic tridactyle, cependant, on en déduit qu'il vit comme ses pieds le lui permettent — à moins que l'adaptation ne se soit faite en sens contraire. Il se nourrit, comme ses congénères, d'insectes térébrants, mais au lieu de perforer l'écorce à coups de bec pour les atteindre, il la brise en petits morceaux, opération moins exigeante sur le plan de l'équilibre et de la stabilité. D'ailleurs, il œuvre surtout sur des arbres morts ou malades, rarement sur des sujets sains. Il procède avec lenteur et ses méthodes de travail en font un pic exceptionnellement tranquille.

Description. Longueur 20-24 cm (8-9½ po). Dessus noir ; bandes blanches sur le dos ; dessous blanc ; flancs rayés de noir et de blanc ; tête noire, rayure superciliaire et « moustaches » blanches. Mâle : grande tache jaune sur la tête.
Habitat. Forêts conifériennes.
Nidification. Pond 4-5 œufs blancs dans une ca- vité creusée à 1,5-12 m (5-40 pi) du sol dans le bois mort d'une épinette, d'un sapin ou d'un bouleau, surtout après une inondation ; 14 jours d'incubation assurée par le couple. Durée du sé- jour des oisillons au nid inconnue.
Nourriture. Insectes térébrants, autres insectes, araignées, baies.

Femelle

Mâle

Pic à dos noir

Picoides arcticus

Dans les forêts conifériennes du sud du Canada, le pic à dos noir arpente sur ses pattes à trois doigts les troncs des arbres morts ou en train de dépérir. Il en effeuille les couches d'écorce avec méthode pour trouver des larves d'insectes térébrants. Mais quand l'arbre est finalement dépouillé, insectes et oiseaux sont bien forcés de déménager ailleurs pour trouver de nouveaux garde-manger.

Chaque hiver, un petit nombre de pics à dos noir vont se nourrir dans les forêts de pins, d'épinettes et de sapins baumiers décimées par le feu, dans le nord-est des États-Unis. Or, certaines années, ils sont plus nombreux à s'y rendre.

Ces migrations irrégulières, que les ornithologues appellent des irruptions, ont sans doute pour objet la recherche de nouveaux terrains d'alimentation. Le harfang des neiges et la pie-grièche grise en font autant dans le Nord-Est, une année sur quatre, quand les cycles de reproduction des campagnols et des lemmings sont au point le plus bas ; l'autour des palombes et le grand-duc les imitent tous les 10 ans, lorsque le cycle des lièvres fléchit. Mais des irruptions de pics à dos noir se sont parfois produites quand, dans le Nord, les hivers étaient doux et la nourriture abondante. S'étaient-ils, ces années-là, multipliés au point de devoir étendre leur territoire, ou faut-il croire que l'espèce est en train de modifier ses habitudes ? Seule l'observation patiente pourra nous le dire.

L'écorce vole autour de ces pics à dos noir qui creusent le trou où ils nicheront.

Description. Longueur 24-25 cm (9½-10 po). Ailes, queue et dos noirs ; dessous blanc ; flancs rayés noir et blanc ; tête noire à « moustaches » blanches. Mâle : grande tache jaune sur la tête.
Habitat. Forêts conifériennes.
Nidification. Pond 2-6 œufs blancs dans une cavité creusée à 0,60-4,5 m (2-15 pi) du sol dans le tronc ou la souche d'une épinette, d'un sapin ou d'un bouleau morts ; 14 jours d'incubation assurée par le couple. Durée du séjour des oisillons au nid inconnue.
Nourriture. Insectes térébrants, autres insectes, araignées, baies.

Pic à
bec ivoire

Campephilus principalis

S'il reste encore quelques magnifiques pics à bec ivoire dans les forêts du sud des États-Unis, ils sont d'ores et déjà voués à l'extinction ; aucune mesure de protection ne saurait les sauver. Sans doute, d'ailleurs, les populations de *Campephilus principalis* n'ont-elles jamais été abondantes : leurs besoins sont trop spécifiques et leur exceptionnelle beauté en a fait, pour l'homme, des proies trop désirables.

Comment résister, en effet, à cette huppe flamboyante et à ce bec blanc ivoire, long de 7 à 8 cm ? Les chefs indiens s'en sont parés et mangeaient aussi la chair de l'oiseau avec délectation. Les hommes blancs sont arrivés à leur tour. Le pic à bec ivoire a peu à peu reculé vers des régions apparemment impénétrables ; mais l'homme, armé de haches, de fusils et de tracteurs-niveleurs, a fini par y entrer, lui aussi, ignorant sans doute qu'il violait le dernier refuge de cet oiseau aussi fragile que superbe.

Le pic à bec ivoire est aussi victime d'un régime alimentaire trop spécifique. Il se nourrit presque exclusivement d'insectes térébrants à tête plate. Pour les trouver, il lui faut un vaste bassin de ressources forestières décimées par la maladie, la sécheresse ou le feu. Or la gestion des forêts a fait de tels progrès que son habitat naturel n'existe pour ainsi dire plus.

Territoire traditionnel

Description. Longueur 50 cm (20 po). Pic de la taille d'une corneille. Longue huppe, rouge chez le mâle, noire chez la femelle ; bec jaune pâle ; dessus surtout noir ; face noire ; bande blanche le long du cou ; grande tache alaire blanche.
Habitat. Forêts marécageuses adultes, surtout le long de grands cours d'eau.

Nidification. Pond 1-4 œufs blancs dans une grande cavité creusée à 7,5-18 m (25-60 pi) du sol dans un vieil arbre ; 20 jours d'incubation assurée par le couple (le mâle couve de nuit). Les oisillons restent 5 semaines au nid.
Nourriture. Larves d'insectes térébrants exposées en pelant l'écorce.

Grand pic

Dryocopus pileatus

Avec la disparition imminente du pic à bec ivoire, le titre du plus grand pic d'Amérique du Nord reviendra bientôt à un oiseau déjà bien nommé, le grand pic. C'est une expérience inoubliable que de voir cet oiseau à huppe rouge, de la taille d'une corneille, voler à découvert, peler le tronc d'un arbre à la recherche d'insectes térébrants, se creuser des trous qui atteignent 18 cm de diamètre ou se livrer à de spectaculaires démonstrations amoureuses quand vient la saison de la nidification.

Le grand pic ressemble beaucoup au pic à bec ivoire, sauf pour son bec qui est noir. Néanmoins les deux oiseaux ne sont pas proches parents. En outre, le grand pic a fait la preuve, quant à lui, qu'il est doué d'une résistance et d'une capacité d'adaptation remarquables.

À l'arrivée des Européens, l'Amérique était couverte de forêts millénaires ; c'est là qu'habitait le grand pic. Au cours des XVIIIe et XIXe siècles, ces forêts ont presque disparu, entraînant une quasi-extinction du grand pic. Mais grâce à des programmes de reboisement et à la fermeture de nombreuses fermes dans l'Est, les ressources forestières se sont régénérées. De son côté, le grand pic a su s'adapter à une forêt plus jeune et ses populations se sont remises à croître. Et bien qu'il soit timide, il n'est plus tellement rare de voir ou d'entendre cet oiseau majestueux.

Sa souche brisée, on a vu le grand pic transporter ses œufs dans un autre nid.

Description. Longueur 40,5-48 cm (16-19 po). Pic de la taille d'une corneille. Surtout noir ; huppe rouge ; face rayée noir et blanc ; bande blanche le long du cou ; grande tache blanche sous les ailes ; « moustaches » rouges chez le mâle.
Habitat. Forêts adultes à grands arbres.
Nidification. Pond 3-8 œufs blancs dans une ca-vité creusée à 4,5-21 m (15-70 pi) du sol, dans une branche ou un tronc morts parmi des arbres vivants, parfois dans un poteau ; 18 jours d'incubation assurée par le couple. Les oisillons restent 22-26 jours au nid.
Nourriture. Fourmis ; insectes térébrants ; baies.

Pic à
tête blanche

Picoides albolarvatus

Le pic à tête blanche va, plus souvent que les autres, boire dans un ruisseau ou une mare.

C'est le seul pic à tête et gorge blanches en Amérique du Nord. Il est donc facile à distinguer parmi tous ceux qui fréquentent les forêts conifériennes du nord-ouest du Pacifique. Sauf pour une tache alaire blanche et une bande rouge en travers de la nuque, le reste du corps est entièrement noir. Le pic à tête blanche se voit parfois dans l'extrême sud de la Colombie-Britannique, mais sa présence y est inusitée.

On pourrait croire que, paré de couleurs aussi contrastantes, le pic à tête blanche serait la cible de tous les prédateurs. Or, dans les pinèdes où il se tient, ces couleurs le rendent justement invisibles. Il disparaît dans la bigarrure des aiguilles de pins, des troncs tachetés, des branches brisées à moignon blanc, et dans les jeux d'ombre et de lumière.

Ce camouflage étonnant a une explication. Si la lumière fait étinceler les parties blanches de l'oiseau, elle met aussi en relief les rayures claires de l'écorce des pins, le vert luisant des aiguilles sombres et transforme le corps noir du pic à tête blanche en une ombre parmi d'autres. Quand il explore l'écorce grise des jeunes sapins ou les troncs dénudés des conifères morts, sa tête blanche se confond avec les arbres gris et son corps noir se fait nœud, ombre, cicatrice. Il peut donc cueillir en toute quiétude les graines de pin et les larves d'insectes dont il se nourrit.

Description. Longueur 23-23,5 cm (9-9¼ po). Ailes, queue et corps noirs ; face, gorge et vertex blancs ; tache alaire blanche, visible au vol. Mâle : petite bande rouge sur la nuque.
Habitat. Pinèdes en montagne.
Nidification. Pond 3-7 œufs blancs dans une cavité creusée à 0,30-15 m (3-50 pi) du sol dans une haute souche morte de pin. Creuse plusieurs cavités, les unes près des autres, avant d'en choisir une ; 11 jours d'incubation assurée par le couple. Durée du séjour des oisillons au nid inconnue.
Nourriture. Graines de pin ; insectes térébrants.

Moucherolle à côtés olive

Contopus borealis

Perché au sommet d'un pin abîmé par les intempéries avec la placidité d'un bourgmestre qui se serait installé dans les forêts septentrionales d'Amérique, le moucherolle à côtés olive contemple le monde avec outrecuidance et détachement. C'est un petit oiseau de belle prestance, sanglé dans une redingote vert olive trop petite pour sa taille, car elle n'arrive pas à recouvrir une veste hirsute dont les pans s'ouvrent sur son ventre rebondi. Mais notre oiseau n'en a cure. Rien ne peut entamer l'excessive confiance qu'il a en lui-même. Épaules rejetées en arrière, tête dressée, il lance d'un ton péremptoire son sifflement qui ressemble à un ordre : *hûp, pî, biii !...*

Cet oiseau à l'air bourru ne quitte pas volontiers son perchoir. S'il s'en va brièvement chasser l'abeille ou la libellule ou mettre en déroute un rival téméraire, il y revient sans délai. Même en migration, il est casanier et reste fidèle à ses perchoirs de chasse. On s'en souviendra quand viendra le moment de le distinguer du tyran ou même du pioui, plus menus, plus sveltes et plus amènes.

Ses habitudes sédentaires et le ton autoritaire de sa voix permettent à l'observateur de repérer rapidement le moucherolle à côtés olive dans les tourbières boisées du Nord ou dans les brûlis qu'il affectionne. Les ornithophiles curieux de l'observer en migration se rappelleront qu'il arrive plus tard au printemps et quitte plus tôt à l'automne que la plupart des oiseaux migrateurs. Mais pourquoi faudrait-il qu'un personnage aussi digne se soumette aux usages du commun !

Branché sur son perchoir, le moucherolle à côtés olive cueille l'insecte au vol.

Description. Longueur 17,5-20 cm (7-8 po). Tête forte ; bec robuste. Vert olive sombre ; flancs sombres séparés par une bande longitudinale blanche sur l'abdomen ; parfois touffe de plumes blanches de chaque côté du croupion. Se perche à découvert sur des branches mortes. **Habitat.** Forêts conifériennes, boisés inondés avec des arbres morts, bosquets d'eucalyptus. **Nidification.** Nid de brindilles d'herbes et de lichen, à 1,5-21 m (5-70 pi) du sol dans un conifère ; 3-4 œufs blanchâtres ou roses, maculés de brun et de gris ; 17 jours d'incubation. Durée du séjour des oisillons au nid inconnue. **Nourriture.** Insectes ailés.

Pioui
de l'Ouest

Pioui de l'Ouest *Contopus sordidulus*
Pioui de l'Est *Contopus virens*

Pioui de l'Ouest

Pioui de l'Est

Aux yeux d'un observateur profane, la manière dont un oiseau chasse ne varie guère d'une espèce à l'autre ; il s'élance de son perchoir et fonce sur l'insecte qui passe devant lui. En réalité, il y a des différences subtiles ; et celles-ci permettent aux oiseaux de tirer plein parti des ressources lorsqu'ils sont plusieurs à se les partager.

Dans une étude comparative portant sur les techniques de chasse de trois espèces de moucherolles dont les territoires se recoupent partiellement, on a observé que le pioui de l'Ouest se perche ouvertement au bout des branches, surtout à la cime, tandis que le moucherolle noir préfère les clôtures et le bout des branches basses ; le moucherolle du Pacifique, lui, choisit les branches moyennes et basses près du tronc. Du haut de son perchoir, le pioui de l'Ouest attaque les insectes volant à découvert. Le moucherolle noir chasse aussi surtout les insectes à découvert, mais choisit ceux qui volent plus bas. Enfin le moucherolle du Pacifique ramasse tous les autres qui se posent sur les brindilles et dans le feuillage.

Dans l'Est, les piouis, les moucherolles et les tyrans se partagent également un même territoire de chasse de façon fonctionnelle et leur mode de chasse se reflète sur leurs habitudes alimentaires. Par exemple, la moitié du régime du pioui est constitué de mouches, mais seulement le tiers de celui du moucherolle tchébec et le sixième de celui du tyran huppé.

Description. Longueur 15-16,5 cm (6-6½ po). Dessus brun olive sans cercle autour des yeux ; deux bandes alaires pâles ; dessous blanchâtre. S'identifie à son aire et à sa voix. Forme de l'Ouest : *pî-îîr* rauque. Forme de l'Est : *pi-e-ouî* plaintif.
Habitat. Boisés, bosquets.

Nidification. Nid de tiges et de fibres végétales, fixé à 5-23 m (15-75 pi) du sol, sur une branche horizontale ; 2-4 œufs blanchâtres maculés et tachetés de brun ; 12 jours d'incubation assurée par la femelle. Les oisillons quittent le nid à 15-18 jours.
Nourriture. Insectes ailés, baies.

Tyran huppé
(Moucherolle huppé)

Tyran huppé *Myiarchus crinitus*
Tyran de Wied *Myiarchus tyrannulus*

Tyran huppé

Tyran de Wied

Aucun boisé de l'est du continent ne serait complet sans tyran huppé. Son gazouillis syncopé, son cri en forme de point d'interrogation animent la forêt en été. Parfois, la couleur jaune de son ventre, les reflets roux de ses ailes étalées et de sa queue signalent sa présence au sommet d'un arbre. Couinez comme une souris en détresse ; il fera pleuvoir sur vous un torrent d'injures.

Avant l'arrivée des bûcherons, le tyran huppé devait trouver, dans les branches les plus noueuses des plus vieux arbres, les cavités où il aime installer son nid. Mais le recul de la forêt l'obligea à s'adapter aux vergers, aux boisés clairsemés et, tout récemment, aux nichoirs. Un proche parent, le tyran de Wied, s'est adapté quant à lui aux cierges géants du désert, les saguaros, et y fait son nid dans un trou creusé par un pic.

Même sens de l'adaptation, chez cet oiseau, dans la construction du nid. Le tyran huppé n'est pas éclectique, il prend ce qu'il a sous la patte : feuilles, brindilles, écorce, racines, tous les débris végétaux qu'offre le sous-bois. L'habitude qu'il a d'y introduire une mue de serpent viserait à décourager les prédateurs. C'est peut-être pour la même raison qu'on trouve de plus en plus souvent, dans son nid, des matières étrangères à tous ses atavismes : du cellophane, du plastique, du papier ciré. Bref, que ce soit par astuce ou par des moyens dissuasifs plus directs, voilà un tyran qui fait tout ce que font les tyrans : il affirme ses droits sans se poser d'autres questions.

Description. Longueur 20-22,5 cm (8-9 po). Dessus brun olive ou gris ; ailes et queue lavées de roux ; abdomen jaune ; mandibule inférieure pâle ; cri : un *ouîc* sonore. Tyran de Wied : bec entièrement noir ; cri : un *ouit* aigu.
Habitat. Boisés de décidus. Tyran de Wied : aussi déserts de cactus.

Nidification. Nid de brindilles, d'herbes, avec souvent une mue de serpent, logé dans la cavité d'un arbre à 1,5-21 m (5-70 pi) du sol et à 1,5-9 m (5-30 pi) pour le tyran de Wied; 3-8 œufs chamois tachés de brun et de pourpre ; 13-15 jours d'incubation. Envol à 15 jours.
Nourriture. Insectes ailés, baies.

Moucherolle des saules *Empidonax traillii*
Moucherolle des aulnes *Empidonax alnorum*

Moucherolle des saules

Moucherolle des saules

Moucherolle des aulnes

Dans un fourré d'aulnes, en bordure d'un cours d'eau, un moucherolle vert olive lance un défi musical au monde qui l'entoure : *fîî-bî-o, fîî-bî-a*. Non loin, dans un pâturage retombé en friche, un moucherolle, qu'on pourrait prendre pour le jumeau du moucherolle des aulnes, lui répond avec un cri légèrement différent : *fits-bîou, fits-bîou*. Ces différences subtiles dans le cri et l'habitat suffisent à faire du moucherolle des saules et du moucherolle des aulnes deux espèces distinctes qui ne se font jamais concurrence.

John James Audubon fut le premier à décrire le moucherolle des saules et lui donna le nom de Thomas Traill, fondateur de l'Institut royal de Liverpool. Audubon rencontra sans doute aussi au Canada le moucherolle des aulnes, mais il ne releva aucun signe distinctif pour différencier le second du premier. À sa suite et jusqu'en 1972, on continua à les prendre pour deux formes d'une même espèce.

Or, ce sont des oiseaux bien distincts. Le moucherolle des aulnes a une aire de dispersion plus septentrionale que le moucherolle des saules ; son plumage est plus vert, son bec plus court, et il a un cercle plus marqué autour de l'œil. De près, il est possible de distinguer entre les deux oiseaux en faisant des calculs compliqués, impliquant notamment le plumage. Mais la meilleure façon de les identifier est encore celle que nous proposent les oiseaux eux-mêmes. Il faut les écouter chanter et noter où on les entend.

Description. Longueur 12,5-15 cm (5-6 po). Dessus vert olive ; deux bandes alaires pâles ; cercle peu distinct autour des yeux ; dessous blanchâtre. Cri distinctif : *fits-bîou*. Moucherolle des aulnes : *fîî-bî-o*.
Habitat. Marais de saules et d'aulnes ; le moucherolle des aulnes niche moins au sec.

Nidification. Nid d'herbes et d'écorce à 0,30-2 m (1-6 pi) du sol. Moucherolle des aulnes : nid de duvet végétal à 1,5-6 m (5-20 pi) du sol ; 2-4 œufs blanchâtres, chamois ou roses, maculés de marron ; 12-15 jours d'incubation. Les oisillons restent 14 jours au nid.
Nourriture. Insectes ailés, baies.

Moucherolle de Hammond

Moucherolle de Hammond *Empidonax hammondii*
Moucherolle sombre *Empidonax oberholseri*

Perché sur la plus haute branche d'une épinette, très au nord dans les Rocheuses, un moucherolle de Hammond scrute l'horizon. Ailes et queue vibrantes, pieds ancrés sur son perchoir, il frémit comme la corde tendue d'un arc. Soudain, il s'élance. Son bec s'ouvre et se referme avec un claquement sec, parfaitement audible : il vient de croquer une fourmi ailée. Comme un ressort qui se détend en sens inverse, l'oiseau regagne son perchoir et l'attente fébrile reprend.

Le moucherolle de Hammond est un oiseau d'altitude. C'est à la cime des grands conifères de l'Ouest qu'on peut le voir voleter de branche en branche. Au sud de son aire de nidification, on peut l'apercevoir à 3 000 m. Cela le distingue du moucherolle sombre, un proche cousin, qui folâtre plus près du sol et fréquente les boisés clairs et secs. Moins nerveux, celui-ci maîtrise la vibration de ses ailes pendant de courts moments, mais une brève torsion de la queue trahit l'intensité de son attente. Les deux oiseaux, néanmoins, se ressemblent beaucoup. Leur chant est similaire et ils partagent souvent le même genre d'habitat.

Le moucherolle de Hammond est très attaché à son aire de nidification. Il est, avec les roitelets, l'un des premiers oiseaux à voyager pour s'y rendre au printemps, et il en repart à l'automne plus tard que tous les autres moucherolles, dangereusement tard pour un oiseau qui se nourrit d'insectes.

Moucherolle de Hammond

Moucherolle sombre

Description. Longueur 12,5-14 cm (5-5½ po). Dessus olive terne ; deux bandes alaires pâles ; cercle clair autour des yeux ; dessous blanchâtre. Cri distinctif : un *pîc* aigu. Moucherolle sombre : un *ouît* doux.
Habitat. Forêts adultes en montagne. Moucherolle sombre : broussailles à découvert.

Nidification. Nid d'écorce, de fibres et de radicelles, à 1,8-18 m (6-60 pi) du sol. Moucherolle sombre : nid d'herbes et de tiges, à 1-2 m (4-7 pi) du sol ; pond 3-4 œufs blanchâtres ou jaunâtres, non tachés ; 12-15 jours d'incubation. Les oisillons restent 18 jours au nid.
Nourriture. Insectes ailés.

Moucherolle
côtier
(Moucherolle du Pacifique)

Moucherolle côtier   *Empidonax difficilis*
Moucherolle des ravins   *Empidonax occidentalis*

Moucherolle côtier

Moucherolle des ravins

Ces moucherolles robustes nichent partout, même en dessous des ponts.

Sous la voûte des grands arbres, l'aube point à l'horizon. Mais rien n'a encore bougé que s'élève déjà une voix. Elle se détache peu à peu du glouglou du ruisseau et lance un murmure monotone : *psiît-ptîsc-sît, psiît-ptîsc-sît !* Sitôt le soleil levé, l'oiseau change de ramage : *pâouî !* Il répète avec insistance : *pâouî !* Il y a fort à parier qu'on l'apercevra, perché sur une branche à l'orée de la forêt et qu'il attirera l'attention sur lui toute la journée. Car le moucherolle côtier chante du matin jusqu'au soir. Rien ne peut l'interrompre si ce n'est, fugacement, l'insecte ailé qu'il croque au passage, ou le rival inconscient qui viole son territoire.

Jusqu'en 1989, les moucherolles côtiers — autrefois nommés moucherolles du Pacifique — et les moucherolles des ravins ne formaient qu'une seule espèce.

Ils ont en commun un seuil très bas de tolérance à l'égard des intrus qu'ils chassent, quelle que soit leur taille. La femelle est aussi combative que le mâle quand elle sent que ses petits sont en danger. Dès que l'ennemi s'est éloigné et que le calme est revenu, la femelle retourne à son nid. Il est normalement perché à l'extrémité d'une branche fourchue ou parmi les racines d'un arbre abattu. Un trou abandonné de pic, une crevasse dans la falaise, la berge d'un cours d'eau, un bâtiment abandonné font aussi office de logis. Le mâle reprend son chant là où il l'avait arrêté pour croquer un insecte ailé ou éloigner un autre mâle bravache qui voulait s'approcher.

Description. Longueur 14-15 cm (5½-6 po). Dessus vert olive ; deux bandes alaires claires ; contour de l'œil très marqué ; dessous jaunâtre. Cri distinctif : *paouîîî*. Moucherolle des ravins : *ouî-îîîî*.
Habitat. Boisés et forêts.
Nidification. Nid de mousse fraîche, de tiges et d'herbes, logé dans une crevasse sur une berge, entre les racines d'un arbre abattu ou jusqu'à 9 m (30 pi) du sol sur une branche ou dans un trou de pic ; 3-5 œufs blanchâtres ou crème, tachetés de brun ou de lavande ; 14 jours d'incubation. Les oisillons restent 14-17 jours au nid.
Nourriture. Insectes ailés ; baies, graines.

Moucherolle vert

Moucherolle vert *Empidonax virescens*
Moucherolle tchébec *Empidonax minimus*

À mesure qu'il accroît ses connaissances, un ornithophile fait face à de nouveaux défis. Il faut beaucoup de patience pour distinguer un bruant d'un autre ; il en faut encore plus, à l'automne, pour identifier les parulines ou les petits chevaliers. Mais rien de cela ne se mesure à la persévérance qu'exige l'identification des moucherolles du genre *Empidonax*. Petits, énigmatiques, toujours verdâtres, ils peuvent pousser l'observateur le plus patient au bord de l'exaspération. On peut dès lors imaginer le casse-tête auquel durent s'attaquer les premiers ornithologues, avec tout à faire en ce domaine. La classification du moucherolle vert en est un exemple.

Son histoire commença en Acadie, avec la capture d'un unique petit moucherolle à double bande alaire et cercle oculaire. En latin, on le dénomma *Empidonax acadicus*, c'est-à-dire moucherolle acadien. Pendant des années, personne ne remarqua ce qui le distinguait de certains de ses congénères. Avec le temps, l'ornithologie fit des progrès et on apprit à identifier les oiseaux non pas d'après leur apparence physique, mais à partir de leur chant, de leurs habitudes de nidification et des habitats qu'ils fréquentent. Ce fut un moucherolle méridional, dont l'aire de distribution ne dépasse pas au nord l'État du Connecticut, qui hérita, en anglais, du nom de « Acadian flycatcher », moucherolle acadien. Peut-être a-t-on pensé que ces moucherolles avaient été déportés, comme tant d'Acadiens, dans le sud-est des États-Unis. Bref, le nom lui est resté, mais en anglais seulement.

Moucherolle vert

Moucherolle tchébec

Description. Longueur 14-16,5 cm (5½-6½ po). Dessus olive ; deux bandes alaires pâles ; cercle oculaire bien marqué ; dessous blanchâtre. Cri distinctif : *câ-zîîp*. Moucherolle tchébec : dessous jaunâtre ; cri distinctif : *tchébec*.
Habitat. Forêts de feuillus. Moucherolle tchébec : bosquets et vergers en plus.

Nidification. Nid de tiges et de brindilles, à 2,5-7,5 m (8-25 pi) du sol. Moucherolle tchébec : nid profond en fibres végétales, à 0,60-18 m (2-60 pi) du sol ; pond 3-6 œufs, maculés de brun (m. vert) ou blanc (m. tchébec) ; 14 jours d'incubation. Envol des oisillons à 2 semaines.
Nourriture. Insectes ailés ; baies.

Geai du Canada
(Geai gris)

Perisoreus canadensis

Le geai du Canada avait coutume de s'appeler le geai gris. C'est un oiseau de taille moyenne, bien équipé pour survivre au rude climat du Grand Nord où il est très connu des populations locales. Ses mœurs hardies lui ont valu une foule de surnoms généralement peu flatteurs : oiseau-voleur, oiseau à orignal, pie, etc. Cette supermésange au plumage bouffant irrite et amuse tout à la fois. Si la famille entière excelle dans le chapardage, le geai du Canada en est le prototype. Les campeurs apprennent à leurs dépens à ne pas laisser leur repas sans surveillance ; l'oiseau n'hésite pas à voleter au-dessus d'une assiette ou d'une poêle à frire pour y chiper un morceau au moment propice. Les chasseurs savent qu'un coup de feu l'attire, car il est friand de chair d'orignal ou de daim. Selon des témoignages d'Amérindiens, il ne dédaignerait ni leurs mocassins, ni leur bonnet de fourrure.

Derrière un comportement aussi hardi, il y a, bien sûr, une raison : durant l'été, l'oiseau engraisse et fait des provisions en prévision de l'hiver rude qui s'en vient. Il n'aura plus alors pour toute pitance que des aiguilles de pin ou du lichen. Or, l'espèce se reproduit en fin de février ou au début de mars. La neige, le froid mordant l'empêcheront de s'éloigner des œufs qu'il doit réchauffer et couver ; il faudra donc que dans son garde-manger, à proximité du nid, il puisse trouver quelques réserves de lard ou de pommes de terre rissolées, en même temps que des baies et des noix.

Dans les camps, le geai du Canada s'invite sans façon à la table des bûcherons.

Description. Longueur 25-33 cm (10-13 po). Ailes, queue et dos gris ; gorge, joues et vertex blancs ; calotte et ligne autour des yeux noires ; dessous blanc. Juvénile : brun gris ; « moustaches » blanc terne. Peu farouche ; voyage en petits groupes.
Habitat. Conifères aux limites de la forêt.

Nidification. Nid de brindilles, d'écorce, de fibres végétales et de mousse, fixé à 1-9 m (4-30 pi) du sol dans un arbre ; 2-5 œufs gris pâle, vert pâle ou blancs, tachetés de brun et de gris ; 16-18 jours d'incubation assurée par la femelle. Les oisillons restent 15 jours au nid.
Nourriture. Insectes, fruits, souris et œufs.

Geai à gorge blanche

Geai à gorge blanche *Aphelocoma coerulescens*
Geai du Mexique *Aphelocoma ultramarina*

Deux ornithologues qui étudiaient les geais à gorge blanche du centre de la Floride eurent la surprise de constater que plusieurs nids étaient entretenus non seulement par le couple qui l'occupait, mais par un ou deux autres geais. Certaines années, ils en comptèrent jusqu'à cinq ou six. Ces acolytes, généralement des oiseaux de l'année précédente issus du même couple, nourrissent les petits et écartent les prédateurs. Le noviciat dure un ou deux ans, mais quelques mâles le prolongent jusqu'à trois et même cinq ou six ans.

On peut se demander pourquoi ces oiseaux, sexuellement adultes à un an, retardent le moment de s'accoupler. On croit que c'est à cause de leur grand nombre. Les geais à gorge blanche de Floride habitent toute l'année des terres sablonneuses peuplées de chênes rabougris et de choux palmistes. Or, ils vivent vieux et le territoire est surpeuplé. Tout en apprenant le métier auprès de leurs parents, les jeunes guettent le premier nid vide sur lequel ils pourront mettre la patte.

Les geais à gorge blanche établis dans l'Ouest, pourtant beaucoup plus nombreux que ceux du centre de la Floride, se passent néanmoins d'acolyte. Par contre, une espèce parente, celle des geais du Mexique, pousse l'entraide encore plus loin que les geais à gorge blanche de Floride. Elle vit en clans permanents constitués entre proches parents. Un clan de 10 ou 15 sujets, par exemple, établit deux nids et tous les membres de la collectivité s'en occupent.

Geai à gorge blanche

Geai du Mexique

Description. Longueur 28-33 cm (11-13 po). Dessus bleu ; dos gris ; gorge et haut de la poitrine blanchâtres ; collier bleu ; abdomen blanc cassé. Voyage en petit groupe. Geai du Mexique : semblable mais plus terne ; tache sombre sur les joues ; pas de collier bleu.
Habitat. Boisés clairs ; lieux broussailleux.

Nidification. Nid volumineux de brindilles, fixé à 0,60-3,5 m (2-12 pi) du sol dans les broussailles ou un petit arbre ; 2-7 œufs marqués de rouge et de brun (gris-vert uni chez le geai du Mexique) ; 16-19 jours d'incubation assurée par la femelle. Les oisillons restent 18 jours au nid.
Nourriture. Noix, graines, fruits, insectes.

Geai bleu

Cyanocitta cristata

Peu timide, le geai bleu
se met à table sans manières
et en chasse les autres.

Un cri strident, peu mélodieux, fait voler le silence en éclat : *djé-djé-djé.* En entendant cette voix rauque et claironnante, les autres oiseaux prennent la fuite, car le geai bleu s'apprête à faire un rude atterrissage sur la nourriture convoitée, exigeant que le festin soit pour lui seul. C'est ainsi qu'en dépit de sa grande beauté et de son port altier, il a la réputation d'être un oiseau bruyant et effronté, un mauvais drôle qui se sent partout chez lui dans les campagnes et les banlieues de l'est du continent.

Qui plus est, non content de s'adapter aux gens, le geai bleu entend les mettre au pas. Si vous avez pris l'habitude de lui laisser tous les soirs, avant de vous coucher, une tranche de pain pour qu'il la cueille à l'aube, ne vous avisez pas de l'oublier : le geai fera un tel vacarme que, exaspéré, vous finirez par vous lever pour lui donner satisfaction.

Le geai bleu est omnivore ; il aime bien les graines et les noix, mais ne dédaigne pas non plus les souris, les œufs ou les oisillons. C'est aussi un époux modèle. On le verra donner gentiment un grain de maïs à sa compagne pendant qu'elle couve. Il lui fera entendre des jacassements, des sifflements et imitera pour la divertir les cris d'autres espèces d'oiseaux.

Bien que silencieux aux abords de son nid, le geai bleu recherche toute l'année la compagnie des humains. C'est l'oiseau qu'a adopté l'Île-du-Prince-Édouard comme symbole.

Description. Longueur 28-31,5 cm (11-12½ po). Ailes, queue, huppe et dos bleu vif ; ailes marquées de points blancs et rayées de noir ; queue ourlée de blanc ; face et dessous blanc-gris ; collier noir. Bruyant ; voyage en petites bandes. **Habitat.** Forêts conifériennes, feuillues ou mixtes, jardins, parcs.

Nidification. Gros nid de mousse, de brindilles et de feuilles, à 1,5-15 m (5-50 pi) du sol dans une fourche de branche ; 3-6 œufs olive, bleu pâle ou chamois, tachetés de brun et de gris ; 16-18 jours d'incubation assurée surtout par la femelle. Les oisillons s'envolent à 17-21 jours. **Nourriture.** Noix, graines, fruits, insectes.

Geai de Steller

Cyanocitta stelleri

D ans les hauteurs des montagnes de l'Ouest, parmi les forêts de conifères, le geai de Steller mène une vie qui ressemble beaucoup à celle de son cousin de l'Est, le geai bleu. Emblème de la Colombie-Britannique, ce geai haut en couleur, le plus gros en Amérique du Nord, est sans doute aussi le plus bruyant. Son cri le plus habituel est un *chac-chac-chac-ouêc-ouêc* rauque et strident. Il le lance avec une énergie inépuisable, tout en dressant une haute huppe sombre qui s'agite au moindre mouvement de son propriétaire — ce qui veut dire tout le temps. Comme tous les geais, il est aussi capable d'imiter le cri de certaines espèces d'oiseaux, surtout ceux des oiseaux de proie.

Il garde néanmoins pour les grandes solitudes un chant mélodieux, semblable à celui des parulines, qu'il est rarement donné d'entendre. Durant la nidification, il devient silencieux et fuyant et ne retrouve sa personnalité que lorsque les petits ont quitté le nid ; la famille entière se met alors à fouiller le sol avec énergie. Si le geai de Steller consomme une grande quantité d'insectes, il a une prédilection marquée pour les glands et les pignons. Sa gourmandise lui vaut l'inimitié des hommes et des oiseaux, car il dévalise les vergers, les champs de céréales et les nids des autres oiseaux chanteurs.

Ombrageux en forêt, le geai de Steller devient audacieux parmi les campeurs.

Description. Longueur 30-34,5 cm (12-13½ po). Oiseau noir à huppe. Ailes, queue et abdomen bleu foncé ; tête, huppe, poitrine et dos noirâtres. Cri : un puissant *chac-chac-chac*.
Habitat. Forêts conifériennes.
Nidification. Nid robuste de brindilles et de petites branches liées avec de la boue, fixé à 2,5-5 m (8-16 pi) du sol, occasionnellement à 30 m (100 pi), dans un conifère ; 3-5 œufs bleus ou bleu-vert, un peu maculés de brun ; 16 jours d'incubation assurée par la femelle. Durée du séjour des oisillons au nid inconnue.
Nourriture. Noix, graines, fruits, insectes.

Mésange
à tête noire

Mésange à tête noire *Parus atricapillus*
Mésange minime *Parus carolinensis*

Mésange à tête noire

Mésange minime

Quand les petits ont quitté le nid, les mésanges à tête noire se groupent en vols de 8 à 12 oiseaux qui se perchent et cherchent des graines ensemble jusqu'au printemps suivant. C'est que la nourriture est rare en hiver ; à plusieurs, on a plus de chances d'en trouver. Lorsque des mésanges volettent dans les champs et les boisés à la recherche d'œufs et de larves d'insectes, elles ne se perdent jamais de vue. Dès que l'une trouve quelque chose à picorer, ses compagnes se précipitent à l'endroit de la découverte pour y élargir le rayon des recherches. C'est ainsi qu'une bonne nouvelle se diffuse à travers tout le groupe et profite à la collectivité.

À plusieurs, il est plus facile aussi de prévenir le danger. La première mésange à percevoir une menace lance un cri d'avertissement ; les autres s'immobilisent et répondent par des petits cris étouffés. Dérouté par ces sons qui fusent de partout à la fois, le prédateur ne sait plus de quel côté se diriger. Quand il a disparu, une autre note invite la compagnie à reprendre le travail.

Les ornithophiles examinent avec soin les vols de mésanges car il s'y cache souvent des sittelles, des roitelets, des parulines et des grimpereaux. Sans nécessairement prendre part au réseau de communications des mésanges, ils bénéficient néanmoins de leur système de protection contre les prédateurs.

La mésange à tête noire a été choisie pour symboliser le Nouveau-Brunswick.

Description. Longueur 11,5-14 cm (4¾-5½ po). Dessus gris ; gorge et capuchon noirs ; joues blanches ; flancs chamois. Plumes ourlées de blanc sur les ailes, mais non chez la mésange minime. Vole en couples ou en petits groupes. **Habitat.** Forêts de conifères, de feuillus ou mixtes ; parcs et jardins.

Nidification. Nid de fibres végétales, de mousse et de plumes, logé dans une cavité d'arbre ou un nichoir, à 0,30-3 m (1-10 pi) du sol ; 5-10 œufs blancs maculés de brun ; 11-13 jours d'incubation. Les oisillons s'envolent à 14-18 jours. **Nourriture.** Insectes, graines, baies.

Mésange de Gambel

Parus gambeli

Les écologistes s'opposent à ce qu'on débarrasse la forêt de ses arbres morts, que ce soit pour en faire du bois de chauffage ou pour des raisons esthétiques, car c'est justement dans ce bois mort que plusieurs espèces d'oiseaux font leur nid. Or, la concurrence des moineaux et des étourneaux sansonnets leur rend déjà la vie difficile à cet égard.

Parmi ces oiseaux, il y a ceux qui creusent eux-mêmes la cavité dans laquelle ils logent, comme les pics, et ceux qui utilisent des cavités existantes dans les arbres, les falaises, les bâtiments, comme les merles-bleus ou les hirondelles. Mais les aléas de la nidification ne s'arrêtent pas avec le choix du site. Cette cavité, il faut la défendre, comme l'a observé un ornithophile par un beau matin de juin.

Deux mésanges de Gambel retournaient vers leur nid, installé dans la partie supérieure d'un tremble, avec de la nourriture pour leurs petits. Ils le trouvèrent occupé par un couple d'hirondelles à face blanche. Le combat s'engagea. Pendant plus d'une heure, les couples s'affrontèrent, toutes griffes sorties. Une partie de la lutte se déroula même au sol où les petits corps se culbutaient rudement. Au début, les hirondelles eurent le dessus : elles tordirent l'aile d'une mésange et secouèrent la patte de l'autre pour les empêcher de pénétrer dans le nid. Mais ce furent les mésanges qui, finalement, l'emportèrent. Penaudes, les hirondelles durent se mettre en frais de trouver un autre logis.

Une ligne blanche en sourcil distingue les mésanges de Gambel de celles à tête noire.

Description. Longueur 12,5-14 cm (5-5½ po). Dessus gris ; gorge et capuchon noirs ; rayure superciliaire et joues blanches ; flancs gris. S'observe souvent en couples ou en petites bandes.
Habitat. Forêts conifériennes en montagne.
Nidification. Nid fait de fibres végétales, de mousse, de plumes et de fourrure de petits mammifères, logé au fond d'une cavité dans un arbre ou dans un nichoir, à 1,8-5 m (6-16 pi), parfois jusqu'à à 24 m (80 pi) du sol ; 5-10 œufs blancs tachetés de brun ; 14 jours d'incubation. Les oisillons restent 20 jours au nid.
Nourriture. Insectes, graines, baies.

Mésange à tête brune

Parus hudsonicus

Une mésange à tête brune picore des graines dans la main d'un ami bipède.

Quand l'été se meurt dans le Grand Nord et que des myriades de parulines et d'oiseaux migrateurs de toutes sortes cinglent vers le sud, les fidèles habitants des forêts boréales d'épinettes et de sapins se retrouvent seuls à occuper les lieux. La mésange à tête brune fait partie de ces vaillants petits oiseaux. Ses teintes, plus douces que celles des autres mésanges, reflètent bien sa personnalité effacée. Elle ressemble à la mésange à dos marron de l'Ouest mais elle n'en a pas le dos brun rougeâtre. Et son cri, *sicâdé-dé*, est moins claironnant, moins impérieux que le *qui-est-tu-tu-tu* de la mésange à tête noire.

La mésange à tête brune occupe la plus grande partie du Canada et de l'Alaska où vit également, parmi les épinettes rabougries et les saules, une autre espèce de mésange à tête plus grise, à queue plus longue et à joues plus blanches, la mésange lapone, autrefois nommée mésange à plastron.

Il y a longtemps eu beaucoup de confusion dans les noms d'oiseaux. Un vaste mouvement de rectification taxonomique s'est amorcé, il y a quelques années, et les ornithophiles ont dû apprendre à ne plus dire fauvette mais paruline, pinson mais bruant, mainate mais quiscale. Certains gros-becs sont restés des gros-becs, tandis que d'autres sont devenus des durbecs ou des cardinaux. Mais les habitudes sont tenaces et les mots ont un pouvoir d'évocation qui se modifie lentement. Il faudra apprivoiser les nouveaux noms pendant un certain temps avant qu'une fauvette soit pleinement une paruline.

Description. Longueur 12,5-14 cm (5-5½ po). Dessus brunâtre ; calotte brune ; gorge noire ; flancs roux ; tache blanche sur la joue ; tache grise sur l'oreille. Se groupe en petites bandes.
Habitat. Forêts conifériennes.
Nidification. Nid de mousse, de lichen, d'écorce et de duvet végétal, logé dans une cavité naturelle ou creusée par le couple dans un arbre, à 0,30-3 m (1-10 pi) du sol ; 4-9 œufs blancs mouchetés de brun ; 11-16 jours d'incubation assurée par la femelle. Les oisillons restent 18 jours au nid.
Nourriture. Graines, insectes.

Mésange à dos marron

Parus rufescens

Les mésanges à dos marron, les plus colorés des membres de leur genre, vivent dans les forêts conifériennes, à la lisière occidentale du continent. Ce sont des oiseaux vifs et enjoués qui se déplacent par vols d'une demi-douzaine de sujets ou par bandes mixtes parmi lesquelles se trouvent des roitelets, des sittelles, des grimpereaux, des parulines, des juncos et d'autres espèces de mésanges. On peut comprendre facilement pourquoi des oiseaux de familles différentes se groupent pour voyager. Mais comment expliquer que des oiseaux insectivores se partagent les mêmes bois et les mêmes arbres ?

La réponse se trouve dans la différenciation des proies et des méthodes de chasse. Les uns fourragent au sol dans le tapis de débris végétaux à la recherche d'insectes qui, forcément, sont différents de ceux que les autres vont chercher dans les arbres. Et même dans l'arbre, le territoire diffère. Grimpereaux et sittelles explorent les troncs, les premiers de bas en haut, les seconds de haut en bas. D'autres espèces fréquentent les branches maîtresses de l'arbre ; d'autres encore se tiennent de préférence aux extrémités. La proie varie aussi selon la façon dont l'oiseau la débusque. Sittelles et grimpereaux ramonent les crevasses ; les mésanges écrèment les branches et les brindilles ; les roitelets passent le feuillage au peigne fin ou croquent les insectes ailés. Et voilà pourquoi tous ces oiseaux se côtoient paisiblement.

La mésange à dos marron est seule à fréquenter la côte du Pacifique.

Description. Longueur 11,5-12,5 cm (4½-5 po). Dos marron ; calotte brune ; gorge noire ; tache blanche de chaque côté de la tête ; flancs roux. Marche au sol en petits groupes.
Habitat. Forêts conifériennes, jardins, parcs.
Nidification. Nid de mousse, de poil, de fibres végétales et de duvet de plante, logé dans un arbre au fond d'une cavité naturelle ou creusée par le couple, à 0,30-6 m (1-20 pi), parfois jusqu'à 24 m (80 pi) du sol ; 5-9 œufs blancs maculés ou tachetés de roux. Durée de l'incubation et durée du séjour des oisillons au nid inconnues. Niche parfois en colonies éparses.
Nourriture. Insectes, graines, baies.

Mésange arlequin

Parus wollweberi

Les oiseaux se moquent des frontières. La mésange arlequin en est un bon exemple ; elle prolifère surtout dans les hautes terres de l'ouest du Mexique et jusqu'au Guatemala, fréquente volontiers l'Arizona et le Nouveau-Mexique, mais ce sont toujours les hautes altitudes qu'elle y recherche, entre 1 500 et 2 000 m.

Hostile aux intrus de tout genre, elle les semonce avec véhémence — sans jamais montrer le bout du bec car elle est craintive. Elle ne se laisse entrevoir que très tôt le matin, avant que le soleil féroce ne transforme son habitat en fournaise ardente. Devant une attaque, elle lance un *hou-hou-hou* lentement répété pour imiter le cri de son ennemi juré, la chouette naine. On assiste alors au ralliement des mésanges ; avec d'autres petits oiseaux, elles font front commun contre la chouette qui avance, en lui opposant un tintamarre effrayant.

Quand vient le temps de se nourrir, toutes les mésanges se transforment en acrobates. Cachées dans l'ombre d'un chêne ou d'un platane, elles s'installent facilement la tête en bas et se balancent de part et d'autre d'un bouton de fleur. Tantôt elles picorent feuilles et branches ; tantôt elles explorent le tronc des arbres dont elles épluchent même l'écorce à la recherche d'araignées ou d'œufs d'insectes.

Leur petit œil rond et noir comme une perle fine est toujours aux aguets. Ne vous faites pas d'illusion ; la mésange arlequin vous aura repéré avant que vous l'ayez vue. Et dans sa petite tête d'oiseau plus latine que nord-américaine, elle vous dit : « *¡ Cuidado, muchacho !* Je t'ai à l'œil ! »

D'un courage étonnant,
la mésange arlequin attaque
qui ose l'attaquer.

Description. Longueur 11,5-12,5 cm (4½-5 po). Petit et gris ; tête huppée ; masque facial blanc et noir ; gorge noire, huppe ourlée de noir ; dessous blanchâtre. Se tient en petits groupes.
Habitat. Boisés de chênes, de pins pignons ou de genévriers.
Nidification. Nid fait de duvet de cotonnier, de tiges, de feuilles et d'herbes, logé au fond d'une cavité naturelle dans un arbre ou dans un trou de pic, à 1-8,5 m (4-28 pi) du sol ; 5-9 œufs blancs maculés ou tachetés de marron. Durée de l'incubation et durée du séjour des oisillons au nid inconnues.
Nourriture. Insectes.

Mésange unicolore
(Mésange grise)

Parus inornatus

Le bec d'un oiseau est adapté par sa forme et sa taille à son mode d'alimentation. Or, les mésanges ont un bec court et robuste, fait pour picorer, fouiner et becqueter, mais non pour creuser des trous comme celui du pic.

Sur un flanc de montagne couvert de chaparral, au printemps, on peut voir une touffe de plumes grises sortir à reculons d'un trou dans un yucca. L'oiseau, comme d'autres membres de son groupe, utilise une cavité d'arbre pour y mettre son nid, ou le fixe derrière un morceau d'écorce. S'il ne peut trouver mieux, il se contente d'un trou dans un cactus.

Derrière les feuilles et dans les rugosités de l'écorce, il cueille des insectes — asticots bien gras, chenilles, chrysalides dodues — qu'il apporte à ses petits, bruyamment avides de protéines.

La venue d'un étranger, oiseau, coyote ou être humain, déclenche une tempête parmi les petits oiseaux dont le chœur des voix est dominé par le timbre grave de la mésange unicolore. Cette cacophonie ne manque pas d'attirer d'autres oiseaux qui viennent mêler leurs voix, souvent plus fortes ou plus aiguës, à cette chorale tonitruante. Même le corbeau est le bienvenu en pareille circonstance, alors qu'on le considère normalement comme un ennemi et un prédateur.

Chaque oiseau possède deux noms latins, parfois trois. Le deuxième nom de la mésange unicolore est *inornatus*, soit, littéralement, « non ornée » en français.

Les graines d'herbe à la puce sont un régal pour cette mésange qui en est gourmande.

Description. Longueur 12,5-14 cm (5-5½ po). Dessus gris sombre ; dessous gris clair ; aucun motif bien marqué ; huppe érigée. Solitaire.
Habitat. Boisés de chênes, de pins pignons et de genévriers, jardins, parcs.
Nidification. Nid : structure lâche de mousse, d'herbes, de tiges, de poils et de plumes, logé au fond d'un trou dans un arbre ou dans un nichoir, à 0,30-11 m (3-35 pi) du sol ; 3-9 œufs blancs à peine marqués de marron ; 14-16 jours d'incubation assurée par la femelle. Les oisillons restent 3 semaines au nid.
Nourriture. Insectes, graines, baies.

Mésange bicolore

(Mésange huppée)

Parus bicolor

Une graine de tournesol coincée dans l'écorce : une joie pour la mésange bicolore.

Elle est méfiante, au printemps, quand elle fait son nid, irritable en été, quand elle cherche de quoi nourrir ses petits, hardie bien qu'épuisée par la nidification à l'automne, mais toujours mutine et vive en hiver, lorsqu'elle fréquente les mangeoires des jardins.

Comme toutes les autres espèces de mésanges qui vivent en Amérique du Nord, la mésange bicolore est un oiseau plutôt peureux, mais généralement bien disposé à l'égard des êtres humains dès lors que ses petits ont pris la clé des champs. Au printemps, elle explore les forêts profondes et humides où elle trouve des insectes en abondance et de bons trous dans de vieux arbres, de préférence des chênes, où faire son nid et y élever sa couvée.

En automne, elle se cherche un terrain plus élevé et se retrouve alors dans les forêts de feuillus rouge et or où elle ajoute à son menu des glands et des noix de galle sans pour autant rejeter les insectes et leurs œufs. C'est elle qui souvent mène des bandes d'oiseaux, rassemblant roitelets, viréos, parulines et mésanges de toutes sortes, vers les tables les mieux garnies de la forêt.

En hiver, quand un silence glacé tombe sur la nature figée et que les baignoires d'oiseaux se transforment en patinoires, elle est toujours là à se nourrir de glands et de faînes. C'est ce même petit oiseau intelligent et déluré qui vient égayer les mangeoires des jardins avec ses cris aigus et clairs qui résonnent sur la neige comme le son d'un marteau sur l'enclume.

Description. Longueur 15-16,5 cm (6-6½ po). Oiseau gris à huppe ; œil noir dans une face grise ; dessous blanchâtre ; flancs chamois ; front noir chez les formes de l'Est ; huppe noire chez les formes du Texas. Familier et bruyant.
Habitat. Forêts de feuillus, forêts de conifères ; jardins, parcs.

Nidification. Nid de mousse, de lambeaux d'écorce et de poils, dans une cavité d'arbre, un nichoir ou un autre trou, à 0,30-27 m (3-90 pi) du sol ; 5-8 œufs blancs maculés de brun ; 14 jours d'incubation assurée par la femelle. Les oisillons restent 18 jours au nid.
Nourriture. Insectes, fruits, graines.

Mésange verdin

Auriparus flaviceps

Une espèce prolifère d'autant mieux qu'elle s'adapte à un large éventail d'aliments et de sites de nidification. Par voie de conséquence, plus l'espèce est polyvalente, plus elle est nombreuse.

En revanche, il existe certaines espèces aux comportements très spécifiques parmi lesquelles se classe la mésange verdin. C'est dans l'immense étendue désertique qui occupe le sud-ouest des États-Unis que vit ce petit oiseau de mœurs fort curieuses. Elle faisait, jusqu'à tout récemment, partie de la famille des paridés, mais on la classe maintenant parmi les rémiz. Elle serait une proche parente des rémiz pendulines du vieux continent, dont les nids, en forme de bourse, se balancent aux branches des arbres.

Toute petite qu'elle soit, la mésange verdin construit un nid aux proportions généreuses, de forme hémisphérique, qu'elle blottit dans les branches d'un prosopis. Elle y élève ses petits, et souvent s'y réfugie ensuite durant les froides nuits du désert, quand elle ne s'est pas bâti un autre nid plus petit à côté.

Durant une grande partie de l'année, cet oiseau gris cendré à la tête jaune met seul une tache de couleur dans la nudité du prosopis. On dit qu'il n'a pas besoin d'eau. À la vérité, il trouve ce qu'il lui faut dans ses aliments car on ne l'a jamais vu ni boire, ni se baigner.

Un nid hérissé d'épines : c'est celui de la mésange verdin, bien protégé des prédateurs.

Description. Longueur 10-11,5 cm (4-4½ po). Dessus gris ; dessous plus pâle ; tête jaune ; petite épaulette marron. Juvénile : gris terne. Se promène seul dans le sous-bois.
Habitat. Boisés près de cours d'eau, déserts de broussailles, fourrés de prosopis.
Nidification. Nid hémisphérique avec entrée latérale, fait de brindilles épineuses, fixé à une branche ou à un cactus épais, à 0,60-6 m (2-20 pi) du sol ; 3-6 œufs bleu pâle ou vert pâle, maculés de marron ; 10 jours d'incubation. Les oisillons restent 21 jours au nid. Parfois deux couvées par année.
Nourriture. Insectes, baies.

Femelle

Mésange buissonnière

Psaltriparus minimus

Le nid de la mésange buissonnière se balance à une branche.

La plupart des oiseaux voyagent en vols homogènes ; les mésanges buissonnières sont de ceux-là, mais elles font partie d'une véritable troupe de cirque. Pour ces acrobates intrépides, chaque arbre, chaque buisson est une scène. Plus cabotins les uns que les autres, c'est à qui chantera le plus fort et donnera le meilleur spectacle, car ces oiseaux sont passés maîtres dans l'art du trapèze et de la culbute.

Quand les mésanges buissonnières se posent toutes ensemble dans un mûrier, elles se dispersent selon un ordre qui semble orchestré d'avance. L'une se balance sur une feuille ; une autre se suspend, tête en bas, à une brindille ; une troisième volette en cercle au-dessus d'un fruit. Toutes semblent attendre les applaudissements. On entend de jolis gazouillis, une conversation guillerette qui n'arrête jamais. Un bruit curieux les attire, car elles ne craignent pas la présence humaine. Mais si c'est l'ennemi qui approche, elles entonnent en chœur un chant fait de tintements sonores qui servent à le désorienter.

Dès que les petits sont autonomes, les adultes se joignent aux autres familles de la région. Il n'est pas rare de les apercevoir à 30 ou 40 passer d'un arbre à un autre avec un synchronisme parfait. D'autres oiseaux ont les mêmes habitudes, mais au sein des groupes de mésanges buissonnières la paix règne toujours. Jamais de conflit, jamais de querelle, jamais de dissension autour de la feuille couverte de petits pucerons ou du perchoir d'où l'on peut, en se balançant, atteindre des graines. La mésange buissonnière prend la vie du bon côté ; elle a toujours l'air de faire l'école buissonnière.

Description. Longueur 9,5-11,5 cm (3¾-4½ po). Petite taille ; bec court ; longue queue ; gris. Certaines formes à calotte brune. Femelle : yeux jaunes. Mâle : yeux noirs. Formes près du Mexique : capuchon noir. Picore en groupes.
Habitat. Chênaies, fourrés broussailleux.
Nidification. Nid en forme de gourde avec son entrée près du sommet, fait de brindilles, de mousse, de radicelles et de feuilles, suspendu à une branche, à 1,8-7,5 m (6-25 pi) du sol ; 5-13 œufs blancs ; 12 jours d'incubation assurée par le couple. Les oisillons restent 14 jours au nid.
Nourriture. Insectes, araignées ; quelques baies.

Sittelle à poitrine blanche

Sitta carolinensis

Tête dressée sur une branche, tête en bas sous une autre, la sittelle à poitrine blanche se déplace avec des mouvements tellement saccadés qu'elle fait penser aux automates à ressort. Mais lorsqu'elle lance son petit cri nasillard, *ianc-ianc-ianc*, en dégringolant le tronc tête la première, on la prendrait pour une petite souris qui fuit le méchant chat. Attraction terrestre ? Connaît pas. Elle fouille par-ci, picore par-là, agitée, sautillante, sûre d'elle. La seule attraction qu'elle connaisse, c'est celle qu'exercent sur elle l'insecte ou le fruit dont elle peut se nourrir.

Ces petits oiseaux dodus ont des pattes à trois doigts devant et un doigt derrière, qui les aident à maintenir leur équilibre dans toutes les positions. Les griffes, recourbées vers le bas et comprimées latéralement, s'accrochent aisément à la moindre aspérité de l'écorce et permettent à la sittelle de marcher sur le tronc comme si elle était en apesanteur.

Les sittelles et les pics cherchent tous deux leur nourriture en explorant les crevasses et les fentes des troncs d'arbre. Mais chacun a son propre style et le partage du butin se fait sans heurt. Le pic, bien appuyé sur sa queue, sautille *vers le haut*, tandis que la sittelle, toutes griffes dehors, se déplace *vers le bas*. Ensemble, ils font du bon travail. Le pic voit ce qui a échappé à la sittelle ; la sittelle s'empare de ce que le pic n'a pas vu ; et s'il le faut, elle complète son menu avec des noix, des glands et diverses graines.

Cette sittelle à poitrine blanche ne craint pas l'amie qui la nourrit si gentiment.

Description. Longueur 12,5-15 cm (5-6 po). Petit oiseau dodu à long bec et courte queue ; dessus gris-bleu ; vertex noir ; face et dessous blancs ; flancs roux. Picore sur le tronc des arbres, tête en bas.
Habitat. Forêts de feuillus, banlieues, parcs.
Nidification. Nid massif, fait de lambeaux d'écorce, de poil et de plumes, installé au fond d'un trou, dans un arbre ou un nichoir, à 4,5-15 m (15-50 pi) du sol ; 5-10 œufs blancs maculés de brun, de rouge et de gris ; 12 jours d'incubation assurée par le couple. Les oisillons restent 14 jours au nid.
Nourriture. Noix, graines, insectes, fruits.

Sittelle à poitrine rousse

Sitta canadensis

La sittelle à poitrine rousse enduit de résine les abords de son nid.

Comme tous les membres de son genre, la sittelle à poitrine rousse fait son nid au fond d'une cavité : un trou abandonné par un pic ou un de ceux qui se forment naturellement dans le bois mort. Il lui faut six ou sept semaines pour ériger le nid, couver les œufs et élever les petits jusqu'à ce qu'ils aient acquis leur autonomie complète.

À partir du moment où ils se mettent à construire le nid jusqu'au jour où leurs oisillons volent de leurs propres ailes, ces oiseaux se livrent à une singulière activité. Ils cueillent des gouttes de résine sur les troncs des sapins baumiers, des épinettes ou des pins et en enduisent les abords du trou où ils nichent, en se servant de leur bec comme d'une spatule d'artiste pour l'étendre. Au moment où les petits quittent le nid, cette bande résineuse peut atteindre 0,5 cm d'épaisseur et 5 cm de largeur tout autour de l'entrée du nid.

On ne sait pas pourquoi la sittelle a adopté cette habitude ni à quoi elle lui sert — à moins que la résine n'ait pour fonction d'empêcher les fourmis de pénétrer dans le nid. Plusieurs ornithologues prétendent qu'il s'agit d'un atavisme et que ce comportement ne serait plus d'aucune utilité. Des sittelles apparentées à celles-ci ont également, à l'égard de leur nid, des habitudes curieuses. Par exemple, la sittelle à poitrine blanche truffe de touffes de poil les fentes et les crevasses de l'écorce autour de la cavité où elle niche. La petite sittelle le fait aussi. Allez savoir pourquoi !

Description. Longueur 11,5-14 cm (4½-5½ po). Oiseau petit, dodu, à queue courte ; dos gris-bleu ; vertex noir ; raie superciliaire blanche ; raie noire de part et d'autre de l'œil ; dessous roux. Descend les troncs d'arbre tête la première.
Habitat. Forêts conifériennes.
Nidification. Nid de lambeaux d'écorce, d'herbes et de fibres végétales, logé au fond d'un trou dans un arbre ou dans un nichoir, à 1,5-30 m (5-100 pi) du sol ; couche de résine autour de l'entrée ; 4-7 œufs blancs finement maculés de brun ; 12 jours d'incubation assurée par le couple. Les oisillons restent 18-21 jours au nid.
Nourriture. Graines de conifères, insectes.

Petite sittelle

Sitta pygmaea

Si les mésanges et les sittelles sont les gamines de nos bois, la petite sittelle est sans doute la plus espiègle de toutes. Bruyante, agitée, sautillante comme toutes ses congénères, elle semble tout faire avec exagération. En groupe, dans l'ouest du continent, les petites sittelles envahissent les hautes cimes des genévriers et des pins pignons. Avec un entrain irrésistible et dans un concert ininterrompu de gazouillis, elles sautent d'une branche à l'autre, la tête en bas, comme le font toutes les sittelles, picotant ici, picorant là, plus prestes et plus bohèmes, semble-t-il, que leurs cousines, les sittelles à poitrine blanche et à poitrine rousse.

Elles ont la queue plus courte que les autres sittelles et ne peuvent certainement pas s'en servir comme d'un levier à la façon des pics. Et pourtant, grâce à leurs pattes bien plantées et à leurs griffes recourbées, elles arrivent à maintenir un équilibre suffisant pour creuser les arbres d'impressionnante façon. À grands coups de bec, elles y ménagent la cavité où logera leur nid et elles écorcent les troncs pour en extirper les insectes dont elles se régalent.

Il y a de l'exagération même dans leurs mœurs nocturnes. Alors que les autres sittelles et les pics passent la nuit dans un trou en compagnie d'un ou deux autres oiseaux, la petite sittelle préfère franchement le logement communautaire. On en a déjà compté une centaine dans le même dortoir !

Bohème de jour, la petite sittelle préfère de nuit les dortoirs bien achalandés.

Description. Longueur 9,5-11,5 cm (3¾-4½ po). Tout petit oiseau dodu à queue courte ; dos gris-bleu ; dessous blanchâtre ; vertex brun terne ; raie noirâtre de part et d'autre de l'œil. Picore en groupe dans le feuillage, parfois sur les troncs. **Habitat.** Forêts conifériennes. **Nidification.** Nid fait de débris de cônes de pin, de duvet végétal, de feuilles et de plumes, logé au fond d'un trou, dans une souche morte, à 2,5-18 m (8-60 pi) du sol ; 4-9 œufs blancs mouchetés de marron ; 16 jours d'incubation assurée par la femelle. Les oisillons restent 22 jours au nid. **Nourriture.** Insectes, araignées, graines de pin.

Sittelle à tête brune

Sitta pusilla

La sittelle à tête brune se sert d'un outil pour percer l'écorce.

Comme elles n'ont pas un bec conçu pour creuser des trous dans l'écorce et le bois, ainsi que le fait le pic avec son bec en ciseau, les sittelles se contentent de ramoner les fentes et les crevasses des troncs avec leur bec long et pointu à bout retroussé. Elles entendent sûrement les larves d'insectes grignoter la chair tendre du cambium, mais elles sont incapables de briser l'écorce pour les rejoindre.

Incapables ? Pas toujours ! Là où le bec est inadéquat, pourquoi ne pas l'armer d'un outil ? Par exemple, un petit morceau d'écorce bien dur que la sittelle ira cueillir au sol ou qu'elle arrachera patiemment d'un tronc d'où il se détache déjà. Voilà le complément indispensable. Elle le fiche solidement dans son bec et, hop ! à l'ouvrage. En le maniant comme une hachette, la sittelle à tête brune entame l'écorce au-dessus de la larve. Puis, elle transforme sa hachette en pince-monseigneur et soulève une à une les particules qu'elle a dégagées ; enfin, apparaît la belle larve grasse tant convoitée. Ne pouvant à la fois se rassasier et tenir son outil, elle ouvre tout grand le bec et laisse tomber celui-ci. Bah ! Elle descendra le chercher plus tard ou s'en trouvera un autre pour le prochain repas.

On disait autrefois que l'homme était supérieur à l'animal parce qu'il pouvait décupler ses moyens en se servant d'un outil. Mais il lui a fallu déchanter. On sait maintenant que certains animaux sont capables de trouver et d'utiliser des outils primitifs. Et voilà en plus que notre gentille sittelle à tête brune fait partie de ce clan-là.

Description. Longueur 10-12,5 cm (4-5 po). Tout petit oiseau robuste à queue courte ; dos gris-bleu ; vertex brun ; souvent tache blanche sur la nuque ; ligne noire de part et d'autre de l'œil ; gorge blanchâtre ; poitrine chamois pâle ; flancs grisâtres. Picore seul ou à deux.
Habitat. Pinèdes.

Nidification. Nid de tiges, de lambeaux d'écorce, d'herbes et d'éclats de bois, au fond d'un trou dans un arbre, un poteau ou un nichoir, à 0,60-15 m (2-50 pi) du sol ; 3-9 œufs blancs maculés et tachetés de brun ; 14 jours d'incubation assurée par le couple. Envol à 18 jours.
Nourriture. Insectes, araignées, graines de pin.

Grimpereau brun

Certhia americana

E n dépit de son épais manteau de plumes brunes marquées de rayures blanches ou crème, le grimpereau fait davantage penser à une souris qu'à un oiseau quand on le voit grimper sur le tronc des arbres. Il replie si étroitement ses petites pattes sous son corps que son duvet effleure l'écorce. Soutenu par une queue raide et effilée qui assure son équilibre, il avance par saccades et, de son bec mince et incurvé, fouille les moindres crevasses.

Le grimpereau commence son ascension au bas d'un grand arbre. Il rampe avec vivacité et avance par petits sauts en faisant constamment le tour du tronc. Parvenu presque au sommet, il se laisse choir en vol plané et atterrit au pied de l'arbre suivant. Il ne vole pas : à le voir descendre, on dirait une feuille morte qui tombe doucement.

C'est un oiseau qui passe facilement inaperçu. Pourtant, il niche partout au Canada et dans le nord des États-Unis. Des ornithophiles ont un jour extrait un grimpereau, sain et sauf mais un peu ébranlé, de la gueule d'une chatte obéissante. Profitant de sa stupeur, ils ont pu l'identifier : c'était la première fois, et peut-être la dernière, qu'ils voyaient un grimpereau brun. On a parfois la bonne surprise d'en observer deux ou trois mélangés à une joyeuse troupe de mésanges et de roitelets et s'ébattant avec eux en toute quiétude.

Le nid du grimpereau brun ressemble à un hamac fixé sous un pan d'écorce.

Description. Longueur 12,5-14,5 cm (5-5¾ po). Oiseau petit et svelte ; bec fin et incurvé ; queue longue et raide ; dessus brun rayé ; dessous blanchâtre ; flancs lavés de chamois. Grimpe aux arbres en en faisant le tour, puis se laisse choir. Cri : un *sîîîp* très aigu.
Habitat. Forêts, boisés, parcs.

Nidification. Nid de mousse, de lambeaux d'écorce et de brindilles, derrière un pan d'écorce ou au fond d'une cavité, à 1,5-4,5 m (5-15 pi) du sol dans un arbre ; 4-8 œufs blancs maculés de brun ; 15 jours d'incubation assurée par la femelle. Les oisillons restent 14 jours au nid.
Nourriture. Insectes et araignées dans l'écorce.

Troglodyte de Caroline

Thryothorus ludovicianus

Un panier, une boîte à lettres, la poche d'un manteau : un nid que ce troglodyte juge idéal.

D'une voix si sonore qu'elle éclipse celle de tous les oiseaux du voisinage, le troglodyte de Caroline manifeste sa présence par monts et par vaux. Il chante en toute saison, à toute heure du jour, beau temps, mauvais temps. Dans les forêts, les fourrés, les marais, les défilés arides, il lance ses sifflements puissants et riches avec une prodigalité sans pareille. *Ti-tulut, ti-tulut, ti-tulut* : toujours la même cadence, toujours la même tonalité. Mais ne vous méprenez pas : il sait aussi se mettre en colère. Qu'un intrus se présente sur son territoire, et la femelle se joint à lui pour le semoncer avec des hochements de tête et de queue indignés que le prédateur interprète sans délai et sans équivoque.

Les troglodytes de Caroline ne sont pas migrateurs. Si ce sont des oiseaux naturellement méridionaux, ils ont pourtant, au fil des décennies, essaimé peu à peu vers le nord. Ils établissent fréquemment des populations dans le sud de l'Ontario et, plus rarement, dans le sud-est du Québec et le sud du Manitoba. N'étant pas migrateurs, ils n'ont pas l'instinct de chercher refuge au sud advenant un hiver rigoureux. Il est arrivé que tous les troglodytes de Caroline établis au nord du Maryland périssent au cours d'un seul hiver.

Mais cela n'a pas empêché d'autres troglodytes de s'aventurer encore une fois au-delà de leur territoire. Après quelques années d'absence, on a recommencé à entendre dans les bois et les jardins du Nord leurs joyeux *ti-tulut, ti-tulut, ti-tulut !*

Description. Longueur 13-15 cm (5¼-6 po). Dessus marron ; large rayure superciliaire blanche ; gorge blanche ; dessous teinté de chamois.
Habitat. Boisés, fourrés et broussailles près de l'eau, jardins plantés d'arbustes.
Nidification. Nid d'herbes, de tiges et d'écorce, logé au fond d'un trou à 0,30-3 m (1-10 pi) du sol dans un arbre ou un nichoir, souvent dans des objets creux faits par l'homme ; 4-8 œufs blancs ou rosés, maculés de brun ; 14 jours d'incubation assurée par la femelle. Les oisillons restent 14 jours au nid. Deux ou trois couvées par saison.
Nourriture. Insectes variés ; fruits et graines.

Troglodyte de Bewick

Thryomanes bewickii

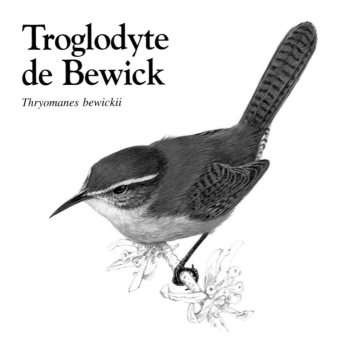

Nos oiseaux les plus communs seraient sur terre depuis plus longtemps que l'*Homo sapiens*, grâce notamment à une merveilleuse faculté d'adaptation qui leur a permis de survivre aux changements climatiques et alimentaires et à affronter avec succès les prédateurs. Mais ils arrivent difficilement à s'adapter à la perte subite de leur biotope : boisés devenus terres agricoles, champs transformés en banlieue, marais asséchés, vallées comblées.

Le troglodyte de Bewick aurait été victime des bouleversements effectués par l'homme dans l'est du continent où son nombre a beaucoup diminué. Il semble en meilleure situation dans l'Ouest où, de tous les troglodytes, il est le plus répandu. Au Canada, il niche et hiverne dans le sud-ouest de la Colombie-Britannique et l'extrême sud de l'Ontario. Son habitat préféré est un champ dépourvu d'arbres, mais couvert de plantes prostrées. Il niche dans les cavités qu'il trouve au pied des arbres ; il adopte aussi des crevasses dans les falaises, pourvu qu'elles soient près du sol ; faute de mieux, il fera son nid dans le siège éventré d'un tracteur abandonné.

Énergique et curieux, le troglodyte de Bewick réagit aussitôt qu'il entend un bruit singulier. Pour manifester son inquiétude et son irritation, il volette avec agitation de buisson en buisson en émettant un bourdonnement caractéristique. Son plus grand rival dans l'Ouest, le troglodyte familier, émigre vers le sud en hiver. Lui ne bouge pas. Il est donc sur place et connaît bien le terrain quand vient, au printemps, l'heure de faire son nid et d'élever une famille.

Familier et resquilleur, le troglodyte de Bewick aime bien vivre auprès de l'homme.

Description. Longueur 12,5-14 cm (5-5½ po). Oiseau svelte à longue queue ; dessus et vertex bruns ; face brune ; ligne superciliaire blanche ; dessous blanchâtre ; rectrices externes de la queue ourlées de blanc.
Habitat. Bois clairs, sous-bois broussailleux, fourrés, banlieues.

Nidification. Nid massif fait de mousse, de brindilles et de feuilles au fond d'une cavité naturelle ou de main d'homme ; 4-11 œufs blancs maculés de brun et de mauve ; 14 jours d'incubation assurée par la femelle. Les oisillons quittent le nid à 2 semaines. Deux couvées par saison.
Nourriture. Insectes et araignées.

Troglodyte familier

Troglodytes aedon

Un essaim de guêpes dans un nichoir peut signer l'arrêt de mort d'un troglodyte.

Pour beaucoup de gens, le printemps n'est pas arrivé tant que le troglodyte familier, revenu du Sud où il hiverne, n'a pas commencé à faire le ménage de son nichoir habituel et à enchanter le jardin de sa voix glouglouante au timbre aigu. Le troglodyte familier, s'il ne loge pas dans une maisonnette à oiseaux, adopte une cavité naturelle, préférablement dans un chêne, comme un trou de pic abandonné, mais il demeure toujours à proximité des lieux habités par les êtres humains.

Il ne faudrait pas se laisser induire en erreur par sa petite taille et ses manières domestiquées, non plus que par la modestie de son plumage brun-gris : le troglodyte familier est un oiseau fier, courageux et même, à l'occasion, méprisant pour ce qui est de la propriété d'autrui. Bien des pics l'apprennent à leurs dépens quand ils se font évincer par lui du trou qu'ils viennent tout juste de creuser. Heureusement pour lui, le pic est un oiseau avisé ; pour plus de confort, de commodité — et de sécurité —, il creuse plusieurs trous. Qui sait, peut-être le troglodyte familier est-il au courant de ce fait ?

Comme tous les troglodytes, il se nourrit surtout d'insectes. Dans les petits arbres, les broussailles ou les haies où il les cueille, il croise fréquemment le troglodyte de Caroline et celui de Bewick. Or, il existe entre lui et eux une singulière hostilité qu'on ne peut attribuer au seul désir de les évincer d'un habitat qui ne cesse de rétrécir. À le voir réagir avec agressivité, particulièrement devant le troglodyte de Bewick, on pense irrésistiblement à des querelles entre chiens et chats.

Description. Longueur 11,5-13,5 cm (4½-5¼ po). Oiseau petit et robuste ; dos, ailes et queue brun-gris ; ailes et queue finement rayées ; dessous blanchâtre. Forme des montagnes et de l'Arizona : dessus plus roux ; gorge chamois.
Habitat. Boisés clairs, canyons boisés, fermes, jardins, parcs.

Nidification. Nid massif fait de brindilles, de petites branches et de plumes, logé au fond d'une cavité naturelle ou faite par l'homme ; 5-9 œufs blancs finement maculés de brun ; 13-15 jours d'incubation assurée par la femelle. Les oisillons s'envolent à 12-18 jours. Souvent deux couvées.
Nourriture. Insectes, araignées.

Troglodyte des forêts

Troglodytes troglodytes

Ce petit oiseau chanteur ne cherche pas la tornade ; mais quand elle a frappé son territoire, il sait en tirer le meilleur parti. À l'affût des arbres terrassés par le vent, il construit son nid entre les racines dénudées. À défaut, le troglodyte des forêts se contente d'un lieu sombre et impénétrable et niche dans des enchevêtrements de broussailles ou entre des billes amoncelées par l'homme. Toujours en mouvement, ce tout petit oiseau hante furtivement les forêts ravagées avec l'allure affairée d'une souris sylvestre.

Des hochements rapides de la tête, une queue fièrement relevée : le troglodyte des forêts a découvert un endroit où il peut construire son nid. Il annonce la bonne nouvelle à la cantonade avec un chant claironnant fait de trilles, de roulades et d'une cascade de sons où l'on a déjà dénombré plus d'une centaine de sonorités. Pendant une dizaine de secondes, il émet une série de notes fortes et variées, d'une puissance qui étonne chez un si petit oiseau.

C'est ainsi qu'il attire une femelle sur son territoire, généralement établi près d'un marais ou d'un ravin boisé. Il y a déjà dissimulé plusieurs nids dans la broussaille. Le couple n'en utilisera qu'un ; les autres servent de leurres. Mais si une autre femelle s'aventure sur le territoire et que la nourriture est abondante, notre Casanova n'hésite pas à devenir polygame ; bientôt un autre nid se peuplera d'oisillons.

Un petit nombre de troglodytes des forêts passe l'hiver en Colombie-Britannique, dans le sud de l'Ontario, dans le sud-ouest du Québec et dans certaines parties des Maritimes.

Une simple dépression au sol suffit pour loger le nid solide du troglodyte des forêts.

Description. Longueur 10-11,5 cm (4-4½ po). Oiseau petit, trapu, à queue courte ; dessus brun foncé ; dessous plus pâle ; bandes sombres sur l'abdomen et les flancs ; raie superciliaire pâle. Furtif ; se faufile entre les plantes comme une souris ; hoche la queue quand il est agité.
Habitat. Forêts conifériennes, fourrés.

Nidification. Nid massif fait d'herbes, de brindilles et de mousse, caché entre les racines d'un arbre abattu, dans une souche ou un talus ; 4-7 œufs blancs maculés de brun ; 14-17 jours d'incubation assurée par la femelle. Les oisillons restent 19 jours au nid.
Nourriture. Insectes.

Cincle d'Amérique
(Cincle américain)

Cinclus mexicanus

Ce chanteur aquatique explore le fond de l'eau à 6 m de profondeur.

Un torrent coule avec fracas entre les parois rocheuses d'un canyon. Ses eaux bouillonnantes heurtent violemment le roc ; sous le choc, des gerbes d'écume montent vers le ciel et retombent en panache dans un vacarme assourdissant. L'air est froid et humide. Dans cette solitude violente, peuplée de graves conifères, vit le cincle d'Amérique.

Souvent il se perche sur une roche en saillie au milieu du courant, petite boule de plumes gris foncé que presque rien ne distingue du gris mouillé de la pierre. Il exécute à plusieurs reprises une série de flexions avant de plonger et de disparaître dans les eaux tourbillonnantes.

Car cet oiseau chanteur, dont la voix mélodieuse s'entend en toute saison, est aussi un oiseau aquatique ; il nage avec facilité, plonge hardiment et peut marcher au fond de l'eau bien qu'il n'ait pas les pieds palmés. À vrai dire, propulsé par des ailes courtes et robustes, il *vole* sous l'eau. C'est dans le lit des torrents qu'il cueille les petits poissons dont il se nourrit et qu'il fouille la vase pour y débusquer les planaires et les escargots qui complètent son régime.

Son nid est une volumineuse masse en forme de dôme, couverte de mousse, logée derrière un surplomb rocheux, quelquefois derrière une chute d'eau. Pour entrer chez lui, le cincle doit passer au travers de la cascade, opération dangereuse qui décourage les prédateurs.

Description. Longueur 17,5-21,5 cm (7-8½ po). Petit oiseau trapu à queue courte ; dessus gris ardoise ; tête teintée de brun. Fouille le sol près des cours d'eau, nage, plonge, marche au fond de l'eau. Cri d'alarme : un *tzît* qui porte loin. **Habitat.** Cours d'eau rapides. **Nidification.** Nid volumineux en forme de dôme, fait de mousse et d'herbes, avec entrée latérale, construit au-dessus de l'eau sur une corniche, sous un pont ou sur une roche émergeant du courant ; 3-6 œufs blancs ; 15-17 jours d'incubation assurée par la femelle. Les oisillons restent 25 jours au nid. **Nourriture.** Insectes aquatiques ; escargots.

Gobemoucheron gris-bleu
(Gobe-mouches gris bleu)

Gobemoucheron gris-bleu *Polioptila caerulea*
Gobemoucheron à queue noire *Polioptila melanura*
Gobemoucheron de Californie *Polioptila californica*

Il se contorsionne dans les airs, virevolte, monte comme une fusée, redescend en flèche : entre les arbres, le gobemoucheron poursuit ses minuscules proies avec la grâce d'une sylphide et l'agilité d'un acrobate. Fine mouche, il fait mouche à tout coup sur la mouche qui le nargue. « Quelle mouche le pique, pense le moucheron ; il prend la mouche bien facilement, ce gobemoucheron ! »

C'est qu'il porte bien son nom, cet oiseau. Il happe ses insectes d'un rapide coup d'aile ou les cueille sur les fleurs où il fait le papillon. Fièrement dressée quand il est perché, sa longue queue aux plumes raides s'ouvre et se referme souvent en vol. Mais quand la brise la frappe d'un mauvais angle, voilà notre oiseau qui perd l'équilibre.

En dépit de son apparence fragile, ce petit oiseau est courageux, tout comme le sont ses cousins les gobemoucherons à queue noire et de Californie. Il chasse le geai bleu ou la corneille qui viole son territoire et ne cache pas l'endroit où il niche. Tout en cueillant les matériaux dont il garnira son nid et même une fois installé, il lance sans arrêt son cri aigu et nasillard qui ressemble à un gémissement. Pendant que la femelle pond, couve et nourrit les oisillons, le mâle chante de toute son âme auprès d'elle. Quand vient son tour de veiller sur le nid, il s'exécute en chantant à plein gosier. Dommage que cette voix si mélodieuse soit si peu audible !

Gobemoucheron gris-bleu

Gobemoucheron de Californie

Gobemoucheron à queue noire

Description. Longueur 10-12,5 cm (4-5 po). Oiseau élancé et minuscule. Dessus gris-bleu ; dessous blanc ; queue longue, noire, à rectrices externes blanches. Mâle des espèces à queue noire et de Californie : calotte noire ; un peu de blanc dans la queue. Se distinguent par leur aire.
Habitat. Boisés clairs, fourrés au bord de l'eau.

Nidification. Nid compact d'herbes, de lambeaux d'écorce et de fibres, à 0,60-21 m (2-70 pi) du sol ; 3-6 œufs bleu pâle maculés de marron ou sans marque ; 13 jours d'incubation assurée par le couple. Les oisillons restent 10-12 jours au nid.
Nourriture. Insectes et araignées.

Roitelet à couronne rubis

Regulus calendula

En bon roitelet, celui-ci coussine son nid d'écorce et de plumes bien soyeuses.

La première impression est souvent la bonne, disait un sage. Surtout quand elle est mauvaise, ajoutait un autre. Le roitelet à couronne rubis leur donne tort à tous deux. Avec sa tête grisâtre, son dos olivâtre, sa poitrine blanchâtre, on le dirait bien terne. Sa taille ne fait pas beaucoup d'effet non plus. C'est l'un des plus petits oiseaux d'Amérique du Nord, avec le roitelet à couronne dorée, les troglodytes des forêts et des marais et les colibris. À dire vrai, à peine le remarquerait-on s'il n'avait l'habitude de battre des ailes par saccades quand il volette de branche en branche ou de papillonner comme un oiseau-mouche près de la feuille où il aperçoit un insecte.

Ce petit roitelet, à quoi doit-il donc son nom ? Dissimulée sous les plumes fades de la tête se trouve une couronne rouge rubis, invisible la majeure partie du temps. Mais quand vient la saison des amours, cette couronne s'allume et brille de tous ses feux sur les mâles qui s'affrontent pour la possession d'un territoire ou d'une femelle. Tête baissée, plumes dressées sur le vertex, ils volettent l'un en face de l'autre en lançant de petits cris crâneurs mais sans jamais se toucher. Après qu'ils ont comparé leurs couleurs et testé leur détermination, l'un des deux concède le territoire à l'autre.

Les roitelets ne sont pas les seuls oiseaux à dissimuler leurs couleurs. Le carouge à épaulettes cache la belle tache rouge et ivoire qu'il arbore à la naissance des ailes ; au repos, on ne la voit pas, mais elle brille de tous ses feux quand le mâle fait la cour à la femelle ou défend son territoire.

Description. Longueur 9,5-11,5 cm (3¾-4½ po). Oiseau petit et verdâtre. Cercle oculaire large et blanc ; 2 bandes alaires blanches. Mâle : touffe rouge sur le vertex, généralement invisible. Agite nerveusement les ailes. Cri : un *ti-tit* enroué. **Habitat.** Forêts conifériennes ; fourrés en hiver. **Nidification.** Nid de mousse et de lichen, avec entrée sur le dessus, suspendu à des rameaux à 0,60-30 m (2-100 pi) du sol dans un conifère ; 5-11 œufs blancs ou crème, maculés de brun et de gris ; 14 jours d'incubation assurée par la femelle. Durée du séjour des oisillons au nid inconnue. **Nourriture.** Insectes, araignées, parfois baies.

Roitelet à couronne dorée

Regulus satrapa

Qu'y a-t-il dans les conifères pour tant attirer cet oiseau ? Des insectes ? Sans doute, car hiver comme été, le roitelet à couronne dorée s'y nourrit d'aphidés, d'aleurodes et d'arénicoles. Un feuillage dense et persistant pour faire obstacle aux vents froids ? Indubitablement, car dans les régions où il hiverne comme dans celles où il niche, il fait toujours froid. Ces raisons suffisent-elles à justifier l'attachement indéfectible que vouent aux conifères les roitelets à couronne dorée ? Pourquoi pas ! Ils nichent entre leurs branches et semblent ne jamais s'éloigner des aiguilles et des cônes de pins. Peu leur importe d'ailleurs que les conifères soient d'origine naturelle ou qu'ils aient été plantés par l'homme.

Les roitelets ont toujours été, au Québec, les hôtes naturels des tourbières peuplées d'épinettes. Mais durant la dépression, dans les années 30, ils se sont mis à fréquenter aussi, dans le nord-est des États-Unis, les immenses plantations de conifères que le gouvernement américain avait mises sur pied pour constituer de l'emploi aux chômeurs. Après que les arbres, une fois parvenus à maturité, eurent été abattus comme prévu, les roitelets demeurèrent néanmoins dans la région et ils se mirent à errer parmi les pinèdes commerciales.

Ce petit oiseau très adaptable avait appris à s'accommoder à un nouvel environnement et sa population se mit à varier dès lors au rythme des maturations et des moissons de conifères dans l'industrie forestière.

Plus calme qu'il n'y paraît, le roitelet à couronne dorée agite souvent les ailes.

Description. Longueur 8,5-10,5 cm (3¼-4¼ po). Petit et verdâtre. Vertex orange, bordé de jaune (tout jaune chez la femelle) et cerné de 2 rayures noires ; 2 bandes alaires blanches ; rayure superciliaire et dessous blanchâtres. Agite les ailes. Cri : un *tsi-tsip* bref.
Habitat. Forêts conifériennes, sauf en hiver.

Nidification. Nid en boule fait de mousse et de lichen, avec entrée au sommet, à 9-18 m (30-60 pi) du sol dans un conifère ; 5-10 œufs blancs ou crème, tachetés de brun et de gris ; 14 jours d'incubation assurée par la femelle. Durée du séjour des oisillons au nid inconnue.
Nourriture. Insectes.

Solitaire de Townsend

Myadestes townsendi

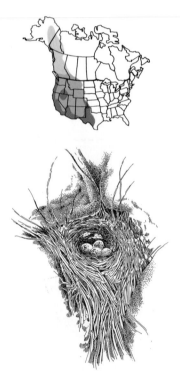

Le solitaire de Townsend met
une entrée d'aiguilles de pin
et d'herbes devant son nid.

Chez les oiseaux, le chant et le cri peuvent être de sonorités très différentes ; l'exemple le plus flagrant en est le solitaire de Townsend. Doué d'un grand talent musical, comme tous les membres de sa famille, ce merle de montagne possède un chant mélodieux, puissant et soutenu, ponctué de trilles et de gazouillis ravissants, qui va d'abord *crescendo* puis *decrescendo*. Hélas, ce chanteur divin est affligé d'un cri affreux, un *pînc* grinçant et monotone, qu'il peut répéter inlassablement à longueur de journée. La nuit, le son en est plus grave et plus atténué, mais il n'en devient guère plus agréable.

Le solitaire de Townsend semble avoir épuisé son répertoire quand il a émis ses deux cris ; en cela il diffère peu des autres oiseaux chanteurs qui en ont rarement plus de quatre ou cinq. Chaque appel a pourtant son sens propre. L'un s'adresse à sa compagne, l'autre à ses petits, un troisième à d'autres espèces. Un cri sonne le rassemblement du groupe, un autre avertit le clan d'un danger, un autre encore signifie qu'ici, il y a à se nourrir ou à boire. Bref, l'homme n'arrive pas à en décrypter toutes les significations. Toutefois, si l'interprétation en est compliquée, le cri, lui, est généralement très simple.

Le chant, par contre, est plus élaboré dans sa facture, mais plus facile à déchiffrer. Il annonce la présence du mâle dans son territoire, il somme les intrus de fuir, il appelle la femelle. Et rien n'interdit de croire qu'en certaines occasions, l'oiseau n'ait envie de chanter tout simplement pour le plaisir de s'entendre chanter.

Description. Longueur 20-24 cm (8-9½ po). Oiseau svelte à longue queue. Dessus gris ; dessous plus pâle ; tache alaire chamois ; cercle oculaire blanc. Se tient dressé sur son perchoir.
Habitat. Forêts conifériennes en montagne.
Nidification. Nid de brindilles, d'herbes, de radicelles et d'aiguilles de pin lâchement tressées, caché sous des racines d'arbre, au fond d'un trou sur la berge ou d'une fente dans le roc ; 3-5 œufs bleu pâle, rosés ou blanchâtres, fortement marqués de brun. Durée de l'incubation et durée du séjour des oisillons au nid inconnues.
Nourriture. Baies, fruits, insectes, araignées, graines de pin.

Grive fauve

Catharus fuscescens

Les grives constituent une très grande famille qu'on rencontre dans presque toutes les parties du monde. On en trouve 18 espèces en Amérique du Nord, dont 13 au Canada. C'est à ce groupe, celui des turdidés, qu'appartiennent quelques-uns des meilleurs oiseaux chanteurs. La voix de la grive fauve possède un charme éthéré. On l'entend surtout à la tombée de la nuit, dans les forêts que fait bleuir la lente montée du crépuscule. Son chant, *vi-ou, vi-ou, ri-â, ri-â*, qui babille et décroît lentement, se reconnaît facilement.

Quant au plumage de la grive fauve, ses parties supérieures sont nettement brun-roux et les gros points parsemés de sa poitrine sont peu marqués. Cet oiseau élancé et gracieux sautille avec entrain dans le tapis végétal des bois feuillus ou mixtes, entre les buissons clairsemés ou sur les berges un peu marécageuses des lacs et des cours d'eau, où il cherche les insectes dont il se nourrit. La grive fauve niche par terre. Pour neutraliser l'humidité du sol et recevoir ses délicats œufs bleu pâle, elle entrelace ensemble de minces lanières d'écorce, des herbes et de la mousse et tapisse le nid de feuilles mortes.

L'oiseau, timide et discret, au moindre bruit se réfugie sous le couvert de la verdure. C'est donc à sa voix qu'on reconnaît sa présence : un chant mélodieux qui mêle l'alto au soprano en égrenant des notes cristallines venues de nulle part.

La grive fauve chasse au sol mais peut cueillir aussi un papillon en vol.

Description. Longueur 16,5-19,5 cm (6½-7¾ po). Parties supérieures brun fauve ; dessous blanchâtre ; points espacés sur la poitrine teintée de chamois. Formes de l'Ouest : brun plus foncé, pas de points sur la poitrine. Picore au sol. **Habitat.** Forêts de décidus, forêts mixtes ; fourrés de saules dans l'Ouest.

Nidification. Nid robuste de feuilles, d'herbes, d'écorce et de tiges, logé au sol près d'un buisson ou d'une touffe d'herbes ; 3-5 œufs bleu pâle non maculés ; 10-12 jours d'incubation. Les oisillons restent 10 jours au nid. **Nourriture.** Insectes, araignées, vers de terre, fruits.

Grive à joues grises

Catharus minimus

La grive à joues grises raffole des baies rouge sombre de la grande salsepareille.

Les Américains de l'Alaska et les Canadiens du Grand Nord affirment, avec une certaine outrecuidance, que leur grive à joues grises détient, parmi les 150 espèces de grives réparties dans l'hémisphère Nord, la voix la plus mélodieuse. Le débat reste ouvert. Un grand nombre d'amateurs préfèrent la voix flûtée et les notes argentines de la grive solitaire au chant plus nasillard de sa cousine aux longues pattes et aux joues grises. Au chapitre de l'endurance, cependant, pas de contestation possible ; la grive à joues grises mériterait de figurer au palmarès Guinness. Durant les longues journées lumineuses des régions boréales, l'oiseau commence à chanter dès que le soleil se lève et ne s'arrête que lorsqu'il se couche, une vingtaine d'heures plus tard. Il chante, perché sur une haute branche d'arbre, en pays arboricole, ou tout en volant à tire d'aile au-dessus de la toundra verdoyante.

En outre, aucune grive ne couvre en migration des distances aussi considérables que les grives à joues grises : entre 10 000 et 13 000 km, qu'elles parcourent surtout de nuit. Certaines commencent leur voyage au Pérou ou dans les immenses forêts de l'Amazonie pour le terminer dans le Nord canadien en passant par le nord-est des États-Unis. Malgré tout, elles trouvent encore le temps de chanter. On a déjà comparé la grive à joues grises à un musicien ambulant qui s'arrête ici et là pour se faire entendre à qui veut bien l'écouter.

Description. Longueur 15,5-20 cm (6¼-8 po). Dessus brun terne ou olivâtre ; dessous blanchâtre ; points foncés sur la poitrine ; léger cercle autour des yeux ; joues grisâtres. Picore au sol.
Habitat. Forêts conifériennes ; fourrés d'aulnes et de saules.
Nidification. Nid d'herbes, de boue, d'écorce et de feuilles, logé à 1,8-6 m (6-20 pi) du sol dans un petit arbre, parfois au sol ; 3-6 œufs bleu pâle ou verdâtres, piqués de brun ; 14 jours d'incubation assurée par la femelle. Les oisillons restent 11-13 jours au nid.
Nourriture. Insectes, araignées, vers de terre, fruits.

Grive à dos olive

Catharus ustulatus

D ans toutes les forêts de l'Amérique du Nord, l'été, on peut entendre la voix mélodieuse de cinq oiseaux, très semblables les uns aux autres, cinq grives qu'on aperçoit par ailleurs rarement. En général, ce n'est pas dans leur aire de nidification qu'on peut les observer, mais plutôt en migration, dans les parcs ou les jardins. L'ornithophile consciencieux se précipite alors sur ses manuels et vérifie les traits distinctifs — cercle oculaire, couleur du dos, taches pectorales, comportement particulier — qui lui permettront de savoir si son sujet est une grive à dos olive, une grive à joues grises, une grive fauve, une grive des bois ou une grive solitaire.

Ces cinq grives au coloris brunâtre fréquentent les régions boisées du Canada et des États-Unis et deux ou trois espèces peuvent occuper les mêmes aires de nidification. Mais en dépit de cette promiscuité et de leurs évidentes similitudes, elles ne s'accouplent pas entre elles.

L'hybridation est un phénomène complexe. L'apparence y joue un rôle important, mais elle n'est pas tout. Par exemple, l'oriole de Baltimore et celui de Bullock, qui se ressemblent moins que la grive à dos olive et la grive à joues grises, sont néanmoins deux sous-espèces d'une même espèce, l'oriole du Nord. Les grives se distinguent entre elles par d'autres signes non visuels. Chaque espèce a son cri et son chant caractéristiques, une sorte de « signature » vocale que ne décodent pas les autres espèces. Le comportement des mâles en période nuptiale est aussi un facteur distinctif : la femelle ne réagit qu'à celui qu'elle reconnaît d'instinct.

Les bébés grives, au grand dam des parents, s'aventurent très vite hors du nid familial.

Description. Longueur 16,5-19 cm (6½-7½ po). Dessus brun olive dans l'Est, brun-roux dans l'Ouest ; dessous blanchâtre ; cercle oculaire chamois ; poitrine chamois marquée de gros points.
Habitat. Forêts conifériennes, fourrés de saules, bosquets de trembles.
Nidification. Nid de brindilles, de feuilles et de fibres végétales, tissé serré, dans un petit arbre près du tronc, à 0,60-6 m (2-20 pi) du sol, ; 3-5 œufs bleu pâle maculés de brun clair ; 11-14 jours d'incubation assurée par la femelle. Les oisillons restent 10-14 jours au nid.
Nourriture. Insectes, araignées, vers de terre, fruits.

Grive solitaire

Catharus guttatus

En dépit de sa timidité, la grive solitaire ne recule pas devant le prédateur.

La grive solitaire porte bien son nom. C'est l'un des oiseaux les plus timides qui soient. Elle fréquente et les forêts de feuillus et les forêts de conifères où elle trouve la nourriture riche en protéines dont elle a besoin et l'isolement qu'elle affectionne. Sa poitrine est ponctuée de points noirs comme celle de la grive des bois dont elle se distingue par sa queue de teinte rougeâtre, qu'elle dresse pour se percher, puis laisse lentement retomber. Ce qui fait la renommée de cet oiseau craintif au plumage terne, c'est sa voix. On l'a surnommé avec raison le rossignol d'Amérique du Nord.

Au crépuscule, la grive solitaire se met à chanter. Elle commence toutes ses mélodies par une note soutenue, assez grave, indiciblement mélodieuse, qu'elle fait suivre d'une merveilleuse série d'improvisations présentées en strophes et entrecoupées de longues pauses. Au dire de bien des spécialistes, c'est le meilleur oiseau chanteur en Amérique du Nord. Si la ligne mélodique de son chant est toujours à peu près la même, elle l'interprète souvent dans des tonalités différentes.

La grive solitaire fait son nid au sol, mais parfois aussi dans un petit arbre ou un arbrisseau. Elle entrelace des brindilles, de fins lambeaux d'écorce, des fougères et des mousses de manière à constituer une structure robuste et de bonne taille qu'elle tapisse à l'intérieur de radicelles et d'aiguilles de pin. C'est dans ce petit espace bien douillet que la femelle pond ses œufs bleu clair qu'elle couve en solitaire.

Description. Longueur 16,5-19 cm (6½-7½ po). Ailes, vertex et dos brun terne ou brun olivâtre ; queue rouille ; dessous blanchâtre ; poitrine marquée de gros points. Dresse et abaisse lentement la queue. S'observe au sol ou près du sol. **Habitat.** Forêts, tourbières, pinèdes clairsemées. **Nidification.** Nid robuste de brindilles, de lambeaux d'écorce, d'herbes et de mousse, dissimulé au sol ou fixé à 0,60-1,5 m (2-5 pi) dans un arbre ; 3-6 œufs bleu pâle unis ou tachetés de brun ; 13 jours d'incubation assurée par la femelle. Les oisillons restent 12 jours au nid. **Nourriture.** Insectes, araignées, vers de terre, fruits.

Grive des bois

Hylocichla mustelina

Quand les vents tourbillonnants de mars ébranlent les maisons et que la pluie crépite sur les fenêtres, ceux qui n'en peuvent plus de guetter le printemps commencent à tendre l'oreille dans l'espoir d'entendre le beau chant clair et lent de la grive des bois. Elle ne tarde pas, d'habitude, à abandonner ses sites d'hivernage, du Mexique à Panama, pour remonter vers les boisés humides peuplés d'arbres feuillus où elle niche, dans le sud de l'Ontario et dans le sud-ouest du Québec et du Nouveau-Brunswick.

Son chant, agrémenté de sons de clochettes, fait son chemin jusqu'au cœur de ses admirateurs. On le reconnaît à ses trois syllabes, une première note aiguë, une seconde, plus grave, suivie d'un trille de nouveau aigu. On dit que la grive des bois chante constamment parce que, faute d'horizon dans la forêt, le mâle doit signaler l'endroit où il se trouve à la femelle immobilisée sur ses œufs. Dans son nid, on découvre des retailles de chiffon ou de papier blanc dont l'utilité, semble-t-il, serait de cacher sa poitrine trop visiblement marquée de points noirs ou bruns. Pendant l'incubation, qu'elle assume seule, la femelle lève la tête et lance vers le ciel des cascades de sons que le meilleur flûtiste ne récuserait pas.

La grive des bois semble lentement s'apprivoiser aux environnements urbains et les jardiniers accueillent sa venue avec joie car elle consomme de grandes quantités d'insectes nuisibles, coccinelles, vers gris et escargots.

Les petits ne sont pas sitôt éclos que la maman grive jette hors du nid les coquilles.

Description. Longueur 19-21,5 cm (7½-8½ po). Grive de plus forte taille que les autres. Dessus brun-roux, plus vif sur la tête ; queue brun terne ; dessous blanchâtre ; gros points foncés sur la poitrine.
Habitat. Forêts, marécages, jardins de banlieue.
Nidification. Nid robuste de brindilles et d'herbes, renforcé de boue et fixé à 1,8-15 m (6-50 pi) du sol dans un arbre ; 2-5 œufs bleu pâle ou bleu-vert ; 14 jours d'incubation assurée par la femelle. Les oisillons restent 13 jours au nid. Parfois deux couvées par saison.
Nourriture. Insectes, araignées, vers de terre, fruits.

Grive à collier
(Merle à collier)

Ixoreus naevius

Même si elle n'a pas faim, la grive à collier chasse les autres oiseaux de la mangeoire.

La forêt pluviale du Pacifique évoque les premiers âges du monde. C'est dans ses hauts conifères à l'aspect mélancolique et sévère que vit la grive à collier. Quand l'aube point dans la brume paisible du matin, des gouttelettes se forment au bout des aiguilles et des feuilles et tombent sur les troncs en décomposition et sur les pierres qui parsèment le sous-bois. C'est là que s'entend soudain un sifflement sibyllin qui se prolonge sur un ton mineur, évoquant des sons de clochettes que l'écho prolongerait en les assourdissant.

La voix de la grive à collier s'accorde parfaitement avec la majestueuse solennité de cette forêt aux allures de cathédrale ; pourtant, quand on compare son chant à celui de l'ensemble des grives, force est de constater qu'il est étonnamment simple. Sur le plan visuel, cependant, l'oiseau réserve des surprises à l'observateur : une ligne orange vif au-dessus des yeux qui se prolonge jusqu'au cou, deux bandes alaires d'un brun orangé, des rémiges ourlées d'orange brûlé et une très large bande noire en forme de croissant sur la poitrine.

Bien qu'elle vive exclusivement dans l'ouest de l'Amérique du Nord, la grive à collier serait apparentée à des grives d'Asie. Il est tentant d'imaginer qu'elle est venue ici quand les deux continents n'en faisaient qu'un. Certaines espèces d'oiseaux se sont répandues plus que d'autres : on trouve des grives à peu près partout dans le monde, tandis qu'en regard des 60 espèces de troglodytes du Nouveau Monde, il n'en existe qu'une — le troglodyte des forêts — dans l'Ancien.

Description. Longueur 22,5-25 cm (9-10 po). Dessus gris ardoise ; bandes alaires orange ; ligne superciliaire orange ; dessous roux ; collier noir. Femelle : semblable mais plus terne ; collier gris ou absent. S'observe dans les arbres et au sol.
Habitat. Forêts conifériennes.
Nidification. Nid robuste de brindilles, de feuilles et de tiges, souvent renforcé de boue, à 2-6 m (6-20 pi) du sol dans un arbre ; 2-5 œufs bleu pâle légèrement maculés de brun ; 14 jours d'incubation assurée par la femelle. Durée du séjour des oisillons au nid inconnue.
Nourriture. Insectes, araignées, vers de terre, noix, graines, fruits.

Cama brune
(Chama brune)

Chamaea fasciata

Voici l'oiseau sans doute le plus sédentaire de l'Amérique du Nord. Tandis que les oiseaux de rivage, les parulines et la plupart des oiseaux migrateurs parcourent, deux fois par an, des milliers de kilomètres, la cama brune, une fois installée quelque part, ne dépasse à peu près jamais les 2 km² qui constituent son territoire. Et elle s'accouple pour la vie.

La cama brune serait apparentée à la grive bavarde de l'Ancien Monde. Jour après jour, elle fait le tour de son territoire, picore des insectes, se baigne, nourrit ses petits et pourchasse les intrus. Le mâle et la femelle ne se quittent pratiquement jamais. On les voit parfois en train de se bichonner mutuellement, chacun inspectant et lissant de son bec les plumes de l'autre. La nuit venue, ils se collent l'un contre l'autre pour se garder au chaud. Un observateur qui en voyait deux côte à côte les a décrits comme une seule petite boule de plumes dont émergeaient deux têtes et deux queues.

Ces oiseaux rarement visibles chantent avec entrain dans les maquis et les chaparrals où leurs voix résonnent dans l'air sec comme une balle qui rebondit. Ils détestent voler à découvert. Voilà pourquoi leur aire de dispersion n'occupe qu'une mince bande côtière qui s'élève depuis la Basse-Californie et ne dépasse pas le Columbia. La cama brune voit sans doute dans ce grand fleuve une barrière impossible à franchir.

Le couple de camas brunes se fait mutuellement la toilette avec un très grand soin.

Description. Longueur 15-16,5 cm (6-6½ po). Petit oiseau à longue queue. Brun-gris ; yeux pâles. Habile à se dissimuler. Cri : un *yip-yip-yip-yrrrr* sonore qu'on entend plus souvent qu'on ne voit l'oiseau.
Habitat. Broussailles denses, maquis, fourrés, jardins à buissons.

Nidification. Nid compact d'herbes, de fibres végétales et d'écorce, renforcé de fil d'araignée, à 0,30-4,5 m (1-15 pi) du sol dans un buisson épais ; 3-5 œufs bleu pâle ; 15 jours d'incubation assurée par la femelle. Les oisillons restent 16 jours au nid.
Nourriture. Insectes, araignées, baies.

Moqueur brun

Toxostoma longirostre

Malgré l'intense chaleur, le moqueur brun niche au frais dans la verdure.

On peut confondre le moqueur brun et le moqueur roux, celui-ci répandu dans l'est de l'Amérique du Nord. Certes, le premier a la face plus grise et le bec plus long ; ses yeux ne sont pas jaunes mais orange. Mais entre ces deux espèces, les similitudes l'emportent tellement sur les différences que pendant longtemps on les a confondues. Comme le moqueur brun vit exclusivement dans le sud du Texas, c'est en hiver seulement qu'il entre en contact avec le moqueur roux.

À dire vrai, le moqueur brun est d'abord un oiseau du Mexique. Mais trois siècles d'élevage intensif ayant transformé en maquis aride les terres autrefois herbeuses du Texas, l'oiseau y a reconnu un habitat qui lui était familier. Voilà comment, en remontant vers le nord, il a rencontré le moqueur roux qui hiverne dans le même territoire.

Cet événement, en soi très instructif, suscite bien des questions dont les ornithologues aimeraient faire l'expérience avec d'autres oiseaux. Quand deux espèces apparentées de près se retrouvent dans un même habitat, vivent-elles ensemble dans tout le territoire ou en occupent-elles des zones distinctes ? Y a-t-il concurrence ou complémentarité à l'égard des ressources qu'offre l'habitat ? Le moqueur brun et le moqueur roux ont, pour leur compte, résolu ces problèmes à l'amiable. Le premier niche et se nourrit dans les espaces transformés en maquis, tandis que le second fréquente les boisés qui bordent les cours d'eau. Les deux espèces vivent donc côte à côte sans se faire le moindrement concurrence.

Description. Longueur 25-30 cm (10-12 po). Oiseau élancé à longue queue. Dessus brun terne ; 2 bandes alaires blanches ; dessous blanchâtre rayé de noir ; yeux orange ; bec incurvé.
Habitat. Boisés épais, maquis de prosopis, fourrés près de cours d'eau.
Nidification. Nid compact de brindilles épineuses, logé à 1-2,5 m (4-8 pi) du sol dans un fourré épais ou une touffe de cactus ; 2-5 œufs bleu-vert ou verdâtres, maculés de marron. Durée de l'incubation et durée du séjour des oisillons au nid inconnues. Parfois deux couvées par saison.
Nourriture. Insectes, araignées, baies.

Moqueur roux

Toxostoma rufum

Vers la fin du printemps ou le début de l'été, durant la brève période pendant laquelle le moqueur roux fait sa cour à la femelle, le promeneur solitaire qui fréquente les lisières broussailleuses, les collines peuplées de fourrés et les chemins bordés d'églantines en fleur entendra une mélodie ravissante. S'il laisse ses yeux suivre la voie que lui indiquent ses oreilles, il découvrira peut-être le chanteur, perché au sommet d'un arbrisseau. Cette époque est la seule où l'on a quelques chances d'observer le moqueur roux ; tremblant de tout son corps, la tête bien dressée, le bec grand ouvert, il chante le bonheur d'accueillir un nouveau printemps et célèbre son territoire, sa femelle et sa future progéniture. Mais s'il se sent observé, il s'interrompt sur-le-champ. Une fois les œufs pondus, d'ailleurs, il s'arrêtera tout à fait.

Car le moqueur roux est un oiseau timide et fuyant ; on ne voit souvent de lui qu'un éclair roux ou cannelle promptement disparu dans les broussailles épineuses où il niche. C'est là qu'il fouille les débris végétaux du sol en promenant son bec de-ci de-là dans les feuilles mortes. Ses talents d'imitateur ne valent pas ceux du moqueur chat, ni du moqueur polyglotte, mais son chant est à la fois puissant et musical. Il se compose d'une grande variété de phrases qu'il répète deux ou trois fois en groupes de deux.

La femelle du moqueur roux apporte une brindille au mâle qui s'égosille pour elle.

Description. Longueur 25-30 cm (10-12 po). Oiseau mince à longue queue. Dessus brun rouille ; 2 bandes alaires blanches ; dessous blanchâtre rayé de brun ; yeux jaunes. Se nourrit surtout au sol.
Habitat. Boisés broussailleux, bosquets, parcs.
Nidification. Nid volumineux de brindilles, de feuilles, d'herbes et d'écorce, à moins de 4,5 m (15 pi) du sol dans un épais fourré ou des billes de bois empilées ; 2-5 œufs bleu pâle ou blanchâtres, finement maculés de brun ; 12-14 jours d'incubation assurée par le couple. Les oisillons s'envolent à 13 jours. Parfois deux couvées.
Nourriture. Insectes, araignées, baies.

Moqueur chat

Dumetella carolinensis

Le moqueur chat femelle couve ses œufs à mesure qu'elle les pond ; chacun éclôt à son tour.

Regardez bien ; écoutez bien. Cet oiseau gris, plus petit que le merle d'Amérique, n'accroche pas le regard au premier abord, mais il mérite qu'on s'y arrête. C'est un brillant imitateur, à peine moins doué que le moqueur polyglotte, et c'est aussi un excellent chanteur. Le mâle chante sans arrêt pendant la saison des amours et son répertoire inclut le chant de presque tous les oiseaux des environs auquel il mêle, de façon comique, cris, grincements, craquements et sifflements de tout genre, y compris les miaulements si bien imités qui lui ont valu son nom.

Le moqueur chat n'est pas sauvage. Si le bosquet qui lui plaît se trouve dans le jardin de quelqu'un plutôt qu'en pleine nature, il ne se formalisera pas de si peu. La seule présence qu'il n'y supportera pas est celle d'un de ses semblables. Par ailleurs, il est d'une grande tolérance à l'égard de toutes les autres espèces. On l'a déjà vu partager les branches d'un buisson avec une famille de pies-grièches ou de merles. S'il découvre un orphelin, le moqueur chat l'adopte sans hésiter, tant il a le cœur grand. Cet oiseau, en effet, semble au courant de tout se qui se passe. Approchez-vous d'un bosquet ; un froissement de feuilles vous révélera un oiseau à plumes grises et œil noir en train de vous épier. Se sachant découvert, il s'enfuira en miaulant de frayeur. Peu après, il ira peut-être faire un plongeon dans la fontaine ou reprendre sa chanson interrompue en vous laissant croire qu'il ne chante que pour vous.

Description. Longueur 20-23,5 cm (8-9¼ po). Oiseau gris ; ailes et queue plus foncées ; calotte noire ; tectrices sous-caudales marron. Se cache dans la verdure.
Habitat. Boisés épais, jardins à bosquets, parcs.
Nidification. Nid volumineux de brindilles, de tiges, de feuilles et d'herbes, généralement à 0,90- 3 m (3-10 pi), parfois jusqu'à 18 m (60 pi) du sol, dans un arbuste ou un arbre dense ou un enchevêtrement de sarments ; 2-6 œufs bleu verdâtre ; 13 jours d'incubation assurée par la femelle. Les oisillons restent 10-15 jours au nid. Souvent deux couvées par saison.
Nourriture. Insectes, araignées, baies.

Jaseur des cèdres

Bombycilla cedrorum

Il est heureux que les jaseurs des cèdres soient de mœurs grégaires car ces oiseaux élégants sont d'autant plus beaux à observer qu'ils sont à plusieurs. Ce sont des oiseaux gourmands qui raffolent des baies. Tout arbre fruitier se transforme en banquet où les jaseurs s'attardent avec complaisance, allant parfois jusqu'à commettre des abus. Avec les chaleurs d'été, le sucre des fruits fermente et se transforme en alcool. Il n'est pas rare d'apercevoir un jaseur des cèdres, ivre d'avoir trop mangé de petits fruits, les plumes en bataille et l'équilibre instable, chuter de l'arbre et rester au sol, incapable de reprendre son vol avant d'avoir pour ainsi dire cuvé son vin.

De tels accidents n'arrivent pas tous les jours. Il est plus coutumier de les apercevoir, bien alignés sur une branche, se passer de bec en bec une jolie baie rouge. Durant la période des amours, on voit les couples s'échanger un pétale de fleur, sans qu'on puisse expliquer ce comportement autrement que par un instinct ludique.

Les jaseurs des cèdres font partie des quelques rares espèces d'oiseaux chanteurs d'Amérique du Nord à nicher en colonies. La nidification terminée, ils forment des vols encore plus importants. Heureusement pour nous qui pouvons ainsi les admirer à loisir ; heureusement surtout pour eux car de cette manière, ils trouvent plus facilement à se nourrir.

Les jaseurs se passent une baie de bec à bec avant que l'un décide de l'avaler.

Description. Longueur 16,5-20 cm (6½-8 po). Oiseau brun à huppe ; masque noir ; queue ourlée de jaune ; palettes cireuses rouges au bout de certaines plumes des ailes. Juvénile : semblable ; dessous rayé. Vole en bandes.
Habitat. Boisés clairs, vergers, jardins, parcs, arbres à feuillage épais.

Nidification. Nid volumineux de brindilles, de tiges et d'herbes, fixé à 2-15 m (6-50 pi) du sol ; 3-6 œufs bleu pâle ou grisâtres, marquetés de noir ; 12-14 jours d'incubation assurée par la femelle. Les oisillons restent 18 jours au nid. Niche en colonies.
Nourriture. Baies, pétales de fleur, insectes.

Viréo aux
yeux blancs

Vireo griseus

Le viréo aux yeux blancs est particulièrement vigilant quand les œufs sont près d'éclore.

On raconte qu'un ornithologue américain s'approcha un jour d'un nid où couvait un viréo aux yeux blancs. Après avoir tenté en vain de se défaire du petit oiseau qui lui picotait furieusement les doigts, il le saisit *manu militari* et le fit sortir du nid. Aussitôt libéré, le viréo y retourna immédiatement pour y claironner hardiment son mécontentement. Ce courage intrépide caractérise le viréo aux yeux blancs avec autant de certitude que la puissance de sa voix.

Ce petit viréo, qui ne fréquente pas le Canada, a deux bandes transversales crème sur chaque aile et un cercle jaune bien marqué autour des yeux. Le trait distinctif qui lui a donné son nom ne se voit pas très bien sur le terrain. Son chant est différent de celui des autres viréos. Le refrain commence généralement par un *tchique* ou un *tique* et comporte presque toujours un *ouî* ou un *ouî-yo*. La mélodie se répète un grand nombre de fois avant que survienne une variation : *Tchique ! Titcha ouî-yo tchique ! Tchique ! Titcha ouî-yo tchique ! Tchique ! Titcha ouî-yo tchique !*

Attiré par la voix, l'observateur essaiera peut-être — mais sans succès — de voir l'oiseau, habile à se dissimuler. Mais s'il a bien appris sa leçon, il se tiendra immobile pendant un court moment. Curieux, l'oiseau s'approchera à portée de main et le regardera avec insistance de son œil blanc cerné de jaune. S'il est effrayé, il lancera une pluie de reproches ou disparaîtra parmi les feuilles avec un hochement impertinent de la queue, attendant pour chanter que son auditoire ait une livrée de plumes olivâtres dessus et blanchâtres dessous.

Description. Longueur 11,5-14 cm (4½-5½ po). Dessus gris olivâtre ; dessous blanchâtre ; flancs jaune crème ; 2 bandes alaires blanches ; large cercle jaune autour des yeux ; yeux blancs.
Habitat. Fourrés en forêts de feuillus ; pâturages envahis par les broussailles.
Nidification. Nid de lambeaux d'écorce, d'her- bes, de fibres et de fil d'araignée, en forme de petite coupe se balançant à la fourche d'un rameau, à 0,30-2,5 m (1-8 pi) dans un arbuste ; 3-5 œufs blancs marqués de brun et de noir ; 12-15 jours d'incubation assurée par le couple. Durée du séjour des oisillons au nid inconnue.
Nourriture. Insectes, araignées, baies.

Viréo de Bell

Vireo bellii

John Graham Bell (1812-1889) est moins connu aujourd'hui que le viréo auquel il a donné son nom. Pourtant, il avait auprès des naturalistes du XIXe siècle la réputation d'un grand chercheur dont les travaux firent avancer l'ornithologie aux États-Unis. Bell participa à une expédition organisée par John James Audubon en 1843 sur le Missouri ; c'est en cette occasion qu'il captura le viréo auquel Audubon donna son nom.

Innovateur dans l'art de la taxidermie, Bell tenait à New York une boutique d'animaux naturalisés où les ornithologues avaient l'habitude de se rencontrer. C'est là que le jeune Theodore Roosevelt fit connaissance, à 13 ans, avec les oiseaux. Bell mit la main sur un bon nombre d'espèces inconnues au cours d'une autre expédition, en Californie celle-là, avec John Cassin, lequel rendit hommage à ses talents en donnant le nom scientifique de *Amphispiza belli* au bruant de Bell.

L'honneur douteux d'avoir capturé, près de Long Island en 1875, le dernier canard du Labrador vivant revient à John Graham Bell. Il était homme de science, mais il était aussi collectionneur ; si ses captures firent avancer l'ornithologie, elles étaient aussi destinées à satisfaire les riches amateurs auxquels il les vendait. Quand il mourut en 1889, l'hostilité croissait contre les collectionneurs insatiables d'oiseaux et d'œufs. Les temps allaient changer.

Sur les 18 espèces de viréos qui vivent en Amérique du Nord, huit seulement s'observent au Canada. Ces oiseaux ont une grande importance économique parce qu'ils dévorent une grande quantité de chenilles, la plupart nuisibles à la flore.

Bien que minuscule, le viréo de Bell capture de bonnes proies, comme une sauterelle.

Description. Longueur 11,5-12,5 cm (4½-5 po). Petit. Dessus vert olive ; dessous lavé de jaune ; 2 bandes alaires pâles ; cercle oculaire et rayure superciliaire blanchâtres. Forme du Sud-Ouest : dessus gris ; dessous blanchâtre sans jaune.
Habitat. Bois et fourrés près de cours d'eau.
Nidification. Nid de lambeaux d'écorce, d'herbes, de fibres et de fil d'araignée, se balançant à la fourche d'une brindille à 0,30-3 m (1-10 pi) du sol ; 3-5 œufs blancs à peine tachetés de brun et de noir ; 14 jours d'incubation assurée par le couple. Les oisillons restent 12 jours au nid. Souvent deux couvées par saison.
Nourriture. Insectes et araignées ; baies.

Viréo à tête bleue

Vireo solitarius

Avant l'accouplement, le viréo solitaire construit deux nids ou davantage ; la femelle choisit.

Le frimas colore d'argent les boisés du sud des États-Unis. Dans l'aube froide, pas une feuille qui frémisse, pas une brindille qui craque, pas un oiseau qui émette un son. Déjà tiède, la brise s'élève. Une feuille bouge, puis une autre. Une brindille casse avec un bruit sec. Le soleil réchauffe l'air. Le moqueur, le tohi, le cardinal hésitent. Brusquement cela éclate. Un tohu-bohu de cris d'oiseaux, mésanges, troglodytes, merles, cassenoix, qui piaillent à tue-tête près des lieux où à coups de becs, de griffes et de pattes, ils dégagent, débusquent et déterrent insectes et graines.

Un peu à l'écart se tient un petit oiseau solitaire, tout propret et tard venu. Il cueille une coccinelle, happe une limace, avale un moucheron. Dans le soleil, le gris ardoise de sa tête a des reflets bleus ; autour des yeux et des lores, des cercles blancs ressemblent à des lunettes et soulignent ses yeux vifs et noirs. Soudain agité, il met fin à sa cueillette et s'accroupit derrière des aiguilles et des cônes de pin avant de lancer un torrent d'injures à l'intrus qui viole son territoire. Ce petit oiseau à la fois timide et audacieux, c'est le viréo à tête bleue.

Sauf en saison de nidification où il est l'un des premiers rendus au Nord, il vit en ermite. Pendant que la plupart de ses congénères passent l'hiver en Amérique Centrale et à Cuba, il se contente souvent d'hiverner dans la frange la plus méridionale des États-Unis. Chacun reste seul, en marge des bandes d'oiseaux plus grégaires qui fréquentent les boisés en hiver.

Description. Longueur 12,5-15 cm (5-6 po). Dessus vert olive ; 2 bandes alaires blanches ; tête gris ardoise ; cercle blanc autour des yeux et des lores ; gorge blanche ; flancs teintés de jaune. Forme des Rocheuses : gris terne.
Habitat. Forêts conifériennes.
Nidification. Nid de lambeaux d'écorce, d'herbes, de radicelles et de fil d'araignée, se balançant à la fourche d'un rameau, à 0,30-12 m (3-40 pi) du sol dans un petit conifère ; 3-5 œufs blancs à peine marqués de brun et de noir ; 11 jours d'incubation assurée par le couple. Durée du séjour des oisillons au nid inconnue.
Nourriture. Insectes, araignées, baies.

Viréo à gorge jaune

Vireo flavifrons

Reconnu par tous, ornithologues et ornithophiles confondus, comme le plus beau parmi ses congénères, le viréo à gorge jaune est en plus un architecte accompli. Son nid suspendu est une merveille de structure et de durabilité qui ferait l'envie des colibris, des pious et des gobemoucherons. Le mâle et la femelle travaillent ensemble à le construire dans la partie supérieure de l'arbre, vers l'extrémité des branches. Pendant plus d'une semaine, avec, pour tout outil, leur bec et leurs pieds, ils arrivent à choisir les matières qu'il faut et à les entrelacer selon une technique qui ne doit rien au hasard.

Ils édifient ainsi un superbe nid en forme de coupe profonde, doté de parois épaisses, d'une bordure arrondie et d'une garniture intérieure faite d'herbes fines tressées avec des aiguilles de pin. Tous les matériaux ont été étirés et façonnés selon les normes en cours chez les viréos. Les supports et l'extérieur des parois consistent en un lacis de mousses et de fibres végétales, assujetties avec du lichen et maintenues avec du fil d'araignée, ce mortier des oiseaux. Le lichen et le fil d'araignée contribuent à la solidité du nid, le protègent contre les prédateurs en le rendant plus difficile à voir et lui confèrent une imperméabilisation rudimentaire.

Les oiseaux savent tous spontanément comment construire leur nid. Mais quand il entre dans leur travail un souci esthétique aussi grand que celui dont fait preuve le viréo à gorge jaune, il est difficile de croire que seul l'instinct prévaut.

En fin d'été, le viréo à gorge jaune, insectivore de nature, dévore quelques baies.

Description. Longueur 12,5-15 cm (5-6 po). Dessus vert olive ; 2 bandes alaires blanches ; cercle autour des yeux et des lores, gorge et poitrine jaune vif.
Habitat. Forêts de feuillus.
Nidification. Nid en forme de coupe à parois épaisses, tissé de lanières d'écorce, d'herbes, de fibres et de fil d'araignée, renforcé à l'extérieur de lichen et de mousse, se balançant à la fourche d'un rameau à 0,30-18 m (3-60 pi) du sol ; 3-5 œufs blancs très marqués de brun et de mauve ; 15 jours d'incubation assurée par le couple. Envol des oisillons à 14 jours.
Nourriture. Insectes, baies.

Viréo de Hutton
Vireo huttoni

Chez les viréos, mâles et femelles couvent les œufs et nourrissent les oisillons.

Certains ornithophiles seraient enclins à croire que la seule raison d'être du viréo de Hutton, c'est de leur compliquer la vie. Au Canada, ils n'ont pas trop à se plaindre, car l'oiseau n'y fréquente que le sud-ouest de la Colombie-Britannique. Aux États-Unis, cependant, on le trouve sur toute la côte du Pacifique jusqu'à la Basse-Californie. C'est un très petit viréo, difficile à caractériser et qu'on prend facilement pour un roitelet à couronne rubis. On objectera que la couronne rubis est justement absente chez le viréo de Hutton. Mais, hélas ! elle n'est visible, chez son détenteur, qu'en pariade. Or, sous tous autres aspects, ces deux oiseaux sont identiques.

Cette similitude, jointe au fait que tous deux sont insectivores et nichent dans les arbres, risquerait de faire naître entre eux une rivalité dangereuse. Il n'en est pourtant rien. S'ils fréquentent les chênaies et font souvent partie des mêmes vols mixtes, leur régime alimentaire est assez différent pour qu'ils coexistent pacifiquement. À dire vrai, ce serait plutôt la mésange à dos marron qui porterait ombrage au viréo de Hutton.

Il n'est pas toujours aisé de déterminer le degré de convivialité possible entre deux espèces similaires car des traits distinctifs pourtant essentiels échappent souvent à l'observation. Il est certain, néanmoins, que si véritablement la mésange à dos marron et le viréo de Hutton occupent le même boisé et chassent de la même façon les mêmes proies, l'une des deux espèces l'emportera sur l'autre et celle-ci, pour survivre, devra changer de territoire ou de régime alimentaire.

Description. Longueur 11,5-12,5 cm (4½-5 po). Oiseau petit. Dessus vert olive ; 2 bandes alaires blanches ; cercle oculaire blanc, incomplet. Bat fébrilement des ailes. Semblable au roitelet à couronne rubis, mais tête et bec plus gros et démarche plus lente.
Habitat. Chênaies, fourrés.

Nidification. Nid petit et profond de lichen, de lambeaux d'écorce, d'herbes, de fibres et de fil d'araignée, suspendu à 1,5-10,5 m (5-35 pi) du sol ; 3-5 œufs blancs à peine marqués de brun ; 15 jours d'incubation assurée par le couple. Les oisillons restent 14 jours au nid.
Nourriture. Insectes, araignées, baies.

Viréo mélodieux

Vireo gilvus

Les viréos se ressemblent beaucoup entre eux ; pour les distinguer les uns des autres, il faut être attentif aux détails. Le viréo mélodieux n'a pas de bandes alaires blanches comme le viréo de Hutton, mais il partage ce trait distinctif avec le viréo aux yeux rouges. Par contre, le viréo aux yeux rouges présente une ligne superciliaire blanche bordée de chaque côté d'un mince filet noir, tandis que chez le viréo de Hutton, la ligne superciliaire est beaucoup moins marquée et n'est pas bordée de deux lignes noires.

Ce qui distingue le viréo mélodieux de tous les autres viréos, c'est son chant. Au lieu de strophes séparées par des pauses, c'est un gazouillis incessant qui augmente peu à peu d'intensité et se termine par une note très accentuée. Pour chanter, l'oiseau se perche souvent dans un arbre éclaboussé de soleil, au cœur d'une forêt de feuillus. Il chante parfois même de son nid. Mais il n'est pas facile à observer. On peut essayer de l'apercevoir dans de grands arbres décidus où il se tient très haut. Il fréquente les bois clairs mixtes, les vergers, les parcs, les bosquets d'aulnes et de saules.

Ce qui rend l'observation difficile, c'est que rien ne frappe le regard quand on l'aperçoit : ni bande alaire, ni cercle oculaire marqué, ni tache caudale, ni marque de couleur vive. L'identification se fait par élimination, procédé qui requiert beaucoup de patience sans donner beaucoup de satisfaction. Il vaut peut-être alors mieux s'en tenir à son chant et se dire : « Il est là, je l'entends. »

Un petit vacher occupe tout le nid du viréo mélodieux, sans défense devant ce parasite.

Description. Longueur 12,5-15 cm (5-6 po). Dessus gris olive sans bande alaire ; ligne superciliaire blanchâtre. Se cache dans les grands arbres. Se reconnaît à son chant, semblable à celui du canari.
Habitat. Forêts et boisés près de cours d'eau ; arbres ornementaux en banlieue.

Nidification. Nid de lambeaux d'écorce, d'herbes, de fibres et de fil d'araignée, se balançant à 1-18 m (4-60 pi) à la fourche d'un rameau ; 3-5 œufs blancs, à peine marqués de brun et de noir ; 12-14 jours d'incubation assurée par le couple. Les oisillons restent 14 jours au nid.
Nourriture. Insectes, araignées, baies.

Viréo aux yeux rouges

Vireo olivaceus

Le viréo aux yeux rouges fait son nid dans les banlieues exemptes d'insecticide.

Cet oiseau a comme ennemi un parasite inouï, le vacher à tête brune, qui fait systématiquement du viréo aux yeux rouges sa victime. Avec une astuce inégalée et une régularité qui tient de la persécution, le vacher pond un ou plusieurs œufs dans le nid du viréo et transfère aux parents adoptifs le soin de les couver et de nourrir sa progéniture. On imagine ce qui se produit. Inconscients du subterfuge, les viréos nourrissent le petit vacher comme leurs propres oisillons mais celui-ci, plus robuste, s'empare de toute la nourriture pendant que le rejeton naturel va mourir de faim. Assez rarement, la femelle viréo parvient à se débarrasser des œufs du vacher en les recouvrant de matières végétales avant de pondre elle-même.

Le vacher est donc responsable des chutes de population qu'ont connues les viréos aux yeux rouges, également décimés par le DDT. On peut aussi jeter le blâme sur ceux qui ont nettoyé les forêts, dans l'est du continent, et ceux qui, en ce moment même, abattent les forêts amazoniennes où hivernent cet oiseau et des milliers d'autres espèces.

Apparemment inconscient de la fatalité qui s'attache à son sort, le viréo aux yeux rouges continue de chanter : des enregistrements ont prouvé qu'en une seule journée, un mâle pouvait émettre plus de 22 000 mélodies distinctes. Mais continuera-t-il longtemps à le faire ? Les populations se maintiennent pour l'instant dans l'est du continent, mais entre les forêts qu'on décime et le vacher qui se multiplie, qu'adviendra-t-il du viréo aux yeux rouges ?

Description. Longueur 14-16,5 cm (5½-6½ po). Dessus vert olive sans bande alaire ; vertex gris bordé de noir ; rayure superciliaire blanche ; yeux rouges ; dessous blanchâtre. Chant très varié.
Habitat. Forêts de décidus, arbres ornementaux, jardins, parcs.
Nidification. Nid à parois minces fait de lambeaux d'écorce, d'herbes, de fibres et de fil d'araignée, suspendu à la fourche d'un rameau, à 0,60-18 m (2-60 pi) du sol ; 3-5 œufs blancs à peine maculés de brun et de noir ; 11-14 jours d'incubation assurée par la femelle. Les oisillons restent 12 jours au nid.
Nourriture. Insectes, baies.

Paruline à ailes bleues
(Fauvette à ailes bleues)

Vermivora pinus

Dans le nom scientifique de cette espèce apparaît le mot latin *pinus* qui veut dire « pin ». Si notre paruline lisait le latin, elle serait sidérée, elle qui ne fréquente justement pas les pinèdes, mais les boisés en regain et les champs tombés en friche. Dans les broussailles où elle se plaît, le jaune vif de son petit corps brille comme le bouton d'or dans la prairie. Méthodiquement et sans la moindre hâte, elle inspecte le feuillage épais, cueille ici une chenille, là une araignée. Elle se prend parfois pour une mésange et se perche la tête en bas.

C'est une paruline jaune qui fréquente en partie les mêmes aires que la paruline à ailes dorées ; là où elles se rencontrent, elles peuvent s'accoupler et les petits ont alors des traits des deux espèces. Les sous-espèces qui en résultent ont même leur nom : la paruline de Brewster a été vue à quelques reprises dans le sud de l'Ontario ; la paruline de Lawrence, beaucoup plus rarement dans la même zone. Ces hybrides sont fertiles et peuvent s'accoupler autant avec une espèce qu'avec l'autre.

Face à ces phénomènes d'hybridation, on peut se demander si les parulines à ailes bleues et à ailes dorées constituent bel et bien deux espèces distinctes. La question est pertinente... mais elle ne le sera pas encore bien longtemps. Dans les aires où elles se superposent et pour des raisons purement génétiques, la paruline à ailes bleues est en expansion, la paruline à ailes dorées, en régression. On peut donc prévoir qu'un beau jour, la paruline à ailes dorées aura disparu, résorbée dans la formule génétique de la paruline à ailes bleues.

La paruline à ailes bleues niche au sol et y trouve à l'occasion sa nourriture.

Description. Longueur 11,5-12,5 cm (4½-5 po). Dessus gris-bleu ; 2 bandes alaires blanches ; vertex et dessous jaunes ; mince ligne noire de part et d'autre des yeux. Paruline de Brewster : similaire ; bandes alaires souvent jaunes ; dessous plus ou moins blanc.
Habitat. Boisés clairs et broussailleux, fourrés.

Nidification. Nid conique de lambeaux d'écorce, d'herbes et de poil de bête, caché au sol dans la végétation ou sous un buisson ; 4-7 œufs blancs finement maculés de brun et de gris ; 10-12 jours d'incubation assurée par la femelle. Les oisillons restent 10 jours au nid.
Nourriture. Insectes et araignées.

Paruline à ailes dorées
(Fauvette à ailes dorées)
Vermivora chrysoptera

Mâle

Femelle

La femelle est généralement seule à couver, mais le mâle aide à nourrir les petits.

Perchée sur les jeunes arbres qui poussent à flanc de montagne, la paruline à ailes dorées ressemble à s'y méprendre à une mésange. Grise dessus, blanche dessous, avec une franche tache noire dessinée comme un faux col sur la gorge, cette paruline imite la mésange jusque dans sa façon de pivoter, tête en bas, autour d'une branche pour cueillir d'un coup de bec précis la chenille dissimulée sous la feuille. Mais dès que le mâle sort de l'ombre, finie la ressemblance : le jaune vif éclate sur son vertex et ses ailes et, malgré son masque noir, il ne peut plus dissimuler son identité.

Au début du XIXᵉ siècle, au moment où John James Audubon et Alexander Wilson inauguraient l'ornithologie nord-américaine, le déboisement des forêts, dans l'est du continent, faisait apparaître des champs en damier et des paysages de landes, un habitat dont raffole la paruline à ailes dorées. Avec le temps, toutefois, beaucoup de champs tombés à l'abandon se reboisèrent et la paruline dut s'en aller nicher ailleurs.

Sa période de nidification commence en mai ; l'oiseau se cherche alors un territoire et une femelle. En juin, il lui faut nourrir la couvée et la protéger contre les prédateurs. En juillet, premier vol des oisillons : on les aperçoit, maladroits et craintifs, dans les clairières que les parents affectionnent. Août ne s'est pas encore installé qu'on n'entend déjà plus le chant des parulines à ailes dorées ; elles ont déserté les clairières pour regagner, en septembre, l'Amérique Centrale où elles vivent pendant la plus grande partie de l'année.

Description. Longueur 11,5-12,5 cm (4½-5 po). Mâle : dessus gris ; vertex et 2 bandes alaires jaunes ; masque facial noir ; tache noire sur la gorge ; dessous blanc. Femelle : plus terne. Paruline de Lawrence, croisement avec la paruline à ailes bleues : semblable ; dessous jaune.
Habitat. Bois clairsemés ; broussailles ; fourrés.

Nidification. Nid d'herbes et de lambeaux d'écorce, en forme de grosse coupe, tressé à des tiges d'herbes ou caché sous des buissons ; 5-7 œufs blancs ou crème, maculés de brun et de gris ; 10 jours d'incubation assurée par la femelle. Les oisillons restent 10 jours au nid.
Nourriture. Insectes.

Paruline obscure
(Fauvette obscure)

Vermivora peregrina

Femelle

Mâle

Les chênes sont en fleur et, tout en haut des arbres, les insectes, endormis durant l'hiver, se raniment sous la chaude caresse du soleil de mai. Des douzaines de petits oiseaux énergiques, vert dessus, blanc dessous, les picorent joyeusement au bout des branches en lançant à la ronde une averse de notes puissantes qui se termine par une cascade de trilles. Ce sont les parulines obscures.

Le débutant pourrait les confondre avec les viréos de Philadelphie, les viréos aux yeux rouges ou les viréos mélodieux tant les coloris se ressemblent. Mais qu'il remarque leur bec plus pointu et plus effilé, leurs mouvements plus rapides : voilà ce qui les caractérise. En plumage d'automne, la paruline obscure ressemble à la paruline verdâtre, mais ses parties inférieures ne comportent pas de rayure et ses lignes superciliaires sont beaucoup mieux définies.

La paruline obscure niche dans le sud et le centre du Canada. Elle hiverne depuis le sud du Mexique et du Guatemala jusqu'en Colombie et au Venezuela. Durant son premier long voyage vers ses terres d'hivernage, le juvénile se nourrit souvent dans les enchevêtrements végétaux près du sol. Mais au retour, il aura conquis les mœurs alimentaires de l'adulte et se tiendra haut dans les arbres.

Description. Longueur 10-12,5 cm (4-5 po). Mâle : dessus vert olive ; dessous blanchâtre ; vertex gris clair ; rayure superciliaire blanche ; ligne plus foncée de part et d'autre des yeux. Femelle : semblable, mais plus terne.
Habitat. Forêts et tourbières boisées.
Nidification. Nid robuste d'herbes et de radicelles, enfoncé dans la mousse de sphaigne ou posé sur un sol plus sec au centre d'un buisson ou d'une touffe d'herbes ; 5-7 œufs blancs ou crème, maculés de brun ; vraisemblablement 12 jours d'incubation assurée par la femelle. Durée du séjour des oisillons au nid inconnue.
Nourriture. Insectes, araignées, baies, graines.

Paruline verdâtre
(Fauvette verdâtre)
Vermivora celata

Pour se nourrir, la paruline verdâtre aspire le nectar des fleurs comme un colibri.

La taxinomie est une science aléatoire quand du latin on passe aux langues vernaculaires. En voici un bon exemple. Notre paruline verdâtre s'appelle en anglais « orange-crowned warbler » ou paruline à couronne orange. Mais ne cherchez pas sa couleur orange : elle est *celata* comme le dit son nom latin, c'est-à-dire dissimulée. Virtuellement invisible sur le terrain, cette tache orange est d'ailleurs carrément absente chez la femelle et les juvéniles. De sorte que cette paruline est surtout verdâtre, comme le dit bien son nom français.

Verte et hyperactive ! Elle saute d'une verge d'or à une autre, volette de branche en branche, atterrit sur le sol, rebondit au sommet d'un buisson, disparaît dans un enchevêtrement de sarments d'où on la voit s'étirer la tête à s'en tordre le cou pour attraper quelque petite bouchée savoureuse.

L'ornithophile, lui, ne risque pas de se donner un torticolis quand il observe la paruline verdâtre. Contrairement à sa cousine, la paruline obscure, elle fuit les hauteurs et niche de préférence près des cours d'eau bordés de trembles ou dans la végétation alpine, par terre ou tout près du sol. En tout temps, durant la nidification, la migration et l'hivernage, elle se tient coite et reste inaperçue au cœur des fourrés ou dans les champs de hautes herbes. Plus résistante que la plupart des insectivores, elle quitte très tard ses territoires de nidification et passe l'hiver en Amérique du Nord, à l'occasion dans le sud de l'Ontario et, plus rarement, dans le sud-ouest du Québec.

Description. Longueur 11,5-14 cm (4½-5½ po). Dessus olive terne ; dessous plus pâle et lavé de jaune (de jaune vif chez les formes de l'Ouest) ; tectrices sous-caudales jaunes ; tache orange rarement visible sur le vertex.
Habitat. Boisés broussailleux, bosquets de trembles, fourrés épais.

Nidification. Nid d'herbes, de lambeaux d'écorce et de feuilles caché sous un buisson ou dans une berge, ou à 0,60-1 m (2-4 pi) du sol ; 3-6 œufs blancs maculés de marron et de brun. Durée de l'incubation et durée du séjour des oisillons au nid inconnues.
Nourriture. Insectes, baies.

Paruline à joues grises
(Fauvette à joues grises)

Vermivora ruficapilla

Alexander Wilson, qui découvrit l'espèce en 1811 près de Nashville, dans le Tennessee, n'en vit que trois sujets durant toute sa vie ; John James Audubon eut plus de chance ; il en aperçut quatre au cours de sa longue et fructueuse carrière. Pourtant, en 1879, un autre ornithologue éminent, John Krider, faisait savoir que l'espèce nommée en anglais paruline de Nashville s'était répandue en abondance jusqu'au Minnesota. Que s'était-il donc passé ? Bien des choses. Les Américains avaient avancé vers l'ouest ; ils avaient défriché des terres, les avaient cultivées puis abandonnées.

Aujourd'hui, la paruline à joues grises réside dans les boisés en regain et les tourbières à épinettes ; elle fait son nid sous les herbes dans la broussaille prostrée ou dans quelques petites cuvettes bien mousseuses.

Dans ses terrains privilégiés de chasse, sous des dômes de verdure, le plumage vert-gris de l'oiseau est terne. N'était de son hyperactivité et de son chant clair et animé, il passerait inaperçu. Mais à la faveur d'un rayon de soleil filtrant à travers le feuillage ou contre la masse argenté des épinettes, son plumage s'anime. Ses parties inférieures brillent d'un jaune vif ; le gris-bleu de ses parties supérieures et le gris perle de sa tête prennent un relief insoupçonné.

Durant ses longs voyages de migration, au printemps et en automne, la paruline à joues grises se rencontre partout à travers l'Amérique du Nord, au sein d'habitats de tous genres, y compris dans les parcs et les jardins de nos villes.

La paruline à joues grises mange de grandes quantités de chenilles et de bombyx.

Description. Longueur 11,5-14 cm (4½-5 po). Dos, ailes et queue vert olive ; tête grise ; cercle blanc autour des yeux ; gorge et dessous jaune vif ; tache rousse peu visible sur le vertex. **Habitat.** Boisés clairsemés et broussailleux ; tourbières ; bosquets de bouleaux et de trembles. **Nidification.** Nid de mousse, d'herbes, de poils et de tiges, posé au sol parmi les herbes, dans des bosquets denses ou dans une touffe de mousse ; 4-5 œufs blancs maculés de brun ; 12 jours d'incubation assurée par la femelle. Les oisillons restent 10 jours au nid. **Nourriture.** Insectes.

Paruline de Virginie
(Fauvette de Virginie)

Vermivora virginiae

Chez les parulines de Virginie, mâle et femelle donnent ensemble la becquée.

On pourrait croire, d'après son nom, que la paruline de Virginie fréquente l'État du même nom ; or, il n'en est rien puisque son aire de dispersion ne dépasse pas vers l'est l'État du Texas. Elle doit en réalité son nom à Virginia Anderson, épouse d'un chirurgien de l'armée américaine qui découvrit l'oiseau à Fort Burgwyn, au Nouveau-Mexique, en 1858. Le professeur Spencer Baird, secrétaire de l'Institut Smithsonian, en fit la description scientifique deux ans plus tard et voulut rendre hommage au chirurgien en choisissant le prénom de sa femme pour désigner cette paruline.

C'est une paruline de l'Ouest qui fréquente le sud des Rocheuses et l'ouest du Grand Bassin. Depuis les hautes cimes du pin ponderosa, qui pousse dans les contreforts du Colorado, jusqu'aux chênes rabougris accrochés aux parois presque verticales des défilés en montagne, la paruline de Virginie mâle lance ses roulades et ses trilles dans les tendres matinées de juin. Frêle et vif, craintif et fébrile, l'oiseau fourrage dans le tapis végétal et ne semble tout à fait à son aise que dans les fourrés les plus impénétrables. On croirait que tant de réserve aurait pour but de cacher une grande beauté, mais il n'en est rien. Cette paruline au plumage gris, jaune et blanc est plutôt terne et le cercle blanchâtre qu'elle a autour des yeux accentue son air myope. Les observateurs ont tout juste le temps d'apercevoir un petit oiseau gris furtif qui, d'une brindille encore tremblante de son départ, est déjà passé à une autre brindille, que fait trembler son arrivée. Parfois encore moins : un éclair jaune tout de suite éteint sitôt entrevu, une ombre grise qui se fond dans la végétation jaunâtre.

Description. Longueur 10-11,5 cm (4-4 ½ po). Oiseau presque tout gris ; cercle oculaire blanc ; croupion et rectrices sous-caudales jaunes. Mâle : tache jaune sur la poitrine, atténuée ou absente chez la femelle.
Habitat. Boisés de chênes et de pins pignons ; flancs de montagne broussailleux près de l'eau.

Nidification. Nid de mousse, d'herbes, d'écorce et de radicelles, caché au sol dans les feuilles mortes ou dans une touffe d'herbes au pied d'un arbuste ou d'un arbrisseau ; 3-5 œufs blancs à peine marqués de brun. Durée de l'incubation et durée du séjour des oisillons au nid inconnues.
Nourriture. Insectes.

Paruline à collier
(Fauvette parula)

Parula americana

Les ornithologues parlent parfois d'une « image innée » que l'oiseau porte en lui dans son bagage génétique et qu'il reconnaît spontanément lorsqu'il la retrouve comme étant l'endroit où il est censé faire son nid. Selon cette théorie, une fauvette couronnée, par exemple, ne *choisit* pas de faire son nid sur le parterre de la forêt ; elle recherche tout simplement le coin de nature qui correspond à l'image inscrite dans sa mémoire génétique.

Si tel est le cas, l'image que porte en elle la paruline à collier a toutes les apparences d'une chevelure de sorcière ou d'un balai à franges. Au nord de son aire, en effet, elle installe son nid à l'intérieur d'une touffe suspendue d'usnée barbue, un lichen du genre *usnea*. Dans le sud, elle le blottit au fond d'une boule de mousse espagnole, cette plante épiphyte qui pend aux branches des vieux arbres. Là où elle ne peut trouver ni l'un ni l'autre, elle se bâtit un nid conventionnel, mais le place autant qu'elle peut dans quelque enchevêtrement qui pend ou se balance.

La paruline à collier est, avec la paruline du Canada, la seule de son espèce à avoir un dos bleuâtre et un dessous jaune, mais elle se distingue de cette dernière par ses deux bandes alaires blanches, son masque facial et son double collier.

C'est l'une des plus jolies parulines à fréquenter les boisés du sud du Manitoba, de l'Ontario et du Québec. Elle se tient à la cime des arbres où on la reconnaît à son chant : un trille bourdonnant qui devient aigu et se termine brusquement par un *zip* ou un *ouip*.

Le nid de la paruline à collier est parfois visible dans la mousse espagnole.

Description. Longueur 10-11,5 cm (4-4½ po). Dessus gris-bleu ; 2 bandes alaires blanches ; cercle oculaire blanc non complet ; gorge et poitrine jaunes. Mâle : deux colliers, l'un noir, l'autre roux, absents chez la femelle.
Habitat. Boisés, surtout près de l'eau.
Nidification. Nid installé dans une touffe suspendue d'usnée barbue ou de mousse espagnole, à 1-18 m (4-60 pi) du sol ; 3-7 œufs blancs ou crème, maculés de brun ; 12-14 jours d'incubation assurée par la femelle. Durée du séjour des oisillons au nid inconnue.
Nourriture. Insectes, araignées.

Femelle

Mâle

Paruline jaune
(Fauvette jaune)
Dendroica petechia

Les oiseaux qui pondent leurs œufs dans les nids des autres ont des victimes de prédilection. Une étude menée dans le Michigan a permis de constater que les 18 œufs pondus par une femelle du vacher à tête brune au cours d'une même saison avaient tous été déposés dans différents nids de parulines jaunes.

La victime d'un oiseau parasite peut soit accepter le cadeau empoisonné, ou bien le rejeter. L'hôte tolérant couve l'œuf et élève le petit parmi les siens, mais sa générosité a souvent pour prix la mort de sa propre progéniture. L'hôte récalcitrant considère l'œuf du vacher comme un objet étranger et peut réagir de deux façons : si l'oiseau est assez gros, il jette l'œuf en bas du nid ; s'il est trop petit, il abandonne son nid et s'en construit un autre.

L'attitude de la paruline jaune est complexe : tantôt elle accepte, tantôt elle rejette. Une étude menée en Ontario a démontré qu'en règle générale, si le nid de la paruline est vide ou ne contient qu'un seul œuf, la femelle rejette l'œuf du vacher : le couple change de nid ou la femelle construit un second fond par-dessus l'œuf du vacher. Mais si le nid contient déjà deux œufs ou davantage, la femelle paruline, d'ordinaire, acceptera l'intrus. Peut-être juge-t-elle alors que ses œufs sont suffisamment avancés pour affronter la concurrence du vacher dont la période d'incubation est plus courte et l'oisillon plus gros. Dans ce cas, le petit vacher ne sera pas en mesure de confisquer à son profit la nourriture qu'apportent les parents parulines, affamant ainsi à mort leurs rejetons.

Six fois cette paruline jaune a refait le fond de son nid pour couvrir un œuf de vacher.

Description. Longueur 11,5-14 cm (4½-5½ po). Dessus jaune vif teinté de vert ; 2 bandes alaires jaunes. Mâle : larges rayures rougeâtres sur la poitrine, atténuées ou absentes chez la femelle.
Habitat. Boisés et fourrés le long de cours d'eau, fourrés marécageux ; jardins ombragés.
Nidification. Nid de duvet végétal, d'herbes et de fil d'araignée, accroché aux branches basses d'un arbrisseau ou d'un arbuste ; 3-6 œufs bleu pâle ou verdâtres, maculés de brun et de gris ; 11 jours d'incubation assurée par la femelle. Les oisillons restent 9-12 jours au nid.
Nourriture. Insectes, araignées.

Mâle en
plumage nuptial

Paruline
à flancs
marron
(Fauvette à
flancs marron)

Dendroica pensylvanica

Juvénile mâle

Les écologistes s'élèvent à bon droit contre la destruction des sites naturels. Il faut quand même admettre que les modifications apportées à l'environnement se révèlent à l'occasion bénéfiques pour des espèces en particulier, même s'il ne s'agit pas d'espèces qui jouissent d'une grande popularité.

Si les oiseaux de la forêt pouvaient réécrire l'histoire des États-Unis au XIXᵉ siècle, elle s'intitulerait sans doute « Destruction des forêts de l'Est » ; du point de vue des oiseaux de clairière, elle deviendrait « Création de nouveaux espaces à découvert ». Le vacher, par exemple, a profité de la création de pâturages tandis que le merle d'Amérique proliférait grâce à la multiplication des pelouses riches en vers de terre.

La paruline à flancs marron s'est, elle aussi, félicitée de voir tomber les forêts. Il semble que John James Audubon n'ait aperçu, au cours de toute son existence, qu'un seul exemplaire de ce petit oiseau. Mais avant même la fin de sa vie, on entendait déjà la paruline, en pleine reprise, chanter *vieux vieux vieux-vieux-vi-e-ou* comme si elle parlait de lui. Car la forêt cédait la place à de grandes étendues partiellement broussailleuses dans lesquelles la forêt en regain posait ici et là de petits arbrisseaux comme elle les aime. Curieusement la chute des populations de parulines à flancs marron, au cours des dernières décennies, est probablement due à l'amélioration des pratiques agricoles et des techniques de reboisement.

La paruline à flancs marron part souvent en chasse derrière un insecte.

Description. Longueur 11,5-14 cm (4½-5½ po). Mâle : vertex jaune ; bande marron foncé de chaque côté de la poitrine et sur les flancs ; motif facial noir et blanc ; dessous blanc. Femelle : semblable mais plus terne. Juvénile à l'automne : dessus vert-jaune, dessous blanchâtre.
Habitat. Boisés broussailleux ; pâturages.

Nidification. Nid d'écorce, de tiges, de fibres et de duvet végétal à 0,30-1,5 m (1-5 pi) du sol dans la fourche d'un arbrisseau ou d'un arbuste ; 3-5 œufs blancs ou crème, marqués de brun et de pourpre ; 13 jours d'incubation assurée par la femelle. Envol des oisillons à 10-12 jours.
Nourriture. Insectes, baies, graines.

Paruline à tête cendrée

(Fauvette à tête cendrée)

Dendroica magnolia

Femelle

Mâle

Queue en éventail, la paruline à tête cendrée se concentre sur l'insecte qu'elle guette.

Depuis toujours, les oiseaux en migration volent surtout de nuit. Mais la multiplication des gratte-ciel et les jeux de lumière qu'ils créent ont rendu ces vols de plus en plus dangereux. Il y a un demi-siècle environ, un ornithologue inquiet avait déjà pu le constater. Il s'était caché dans le flambeau de la statue de la Liberté, par une nuit de brouillard, et avait assisté, impuissant, au terrible ballet des oiseaux chanteurs qui volaient devant lui comme un essaim d'abeilles. À tout moment, le silence était brisé par le choc d'un petit corps heurtant violemment le flambeau ; la plupart en mouraient.

Les tours de relais du signal télévisé sont une vraie catastrophe à cet égard. On a observé qu'une seule tour, dans le nord-ouest de la Floride, avait tué près de 2 000 oiseaux à chaque migration automnale, trois années de suite. L'espèce la plus touchée avait été la paruline à tête cendrée. Au lendemain d'une seule nuit, 106 individus étaient morts. Toutes les hautes structures illuminées entraînent le même carnage lorsque le brouillard diffuse la lumière et élimine les points de référence. En 1954, un crachin persistant affligea une large bande de terre, depuis le Canada jusqu'au Mexique, trois nuits de suite pendant la migration des oiseaux chanteurs. Au matin, on recensa dans 25 localités quelque 10 000 victimes, une fraction seulement de l'hécatombe qui avait dû réellement se produire. Le dixième de ces oiseaux était constitué de parulines à tête cendrée. On ne saura jamais le nombre total des parulines qui périrent durant ces trois nuits fatales.

Description. Longueur 11,5-12,5 cm (4½-5 po). Mâle : côtés de la tête et dos noirs ; vertex gris ; dessous jaune à larges stries noires ; ligne superciliaire, bandes alaires et bande sur la queue blanches. Femelle : semblable mais plus terne ; moins de blanc sur les ailes.
Habitat. Forêts conifériennes.

Nidification. Nid de brindilles et d'herbes, à cheval sur une branche horizontale de conifère, à 0,30-10 m (1-35 pi) de hauteur ; 3-5 œufs blancs, crème ou bleu pâle, maculés de brun ; 11-13 jours d'incubation assurée par la femelle. Les oisillons restent 8-10 jours au nid.
Nourriture. Insectes, araignées.

Femelle

Mâle

Paruline tigrée
(Fauvette tigrée)
Dendroica tigrina

Près du lac Black Sturgeon, en Ontario, dans les années 40, S. C. Kendeigh recensa quelque 319 couples d'oiseaux nicheurs dans un territoire de 40 ha en pleine forêt de sapins et d'épinettes. La prolifération de la tordeuse du bourgeon de l'épinette, phénomène cyclique qui attaque les conifères, était à l'origine de cette affluence. Les parulines tigrées, à gorge orangé, à poitrine baie, et la paruline obscure constituaient 185 de ces couples. Vingt ans plus tard, au moment où la tordeuse était en déclin, on n'observait aucune des quatre espèces dans ce même endroit.

Les populations locales de parulines tigrées fluctuent en fonction des cycles de la tordeuse du bourgeon de l'épinette dont elles se nourrissent ; le cas échéant, c'est un oiseau fort prolifique. Si les parulines pondent en moyenne quatre ou cinq œufs, la tigrée en pond entre six et neuf. Au plus fort du cycle de la tordeuse, cinq couples de tigrées peuvent élever environ 35 oisillons. En supposant un taux de survie et de reproduction de 75 p. 100 pour les adultes et de 50 p. 100 pour les petits, les 10 oiseaux du début sont devenus 110 à la fin du deuxième été, plus de 270 à la fin du troisième.

Hélas, ce nombre ne suffit pas à débarrasser la forêt de son fléau. Dans une région du Maine où on avait estimé la présence des tordeuses à 4 millions et demi de sujets par hectare, les oiseaux n'en consommèrent pas plus de 2 p. 100.

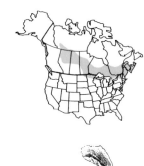

En automne, la paruline tigrée picore les fruits avec son bec pointu et en suce le jus.

Description. Longueur 12,5-14 cm (5-5½ po). Mâle : dessus vert-jaune à striures ; dessous jaune à striures ; côtés de la face marron ; côtés du cou jaunes. Femelle : semblable mais plus terne ; côtés du cou toujours jaunes.
Habitat. Forêts d'épinettes.
Nidification. Nid volumineux de brindilles, de tiges et d'herbes, construit dans les petites branches au sommet d'un conifère, à 9-18 m (30-60 pi) du sol ; 4-9 œufs crème très marqués de brun et de gris. Durée de l'incubation et durée du séjour des oisillons au nid inconnues.
Nourriture. Insectes, araignées ; perce les fruits pour en sucer le jus.

Paruline bleue à gorge noire
(Fauvette bleue à gorge noire)

Dendroica caerulescens

Mâle

Femelle

Le laurier de montagne joue un rôle très important dans la vie de cette paruline.

Le mâle est la démonstration même du nom de l'espèce ; son identification ne pose donc aucun problème. Il n'en va pas autant de la femelle dont les coloris verdâtre et chamois sont partagés par un grand nombre d'oiseaux. Le chant du mâle est aussi très distinctif : un lent *tvi-ou, tvi-ou, tvi-ou* dont la dernière note, *svriiii,* se termine en crescendo.

Confiante, presque apprivoisée, la paruline bleue à gorge noire se laisse approcher dans les forêts feuillues et mixtes où elle niche en période de reproduction. Elle affectionne tout particulièrement les cultures de rhododendron et de laurier de montagne. Le naturaliste John Burroughs a parlé d'elle en termes chaleureux. Son nid est une structure épaisse et ferme, a-t-il raconté, composée des matériaux les plus fins qu'on puisse trouver dans les bois et garnie de racines et de radicelles soyeuses. Au moment où il observait ce nid de plus près, quatre oisillons effrayés se précipitèrent au sol, au plus grand effroi des parents. Ceux-ci se jetèrent alors devant lui en criant, en traînant les ailes et en faisant tout ce qu'ils pouvaient pour l'éloigner des petits qu'ils croyaient en danger.

Lorsque les populations de parulines bleues à gorge noire augmentent, les mâles sont obligés de défendre leur territoire. Mais les combats, selon Burroughs, sont plus une démonstration de force qu'une entreprise meurtrière ; les antagonistes s'affrontent trois ou quatre fois puis s'éloignent l'un de l'autre, en apparence satisfaits du résultat.

Description. Longueur 11,5-14 cm (4½-5½ po). Mâle : dessus et vertex gris-bleu ; face, gorge et flancs noirs ; tache blanche sur l'aile. Femelle : vert olive ; petite tache blanche sur l'aile ; marques foncées de chaque côté de la tête.
Habitat. Fourrés en région forestière.
Nidification. Nid de lambeaux d'écorce, de brindilles, d'herbes, de crosses de fougère et de feuilles, à 0,30-1 m (1-4 pi) du sol dans un fourré épais ; 3-5 œufs blancs ou crème, maculés de brun et de gris ; 12 jours d'incubation assurée par la femelle. Les oisillons restent 10 jours au nid.
Nourriture. Insectes, graines, baies.

Paruline à croupion jaune

(Fauvette à croupion jaune)

Dendroica coronata

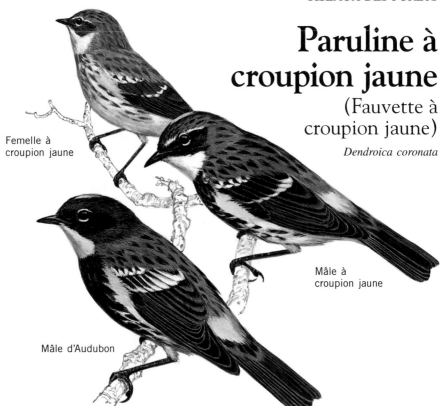

Femelle à
croupion jaune

Mâle à
croupion jaune

Mâle d'Audubon

D ans l'Est, cette paruline porte le nom de l'espèce ; on l'appelle la paruline à croupion jaune. Dans l'Ouest, elle a gardé le nom d'une sous-espèce qui, tout récemment encore, constituait une espèce de plein droit, la paruline d'Audubon. Mais à la grandeur du pays, elles sont, l'une et l'autre, reconnues pour la beauté de leur chant et pour leurs mœurs avenantes. Au XIXᵉ siècle, Henry David Thoreau, qui aimait les observer, notait dans son journal : « Elles volettent à la porte comme si elles voulaient entrer. »

Les quatre taches jaune vif de cette paruline, une sur la tête, une sur les flancs de chaque côté, mais surtout celle qui se trouve à la naissance de la queue, rendent son identification facile même pour les non-initiés. Les parulines à croupion jaune et d'Audubon peuvent s'accoupler quand elles se rencontrent à mi-chemin entre les deux océans, mais elles sont néanmoins légèrement différentes. La sous-espèce de l'Ouest, c'est-à-dire la paruline d'Audubon, a une tache jaune sur la gorge, tandis que l'espèce présente une gorge blanche et une ligne blanche de chaque côté de l'œil.

Tôt au printemps dans l'Est, la paruline à croupion jaune arrive en grandes bandes vives et joyeuses et nous charme par son chant, un trille délicat comme le son du triangle, qui se termine sur un ton plus aigu ou plus grave, selon l'humeur du chanteur. Fin gourmet, elle agrémente ses insectes d'eau d'érable au printemps et de baies sucrées quand vient l'été.

La paruline à croupion jaune chasse parfois au-dessus de l'eau comme une hirondelle.

Description. Longueur 12,5-15 cm (5-6 po). Mâle au printemps : dessus gris-bleu rayé ; tache jaune sur la tête, les flancs et le croupion ; poitrine et flancs noirs ; ligne superciliaire et gorge blanches. Dans l'Ouest : gorge jaune ; tache alaire blanche. Femelles : plus ternes.
Habitat. Forêts conifériennes.

Nidification. Nid de brindilles, de tiges et de lambeaux d'écorce, à 0,90-15 m (3-50 pi) du sol dans un conifère ; 3-5 œufs crème ou grisâtres, maculés de brun et de gris ; 13 jours d'incubation assurée par la femelle. Les oisillons restent 14 jours au nid.
Nourriture. Insectes, araignées, baies, graines.

Paruline grise à gorge noire

(Fauvette grise à gorge noire)

Dendroica nigrescens

À la manière des gélinottes, la paruline grise à gorge noire joue la comédie à l'intrus.

À l'exception d'une toute petite tache jaune-orange dans le prolongement de l'œil, cette paruline est tout de gris vêtue. Dans les forêts de conifères clairsemés ou les vallées peuplées de plantes rabougries comme des genévriers, des pins pignons ou des busseroles, ses teintes noir et gris ont l'avantage de se confondre avec le vert grisâtre du feuillage.

Sa façon méthodique de s'alimenter et le soin qu'elle déploie quand elle cherche le parasite du chêne, dont elle fait ses délices, ne contredisent pas sa livrée bon chic bon genre. Elle débusque la petite chenille verte derrière chaque feuille et chaque brindille et n'en laisse échapper aucune.

Son nid est une merveille de camouflage et, pour cette raison, difficile à découvrir. Elle le construit d'un entrelacement d'herbes sèches et de tiges végétales, le garnit de mousse et de plumes, parfois de crins de cheval ou de fourrure animale, et l'installe au centre d'une touffe de feuilles assez dense pour le contenir, assez insignifiante pour ne pas éveiller les soupçons des prédateurs. Roublarde et astucieuse, la femelle prend mille moyens pour s'y rendre sans attirer l'attention. Si l'observateur le découvre, l'oiseau se livre à toutes sortes de feintes et d'esquives pour détourner son attention de la couvée.

La paruline grise à gorge noire niche en été dans le sud-ouest de la Colombie-Britannique. Il est possible de la confondre avec des mésanges, mais ses joues foncées et ses flancs rayés de noir devraient permettre d'établir la distinction, d'autant que son aire de dispersion est très restreinte au Canada.

Description. Longueur 11,5-12,5 cm (4½-5 po). Mâle : dessus gris ; joues, gorge et vertex noirs ; ligne superciliaire, « moustaches » et dessous blancs ; flancs striés de noir. Femelle : semblable mais vertex gris et gorge blanche.
Habitat. Boisés secs et clairsemés.
Nidification. Nid d'herbes sèches, de tiges et de feuilles entrelacées de fil d'araignée, garni de mousse, de plumes et de fourrure animale, fixé à 1-3 m (3-10 pi), parfois jusqu'à 15 m (50 pi) du sol dans un arbre ; 3-5 œufs blancs ou crème, maculés de brun. Durée de l'incubation et durée du séjour des oisillons au nid inconnues.
Nourriture. Petites chenilles, autres insectes.

Paruline de Townsend
(Fauvette de Townsend)

Dendroica townsendi

L'aire de dispersion de la paruline de Townsend, au Canada, se limite à la région côtière de la Colombie-Britannique avec une extension dans le sud-ouest de l'Alberta. C'est dans ce territoire qu'on a des chances de l'observer durant la saison de nidification.

Le terme « chances » est bien choisi. Comme la paruline à tête jaune, la paruline de Townsend fréquente les forêts densément peuplées de hauts conifères. Son nid est à au moins 2,5 m, parfois même jusqu'à 27 m du sol et l'oiseau se perche sur les branches les plus hautes de l'arbre pour chanter sa ritournelle, un bourdonnement lent et sifflant qui s'étire vers la fin. La paruline de Townsend ne s'installe pourtant pas aussi haut que la paruline à tête jaune ; quand d'aventure elles se rencontrent, il leur arrive de s'accoupler. Les nids de l'une et l'autre espèce sont si difficiles à repérer qu'on ne sait pas combien de temps dure l'incubation et qu'on ignore tout du séjour des oisillons au nid.

À l'automne, les parulines de Townsend quittent leurs résidences d'été pour gagner le Mexique et l'Amérique Centrale. Un certain nombre d'entre elles atterrissent sur la côte californienne. C'est en période de migration qu'on peut le mieux les observer, quand elles se glissent parmi les mésanges pour fouiller le sol. Comme elles dévorent gloutonnement charançons, sauterelles et autres insectes nuisibles, elles sont toujours les bienvenues.

C'est dans le haut des plus grands conifères que perchent les parulines de Townsend.

Description. Longueur 11,5-12,5 cm (4½-5 po). Mâle au printemps : dessus verdâtre ; joues, gorge et vertex noirs ; ligne superciliaire, « moustaches » et dessous jaunes ; flancs rayés de noir. Femelle : semblable, mais vertex verdâtre et gorge jaune.
Habitat. Forêts conifériennes.

Nidification. Nid volumineux et peu profond, rarement observé, fait d'herbes, de fibres et de lambeaux d'écorce, à 2,5-4,5 m (8-15 pi) et plus du sol dans un conifère ; 3-5 œufs blancs maculés de brun. Durée de l'incubation et durée du séjour des poussins au nid inconnues.
Nourriture. Insectes, araignées.

Mâle

Femelle

Paruline
à tête jaune

Dendroica occidentali.

Comme la mésange, la paruline à tête jaune se pend souvent par les pattes.

Cette paruline fut découverte près du fleuve Columbia pa John Townsend en 1835. L'observer représente un ex ploit en soi car elle fréquente surtout les hauteurs. Auss est-elle une favorite parmi ces ornithophiles qui tiennent ur compte exact du nombre d'espèces — et surtout d'espèces ra res — qu'ils ont observées. Certains d'entre eux poussent cette manie jusqu'à l'obsession et en font une question de fierté per sonnelle. Tôt ou tard, on les retrouvera en train d'arpenter le montagnes des Cascades ou de la Sierra Nevada, tête renver sée, passant des yeux au peigne fin le sommet des grand coniferes dans l'espoir d'y découvrir une paruline à tête jaune

L'oiseau s'y trouve très probablement. Le voir est une autre histoire. Bien que les parulines à tête jaune puissent cherche leur nourriture, et même nicher, à des hauteurs abordables elles passent le plus clair de leur temps dans les branches le plus hautes des coniferes les plus grands et les plus touffu qu'elles peuvent trouver. C'est un trait distinctif qui cause bier des frustrations chez les observateurs. Certains de ceux-ci con centrent leurs efforts en mai et juin, saison de la nidification où le mâle, par son chant, indique vaguement où il se trouve D'autres essaient de tromper l'oiseau en lui faisant entendre le cri de la nyctale, son plus farouche prédateur. Intriguée, la paruline à tête jaune vient voir ce qui se passe. Hourra ! Une trouvaille de choix à ajouter à la liste !

Description. Longueur 11,5-12,5 cm (4½-5 po). Mâle au printemps : dessus gris ; 2 bandes alai res blanches ; tête plutôt jaune ; dessous blanc ; gorge noire . Femelle : semblable, mais gorge jaunâtre.
Habitat. Forêts coniferiennes.
Nidification. Nid de tiges, d'herbes, de brindil-

les et d'aiguilles de coniferes, installé au bou d'une branche horizontale de conifère, à 0,60 15 m (2-50 pi), plus souvent à 6-12 m (20 40 pi) du sol ; 3-5 œufs blanchâtres, marqué de brun et de mauve. Durée de l'incubation e durée du séjour des oisillons au nid inconnues
Nourriture. Insectes, araignées.

Mâle

Femelle

Paruline verte à gorge noire

(Fauvette verte à gorge noire)

Dendroica virens

Zrî-zrî-zrî-zou-zî — un agréable bourdonnement sort d'un bosquet de conifères. *Zrou-zrî-zrî-zou-zîîî* — un autre bourdonnement lui répond sur un ton légèrement endormi. Ainsi s'amorce la conversation entre deux parulines vertes à gorge noire par un beau dimanche matin d'été. C'est un chant en parfaite harmonie avec les odeurs poivrées et sèches qui émanent des conifères quand le soleil a réchauffé le tapis végétal et que la forêt entière vibre aux sons aigus et monotones des insectes stridulants.

L'ornithophile ne devrait pas avoir de mal à se rappeler cette mélodie soutenue et monocorde, parfois plus grave vers la fin. Mais il existe tant d'autres chants : comment parvenir à les distinguer ? Il y a des oiseaux dont le nom décrit le chant : celui de l'engoulevent bois-pourri, par exemple, formé à partir d'onomatopées parfaitement plausibles. Dans d'autres cas, la verve populaire a transformé le chant en chanson ; c'est le cas du bruant à gorge blanche à qui on a prêté ce discours truculent : « Cache ton cul, frédéric, frédéric, frédéric. »

La paruline verte à gorge noire niche partout au Canada sauf en Colombie-Britannique, encore qu'on l'indique comme probable dans l'est central de cette province. En hiver, elle s'installe à partir du sud du Texas et de la Floride jusqu'aux Grandes Antilles et à Panama.

Cette espèce fait son nid en hauteur, mais il lui arrive aussi de le loger au sol.

Description. Longueur 11,5-14 cm (4½-5½ po). Mâle au printemps : dessus verdâtre ; 2 bandes alaires blanches ; face jaune ; gorge, poitrine et flancs noirs. Femelle : semblable, avec moins de noir sur les parties inférieures.
Habitat. Forêts conifériennes et mixtes.
Nidification. Nid d'herbes, de mousse, de brin-dilles, d'écorce et de fibres végétales, logé dans la fourche d'un conifère à 0,30-24 m (1-80 pi) du sol, parfois dans un feuillu ; 4-5 œufs blancs ou crème, marqués de gros points bruns et pourpres ; 12 jours d'incubation assurée par la femelle. Les oisillons restent 8-10 jours au nid.
Nourriture. Insectes, baies.

Paruline à gorge orangée
(Fauvette à gorge orangée)

Dendroica fusca

Mâle

Femelle

La paruline à gorge orangée niche dans de grands conifères, parfois aussi dans des feuillus.

Comme une boule décorative posée sur l'arbre de Noël, un petit être ailé aux taches orangées brille à la cime d'un sapin. C'est la paruline à gorge orangée, qui partage son habitat, parfois même son conifère, avec quatre autres parulines non moins jolies et de même taille qu'elle : la paruline tigrée, la paruline à poitrine baie, la paruline à croupion jaune et la paruline verte à gorge noire.

On doit à Robert MacArthur, un étudiant de l'université Yale aux États-Unis dans les années 50, la réponse à un problème qui intriguait depuis longtemps les ornithologues. Cinq espèces, avec des habitudes alimentaires en apparence identiques, peuvent-elles occuper la même case écologique ? Si oui, leur comportement serait en complet désaccord avec la règle de la concurrence.

Robert MacArthur, à partir de son observation d'une forêt du Maine, dessina la grille d'un arbre qu'il divisa en 16 zones et nota soigneusement les positions des oiseaux dans chacune de ces zones et le temps qu'ils y passaient. C'est ainsi qu'on apprit que chaque espèce chasse à une hauteur et à une distance du tronc différentes, chacune avec une technique qui lui est propre.

MacArthur en conclut que les cinq parulines ne coexistent pas à l'intérieur d'une même case écologique, mais qu'elles occupent chacune la leur et ne se font jamais concurrence.

Description. Longueur 11,5-14 cm (4½-5½ po). Mâle au printemps : striures noir et blanc ; gorge, rayure superciliaire et vertex orange vif ; tache alaire blanche. Femelle : semblable, mais jaune au lieu d'orange et grise au lieu de noire. **Habitat.** Forêts conifériennes ; forêts feuillues dans les montagnes du Sud-Est.

Nidification. Gros nid robuste de brindilles, de radicelles, de duvet végétal et de lichens, à 1,5-24 m (5-80 pi) du sol sur une branche horizontale ; 4-5 œufs blancs ou vert pâle, maculés de brun ; 12 jours d'incubation par la femelle. Durée du séjour des oisillons au nid inconnue. **Nourriture.** Insectes, baies.

Paruline à gorge jaune
(Fauvette à gorge jaune)

Dendroica dominica

Avec son long bec, la paruline à gorge jaune se plaît à picorer les troncs d'arbre.

Dans leur plumage coloré à longueur d'année, certaines parulines à gorge jaune demeurent parfois tout l'hiver dans le sud-est des États-Unis. Dès les premiers beaux jours de février, on peut les y entendre claironner la venue prochaine du temps doux. Leur chant cristallin monte en spirale dans l'air encore vif d'un printemps hâtif pour mettre en échec la grisaille silencieuse de l'hiver. Leurs congénères parties hiverner sous les cieux plus cléments des Bahamas, des îles Vierges ou de Porto-Rico vont bientôt venir les rejoindre. Au début de mars, la migration est déjà bien amorcée et elle va se poursuivre jusqu'au milieu du printemps.

Les oiseaux qui nichent dans le sud des États-Unis sont déjà en pleine activité quand arrivent les grands voyageurs en route pour leur lieu de nidification très au nord. Loin de se montrer impatients de reprendre la route, ceux-ci prennent au contraire tout leur temps. De fait, les zélés pourraient bien se retrouver le bec dans la neige : rien à picorer encore, et la mort qui guette. Pour sa part, la paruline à gorge jaune apparaît un peu comme la messagère du printemps. Comme tous les migrateurs hâtifs, elle a l'intuition des changements climatiques et n'arrive jamais en Alabama avant la mi-mars ; elle est au Tennessee au début d'avril et rejoint les limites septentrionales de son aire de nidification vers le début de mai, jamais plus tôt.

Description. Longueur 11,5-14 cm (4½-5½ po). Vertex et dos gris ; 2 bandes alaires blanches ; masque facial noir et blanc ; gorge jaune vif ; dessous blanc ; flancs striés.
Habitat. Forêts de feuillus ; bosquets de pins.
Nidification. Nid de duvet végétal, de tiges et d'herbes, tressé à l'intérieur d'une masse suspendue de mousse espagnole, à 1-37 m (3-120 pi) du sol dans un caryer ou un pin ; 4-5 œufs, grisâtres ou verdâtres, maculés de rouge et de mauve ; 13 jours d'incubation. Durée du séjour des oisillons au nid inconnue. Parfois deux couvées par saison.
Nourriture. Insectes, araignées.

Paruline de Grace

Dendroica graciae

La paruline de Grace papillonne devant les cônes de pin pour y déceler des larves.

Le nom que porte cette minuscule paruline rappelle une tradition de la taxinomie au XIXe siècle : donner à l'espèce le prénom ou le nom de son découvreur. À défaut, honorer un de ses parents ou amis. Lorsque Elliott Coues découvrit cette paruline dans les Rocheuses en 1864, il lui décerna le nom de sa sœur de 18 ans, Grace Darling Coues. De la même façon, la paruline de Virginie reçut le nom de la femme de William W. Anderson, chirurgien de l'armée américaine qui découvrit l'oiseau en 1858, et la paruline de Bachman porte le nom du révérend John Bachman qui l'identifia pour la première fois dans une tourbière de la Caroline du Sud vers 1830.

Identifier un oiseau, durant les premiers temps de l'ornithologie, cela voulait dire l'abattre d'un coup de fusil ou encore le prendre au piège ou au filet. Marchant la tête en l'air dans les sols incertains des marécages, sans le secours d'un téléobjectif ou de jumelles puissantes, les premiers explorateurs ne se fiaient qu'aux preuves qu'ils capturaient.

Elliott Coues n'aurait sans doute jamais décrit en détail la paruline de Grace s'il n'avait été armé d'un projectile qui, en tuant la bête, la lui mettait entre les mains. Il n'aurait vu qu'un éclair jaune au sommet des grands pins. C'est ainsi que de louables intentions doivent parfois passer par de cruelles pratiques. Aujourd'hui, on recommande aux ornithologues et aux ornithophiles de ne pas recourir à de telles méthodes. Mais il s'en trouve encore pour prendre leur défense.

Description. Longueur 11,5-12,5 cm (4½-5 po). Vertex, joues et dos gris ; stries noires sur le dos ; 2 bandes alaires blanches ; ligne superciliaire et gorge jaune vif ; dessous blanc ; flancs striés.
Habitat. Boisés de pins et de chênes clairsemés.
Nidification. Nid compact, rarement repéré, fait de fibres végétales et garni de poils de bête et de plumes, fixé à 6-18 m (20-60 pi) du sol dans une branche de pin ; 3-5 œufs blancs ou crème, éclaboussés de brun, marqués d'un cerne au gros bout. Durée de l'incubation et durée du séjour des oisillons au nid inconnues.
Nourriture. Insectes.

Femelle

Mâle

Paruline des pins
(Fauvette des pins)

Dendroica pinus

L es noms que les ornithologues donnent aux oiseaux parais- sent souvent mal indiqués, pour ne pas dire erronés. Pour ce qui est de la paruline des pins, aucune autre dénomination n'aurait pu mieux lui convenir. Pins rigides, gris, sylvestres, résineux, blancs, de Virginie — peu d'espèces de pins sont ab- sentes de la vie de cette paruline. Sauf durant les migrations de printemps et d'automne, ce petit oiseau s'écarte rarement de ses conifères bien-aimés.

Son nid robuste se cache dans une touffe d'aiguilles ou une grappe de cônes, à l'extrémité de la branche horizontale d'un pin. Il le construit avec l'écorce, les aiguilles et les minuscules brindilles de l'arbre, en solidifie la structure avec du fil d'arai- gnée et de la soie de chenille qu'il glane à proximité et le gar- nit de poil et de duvet qu'il recueille sur les branches.

Le régime alimentaire de la paruline des pins est aussi in- timement lié au pin. Il se compose des insectes, araignées et bestioles de toutes sortes qui y logent comme elle. Tous les jours, elle passe les branches, les brindilles et les aiguilles au peigne fin ; elle inspecte minutieusement l'écorce pour débus- quer ses proies, en employant la méthode sinon la concentra- tion du grimpereau brun, c'est-à-dire en se collant de si près au tronc qu'elle l'épouse avec les plumes de ses parties in- férieures. Son plumage aux coloris vifs se tache souvent de résine, comme une marque d'appartenance que le pin imprime sur la créature qui concentre toute sa vie autour de lui.

La paruline des pins, comme la paruline noir et blanc, ram- pe sur l'écorce du conifère.

Description. Longueur 12,5-15 cm (5-6 po). Mâle adulte : vert olive ; 2 bandes alaires blan- ches ; rayure superciliaire et dessous jaunes. Fe- melle : plus terne et plus sombre.
Habitat. Pinèdes clairsemées, landes à pins, bos- quets de cèdres rouges.
Nidification. Nid compact de tiges, de lambeaux

d'écorce, de brindilles et d'aiguilles de pin, fixé à 4,5-24 m (15-80 pi) du sol dans un pin ou un cèdre rouge ; 4-5 œufs blancs ou verdâtres, tachetés de brun. Durée de l'incubation et durée du séjour des oisillons au nid inconnues.
Nourriture. Insectes, araignées, graines, baies.

Paruline
de Kirtland
(Fauvette de Kirtland)

Dendroica kirtlandii

La paruline de Kirtland ajoute à son menu d'insectes la sève du pin gris.

La paruline de Kirtland ne niche que dans les pins gris du centre du Michigan, un territoire d'environ 800 km², la plus petite aire de nidification en Amérique du Nord. Là, elle ne choisit que des arbres de taille moyenne, groupés en bosquets sur des terres sablonneuses où poussent des plantations prostrées d'herbes, de comptonies et d'airelles. C'est surtout la hauteur des arbres qui importe. À moins de 1,5 m, leur feuillage n'est pas assez épais ; mais à plus de 5,5 m, ils sont trop gros pour permettre la croissance des plantes arbustives parmi lesquelles elle cache son nid.

C'est dire que l'espèce a peu de chances de proliférer. Sans compter l'insistance des vachers à pondre leurs œufs dans ses nids. Des comités voués à sa survie ont entrepris de limiter le nombre des vachers et de protéger son habitat en incendiant prudemment des pans de forêts. C'est en effet dans les boisés en regain que le pin gris atteint les proportions qui conviennent à cette capricieuse paruline. Malgré ces efforts, la population demeure stationnaire et généralement assez âgée.

Chaque automne, les parulines de Kirtland quittent le Michigan pour aller dans les Bahamas. Normalement, elles devraient être aussi nombreuses au retour qu'à l'aller. Or, un grand nombre de juvéniles disparaissent. Aux Bahamas ? Durant la migration ? On ne sait pas. Quoi qu'il en soit, la paruline de Kirtland se place au nombre des espèces menacées.

Description. Longueur 15 cm (6 po). Vertex et dessus gris foncé ; face noire ; cercle oculaire blanc et incomplet ; dessous jaune ; flancs striés et maculés de noir. Femelle : plus pâle ; pas de noir sur la face. Hoche la queue.
Habitat. Bosquets denses de jeunes pins gris.
Nidification. Nid compact d'herbes et de fibres végétales, caché au sol sous un jeune pin gris ; 4-5 œufs rosés ou crème, maculés de brun ; 14 jours d'incubation assurée par la femelle. Les oisillons restent 9 jours au nid. Quelquefois, deux couvées par saison.
Nourriture. Insectes.

Paruline à poitrine baie
(Fauvette à poitrine baie)

Dendroica castanea

Juvénile mâle

Mâle en
plumage nuptial

Rien ne saurait rendre cette paruline plus heureuse qu'une invasion de tordeuses du bourgeon de l'épinette. Le fléau, désastreux pour les arbres, frappe régulièrement les peuplements de conifères dans les forêts septentrionales où nichent les parulines à poitrine baie. Ce sont les larves de ces tordeuses qui dévastent les régions forestières, au grand désespoir des bûcherons, depuis le début du siècle.

Les années où survient le phénomène, les parulines à poitrine baie, animées d'un grand esprit de convivialité, réduisent leur propre territoire de nidification pour qu'un plus grand nombre de leurs congénères puissent venir festoyer et se reproduire dans la région infestée. Les appétits prodigieux des petits y trouvent, pour se satisfaire, une nourriture abondante et riche en protéines. On a estimé à six fois supérieur à la normale le taux de reproduction des parulines à poitrine baie durant ces périodes.

À tant dévorer les bourgeons de l'épinette, les tordeuses finissent inévitablement par détruire le logis où elles déposaient leurs larves. Le cycle s'achemine vers son nadir tandis que les parulines à poitrine baie, pressentant le retour des années de vaches maigres, se mettent au régime et font moins de petits. L'équilibre se rétablit entre larves et oiseaux, jusqu'au cycle suivant.

Les parulines à poitrine baie cherchent leurs insectes sur les branches horizontales.

Description. Longueur 12,5-15 cm (5-6 po). Mâle au printemps : vertex, gorge et flancs marron ; face noire ; tache chamois sur l'oreille ; dessous chamois pâle. Femelle : moins de marron. Juvéniles et adultes en automne : vert terne ; flancs lavés de chamois ; pattes foncées.
Habitat. Forêts de sapins et d'épinettes.

Nidification. Nid de bonne taille fait de brindilles, d'herbes, d'écorce et de radicelles, fixé à 1,5-15 m (5-50 pi) dans un conifère ; 3-7 œufs blancs, bleutés ou verdâtres, maculés de brun et de mauve ; 13 jours d'incubation assurée par la femelle. Les oisillons restent 12 jours au nid.
Nourriture. Insectes et baies.

Mâle en
plumage nuptial

Juvénile mâle

Paruline
rayée
(Fauvette rayée)

Dendroica striata

Dans son aire septentrionale de nidification, la paruline rayée isole son nid avec des plumes.

Pensez à un oiseau qui pèse 14 g ! Imaginez-le qui entre-prend une migration de plus de 16 000 km par an, depuis les limites de la végétation arborescente de l'Alaska jusqu'aux forêts équatoriales de l'Amérique du Sud, aller et retour. Durant le voyage, cet oiseau doit survoler des montagnes aux sommets couverts d'arbres, contourner les gratte-ciel des grandes villes et traverser de vastes étendues d'eau formant partie de l'océan Atlantique et du golfe du Mexique. Cet oiseau étonnant, c'est la paruline rayée, la championne des distances, chez les oiseaux de terre, en Amérique du Nord.

Au début du voyage, elle prend son temps et ne parcourt pas plus d'une cinquantaine de kilomètres par jour. C'est l'une des dernières immigrantes à survoler la Floride et l'est des États-Unis au printemps. Mais arrivée dans le nord des États-Unis, elle augmente sa vitesse et finit par franchir 320 km par jour jusqu'à ce qu'elle atteigne son aire de nidification.

Le périple exténuant est parsemé d'embûches. Les parulines se reposent et s'alimentent de jour ; elles voyagent de nuit. C'est souvent là que le destin les guette, sous la forme d'un gratte-ciel, d'une tour de télévision ou d'un phare où elles s'assomment et périssent par centaines à la fois. Mais une fois parvenues saines et sauves dans leurs terres de nidification, elles pourront se multiplier en toute quiétude. À vrai dire, d'année en année, malgré les difficultés, les populations de parulines rayées se maintiennent.

Description. Longueur 12,5-15 cm (5-6 po). Mâle au printemps : rayé noir et blanc ; ligne de gorge et vertex noirs ; joues blanches (masque facial semblable à celui des mésanges). Femelle au printemps, juvénile et adulte à l'automne : verdâtre terne ; plus clair dessous ; pattes pâles. **Habitat.** Forêts de sapins et d'épinettes.

Nidification. Nid de brindilles, d'écorce, de tiges et d'herbes, à 0,30-3 m (1-10 pi) du sol dans un sapin ou une épinette de petite taille ; 3-5 œufs blancs, chamois pâle ou verdâtres, tachés de brun et de mauve ; 11 jours d'incubation assurée par la femelle. Envol des oisillons à 12 jours. **Nourriture.** Insectes et araignées ; baies.

Paruline azurée

(Fauvette azurée)

Dendroica cerulea

En toutes circonstances, les parulines sont des oiseaux difficiles à observer. Comme la plupart fréquentent le sommet des grands feuillus, il faut être fin observateur pour discerner autre chose qu'une petite forme colorée contre un arrière-plan qui bouge constamment. De ce point de vue, la paruline azurée a de quoi faire perdre patience au plus zélé des ornithophiles. Même quand elle se perche à découvert, les tons bleu sur bleu du mâle se confondent avec l'azur du ciel et ne permettent aucune conclusion sûre. Dans la forêt, les jeux d'ombre qu'allume le soleil dans les arbres, le mouvement incessant des feuilles, tout conspire à priver l'observateur de la certitude qu'il recherche avec tant d'ardeur. De sorte que lorsque la chance ou le hasard lui permet de bien voir l'oiseau, c'est une vision qu'il n'est pas près d'oublier.

Les parulines azurées sont connues pour leur dimorphisme sexuel : le mâle et la femelle présentent des plumages distincts. Plus modeste, celle-ci a les parties supérieures qui varient du bleu pâle au vert olive, sans aucune sorte de marque, tandis que chez le mâle, elles sont d'un bleu vif, rayées de noir sur le dos. Au Canada, la paruline azurée niche dans le sud de l'Ontario. Elle a déjà été vue dans le sud-ouest du Québec ; il est même possible qu'elle niche au mont Saint-Hilaire où elle a été aperçue à quelques reprises. En hiver, elle émigre en Amérique du Sud.

Sur la plus haute branche, la paruline azurée mâle chante du matin jusqu'au soir.

Description. Longueur 10-12,5 cm (4-5 po). Mâle : dessus gris-bleu clair, strié ; 2 bandes alaires blanches ; dessous blanc ; bande transversale noire sur la poitrine. Femelle et juvénile : semblables, mais dessus uni, souvent teinté de verdâtre ; aucune bande pectorale.
Habitat. Forêts de feuillus.

Nidification. Nid de lambeaux d'écorce, de fibres, de mousse et d'herbes, à 4,5-30 m (15-100 pi) du sol, dans une fourche, loin du tronc ; 3-5 œufs crème ou verdâtres, maculés de brun ; 13 jours d'incubation assurée par la femelle. Séjour des oisillons au nid de durée inconnue.
Nourriture. Insectes.

Paruline noir et blanc
(Fauvette noire et blanche)

Mniotilta varia

Tôt au printemps, c'est l'écorce qui fournit le menu de la paruline noir et blanc.

Même si les parulines occupent seulement l'hémisphère occidental, au Canada seulement, on n'en compte pas moins de 42 espèces. Ce sont des oiseaux de petite taille, au bec effilé et à la queue plutôt carrée. Les mâles et les femelles adultes ont des coloris différents au printemps et en automne et les juvéniles aussi sont différents. Ce facteur rend leur identification difficile, d'autant plus que ce sont des oiseaux constamment en mouvement et qui se tiennent de préférence dans le haut des arbres.

Ce n'est toutefois pas le cas de la paruline noir et blanc. Avide d'araignées et de faucheurs, elle cherche sa nourriture dans les branches basses ou moyennes des arbres. À cet égard, ses habitudes sont curieuses. Elle inspecte le tronc de bas en haut avec la dextérité d'un grimpereau, puis de haut en bas avec la virtuosité acrobatique de la sittelle. Qui plus est, elle se révèle plus agile que le premier et plus rapide que la seconde. Mais pour le plus grand bonheur de l'observateur, elle n'est encline ni à se hâter, ni à se cacher. Elle se laisse *voir*. Aussi est-ce de toutes les parulines celle qui comble le plus souvent l'ornithophile, depuis que les jumelles ont remplacé le fusil pour l'identification des oiseaux.

Chez la paruline noir et blanc, mâle et femelle sont dissemblables. Le mâle en plumage nuptial est fortement rayé de noir et blanc, tandis que la femelle est plus terne. Énergique et agréable à l'oreille, leur chant ressemble à un ronronnement aigu et comporte en général deux syllabes.

Description. Longueur 11,5-14 cm (4½-5½ po). Plumage rayé noir et blanc ; ligne superciliaire blanche ; gorge noire chez le mâle, blanche chez la femelle. Arpente les troncs comme une sittelle.
Habitat. Forêts de conifères et de feuillus.
Nidification. Nid à parois épaisses, fait d'herbes, d'écorce, de brindilles, de feuilles sèches et de radicelles, caché au pied d'un arbre, dans un tronc abattu ou sur un surplomb rocheux, parfois dans une souche ; 4-5 œufs blancs ou crème, maculés de brun ; 10-12 jours d'incubation. Les oisillons restent 8-12 jours au nid.
Nourriture. Insectes, araignées.

Paruline flamboyante
(Fauvette flamboyante)

Setophaga ruticilla

Mâle

Femelle

Les Latino-Américains ont donné à cette ravissante paruline le nom affectueux de « candelilla » ou petite chandelle. L'image est exacte. Quand la paruline flamboyante picore bourgeons, feuilles, brindilles et fleurs à la recherche des minuscules insectes dont elle se nourrit, on dirait une petite flamme qui danse dans la verdure ; à croire qu'elle ne se pose jamais. Les ornithologues l'ont décrite comme étant peureuse, agitée, fébrile. Mais cette hyperactivité n'est pas gratuite. La paruline flamboyante a beaucoup à faire : courtiser la femelle, défendre le territoire, construire le nid, protéger les petits et surtout se nourrir, activité capitale qui prend le plus clair de son temps.

La paruline flamboyante croque l'insecte au vol ou le cueille sur le tronc. On la verra abandonner soudain la crevasse qu'elle inspecte pour prendre en chasse un insecte ailé. Elle a l'habitude d'étaler la queue en éventail et de déployer les ailes vers le bas ; on pourrait croire qu'elle le fait par coquetterie. En réalité, c'est en ouvrant la queue et en faisant vibrer ses ailes qu'elle se prépare à tout instant à prendre son envol.

Pour faire la cour à la femelle, l'oiseau se dresse sur ses griffes, rejette son corps en arrière, déploie ses ailes pour mettre en évidence les belles taches orange qui les ornent, gonfle la poitrine et par toute son attitude avise la femelle qu'il est le plus beau mâle du voisinage.

Le mâle chante et niche avant même d'avoir acquis son plumage d'adulte.

Description. Longueur 11,5-15 cm (4½-6 po). Mâle adulte : presque tout noir ; côtés de la poitrine, ailes et queue marqués d'orange vif. Femelle et juvénile mâle : dessus gris olive ; ailes, queue et côté de la poitrine marqués de jaune ou d'orange pâle. Déploie souvent la queue. **Habitat.** Forêts et fourrés de feuillus.

Nidification. Nid d'herbes, de fibres et de lichen, à 1-21 m (4-70 pi) du sol, dans un arbre ou un arbrisseau ; 2-5 œufs blancs, crème ou verts, maculés de brun et de gris ; 12 jours d'incubation assurée par la femelle. Les oisillons restent 20 jours au nid. **Nourriture.** Insectes, araignées, baies.

Paruline orangée
(Fauvette orangée)
Protonotaria citrea

La paruline orangée niche au-dessus de l'eau, sinon le plus près possible.

La paruline orangée est en réalité une paruline jaune d'or dont les ailes sont bleu-gris uni. Ses coloris brillent avec un éclat extraordinaire dans la lumière tamisée des marécages boisés et des rives ombragées qu'elle fréquente le long des cours d'eau. À la recherche des insectes et des araignées qui constituent l'essentiel de son régime alimentaire, elle explore les surfaces à demi pourries et recouvertes de mousse des billes de bois flottantes ou en partie submergées et grimpe, mais pas très haut, sur le tronc des arbres, le long des voies d'eau. Avec son bec pointu et effilé, elle débusque, dans les fentes et les crevasses de l'écorce, les petites créatures qui y ont cherché refuge.

Tout en explorant les troncs à la recherche d'insectes, notre paruline est en quête d'une cavité dans laquelle elle fera son nid, semblable en ceci à la paruline de Lucy. Elle a une nette préférence pour le trou situé juste au-dessus de l'eau, mais à défaut de ce logis de premier choix, elle se contentera de quelque chose d'approchant, comme un nid abandonné de pic. C'est le mâle qui choisit l'emplacement, et il semble avoir l'œil sur tout ce qui est rond et creux. On a découvert des nids de parulines orangées sous les ponts, dans un gobelet de métal, dans un bocal en verre — et même dans la poche d'un vieux manteau.

Une fois l'emplacement choisi, la paruline orangée remplit la cavité presque à ras bord de matières végétales, mais surtout de mousse. Dans ce nid douillet, la femelle ne tardera pas à pondre et à élever une couvée affamée et piaillante de petites parulines orangées.

Description. Longueur 12,5-14 cm (5-5½ po). Dessous et tête jaune orange vif ; dos olive ; ailes et queue gris-bleu ; grande tache caudale blanche visible en vol. Femelle : plus terne. Arpente les troncs comme une sittelle.
Habitat. Marécages boisés ; forêts près de cours d'eau dans le sud-est des États-Unis.

Nidification. Nid de brindilles, de feuilles et de mousse, dans une cavité d'arbre, à 1-10 m (3-32 pi) du sol ou de l'eau ; 3-8 œufs roses maculés de brun et de gris ; 12-14 jours d'incubation assurée par la femelle. Les oisillons restent 11 jours au nid. Parfois deux couvées.
Nourriture. Insectes.

Paruline vermivore
(Fauvette vermivore)

Helmitheros vermivorus

En dépit de son nom, pourtant bien explicite, la paruline vermivore se nourrit rarement de vers de terre, pour ne pas dire jamais. S'il lui arrive de dévorer des chenilles non velues, son régime alimentaire repose surtout sur les araignées et certains insectes comme les coccinelles et les sauterelles.

À l'encontre des membres très actifs de sa famille qui logent surtout dans les arbres, et parfois même dans la partie supérieure de ceux-ci, la paruline vermivore déploie son activité au sol ou à très faible altitude. Il lui arrive de grimper aux troncs comme un grimpereau mais elle ne va pas très loin. C'est sur terre qu'on peut le mieux l'observer, quand elle se pavane sur le tapis végétal, queue dressée, avec la désinvolture de quelqu'un qui n'a rien à redouter. Mais n'essayez pas d'aller trop près d'elle ; elle aura, dans la seconde, disparu dans la verdure dont elle ne s'éloigne jamais beaucoup.

La paruline vermivore a également l'habitude de nicher au sol sous un arbuste ou près d'un arbrisseau, de préférence dans un fourré à flanc de montagne, là où elle peut facilement se dissimuler. Elle est casanière ; chaque année elle retrouve le même site de nidification et construit son nid à proximité des anciens. Le mâle défend avec acharnement son territoire et a tôt fait de mettre en déroute l'intrus par trop audacieux.

Le chant de la paruline vermivore ressemble à s'y méprendre à celui du bruant familier ; il est tout simplement un peu plus puissant et un peu mieux modulé. L'oiseau gonfle son plumage, baisse la queue, laisse tomber les ailes, rejette la tête en arrière et lance ses trilles à la cantonade.

La paruline vermivore trouve souvent son repas dans un amas de feuilles mortes.

Description. Longueur 12,5-14 cm (5-5 ½ po). Dessus olive terne ; dessous chamois pâle ; tête marquée de larges rayures noires et chamois. Plus lente à se mouvoir que les autres parulines ; se perche immobile pendant quelques minutes ; difficile à repérer dans le feuillage.
Habitat. Forêts sèches de feuillus.

Nidification. Nid de feuilles mortes, bien dissimulé dans le tapis végétal, au pied d'un arbuste ou d'un arbre ; 3-6 œufs blancs, finement maculés de brun ; 13 jours d'incubation assurée par la femelle. Les oisillons restent 10 jours au nid.
Nourriture. Insectes, araignées.

Paruline hochequeue
(Fauvette hoche-queue)

Seiurus motacilla

Un chemin de feuilles mortes s'étend à l'entrée du nid de la paruline hochequeue.

En dépit de tous les traits qu'elle a en commun avec la paruline des ruisseaux — dans son mode de vie et son habitude de hocher la tête et la queue — la paruline hochequeue réussit à protéger son caractère distinct. S'il lui arrive de fréquenter les terres marécageuses, elle préfère les berges boisées des cours d'eau rapides, surtout dans la partie septentrionale de son aire de dispersion. Durant la nidification, elle se nourrit presque toujours à proximité des eaux vives, délogeant du bec et de la patte, comme ses congénères plus nordiques, les petites créatures aquatiques qui se cachent dans le tapis végétal imbibé d'eau. Le reste de l'année, elle poursuit dans les fentes et les crevasses les insectes et les araignées qui complètent son régime et s'élance dans les airs à la poursuite de ses proies qu'elle attrape à la manière d'un moucherolle.

Cette paruline imprime sa personnalité jusque dans la façon dont elle niche. Après avoir creusé un petit trou dans la berge d'un cours d'eau et l'avoir rempli de feuilles, elle l'agrémente d'un paillasson de feuilles mortes à l'entrée ou d'un sentier de feuilles qui mène d'habitude jusqu'au bord de l'eau.

Le mâle ne chante pas autant que celui de la paruline des ruisseaux ; il est silencieux durant la migration et pendant qu'il aide sa compagne à édifier le nid. Pourtant son chant paraît plus étendu et plus musical que celui de son cousin ; il est agréable à entendre dans l'ambiance éthérée de ces lieux sauvages qu'anime le glouglou d'un ruisseau.

Description. Longueur 15 cm (6 po). Dessus brun ; dessous blanc, strié de brun foncé ; large rayure superciliaire blanche ; gorge généralement unie. Marche au sol ; hoche la queue.
Habitat. Marécages boisés comportant un cours d'eau ; berges des eaux vives.
Nidification. Nid de mousse, de feuilles et d'herbes, entre des racines ou dans un trou dans la berge, près de l'eau ou au-dessus ; 4-6 œufs blancs ou crème, marqués de brun ou de gris ; 12-14 jours d'incubation assurée par la femelle. Les oisillons restent 10 jours au nid.
Nourriture. Insectes, petits animaux aquatiques.

Paruline des ruisseaux
(Fauvette des ruisseaux)

Seiurus noveboracensis

Elle ressemble à une grive, marche comme la paruline couronnée et hoche la queue comme le chevalier branlequeue. Et pourtant, la paruline des ruisseaux est une paruline de la forêt à part entière. C'est la plus petite du genre *Seiurus* et elle fréquente les terres marécageuses et boisées du Grand Nord. De la patte et du bec, elle fourrage dans le tapis végétal humide, à la lisière des étangs et des mares, et se nourrit des crustacés, mollusques, insectes aquatiques et minuscules poissons qu'elle y trouve. Avec l'énergie et l'astuce d'un souriceau, elle débusque les bestioles installées autour des troncs morts à demi submergés dans la boue.

Lorsque la femelle couveuse veut se glisser hors de son nid de mousse, caché entre les racines déployées d'un arbre abattu, elle se comporte là encore comme une petite souris. Tête basse, corps au sol, elle rampe sur ses pattes dans la broussaille et ne se redresse que quand elle est à 10-12 m de son logis. Elle se met alors en quête de nourriture puis rentre chez elle exactement de la même façon qu'elle en est sortie.

Mais à quoi peut bien servir tout ce manège quand le chant de cet oiseau, puissant, sonore, saccadé, énergique, annonce à tout venant sa position. Le mâle, qui s'est mis à chanter dès la migration, continue à sérénader la femelle pendant tout le temps qu'elle construit le nid et qu'elle couve les œufs. Il est vrai qu'il se tient à une certaine distance du nid et qu'en outre, sa voix aiguë et sifflante, répercutée par l'écho, est sans doute difficile à localiser. Si jamais un prédateur y arrivait, il s'en prendrait à lui, et non à la femelle et aux oisillons.

La paruline des ruisseaux trouve sous les feuilles les insectes oubliés par les autres.

Description. Longueur 12,5-16,5 cm (5-6½ po). Dessus brun ; dessous teinté de jaune et strié de brun foncé ; mince ligne superciliaire jaunâtre ; gorge marquée de points. Marche au sol ; hoche la queue comme la paruline couronnée.
Habitat. Marécages et tourbières boisées dans les régions nordiques.

Nidification. Nid de feuilles, d'écorce et de radicelles, caché entre les racines ou dans une souche à demi pourrie, souvent au-dessus de l'eau ; 3-6 œufs crème ou chamois, maculés de brun et de gris. Durée de l'incubation et durée du séjour des oisillons au nid inconnues.
Nourriture. Insectes, petits animaux aquatiques.

299

Paruline couronnée
(Fauvette couronnée)

Seiurus aurocapillus

Pour éloigner les prédateurs, la paruline couronnée sort du nid et feint d'être blessée.

Parmi les nombreuses espèces de parulines qui peuplent l'Amérique du Nord, celle-ci affirme son individualisme. Créature du sol de la forêt, on la voit déambuler parmi les feuilles mortes ou arpenter le tronc des arbres abattus. Moins prompte que ses congénères à voleter de-ci de-là et à se percher sur une branche, elle marche néanmoins avec plus d'assurance. Élégante et digne, elle place méthodiquement un pied devant l'autre, tout attentive à ce qu'elle fait, et les hochements de sa queue rappellent les mouvements du trapéziste qui assure constamment son précaire équilibre.

La paruline couronnée ne niche pas dans les arbres mais au sol, à proximité d'un chemin ou d'un sentier. Elle met à profit un petit amoncellement de feuilles — camouflage parfait — qu'elle façonne à sa guise et qu'elle étaie de tiges rigides ; elle surmonte le tout d'un chapeau de feuilles mortes si bien assemblées que le nid devient à toutes fins pratiques invisible. Trop invisible parfois ! Quand un promeneur s'en approche au hasard de sa route, la femelle s'en éloigne par une petite ouverture latérale et lui joue le grand numéro de l'oiseau blessé, claudiquant et caracolant avec art pour attirer l'attention sur elle. Ou bien, elle se tient coite, comptant sur la chance pour éloigner l'intrus. Hélas ! aveugle comme le destin, un pied lourd, par inadvertance, s'abat parfois sur le nid trop bien dissimulé, semant la désolation et la mort.

La paruline couronnée a un chant assez bruyant et assez peu musical. En vol, la mélodie s'améliore pourtant. Surtout au crépuscule, on entend le mâle émettre un *titche* rauque, répété de 5 à 15 fois avec une force croissante.

Description. Longueur 14-16,5 cm (5½-6½ po). Dessus brunâtre ; vertex orange bordé de brun foncé ; cercle blanc autour de l'œil ; dessous picoté comme celui d'une grive. Marche au sol avec précaution. Chant : un puissant *titche* répété. **Habitat.** Forêts et fourrés de feuillus. **Nidification.** Nid de feuilles, d'herbes et de tiges, doté d'un dôme et d'une entrée latérale et caché au sol ; 3-6 œufs blancs maculés de brun et de gris ; 11-14 jours d'incubation assurée par la femelle. Les oisillons restent 8-11 jours au nid. **Nourriture.** Insectes, vers de terre, escargots, araignées.

Paruline du Kentucky

(Fauvette de Kentucky)

Oporornis formosus

En avril 1976, une violente tempête venue du nord déferla dans le golfe du Mexique emportant un bateau à plus de 80 km en mer. La veille au soir, des milliers de petits oiseaux, la plupart des insectivores comme la paruline du Kentucky, avaient quitté la péninsule du Yucatan pour entreprendre leur migration vers le nord. Ils avaient fait des réserves de graisse en prévision de la traversée qui les obligerait à voler longtemps sans escale. Le ciel était clair. Un vent léger les avantageait. Le voyage s'annonçait bien.

Ayant volé toute la nuit, les oiseaux étaient déjà loin du rivage lorsque la tempête les frappa de plein front. Une pluie froide imbibait d'eau leur plumage, ajoutant à leur poids. Des vents tourbillonnants les déportaient dans tous les sens, sapant leurs forces. Perdus, épuisés, les oiseaux tombaient à la mer.

À bord du navire frappé par l'orage se trouvait un capitaine ornithophile. Dans son journal de bord, il nota : « 14 heures : le pont est couvert d'oiseaux presque morts de fatigue. Plusieurs ont essayé d'atteindre le bateau, mais le grand vent les en empêche ou les jette dans la mer. Parmi les oiseaux qui ont réussi à nous rejoindre, plusieurs meurent d'épuisement. Les matelots me les apportent pour que je les identifie. Ce sont surtout des viréos et des parulines. De temps à autre, l'un d'entre eux nous ébahit. Il se fraie péniblement une voie jusqu'au bastingage et prend son vol dans la tempête. Il a bien du chemin à faire avant d'atteindre le rivage… »

La paruline du Kentucky se nourrit en picorant les insectes en dessous des feuilles.

Description. Longueur 12,5-15 cm (5-6 po). Dessus vert olive ; dessous jaune vif ; rayure superciliaire jaune qui entoure l'œil presque entièrement ; capuchon noir ; tache noire sous l'œil. Femelle : capuchon brun grisâtre ; moins de noir sous l'œil.
Habitat. Forêts de feuillus et fourrés humides.

Nidification. Nid de feuilles, d'herbes et de tiges dissimulé sous un arbuste ou dans une touffe d'herbes ; 3-6 œufs blancs ou crème, maculés de brun ; 12 jours d'incubation assurée par la femelle. Les oisillons restent 10 jours au nid.
Nourriture. Insectes et araignées, d'ordinaire cueil-lis sur l'envers des feuilles.

Paruline triste
(Fauvette triste)

Paruline triste *Oporornis philadelphia*
Paruline des buissons *Oporornis tolmiei*

Paruline triste

Paruline des buissons

Craintive. Furtive. Telle est cette paruline qu'on a qualifiée de triste à cause du gris ardoise de sa tête et de sa gorge, semblable au voile sombre qu'ont porté les femmes endeuillées pendant des siècles pour exprimer leur douleur. Leur arrivait-il de dissimuler sous ce crêpe austère une humeur plus rieuse, comme cette petite paruline qui arbore des parties inférieures d'un jaune vif ?

La paruline triste se déplace avec prudence sur les tapis végétaux où elle cherche sa pâture. En migration, elle fait preuve de la même circonspection et ne quitte pas ses territoires hivernaux, dans le nord de l'Amérique du Sud et en Amérique Centrale, avant d'être certaine de trouver à destination les couverts de verdure où elle aime se dissimuler. Mais elle voyage vite. Fin mai ou début juin, elle vole presque sans arrêt au-dessus du golfe du Mexique et à travers les États-Unis pour venir nicher dans le sud du Canada et le Nord-Est américain. Seule la paternité réussit à faire sortir le mâle de sa réclusion. Il se perche alors sur une branche et sérénade sa compagne et ses petits, cachés quelque part dans la verdure.

La paruline des buissons correspond, dans l'Ouest, à la paruline triste. C'est un naturaliste de Philadelphie du nom de John Townsend qui la découvrit en 1839 près de la ville où elle avait été identifiée pour la première fois 29 ans auparavant. La paruline des buissons affiche une préférence marquée pour les brûlis et les boisés en regain sur les flancs de montagne ravagés par les incendies.

Description. Longueur 12,5-15 cm (5-6 po). Dessus vert olive ; dessous jaune ; capuchon gris, marques pectorales noires ; face grise sans cercle oculaire. Paruline des buissons : face noire ; cercle oculaire brisé et blanc. Femelles : semblables, mais plus ternes.
Habitat. Marécages boisés, fourrés humides, flancs de colline broussailleux, boisés en regain.
Nidification. Nid de feuilles, de tiges et d'herbes, caché dans une touffe d'herbes ou de fougères ; 3-6 œufs blancs ou crème, maculés de brun ; 12 jours d'incubation assurée par la femelle. Les oisillons restent 7-9 jours au nid.
Nourriture. Insectes, araignées.

Femelle

Mâle

Paruline à capuchon

(Fauvette à capuchon)

Wilsonia citrina

L'île Dauphin, en Alabama ; des nuages s'accumulent en volutes et le vent s'élève avec un bruissement inquiétant. Des rafales de pluie éclaboussent la plage. C'est le moment qu'espéraient les ornithophiles avisés qui savent alors de quel côté porter leur regard. Au sud, par-dessus les lames écumantes du golfe du Mexique, de petites mouchetures vivantes apparaissent à l'horizon. Elles grossissent, se colorent, prennent forme. Ce sont des moucherolles insouciants, des grives timides, des viréos réservés, des tangaras, des orioles et des passerins, éblouissants de couleur, et des parulines à capuchon, dignes et fières dans leur costume de moniales.

L'ornithophile se déclare comblé par le destin quand il a la chance d'assister à un atterrissage massif d'oiseaux migrateurs pour cause de tempête. Le phénomène n'est pas rare, au printemps, sur la côte septentrionale du golfe du Mexique. Îles, péninsules, plages offrent leurs taches de verdure aux oiseaux inquiets et fatigués, mais heureux de faire escale sur des terres nourricières. Les amateurs fréquentent donc en cette saison l'île Dauphin, en Alabama, mais également l'île High, au Texas, et Cameron Parish, en Louisiane, dans l'espoir d'être témoins d'un atterrissage forcé.

Les oiseaux arrivent par vagues, affamés, exténués, mais très actifs. Ils picorent en toute liberté, éclaboussant tel arbre de jaune, tel autre de rouge. Ils allument les buissons de petites lueurs orange et parsèment le sol de fleurs ailées toutes bleues. Le spectacle est féerique. Il ne dure pas longtemps, quelques heures, un jour peut-être, mais il est inoubliable.

Chez les parulines à capuchon, le mâle se nourrit dans les airs, la femelle à terre.

Description. Longueur 12,5-15 cm (5-6 po). Dessus vert olive ; dessous jaune. Mâle : capuchon noir ; face jaune vif. Femelle : semblable, mais capuchon à peine visible.
Habitat. Forêts et fourrés de feuillus dans l'est du continent.
Nidification. Nid solide de feuilles, d'écorce et de fibres, fixé à 0,30-6 m (1-18 pi) au-dessus du sol ou de l'eau, dans un arbrisseau ou un arbuste ; 3-5 œufs crème maculés de brun ; 12 jours d'incubation. Les oisillons restent 9 jours au nid. Deux couvées par saison.
Nourriture. Insectes et araignées ; capture souvent des insectes au vol.

Femelle

Mâle

Paruline à calotte noire
(Fauvette à calotte noire)

Wilsonia pusilla

La paruline à calotte noire contracte sans arrêt la queue et les ailes comme un roitelet.

Cette paruline à calotte noire, fait-elle vraiment partie des oiseaux de l'Amérique du Nord ? En Amérique Centrale, on prétend qu'il s'agit d'un oiseau des forêts équatoriales. On reconnaît qu'elle se rend aux États-Unis et au Canada pour se reproduire dans les tourbières et les fourrés d'aulnes. Mais, ajoute-t-on, combien de temps y séjourne-t-elle réellement ?

En termes de jours, l'argument est de taille. La paruline à calotte noire consacre à peu près trois mois à ses activités reproductrices dans le Nord ; elle voyage pendant deux ou trois mois entre les deux destinations ; le reste du temps, soit six ou sept mois, elle le passe dans le Sud.

Pour d'autres parulines, le séjour dans le Nord est même encore plus court. Près de Churchill, au Manitoba, en sept semaines seulement, les parulines jaunes ont le temps d'arriver, de construire leur nid, d'élever leurs petits et de repartir. Elles ne sont pas typiques, soit ! Il n'en reste pas moins qu'un grand nombre de parulines abandonnent leurs sites de nidification à la mi-été et rares sont celles qui restent jusqu'à l'automne.

Quand la paruline à calotte noire et certaines de ses congénères partent vers le sud, c'est bien pour rentrer dans leur pays d'origine. N'étaient des grands espaces que leur offre l'Amérique du Nord et des myriades d'insectes qui y vivent en été, deux conditions indispensables à l'accouplement et à la reproduction et très rares dans les pays du Sud, des oiseaux comme la paruline à calotte noire n'auraient sans doute jamais ressenti le besoin de s'expatrier chaque printemps.

Description. Longueur 11,5-12,5 cm (4½-5 po). Dessus vert olive ; face et dessous jaune vif ; calotte noire. Certaines femelles sont dépourvues de calotte noire.
Habitat. Clairières en forêt, terrains broussailleux, fourrés dans le Nord.
Nidification. Nid volumineux de feuilles, de lambeaux d'écorce et de tiges, logé au sol dans une touffe d'herbes ou à 0,30-3 m (1-10 pi) du sol dans un arbuste ; 4-6 œufs blancs ou crème, finement maculés de brun ; 11 jours d'incubation assurée par la femelle. Les oisillons restent 10 jours au nid.
Nourriture. Insectes, souvent attrapés au vol.

Paruline du Canada
(Fauvette du Canada)

Wilsonia canadensis

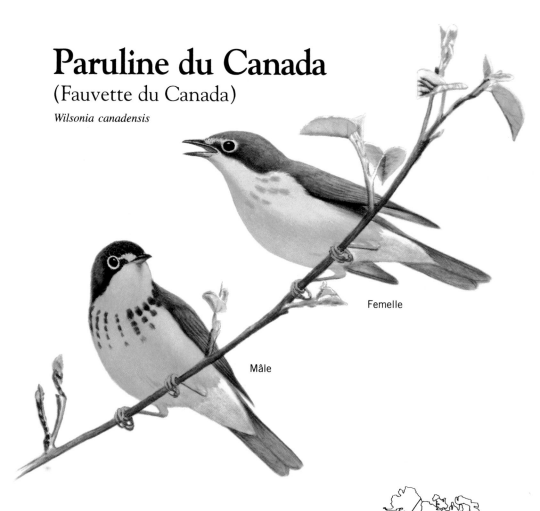

Femelle

Mâle

D ans la vallée colombienne de l'Anchicayá où elle hiverne, la paruline du Canada fait tous les efforts qu'elle peut pour affirmer son droit à la différence. Cette distinction, dans son cas, se fonde sur des habitudes alimentaires grâce auxquelles cette paruline n'a pas à affronter les quelque 300 espèces qui occupent le même territoire qu'elle. Quand les autres oiseaux ont écumé la face supérieure des feuilles, la paruline du Canada en explore l'envers. Elle a raison, car les pluies diluviennes de fin d'automne incitent les bestioles à trouver refuge sous les feuilles ; le garde-manger est bien garni.

Qu'on ne s'attende pas à entendre chanter ces oiseaux pendant qu'ils explorent le tapis végétal de la forêt tropicale. Les parulines du Canada ne chanteront qu'au Canada, quand elles auront retrouvé leur site nordique de nidification. C'est dans les grands buissons de saules ou d'aulnes, dans les boisés qui bordent les cours d'eau et les marais, qu'elles feront entendre le vaste répertoire de leurs riches mélodies. Car c'est avec sa voix que la paruline du Canada défend son territoire. Devant la ténacité avec laquelle elle chante, on ne peut qu'admirer la bravoure de cet oiseau qui, percevant de loin l'empiétement d'un intrus, y oppose une résistance musicale. Un observateur rapporte avoir été accueilli au rythme de 96 *tchip* à la minute.

Dans son enthousiasme, une paruline du Canada veut nourrir un œuf non encore éclos.

Description. Longueur 12,5-15 cm (5-6 po). Dessus gris ; dessous jaune vif ; cercle oculaire jaune. Mâle : collier de points noirs.
Habitat. Forêts de feuillus ou forêts mixtes en terrains humides et vallonnés.
Nidification. Nid volumineux de feuilles, de lambeaux d'écorce et d'herbes, logé près du sol ou caché au fond d'une cavité dans une berge, parmi les cailloux ou les racines, ou dans une touffe de végétation ; 3-5 œufs crème ou blancs, maculés de brun et de pourpre. Durée de l'incubation et durée du séjour des oisillons au nid inconnues.
Nourriture. Insectes.

Paruline
à face rouge

Cardellina rubrifrons

La paruline à face rouge explore les cônes de pin comme les mésanges, tête en bas.

Malgré le rouge éblouissant de sa face qui la distingue de tous les oiseaux de l'Amérique du Nord, cette paruline est peut-être la moins connue de toute sa famille parce qu'elle fréquente des territoires reculés et sauvages. Bien qu'on la décrive parfois comme « la paruline américaine qui vit au Mexique », il s'agit en vérité d'une espèce mexicaine. Son aire de nidification principale se situe au sud du rio Grande.

Les parulines à face rouge qui nichent en Arizona et au Nouveau-Mexique se trouvent aux limites septentrionales de leur territoire et y restent peu. Arrivées à la mi-avril, elles repartent en début d'automne.

Les parulines à face rouge nichent en sol bien égoutté, plat ou vallonné, près des eaux vives qui serpentent ou qui dévalent les pentes sous le dôme majestueux des pins, des épinettes et des chênes dont les forêts culminent à 1 800-2 800 m d'altitude. Les nids sont de petites structures élaborées au sol dans le tapis végétal, parfois si bien enfoncées dans les feuilles et les aiguilles qu'on ne les voit pas du tout. Comme la paruline couronnée, la paruline à face rouge s'envole au tout dernier moment quand un intrus menace de lui marcher dessus.

Si elles nichent par terre, les parulines à face rouge ne sont pourtant pas des oiseaux de sol. Elles chassent leurs proies dans les conifères, écrèment les aiguilles et les cônes aux extrémités des branches et croquent à tout moment des insectes en vol. Ce sont, faut-il le dire, des insectivores accomplies ; mais on ne connaît pas tout l'éventail de leurs habitudes alimentaires, pas plus qu'une grande part de leurs mœurs.

Description. Longueur 12,5-13,5 cm (5-5¼ po). Dessus gris ; dessous blanc ; face, côtés du cou et poitrine rouge vif ; vertex et côtés de la tête noirs. Croupion blanc visible en vol. Branle la queue en explorant le feuillage.
Habitat. Forêts de conifères et de chênes en montagne.

Nidification. Nid peu volumineux fait de feuilles, d'herbes et d'aiguilles de pin, enfoncé dans un terrain en pente parmi des arbustes ou à l'abri d'une souche ou d'une pierre ; 3-4 œufs blancs maculés de brun. Durée de l'incubation et durée du séjour des oisillons au nid inconnues.
Nourriture. Insectes.

Paruline à ailes blanches

Myioborus pictus

Parées de leur tache pectorale rouge vif comme d'un joyau, deux parulines à ailes blanches voltigent de brindilles en boutons et de branche en branche, dans l'ombre étoilée de soleil des défilés et des flancs de montagne, dans le sud-ouest des États-Unis. Queue étalée en éventail, ailes abaissées, elles s'élancent follement à la poursuite d'un insecte vite aperçu, tôt croqué. D'un coup d'aile, elles grimpent au sommet des grands chênes ; d'un coup d'aile, elles atterrissent sur une basse branche, vives à explorer les fissures de l'écorce, les surfaces ridées des feuilles où peut se cacher la bestiole qu'elles guignent. Elles semblent avoir, au premier coup d'œil, beaucoup en commun avec la paruline flamboyante. Pourtant, il s'agit d'une espèce de l'Amérique Centrale apparentée de fort loin seulement à la paruline nord-américaine de même couleur.

À l'observation, on note de grandes différences entre les deux espèces. Bien qu'insectivore, la paruline flamboyante ajoute à son menu des baies et des graines de magnolia ; ce n'est pas le cas de la paruline à ailes blanches. La première construit dans les arbres des nids robustes et très décoratifs tandis que la seconde installe des nids rudimentaires sur un sol fortement en pente. Enfin la paruline flamboyante chante d'une voix aiguë, faible et zézayante tandis que la paruline à ailes blanches est dotée d'une voix forte, claironnante et très musicale. Autre trait distinctif, rare chez les parulines, la femelle chante aussi bien que le mâle. Quand vient la saison des amours, les parulines à ailes blanches, mâle et femelle, font retentir la forêt de leur voix puissante.

Le juvénile de la paruline à ailes blanches ressemble très peu à l'adulte.

Description. Longueur 12,5-15 cm (5-6 po). Oiseau noir ; abdomen rouge ; tache blanche sur les ailes et le ventre ; marque blanche sous l'œil ; rectrices externes de la queue blanches. Déploie la queue et poursuit des insectes en vol.
Habitat. Chênaies clairsemées.
Nidification. Nid volumineux d'écorce, de fibres végétales, de feuilles et d'herbes, caché dans un sol en pente ou parmi les roches, les racines, les buissons ou les touffes d'herbes ; 3-4 œufs blancs ou crème, finement maculés de brun et de roux ; 14 jours d'incubation. Durée du séjour des oisillons au nid inconnue.
Nourriture. Insectes.

Femelle

Mâle

Tangara orangé

Piranga flava

Un bec plus gros, muni d'une entaille, distingue le tangara orangé du tangara vermillon.

Les tangaras forment un groupe vaste et varié d'oiseaux aux coloris brillants qui habitent exclusivement l'hémisphère occidental. La plupart des 236 espèces connues ne quittent pas la voûte impénétrable des forêts équatoriales de l'Amérique Centrale et de l'Amérique du Sud. Quatre espèces, pourtant, entreprennent au printemps une longue migration vers le nord et viennent nicher aux États-Unis ; trois d'entre elles poussent plus loin jusqu'au Canada en période de nidification.

Le tangara orangé est la seule espèce du groupe à ne pas venir au Canada. Il occupe un territoire restreint près de la frontière du Mexique, dans le Sud-Ouest américain, et fréquente les boisés mixtes de pins et de chênes et les pinèdes des défilés montagneux. Comme tous les tangaras, cette espèce se nourrit principalement d'insectes et élève ses petits avec un dévouement absolu. Si la femelle est seule à couver les œufs, sitôt ceux-ci éclos, le mâle se met à l'œuvre pour trouver de quoi les nourrir. À cette tache, il faut que le père et la mère s'attellent ensemble car les petits, affamés, ont constamment le bec ouvert et un appétit insatiable durant les heures de veille. Un seul adulte ne suffirait pas à les satisfaire. En moins de six mois, les petits seront devenus des adultes à part entière et tous auront regagné leurs quartiers semi-tropicaux d'hiver, à des centaines de kilomètres au sud de l'endroit qui aura vu les oisillons s'ouvrir à la vie.

Description. Longueur 17,5-20 cm (7-8 po). Gros bec noir ; tache foncée sur l'oreille. Mâle : plumage uniformément rouge brique. Femelle : dessus olive terne ; dessous jaunâtre.
Habitat. Pinèdes, boisés mixtes de pins et chênes en défilés de montagne.
Nidification. Nid peu profond fait d'herbes, de tiges et de fleurs, logé dans la fourche d'une brindille au bout d'une branche horizontale, à 5-9 m (15-30 pi) du sol ; 3-5 œufs bleu pâle ou verdâtres, maculés de rouge foncé, de brun et de mauve. Incubation et séjour des oisillons au nid de durée inconnue.
Nourriture. Insectes, parfois pris au vol ; baies.

Tangara vermillon

Piranga rubra

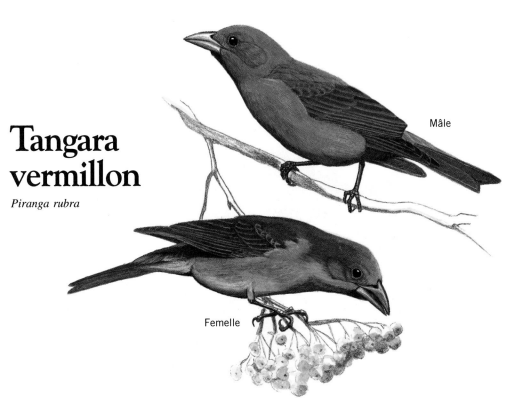

Mâle

Femelle

Voici l'oiseau préféré de tous les ornithophiles du Sud et du Sud-Ouest américain en été. Heureux sont ceux qui ont la chance de l'admirer pendant qu'il baigne son beau plumage rouge dans la fontaine de leur jardin, son petit œil rond et noir émergeant d'une touffe de plumes écarlates !

La plupart des tangaras qui montent au nord en été passent par la Floride ; à partir de là, ils s'éparpillent un peu partout et même jusqu'au sud de l'Ontario, au Nouveau-Brunswick et en Nouvelle-Écosse où leur présence est néanmoins inusitée. L'oiseau recherche avant tout les boisés de pins mélangés de petits chênes, les fourrés de saules en bordure des cours d'eau. Dans le Sud, en hiver, il se nourrit de baies et de fruits ; mais dans le Nord, son régime alimentaire change complètement et le tangara devient un insectivore efficace, capable d'attraper l'abeille au vol. Les nids de guêpes ne sont pas à l'abri de ses prédations car le tangara vermillon semble avoir un petit faible pour leurs larves et leurs pupes.

Là où les sites de nidification des tangaras vermillon et écarlate se superposent, un duel vocal s'engage entre eux pour savoir où s'établit la limite entre leurs territoires respectifs. Quand l'automne fait rougeoyer les arbres, les petits tangaras, autant vermillon qu'écarlates, sont prêts à entreprendre leur premier vol migratoire, un long voyage qui les mènera dans le bassin de l'Amazone, au Brésil.

Le tangara vermillon brave l'abeille et la guêpe pour saisir les larves dont il raffole.

Description. Longueur 17,5-20 cm (7-8 po). Grand bec jaunâtre. Mâle : plumage rouge sans marque. Femelle : dessus vert olive ; face et dessous jaunâtres.
Habitat. Boisés près des cours d'eau, bosquets de saules ; chênaies.
Nidification. Nid fragile et peu profond, fait d'herbes, de tiges et de feuilles, posé sur une branche horizontale à 0,30-11 m (1-35 pi) du sol dans un arbre ; 3-5 œufs bleu pâle ou verdâtres, maculés de brun et de gris. Incubation et séjour des oisillons au nid de durée inconnue.
Nourriture. Insectes (surtout larves d'abeilles et de guêpes), araignées, baies.

Tangara écarlate

Piranga olivacea

À la fin de l'été, le tangara écarlate mâle, en pleine mue, se couvre de bigarrures.

Une pure merveille! Reconnaissable sans l'ombre d'un doute même par le plus néophyte des amateurs, le mâle en plumage nuptial est d'un rouge écarlate, mais il a les ailes et la queue entièrement noires. Et comme si la beauté de ces coloris ne suffisait pas à sa gloire, il y joint une voix ravissante dont les accents évoquent le chant du merle et qu'il fait valoir en se perchant aux plus hautes branches de l'arbre.

À cette grande beauté s'allie une grande ténacité. Des quatre tangaras qui viennent nicher dans le Nord, celui-ci, qui vient des Andes, fait le plus long voyage. Aussitôt arrivé, il interpelle les femelles. Perché sur une branche basse, il déploie voluptueusement les ailes dont l'éclat noir met en valeur le rouge écarlate de son corps. Perchées au-dessus ou derrière lui, elles manifestent leur admiration par des sifflements.

Les fréquentations terminées, la femelle se met au travail. C'est à elle que revient la tâche de construire le nid et de couver les œufs. On prétend que le mâle ne participe pas aux travaux parce que ses couleurs trop vives signaleraient aux prédateurs l'emplacement du nid. Que pensent les femelles de cette explication? On l'ignore. On sait cependant que le mâle, jouant les ventriloques, est capable par son chant d'égarer les intrus qui auraient de mauvaises intentions. À l'été, l'appétit monstrueux des tangaras pour les insectes de jardins se révèle d'une grande utilité. On a calculé qu'un seul tangara écarlate avait gobé 600 chenilles en 15 minutes.

Description. Longueur 16,5-18 cm (6½-7½ po). Mâle en plumage nuptial : rouge écarlate ; queue et ailes noires. Mâle en automne : verdâtre ; ailes et queue noires. Femelle : dessus verdâtre ; dessous jaunâtre ; ailes sombres.
Habitat. Boisés de feuillus, boisés de pins et de chênes, vergers.

Nidification. Nid peu profond fait de brindilles, d'herbes et de tiges et logé au bout d'une branche, à 1-23 m (4-75 pi) du sol ; 3-5 œufs bleu pâle ou verts, marqués de moucheteures ou de points bruns ; 14 jours d'incubation assurée par la femelle. Les oisillons restent 9-11 jours au nid.
Nourriture. Insectes, araignées, baies.

Femelle

Mâle

Tangara à tête rouge

Piranga ludoviciana

Il ne faut pas s'étonner que Thomas Jefferson, président des États-Unis de 1801 à 1809, ait été l'instigateur de la fameuse expédition Lewis et Clark dans l'Ouest américain durant les années 1804-1806 : cet homme s'intéressait profondément à la science. Il donna à son ancien secrétaire particulier de 29 ans, le capitaine Meriwether Lewis, le mandat spécifique d'avoir l'œil ouvert sur tout ce que la faune et la flore de la région pouvaient présenter de nouveau. C'est dans le territoire de ce qui est à peu près l'Idaho d'aujourd'hui, comme on peut le lire dans leur journal de voyage, que les deux explorateurs identifièrent un oiseau nouveau pour eux : le tangara à tête rouge.

Les oiseaux de l'Ouest sont nomades ; et celui-ci n'échappe pas à la règle. Il s'aventure parfois jusqu'en Nouvelle-Angleterre. Dans la majorité des cas, cependant, ce très beau tangara noir, jaune et rouge reste fidèle à son territoire normal, la haute région qui, de l'Alaska à la frontière américano-mexicaine, s'étend entre la côte du Pacifique et l'intérieur des Rocheuses. On l'a déjà aperçu à des altitudes de 3 000 m.

Les tangaras ne sont pas des oiseaux reconnus pour la beauté de leur chant. On explique cette particularité par le fait qu'ils n'ont guère besoin de défendre leur territoire. Au Canada, le tangara à tête rouge niche principalement en Colombie-Britannique ; il n'est qu'accidentel au Québec. Il passe ses hivers au Mexique et en Amérique Centrale. C'est un oiseau des forêts qui se nourrit d'insectes et de quelques fruits.

Le tangara à tête rouge construit son nid tout en haut d'un pin ou d'une épinette.

Description. Longueur 16,5-19 cm (6½-7½ po). Mâle en plumage nuptial : jaune vif ; ailes, queue et épaules noires ; face rouge ; 2 bandes alaires, l'une jaune, l'autre blanche. Mâle en automne : plus terne. Femelle : dessus grisâtre, dessous jaune ; 2 minces bandes alaires.
Habitat. Forêts conifériennes en montagne.

Nidification. Nid peu profond fait de brindilles, de mousse et de radicelles lâchement tressées, logé sur une branche horizontale à 3-20 m (10-65 pi) du sol ; 3-5 œufs bleu pâle maculés de brun ; 13 jours d'incubation assurée par la femelle. Séjour des oisillons au nid de durée inconnue.
Nourriture. Insectes, baies, fruits.

Mâle

Femelle

Cardinal rouge

Cardinalis cardinalis

Quand la femelle amorce une deuxième couvée, le mâle s'occupe seul de la première.

Certains oiseaux sont polygames ; d'autres sont monogames durant la saison de nidification ; d'autres encore font preuve d'une fidélité exemplaire : de toute leur vie, ils ne changent ni de site de nidification, ni de femelle.

Le cardinal fait partie de ce dernier groupe. Il se choisit une compagne pour la vie et demeure avec elle à longueur d'année. Durant l'hiver, il adopte parfois un comportement agressif à l'égard de la femelle dans les stations d'alimentation, mais celle-ci ne s'en émeut pas outre mesure ; elle s'écarte un peu de lui et continue à picorer. L'hiver n'est pas encore terminé que déjà ils chantent, souvent en solo, parfois en duo ; dans ce dernier cas, l'un des deux émet plusieurs phrases musicales, laissant à l'autre le soin de terminer la mélodie. Avec le retour du printemps commence la période des amours. Le cardinal fait sa cour à la femelle en lui offrant la becquée ; à chaque bouchée, leurs deux becs s'effleurent.

La femelle est seule à construire le nid, mais le mâle se tient auprès d'elle et lui chante des ritournelles. La femelle est seule aussi à couver, et le mâle lui apporte sa nourriture au nid. Dès que les œufs sont éclos, ils nourrissent ensemble la couvée toujours affamée. Quand la femelle se remet à pondre, les duos amoureux reprennent en chansons et en becquées.

Description. Longueur 19-21,5 cm (7½-8½ po). Tête ornée d'une huppe ; bec fort et conique. Mâle : rouge vif ; face noire ; bec rouge. Femelle : chamois grisâtre ; huppe, ailes et queue lavés de rouge ; bec rose.
Habitat. Forêts broussailleuses, fourrés, jardins boisés, parcs.

Nidification. Nid profond de brindilles, de tiges et d'écorce, à 0,60-4 m (2-12 pi) du sol dans un fourré ; 2-5 œufs chamois ou vert pâle, mouchetés de brun et de mauve ; 13 jours d'incubation assurée par la femelle. Envol des oisillons à 11 jours. Jusqu'à quatre couvées par an.
Nourriture. Fruits, graines, insectes.

Cardinal à poitrine rose
(Gros-bec à poitrine rose)

Pheucticus ludovicianus

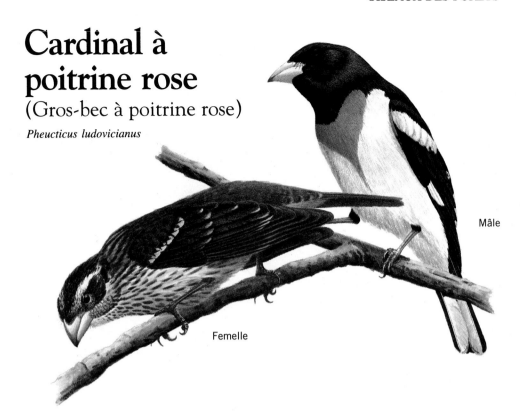

Mâle

Femelle

L es ornithologues prétendent généralement que les mâles aux couleurs vives ne participent pas à la construction du nid non plus qu'à la couvaison parce que leurs coloris risquent d'attirer les prédateurs et de leur révéler l'emplacement où grandit leur progéniture. Cela dit, les cardinals à poitrine rose mâles, dont les plumes blanches, soulignées de noir brillant, miroitent au soleil à chaque mouvement, sont d'une diligence exemplaire à cet égard. Certains bâtissent seuls le nid pendant que la femelle, qui se confond avec d'autres espèces, va chercher les matériaux. Ceux qui, plus paresseux, laissent faire les femelles se tiennent néanmoins auprès d'elles et scandent leur travail de roucoulades et de chants mélodieux.

Il ne leur faut, il est vrai, que deux ou trois jours pour édifier la fragile structure de leur nid, mais le cardinal à poitrine rose, qui était classé naguère parmi les gros-becs, ne fait rien pour se dissimuler. Même la femelle, que son camouflage naturel pourrait rendre invisible, chante à plein gosier en travaillant. Lorsque son compagnon au beau plumage la remplace pour couver les œufs, il s'égosille le plus joyeusement du monde sans redouter rien ni personne. Et pourtant, en dépit de tous les prédateurs — serpents, écureuils et geais — qui les menacent, sans oublier les vachers qui souvent déposent leurs œufs dans leur nid, ces oiseaux si généreux de leurs chants réussissent à produire de belles nichées chaque année.

Chez le cardinal à poitrine rose, le mâle chante jour et nuit, même quand il couve.

Description. Longueur 17,5-21,5 cm (7-8½ po). Bec pâle, fort et conique. Mâle : parties supérieures noires, taches blanches sur les ailes ; poitrine framboise ; abdomen blanc. Femelle : dos brun, taches blanches sur les ailes, poitrine striée, ligne superciliaire blanche.
Habitat. Boisés ; bosquets de trembles.

Nidification. Nid peu profond fait de brindilles, de tiges et d'herbes, fixé à 1,5-15 m (5-50 pi) du sol dans un arbuste ou un arbre ; 3-5 œufs bleu pâle ou vert pâle, tachetés de brun ; 13 jours d'incubation assurée par le couple. Les oisillons restent 9-12 jours au nid.
Nourriture. Fruits, graines, insectes.

Femelle

Mâle

Cardinal à tête noire
(Gros-bec à tête noire)

Pheucticus melanocephalus

Chez ce cardinal c'est la femelle et non le mâle qui défend le territoire.

L'ornithologue peu expérimenté qui, pour baguer un cardinal à tête noire capturé au filet, tente de le saisir avec ses mains, découvre à ses dépens la puissance de son bec. Si l'oiseau réussit à refermer le bec sur l'un de ses doigts, la douleur qui s'ensuit lui fait vite comprendre pourquoi cet oiseau, jusqu'à tout récemment, s'appelait gros-bec.

On peut généralement deviner l'alimentation d'un oiseau d'après la forme et la taille de son bec. Les bruants, par exemple, ont un bec court et puissant, idéal pour écraser de petites graines, tandis que le bec pointu et allongé des parulines et des roitelets leur permet de piquer les insectes dissimulés sous les feuilles. Avec leur bec dur et droit en forme de ciseau, les pics creusent des trous dans l'écorce des arbres pour débusquer les insectes térébrants qui y aménagent des galeries. Piscivores, les canards becs-scie ont un bec à lamelles, bien fait pour attraper le poisson, tandis que celui, très crochu, des pies-grièches, des éperviers et des hiboux est efficace à déchiqueter la chair fraîche ou faisandée dont ces rapaces se nourrissent. Long, mou, flexible sur toute sa longueur, le bec des bécasses est parfait pour extirper les vers de terre du sol.

Le bec énorme du cardinal à tête noire lui donne accès à une vaste gamme d'aliments, baies tendres, insectes, graines dures, qu'il dévore avec appétit et bonnes manières. Tous ceux qui l'auront vu décortiquer des graines de tournesol dans des mangeoires de jardin auront pu constater qu'il est aussi habile que gourmand, ce qui n'est pas contradictoire.

Description. Longueur 15-20 cm (6-8 po). Bec pâle, fort et conique. Mâle : tête et dessus noirs ; taches blanches sur les ailes ; dessous, croupion et cou brun cannelle ou rouille orangé. Femelle : dessus brun ; taches alaires blanches ; poitrine striée, teintée de chamois ; raie superciliaire pâle. **Habitat.** Boisés clairs, fourrés, parcs.

Nidification. Nid de brindilles, de tiges et de radicelles, à 1-8 m (4-25 pi) du sol dans un arbuste ou un arbre ; 2-5 œufs bleu pâle ou verts, maculés de brun ; 13 jours d'incubation assurée par le couple. Les oisillons restent 12 jours au nid.
Nourriture. Graines, fruits, insectes.

Gros-bec errant

Coccothraustes vespertinus

Mâle

Femelle

Au siècle dernier, le gros-bec errant vivait et nichait exclusivement dans les forêts conifériennes du nord du Canada et dans les hautes montagnes de l'Ouest. Au XXe siècle, des sujets isolés se mirent à dériver vers le sud et vers l'est. Vers 1916, des observateurs notèrent la présence de petites bandes de gros-becs errants dans tout le Nord-Est ; certains commencèrent même à nicher dans l'est du Canada et dans le nord-est des États-Unis. Vers 1960, on constata jusqu'au Maryland la présence de gros-becs errants près des mangeoires de jardin, en hiver. Dix ans plus tard, ces vagabonds hivernaient en Floride et autour du golfe du Mexique.

On ne sait pas exactement pour quelles raisons les gros-becs errants, de sédentaires, sont devenus migrateurs. Étaient-ils trop nombreux ? La nourriture était-elle insuffisante ? Quelle qu'en soit la cause, cette migration n'affecte, chaque hiver, qu'un nombre réduit de sujets. Mais les conséquences d'un tel changement pourraient être importantes. L'hiver est certainement plus clément au sud où les mangeoires de jardin, bien approvisionnées en graines de tournesol, excellente source de protéines, ne cessent de se multiplier et leur rendent la vie plus facile. On peut donc imaginer que les gros-becs errants se transformeront éventuellement en oiseaux migrateurs dont la voie vers le sud sera pavée de stations alimentaires de relais ; avec le temps, il est même permis de croire qu'ils en viendront à nicher dans les montagnes des Appalaches.

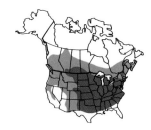

En hiver, le gros-bec errant picore les cailloutis et les cristaux de sel sur les routes.

Description. Longueur 17,5-21,5 cm (7-8½ po). Bec jaunâtre, fort et conique. Mâle : tête, poitrine et haut du dos brunâtres ; rayure superciliaire, croupion et abdomen jaunes ; ailes noires à tache blanche. Femelle : beaucoup plus grise. **Habitat.** Forêts conifériennes en été ; grande dispersion en hiver.

Nidification. Nid de brindilles et de radicelles lâchement tressées, fixé à 2-21 m (6-70 pi) du sol dans le feuillage dense, près du bout des branches ; 2-5 œufs bleus ou verdâtres ; 12-14 jours d'incubation assurée par la femelle. Les oisillons restent 14 jours au nid.
Nourriture. Graines, baies, insectes.

315

Mâle de l'Est

Mâle de l'Ouest

Tohi à flancs roux

(Tohi de l'Est, tohi tacheté, tohi commun)

Pipilo erythrophthalmus

Les familles de tohis à flancs roux restent généralement ensemble tout l'été.

Debout sur une patte et grattant le sol de l'autre, comme des poules, les tohis à flancs roux se nourrissent à même la terre. Rien d'étonnant à ce qu'on les ait longtemps désignés sous le nom de merles de terre, d'autant plus qu'ils installent leur nid tout près du sol. Aujourd'hui on les appelle des tohis, un nom d'origine onomatopique. Leur cri, du moins dans l'Est, peut en effet s'interpréter comme un *tô-ouî*, dont la seconde syllabe est plus haut perchée que la première. Dans l'Ouest, leur voix est sensiblement différente : ils émettent un cri d'alarme, nasillard et plaintif, et un chant qui se termine par un trille pareil à un bourdonnement.

Le tohi à flancs roux affectionne les terrains broussailleux ou les fourrés dont le sol est recouvert d'un épais tapis de feuilles mortes. Il niche et hiverne dans le sud de la Colombie-Britannique et dans l'extrême sud de l'Ontario. Au Québec, il niche dans l'extrême Sud-Ouest.

C'est un oiseau facile à reconnaître, même si les formes de l'Ouest diffèrent un peu de celles de l'Est. Par exemple, les tohis à flancs roux de Floride ont les yeux blancs et non rouges ; ceux de l'Ouest ont deux bandes alaires blanches et de nombreux points blancs sur les ailes et le dos. Leur façon de voler est cependant la même du nord au sud et de l'est à l'ouest ; peu importe où il vit, le tohi à flancs roux vole en rase-mottes et les taches blanches de ses ailes ressemblent à des serpentins de chiffon blanc qu'il laisserait traîner négligemment derrière lui comme un clown de fête foraine.

Description. Longueur 17,5-22,5 cm (7-9 po). Mâle de l'Est : tête, poitrine et dos noirs ; flancs roux ; abdomen blanc ; taches blanches sur les ailes et au bout des rectrices externes de la queue. Mâle de l'Ouest, semblable, mais points blancs sur le dos. Femelles : semblables aux mâles, mais le brun remplace le noir.

Habitat. Lisières de forêt, fourrés, buissons.
Nidification. Nid d'herbes, de brindilles et de radicelles, caché au sol ; 2-6 œufs crème ou verdâtres, tachetés de brun ; 13 jours d'incubation assurée par la femelle. Les oisillons restent 10-12 jours au nid.
Nourriture. Insectes, araignées, graines, baies.

Bruant des pinèdes
(Pinson des pinières)

Aimophila aestivalis

Comme beaucoup d'oiseaux au plumage modestement coloré, ce petit bruant à l'allure enjouée charme davantage nos oreilles que nos yeux. Il se classe parmi les meilleurs chanteurs de l'Amérique du Nord ; certains ornithophiles vont même jusqu'à dire qu'aucun oiseau, sur ce plan, ne se compare à lui. Depuis le mois de mars jusqu'au mois d'août, sa voix mélodieuse enchante les boisés de pins et de chênes rabougris du sud-est des États-Unis et se mêle aux chants déjà ravissants des sittelles à tête brune, des merles-bleus de l'Est, des parulines des pins et des piouis de l'Est.

Perché au sommet d'une souche ou à l'extrémité d'une branche fracturée de pin, à des hauteurs pouvant varier entre 3 et 9 m, le bruant des pinèdes lance d'une voix soutenue des mélodies complexes d'une grande musicalité. L'ornithophile a alors de quoi se réjouir. Tout en écoutant cette voix si belle, il a tout le temps de saisir ses jumelles et de repérer l'artiste. Soudain, il aperçoit un oiseau de petite taille, tête rejetée en arrière, poitrine gonflée, qui fait jouer les muscles de sa gorge avec la prestance et la conviction d'un ténor d'opéra.

En hiver, il n'émet plus un seul son ! Bien des ornithophiles auront, sans succès, dépensé des trésors d'ingéniosité pour le dénicher pendant la morte saison, persuadés que quelque part autour, le merveilleux chanteur de l'été précédent est là qui les observe d'un œil narquois et apitoyé.

La femelle du bruant des pinèdes dote son nid d'un dôme et d'une entrée latérale.

Description. Longueur 14,5 cm (5¾ po). Vertex et dessus brun-roux et striés ; ligne rougeâtre de part et d'autre de l'œil ; dessous chamois grisâtre. Difficile à observer.

Habitat. Boisés de pins et de chênes clairsemés, pâturages broussailleux, choux palmistes.

Nidification. Nid d'herbes et de tiges ligneuses, caché au sol sous une touffe d'herbes ou au pied d'un arbuste ; 3-5 œufs blancs ; 12-14 jours d'incubation assurée par la femelle. Les oisillons restent 15 jours au nid. Parfois deux couvées par saison dans le Sud.

Nourriture. Insectes, araignées, graines.

Bruant fauve
(Pinson fauve)

Passerella iliaca

Le mâle se dissimule dans un épais fourré pour lancer ses ravissantes ritournelles.

Les bruants fauves sont les aristocrates des bruants. Seuls à occuper leur genre, ils apparaissent au premier coup d'œil plus gros et plus sombres que leurs congénères. À les observer de plus près, on se rend compte qu'ils font tout ce que fait un bruant, mais en mieux, y compris gratter la terre du pied pour trouver des insectes ou des graines.

Gratter est l'apanage des bruants. Ils grattent les feuilles, la neige, la terre, parfois des deux pieds en même temps, pour découvrir les bonnes petites choses qui, autrement, y resteraient cachées. Or, la nature, à cet égard, a été très généreuse envers les bruants fauves. Ils ont les pattes larges, les doigts très longs, des griffes puissantes qui leur permettent de creuser plus profondément que les autres oiseaux dans l'humus spongieux et humide où abondent les graines et les minuscules créatures de toutes sortes dont ces oiseaux raffolent. Dans les feuilles mortes, ils font tout un fracas et grattent avec un art et une patience que n'ont pas les autres bruants.

Un oiseau aussi remarquable sur bien des plans se devait de posséder une voix particulièrement riche. Il en use avec abondance et lance à tout venant des mélodies ravissantes et d'une grande richesse musicale. Le chant est bref cependant ; il commence dans l'aigu et se termine dans le grave, comme si son auteur préparait déjà mentalement la ritournelle suivante. Car le bruant fauve est généreux de sa voix. Il n'attend pas d'avoir rejoint le nord du Canada où il niche pour sérénader qui veut l'entendre. Au contraire, tout au long de sa route migratoire, il lance ses trilles et ses roulades comme si le printemps entier avait élu domicile dans sa gorge.

Description. Longueur 16,5-19 cm (6½-7½ po). Oiseau robuste. Forme de l'Est : corps roux ; poitrine et abdomen rayés ; queue d'un roux vif. Forme de l'Ouest : brun plus gris ou plus sombre. Forme du Pacifique : pas de roux sur la queue. **Habitat.** Forêts et fourrés broussailleux. **Nidification.** Nid profond et solide, fait de brindilles, d'écorce, de radicelles et de mousse, caché dans le bas d'un fourré ou logé à moins de 2 m (7 pi) du sol ; 3-5 œufs bleu pâle ou verdâtres, tachetés de brun ; 12-14 jours d'incubation assurée par la femelle. Durée du séjour des oisillons au nid inconnue. **Nourriture.** Graines, baies, insectes.

Bruant à gorge blanche
(Pinson à gorge blanche)

Zonotrichia albicollis

Si le chant du bruant à gorge blanche n'est peut-être pas le plus mélodieux qui soit, c'est certainement l'un des mieux connus. Au Québec, on l'interprète traditionnellement comme étant *Cache-ton-cul-Frédéric-Frédéric-Frédéric*. (La version officielle a remplacé ces mots grivois et pittoresques par des paroles tout-aller auxquelles il manque d'ailleurs un pied : *Je-suis-Frédéric-Frédéric-Frédéric*.) Dans certaines régions, le bruant à gorge blanche a été surnommé l'oiseau de pluie car on a observé qu'il chante avec plus d'ardeur au crépuscule quand une certaine humidité tiède dans l'air printanier laisse présager des ondées.

Le chant de ce bruant est facile à imiter ; on prétend que lorsque l'oiseau entend cette imitation, il vient voir quel est le concurrent curieux qui lui sert sa propre ritournelle avec un accent étranger. Il réagit de la même façon lorsqu'on se baise bruyamment le dos de la main. Le son qui en résulte s'apparente, selon les experts, aux appels de détresse que lancent les oisillons pour attirer l'attention de leurs parents. Plusieurs espèces réagissent également à ce faux appel ; grâce à ce simple stratagème, il devient donc possible d'apercevoir des oiseaux d'ordinaire fuyants et craintifs. Mais comme un tel cri perturbe la vie au nid, il est bon d'y avoir recours avec prudence et modération.

Le bruant à gorge blanche chante souvent durant la nuit, surtout à la pleine lune.

Description. Longueur 15-17,5 cm (6-7 po). Dessus brun et strié ; tête rayée de blanc et de noir ou de noir et de fauve ; tache blanche sur la gorge ; point jaune sur les lores ; poitrine grise. Cherche sa nourriture au sol.
Habitat. Boisés conifériens ou mixtes avec des broussailles.

Nidification. Nid d'herbes, de brindilles et d'aiguilles de pin, caché sous la végétation ; 4-6 œufs crème, bleuâtres ou verdâtres, maculés de rouge et de brun ; 12-14 jours d'incubation assurée par la femelle. Les oisillons restent 12 jours au nid. Rarement deux couvées par saison.
Nourriture. Graines, baies, insectes, bourgeons.

319

Junco à dos roux

Junco ardoisé

Junco à tête grise

Junco ardoisé
Junco hyemalis

Comment une même espèce peut-elle regrouper des sujets aussi différents les uns des autres que le junco ardoisé proprement dit et les variétés appelées avant junco à tête grise et junco à dos roux ? Poser la question, c'est y répondre. La taxinomie est une science très conjecturale d'une part ; d'autre part, il est difficile de classifier des êtres vivants qui s'accouplent entre eux et dont les traits distinctifs se modifient.

Au XVIIIe siècle, le botaniste suédois Carl von Linné mit au point une classification du règne animal. Il classa les oiseaux d'après leur apparence, en fondant les espèces sur les différences de plumage. Un siècle plus tard, Charles Darwin décrivait un procédé d'évolution selon lequel les espèces, loin d'être permanentes, se modifient avec le temps. C'est avec l'évolution qu'apparaissent les problèmes de classification.

Pour ce qui est des juncos, nous savons qu'ils sont dotés de plumages différents ; par contre, leur comportement et leurs cris d'appel sont semblables et les diverses formes peuvent s'accoupler entre elles. Les différences qui déjà sont perceptibles vont-elles s'accentuer ou au contraire régresser avec le temps ? On ne sait. Si Darwin était venu avant Linné, nous aurions peut-être aujourd'hui un système de classification fondé sur l'évolution et capable d'intégrer les changements subtils qui se produisent dans une population donnée.

Quand il croit son nid menacé, le petit junco s'enfuit en courant.

Description. Longueur 12,5-16,5 cm (5-6½ po). Bec rosé ; yeux noirs ; rémiges externes de la queue et abdomen blancs. Forme de l'Est : tête, poitrine, ailes, queue et dos gris. Formes de l'Ouest : dos roux ou brun (junco à tête grise, dans les Rocheuses) ou dos brun et tête noire (junco à dos roux, forme du Pacifique).

Habitat. Boisés clairs ; clairières.
Nidification. Nid de brindilles et d'herbes logé au sol ; 3-6 œufs blancs ou vert pâle, maculés de brun ; 12 jours d'incubation assurée par la femelle. Les oisillons restent 10-13 jours au nid. Souvent deux ou trois couvées par saison.
Nourriture. Graines, insectes, baies.

Junco aux yeux jaunes

Junco phaeonotus

Les oiseaux jouent un grand rôle dans notre vie ; ce sont les représentants de la race animale que nous rencontrons le plus souvent au jour le jour. Or, c'est heureux parce qu'ils sont en même temps beaux à voir, agréables à entendre et fascinants à étudier. L'intérêt que nous leur portons n'est toutefois pas exempt d'un certain anthropomorphisme : nous avons tendance à leur prêter des qualités et des réactions humaines. Dans cet ordre d'idées, plusieurs ornithophiles seraient tentés de dire que le junco aux yeux jaunes est un oiseau féroce. Le regard doré et froid de cet oiseau originaire du Mexique possède un éclat cruel qu'on associe difficilement avec le caractère jovial et avenant du peuple latin. On taxe aussi cet oiseau de machisme pour la façon dont il se pavane en déployant sa queue en éventail dans un angle caractéristique.

En réalité, le junco aux yeux jaunes n'est ni plus ni moins féroce que son cousin ardoisé ; il est tout bonnement victime de l'effet que produisent ses yeux. Ainsi juge-t-on le faucon pèlerin à son regard intense et direct, la tourterelle triste à ses yeux timides et fuyants. L'engoulevent qui ferme à demi les paupières pour mieux voir a l'air de ne s'intéresser à rien ; le cygne avec son long cou souple a une grâce toute féminine ; le carouge à épaulettes, quand il étend les ailes, ressemble à un personnage important, gonflé d'orgueil.

Ce sont des jeux amusants et point du tout défendus. Mais ce sont des jeux. Ces comportements ont, pour l'oiseau, d'autres finalités que celles que nous lui prêtons ; car l'oiseau n'est jamais aussi cruel que peut l'être l'homme.

Sortis du nid, les jeunes juncos aux yeux jaunes picorent en petites bandes.

Description. Longueur 14-16,5 cm (5½-6½ po). Bec foncé dessus, jaune dessous ; yeux jaunes. Dos surtout gris et brun-noir ; rémiges externes de la queue et abdomen blancs. Marche (le junco ardoisé sautille) sur le sol.
Habitat. Forêts conifériennes en montagne, à des altitudes de 1 800 m (6 000 pi) et plus.

Nidification. Nid d'herbes et de mousse, caché au sol sous un arbuste, une bûche ou une roche ; 3-5 œufs grisâtres ou bleuâtres, maculés de brun ; 15 jours d'incubation assurée par la femelle. Les oisillons restent 10 jours au nid.
Nourriture. Graines, insectes.

Mâle

Femelle

Oriole
des vergers

Icterus spurius

L'oriole des vergers se nourrit d'insectes et de baies, mais aussi de fleurs de pommiers.

C'est quand les pommiers sont en fleur qu'il faut observer les orioles des vergers. Ces oiseaux, qui passent seulement quelques semaines dans le Nord pour y nicher, vivent la plupart du temps au Mexique ou dans des lieux encore plus méridionaux. Ils sont si rapides à quitter le site de nidification qu'on a vu des petits arriver dans le Sud avec leur plumage de juvénaux, tandis que les adultes n'avaient pas fini de muer et portaient une livrée d'automne incomplète.

Bien que les orioles des vergers soient dotés du plumage magnifique qui fait la gloire des ictéridés, ils ne sont pas faciles à déceler une fois le nid construit. C'est donc au début du printemps qu'il faut les chercher, quand les mâles, à peine arrivés, chantent et déploient leurs beautés pour établir leur territoire ; on les voit alors s'élever dans les airs à plusieurs pieds au-dessus de leur perchoir, emportés par l'ardeur de leur chant. Ce comportement se maintient jusqu'à ce qu'ils aient séduit une femelle, de venue plus tardive. Après quoi, les deux ensemble s'affairent à construire leur nid avec art et méthode.

Comme pour se faire pardonner la brièveté de son séjour parmi nous, l'oriole des vergers a coutume de nicher près des endroits habités, dans les écrans d'arbres ou dans les vergers, comme l'implique son nom. Avec un peu de chance, on pourra voir un couple tresser, pour son nid, de longues tiges d'herbes parmi les fleurs délicates et odorantes d'un pommier.

Description. Longueur 18-19 cm (7-7½ po). Bec effilé et droit. Mâle : plumage surtout noir ; dessous, croupion et taches alaires marron. Femelle : dessus vert olive ; dessous jaunâtre ; 2 bandes alaires blanches.
Habitat. Boisés le long de cours d'eau, vergers, arbres d'ornement.

Nidification. Nid de tiges et de fibres végétales, suspendu à 2-6 m (6-20 pi) du sol dans un arbre ; 3-7 œufs bleu pâle ou gris pâle, maculés de brun, de noir et de pourpre ; 14 jours d'incubation assurée par la femelle. Les oisillons restent 14 jours au nid.
Nourriture. Insectes, fruits.

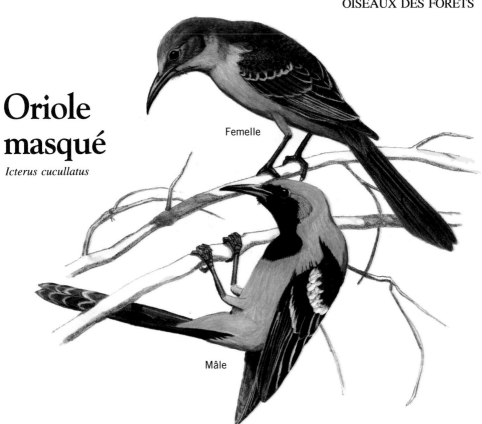

Oriole masqué

Icterus cucullatus

Femelle

Mâle

Les êtres doués de vie — plantes, animaux, humains — ont une préoccupation primordiale, celle de perpétuer leur espèce. Dans cette perspective, plusieurs fleurs semblent avoir été conçues pour attirer spécifiquement une créature : oiseau, abeille, insecte, même chauve-souris. En venant visiter le calice de la fleur, la petite créature, sans le savoir, se charge d'un précieux pollen ; elle va ensuite le déposer, toujours sans le savoir, sur une autre fleur qu'elle se trouve ainsi à féconder. C'est la pollinisation. Les colibris sont habiles à jouer ce rôle, eux qui se nourrissent du nectar des fleurs.

Les orioles masqués sont avides, eux aussi, de nectar ; mais ils profitent souvent des fleurs sans pour autant leur rendre service. Avec leur long bec fin, ils percent le calice des fleurs tubulaires, comme les lis et les hibiscus, et parviennent au nectar sans toucher au pollen. On ne s'étonnera donc pas de les voir s'abreuver aux mangeoires faites pour les colibris.

La multiplication croissante de ces mangeoires a été une bénédiction pour les orioles masqués dont certains ont même décidé, devant l'abondance de nourriture, d'hiverner au nord de leurs territoires habituels. Par la même occasion, ils ont pu étendre leur site de nidification. On les voit maintenant nicher dans les palmiers du sud-ouest des États-Unis et comme les palmeraies se sont multipliées en Californie, les orioles masqués y nichent de plus en plus fréquemment.

Il arrive souvent au vacher bronzé de parasiter de ses œufs le nid de l'oriole masqué.

Description. Longueur 17,5-20 cm (7-8 po). Bec incurvé ; 2 bandes alaires blanches. Mâle : jaune-orange vif ; queue, ailes, face et dos noirs. Femelle : dessus vert olive ; dessous jaunâtre.
Habitat. Boisés près des cours d'eau, arbres ornementaux.
Nidification. Nid d'herbes et de fibres végétales, fixé à 2-14 m (6-45 pi) du sol dans un yucca, un palmier ou un feuillu ; 3-5 œufs bleu très pâle ou jaunâtres, maculés de brun, de pourpre et de mauve ; 14 jours d'incubation assurée par la femelle. Les oisillons restent 14 jours au nid. Deux ou trois couvées par saison.
Nourriture. Insectes, nectar.

Oriole du Nord

(Oriole de Baltimore, oriole à ailes blanches, oriole de Bullock)

Icterus galbula

L'oriole de Bullock s'accouple avec celui de Baltimore, même s'il est un peu différent.

Il y a quelques années, l'oriole du Nord s'appelait l'oriole de Baltimore. Il avait été nommé ainsi en l'honneur de George Calvert, lord Baltimore, un aristocrate du XVIIᵉ siècle dont le blason familial portait les couleurs mêmes de l'oiseau, l'orange et le noir. C'est pour rendre hommage à cet oiseau que l'équipe de Baltimore, dans la ligue majeure de baseball, a choisi de s'appeler Les Orioles et d'adopter un costume qui rappellerait ses couleurs, l'orange et le noir. Mais les noms d'oiseaux, comme ceux des animaux et des plantes, doivent refléter une réalité scientifique. Vers 1985, des ornithologues en vinrent à la conclusion que l'oriole de Baltimore, répandu à l'est des Rocheuses, et son cousin de l'Ouest, l'oriole à ailes blanches ou oriole de Bullock, ne formaient qu'une seule espèce. Ils les réunirent donc sous le nom d'oriole du Nord.

Les sujets n'en ont pas, pour autant, modifié leurs habitudes migratoires. Ils continuent d'élever leurs petits aux États-Unis et au Canada et d'hiverner au Mexique et en Amérique du Sud. C'est en hiver que les témoignages de leur présence sont les plus évidents. Dans les arbres défeuillés, il n'est pas rare d'apercevoir un petit nid joliment tissé de fibres végétales, suspendu comme une bourse à l'extrémité d'une branche, au plus haut de la cime. C'est une structure étonnamment robuste en dépit de sa délicatesse ; elle peut résister plusieurs années aux intempéries. Ainsi l'oriole du Nord nous laisse-t-il, durant son absence, un souvenir de son passage et une promesse de son retour.

Description. Longueur 17,5-22,5 cm (7-8½ po). Mâles noirs ; épaules, côtés de la queue, dessous et croupion orange ; 2 bandes alaires blanches. Celui de l'Ouest : raie superciliaire et face orange, tache alaire blanche. Femelles : dessus olive ; dessous jaunâtre ; mêmes bandes alaires. Celle de l'Ouest plus terne, abdomen blanchâtre.

Habitat. Boisés clairs, arbres ornementaux.
Nidification. Nid de fibres végétales et de ficelle, suspendu à 2-27 m (6-90 pi) du sol ; 3-6 œufs bleu pâle lavés de noir et de gris ; 12-14 jours d'incubation assurée par la femelle. Les oisillons restent 14 jours au nid.
Nourriture. Insectes, fruits.

Chardonneret des pins

Carduelis pinus

L'ornithophile de fraîche date qui installe pour la première fois des mangeoires dans son jardin se désolera peut-être de voir des nuées de chardonnerets des pins venir fréquenter sa table. Pourquoi attirer ces petits oiseaux ternes, rayés comme d'anciens bagnards et sans marque distinctive, quand il pourrait venir de beaux oiseaux au plumage chamarré ! Mais les amateurs chevronnés, surtout ceux qui vivent dans les régions où l'hiver est long et froid, s'enchantent de les voir, vifs et gazouillants, supporter le froid comme si de rien n'était.

Avec les chardonnerets des pins, on n'est jamais sûr de rien. Aussitôt venus, aussitôt partis. Comme les becs-croisés, ce sont des oiseaux nomades, sans habitudes migratoires bien établies. Leur présence dans un lieu donné n'est jamais assurée et, fait rare, leur nomadisme englobe la période de nidification. La plupart des oiseaux ont en effet l'habitude de nicher au même endroit, année après année. Rien de tel avec les chardonnerets des pins. On les voit en grand nombre une année ; l'année suivante, il n'y en a plus un seul. La fantaisie n'a rien à y voir ; l'oiseau se laisse plutôt guider par son estomac.

Les chardonnerets des pins sont joyeux et grégaires. Et gourmands ! Parmi les oiseaux qui fréquentent les mangeoires, ils ont beau se situer parmi les plus petits, ils ne cèdent pas leur place. On les voit souvent voler de concert avec des chardonnerets jaunes auprès desquels ils paraissent ternes. Mais ils ont leur atout secret : une jolie bande alaire jaune qui se laisse voir quand ils étendent les ailes, un trait distinctif qu'ils réservent aux ornithophiles dotés d'un œil de lynx.

Opportuniste, le chardonneret des pins picore souvent dans les trous creusés par les pics.

Description. Longueur 11,5-14 cm (4½-5½ po). Brun et strié ; dessous moins strié ; taches jaunes sur les ailes et la queue. Certains sujets plus striés et moins marqués de jaune. Les deux sexes sont identiques.
Habitat. Forêts conifériennes, fourrés de bouleaux et d'aulnes.

Nidification. Nid volumineux fait de brindilles, d'herbes et de radicelles, fixé à 0,90-15 m (3-50 pi) du sol dans un conifère ; 3-5 œufs bleu-vert pâle maculés de noir et de mauve ; 13 jours d'incubation assurée par la femelle. Les oisillons restent 15 jours au nid.
Nourriture. Graines, insectes.

Roselin pourpré

Mâle

Femelle

Roselin pourpré *Carpodacus purpureus*
Roselin de Cassin *Carpodacus cassinii*

Roselin pourpré

Roselin de Cassin

Le roselin pourpré niche dans les régions boisées du Canada et hiverne depuis le sud du Canada jusqu'au sud des États-Unis. Il est fréquent de le voir s'alimenter aux mangeoires de jardin où son comportement, familier comme celui de la mésange à tête noire ou du bec-croisé rouge, est moins nerveux que celui du moineau. Son chant met une note de printemps en plein cœur de l'hiver. C'est un gazouillis riche, énergique et mélodieux qu'il prodigue avec une grande générosité. Au Canada, on rencontre aussi le roselin familier et le roselin de Cassin, mais leur aire de dispersion est beaucoup plus limitée. Le premier niche et hiverne dans le sud-ouest et le centre-sud de la Colombie-Britannique ; le second niche dans le sud de la Colombie-Britannique à l'exclusion de la côte et dans l'extrême sud-ouest de l'Alberta ; il lui arrive d'hiverner dans le sud de la Colombie-Britannique.

Pour distinguer entre des espèces aussi ressemblantes, il est d'usage de diviser leur corps en zones précises. En consultant un diagramme en même temps que la description, le débutant comprendra que le dos du roselin pourpré mâle est rougeâtre, celui du roselin de Cassin mâle, brunâtre ; que le masque des femelles, partie comprenant la rayure superciliaire, les joues et les « moustaches », est plus marqué chez le roselin pourpré que chez le roselin de Cassin. C'est en se livrant à ce petit exercice, au demeurant fort amusant, que l'amateur apprend à regarder les oiseaux, et pas seulement à les voir.

Description. Longueur 14-16,5 cm (5½-6½ po). Corps strié ; queue fourchue. Mâle : tête, poitrine, dos et croupion rouges. Femelle : brune, dessous très strié ; rayure superciliaire, joues et « moustaches » blanchâtres. Cassin mâle : semblable ; dos plus brun. Femelle : aucune marque sur la face.

Habitat. Forêts, jardins boisés, parcs.
Nidification. Nid de brindilles et d'herbes, à 2-15 m (6-50 pi) du sol dans un conifère ; 3-6 œufs verdâtre pâle, maculés de brun et de noir ; 13 jours d'incubation assurée par la femelle. Les oisillons restent 14 jours au nid.
Nourriture. Graines et fruits ; insectes en été.

Femelle

Mâle

Durbec des pins

(Durbec des sapins, gros-bec des pins)

Pinicola enucleator

Une des joies de l'hiver est d'apercevoir un petit groupe de durbecs des pins picorant en silence dans une épinette sur un fond de neige étincelante, par une journée calme et limpide. Le durbec des pins est véritablement un oiseau des régions boréales. Comme les lagopèdes des saules, les pics tridactyles, les chouettes lapones, les chouettes épervières, les sizerins, les becs-croisés et les bruants lapons, il se sent autant chez lui en Asie et en Europe qu'en Amérique. S'il hiverne généralement dans sa zone de nidification, il peut aussi se rencontrer beaucoup plus au sud.

C'est un oiseau dont la taille se compare à celle du merle d'Amérique et qui est presque entièrement rougeâtre. Son bec est puissant, mais différent de celui du bec-croisé qui est admirablement fait pour ouvrir les cônes et en extraire les graines. Le durbec, plus cosmopolite, a une alimentation variée qui inclut des graines, mais aussi des bourgeons et des baies.

Durant la saison de nidification, le durbec des pins fréquente les forêts conifériennes ou mixtes clairsemées, les clairières et les lisières de forêt ; en hiver, il préfère les boisés de feuillus, les arbres d'ornement en milieu urbain, les vergers et les grands buissons. Cet oiseau chante toute l'année. Son chant se présente comme un agréable gazouillis, peu puissant et court, tandis que son cri consiste en quelques sifflements qui vont de l'aigu au grave.

En hiver, le durbec des pins raffole des baies du sorbier d'Amérique.

Description. Longueur 20-25 cm (8-10 po). Bec robuste et conique ; 2 bandes alaires blanches. Mâle : rose. Femelle : corps gris ; tête et croupion teintés d'olive. Peu farouche ; s'observe en vols peu nombreux.
Habitat. Forêts conifériennes.
Nidification. Nid sans consistance, fait de brindilles et de radicelles et logé dans un bouleau ou un conifère, à 0,60-9 m (2-30 pi) du sol ; 2-6 œufs verdâtre pâle maculés de brun et de gris ; 14 jours d'incubation assurée par la femelle. Les oisillons restent 20 jours au nid.
Nourriture. Graines, baies, noix, insectes.

Femelle

Bec-croisé
à ailes blanches
(Bec-croisé bifascié)

Loxia leucoptera

Mâle

Le bec-croisé à ailes blanches
ne dédaigne pas, quant à lui,
les cônes tombés au sol.

Pour mesurer l'habileté du bec-croisé à ailes blanches, pre-nez un cône intact et essayez d'en retirer une graine ou deux. Avec vos 10 doigts et la force de vos bras, vous y par-viendrez, mais non sans difficulté. Les graines sont enfoncées profondément et recouvertes de deux lamelles superposées difficiles à déloger. Or, pour les becs-croisés, c'est un jeu d'en-fant. Les graines de conifères forment la base de leur alimen-tation. Quand ils sont plusieurs à se nourrir en même temps, les écailles tombent comme des confettis sur le sol.

Les becs-croisés ont un bec qui répond à leur nom. Leurs mandibules sont allongées et croisées à l'extrémité ; la man-dibule proprement dite — celle du dessous — est légèrement retroussée tandis que la maxille, ou mandibule supérieure, est incurvée. Les deux parties agissent donc comme des cisailles, mais l'oiseau les utilise plutôt comme un levier. Pour extraire les graines du cône, l'oiseau s'installe à l'envers au bout d'une branche ou détache le cône et l'emporte en un lieu où il peut l'agripper solidement entre ses pattes. Il insère alors les deux mandibules entre les écailles, ouvre un peu le bec pour les écarter tandis que sa langue va cueillir la graine.

Le bec-croisé à ailes blanches ne se limite pas aux graines des cônes. Il se nourrit également de baies, de graines de tour-nesol, de pucerons, de chenilles et de quelques autres mets re-cherchés de cet ordre.

Description. Longueur 15-17 cm (6-6¾ po). 2 bandes alaires blanches. Mâle : rose ; ailes et queue noires. Femelle : olivâtre, striée. Difficile à observer dans les champs ; picore en petits vols, vide les cônes, tête à l'envers.
Habitat. Forêts conifériennes du Nord, surtout de sapins et d'épinettes.

Nidification. Nid de brindilles et d'herbes, logé à 0,30-21 m (3-70 pi) du sol dans une épinette ou un sapin ; 2-5 œufs bleu pâle ou verdâtres, maculés de brun et de noir ; environ 14 jours d'incubation. Durée du séjour des oisillons au nid inconnue.
Nourriture. Graines, baies, insectes.

Bec-croisé rouge
(Bec-croisé des sapins)

Loxia curvirostra

Femelle

Mâle

Si les becs-croisés sont des oiseaux nomades, le plus no-made de tous est le bec-croisé rouge, aussi appelé bec-croisé des sapins. De façon générale, tous les fringillidés du Nord — groupe qui inclut les gros-becs errants, les durbecs des pins, les sizerins flammés, les sizerins blanchâtres, les chardonnerets des pins et les roselins pourprés — sont des oiseaux migrateurs au parcours incertain. La majorité de ces espèces passent généralement l'hiver dans leur zone de nidification, les forêts coniférniennes du Canada, du nord et de l'ouest des États-Unis. Mais tous les trois ou quatre ans, par-fois six ou sept ans, divers fringillidés descendent en grand nombre vers le sud ; cette migration inusitée a reçu le nom d'irruption. Or, tout inconstante qu'elle soit, c'est une migra-tion plus régulière que celle d'une sous-espèce de becs-croisés qui ne fait irruption dans le Sud que tous les 15 ou 20 ans.

En fait, les becs-croisés sont de véritables nomades, ce qui est une rareté chez les oiseaux. Ils forment des colonies pro-visoires là où ils trouvent à se nourrir et ne se préoccupent pas outre mesure des rythmes saisonniers ; on en a vu s'accou-pler et élever des petits en plein cœur de l'hiver. Lorsqu'on les aperçoit dans une région, il n'est pas du tout assuré qu'on les y reverra l'année d'après. Le premier nid de bec-croisé rouge découvert aux États-Unis a été aperçu dans la ville de New York en avril 1875. Les ornithophiles new-yorkais atten-dent toujours le second.

Une récolte inespérée de cônes incite les becs-croisés rouges à faire une couvée.

Description. Longueur 14-16,5 cm (5½-6½ po). Mâle : rouge terne ; ailes et queue noirâtres ; pas de bande alaire. Femelle : olivâtre ; ailes unies et sombres. Difficile à observer ; picore en pe-tits vols et vide les cônes, tête à l'envers.
Habitat. Pinèdes.
Nidification. Nid de brindilles et de lambeaux d'écorce, à 1,5-24 m (5-80 pi) du sol dans une branche horizontale de conifère ; 3-5 œufs bleuâtres marqués de brun et de noir ; 14 jours d'incubation assurée par la femelle. Les oisil-lons restent 17 jours au nid. Niche parfois aus-si tôt que janvier.
Nourriture. Graines de conifère ; insectes.

Sauvagine

La sauvagine de l'Amérique du Nord — canards, oies, sarcelles — présente une merveilleuse variété de plumages, de comportements et d'habitats. Il suffit de penser à la beauté des couleurs du canard branchu, à la majesté des cygnes, à l'aspect primitif de l'anhinga et à l'allure bon-enfant du macareux. Ce sont sans doute aussi ces oiseaux qu'on associe le plus volontiers aux paysages solitaires du Canada. Le cri insensé du huart dans l'aube à peine née, les danses amoureuses du bec-scie au printemps, quand les chatons des trembles brillent, argentés, dans le soleil déjà tiède, autant de souvenirs inséparables du printemps dans les Laurentides ou les Appalaches.

Huart à gorge rousse
(Plongeon catmarin)

Gavia stellata

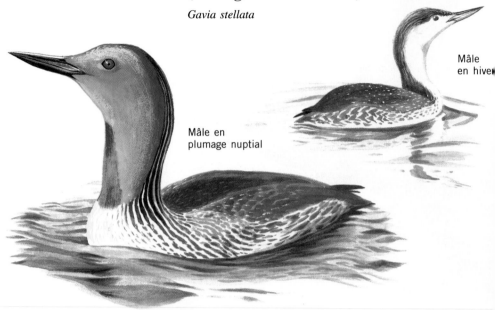

Mâle en hiver

Mâle en plumage nuptial

Le huart à gorge rousse est le seul huart à pouvoir s'envoler de la terre ferme.

Peu d'ornithophiles verront la gorge rousse de ce huart, car l'oiseau l'arbore uniquement durant la pariade et l'a perdue lorsqu'il rejoint en octobre les côtes où il passe l'hiver. Ainsi donc, pour la plupart des gens, le huart à gorge rousse est plutôt un huart à dos gris constellé d'étoiles blanches.

Le huart à gorge rousse, aussi appelé plongeon catmarin, est un oiseau de petite taille au bec légèrement retroussé. C'est l'un des plus agiles parmi les huarts. On sait que ceux-ci ont les pattes décalées vers l'arrière du corps : cette morphologie, parfaitement adaptée à la nage, est moins heureuse quand ces oiseaux tentent de marcher. Marcher leur est du reste si difficile qu'ils préfèrent souvent se déplacer sur terre en rampant sur le ventre. S'envoler est également une tâche ardue : le décollage exige de larges étendues d'eau. C'est en cela que le huart à gorge rousse diffère de ses congénères. Il s'envole de l'eau avec beaucoup de facilité et peut donc vivre sur de petits étangs. En outre, il est le seul huart à pouvoir prendre son envol à partir de la terre ferme.

Au printemps, avant que les nappes d'eau peu profondes de la toundra aient perdu leur manteau de glace, les huarts à gorge rousse ont déjà rejoint l'Arctique où ils se reproduisent. Les renards et les labbes prélèvent leur part d'œufs et d'oisillons, mais le huart à gorge rousse n'a pas froid aux yeux ; pour défendre ses petits, son bec long et acéré est une arme dangereuse dont les prédateurs tiennent compte.

Description. Longueur 61-69 cm (24-27 po). Bec pointu, un peu relevé. Plumage nuptial : dos uni ; tête grise ; gorge roux foncé. Plumage d'hiver : pâle ; moins de contraste entre le dessus et le dessous que chez les autres huarts.
Habitat. Océans, baies, criques ; niche au bord des lacs dans la toundra.

Nidification. Nid en forme de dépression dans le sol ou d'amoncellement d'herbes ou de boue au bord de l'eau ; 1-3 œufs olive ou bruns ; 24-29 jours d'incubation assurée par la femelle. Les oisillons, couverts de duvet, quittent le nid à peine éclos ; volent à 6 semaines.
Nourriture. Poissons, crustacés, insectes.

Huart du Pacifique
(Plongeon du Pacifique, huart arctique)

Gavia pacifica

Mâle en hiver

Mâle en
plumage nuptial

Jusqu'à tout récemment ce huart était connu sous le nom de huart arctique *(Gavia arctica)* parce qu'on croyait qu'il était identique aux huarts polaires de l'Europe et de l'Asie. Aujourd'hui, on estime que les deux espèces sont distinctes. À dire vrai, cet oiseau, aussi appelé plongeon du Pacifique, appartient à la fois à l'Arctique et au Pacifique car il passe la moitié de sa vie dans une région et l'autre moitié, dans l'autre.

De mai à septembre, le huart du Pacifique habite à l'ouest de la baie d'Hudson. Dès le retrait des glaces, les oiseaux adultes s'établissent sur un lac de la toundra ; c'est là qu'ils se font la cour, construisent leur nid et élèvent les oisillons à toute vitesse, car l'été arctique est éphémère. En octobre, ces huarts partent s'installer sur les eaux côtières du Pacifique, depuis l'Alaska jusqu'à la Basse-Californie ; une poignée de sujets font le voyage jusqu'à la côte Est.

Les huarts se nourrissent surtout de petits poissons. Or, le huart du Pacifique est un pêcheur émérite. Il comprime son plumage et expulse l'air de ses poumons pour modifier à sa guise son poids spécifique et peut ainsi nager à la profondeur qui lui convient. Sous l'eau, il évolue rapidement en remuant seulement les pattes ou les pattes et les ailes. Quand il a attrapé un poisson, il remonte prestement à la surface et pendant que l'eau ruisselle sur ses plumes huileuses, il renverse la tête et avale sa proie en entier, tête la première.

Les petits huarts du Pacifique sortent de leur œuf parfois à plusieurs jours d'intervalle.

Description. Longueur 58-74 cm (23-29 po). Bec pointu et droit. Plumage nuptial : vertex et arrière de la tête gris pâle ; dos noir à damier blanc ; gorge noire rayée de blanc. Plumage d'hiver : dessous blanc ; dessus foncé.
Habitat. Océans, baies, bras de mer ; niche au bord des lacs arctiques.

Nidification. Nid en forme de dépression dans le sol ou d'amoncellement d'herbes ou de boue sur la berge ; 1-2 œufs olive ou bruns, marqués de brun ; 28-30 jours d'incubation assurée par la femelle. Les oisillons, couverts de duvet, quittent le nid à peine éclos ; volent à 6 semaines.
Nourriture. Poissons, crustacés, insectes.

Huart à collier
(Plongeon imbrin)

Gavia immer

Mâle
en hiver

Mâle en
plumage nuptial

Les jeunes huarts à collier se déplacent tout d'abord sur le dos de leurs parents.

Ne cherchez pas le mot « huart » dans le Larousse ou le Robert, vous ne le trouverez pas. Tout au plus tomberez-vous sur le terme « huard » qui, familièrement, désignerait un pygargue. Mais dans les dictionnaires du français du Québec, celui de Bélisle et celui du CEC, on trouve, pour désigner les oiseaux du type *Gavia*, ou gaviiformes, le doublet huard/huart avec une nette préférence, dans les exemples, pour le terme huard, alors que les documents officiels émanant d'Ottawa optent pour huart. Comment trancher la question ? Peut-être en redonnant à cet oiseau son nom international : partout ailleurs qu'au Québec, il s'appelle un plongeon. Mais le plongeon pourrait-il jamais, à nos oreilles, remplacer le huart !

Le huart à collier est un oiseau de bonne taille qui nage et plonge avec une grâce souveraine et peut atteindre des profondeurs de plus de 50 m à la recherche de poissons. Pour nicher, il exige des eaux claires, poissonneuses et solitaires. Voilà pourquoi on ne trouve en général qu'un couple de huarts par lac, sauf si celui-ci est très grand. Le nid est une simple dépression dans le sol près du bord de l'eau. Les petits nagent dès un jour ou deux après l'éclosion et passent leur premier été presque entièrement dans l'eau. Les vents d'octobre forcent parents et rejetons à s'établir sur les côtes libres de glace.

Les populations de huarts à collier sont en déclin presque partout en Amérique du Nord. Il faut en imputer la faute à la disparition de bien des aires sauvages et à la contamination des lacs du Nord par les pluies acides. Sur les côtes, ils ont beaucoup souffert des déversements de pétrole sur les plages.

Description. Longueur 71-91 cm (28-36 po). Grand huart ; bec robuste et droit. Plumage nuptial : dos noir à damier blanc ; tête et cou noirs ; collier blanc rayé de noir. Plumage d'hiver : bec gris ; dos sombre ; dessous blanc.
Habitat. Niche au bord des lacs du Nord ; hiverne près des côtes de la mer.

Nidification. Nid en forme de dépression dans le sol ou d'amoncellement d'herbes ou de boue ; 1-3 œufs olive ou bruns, marqués de taches sombres ; 29 jours d'incubation assurée par le couple. Les oisillons, couverts de duvet, quittent le nid à peine éclos ; volent à 12 semaines.
Nourriture. Poissons, grenouilles, insectes.

Grèbe à bec bigarré

Podilymbus podiceps

Ce grèbe porte bien son nom. Il se caractérise par un bec marqué d'une sorte d'anneau noir de forme irrégulière, qui lui donne un air très particulier. C'est un oiseau timide qui se cache dans la végétation marécageuse. Aussitôt qu'on l'aperçoit — ou qu'on croit l'avoir aperçu —, il disparaît. Sans un bruit. Sans même une ride sur l'eau.

Mais ayez la patience d'attendre sans bouger et vous verrez peut-être sortir de l'eau une petite tête périscopique. Demeurez immobile ; s'il est convaincu que le danger est écarté, il pourrait bien se montrer tout entier dans son plumage ruisselant d'eau dont l'aspect soyeux rappelle la robe de la loutre.

Ce petit grèbe niche dans le sud du Canada et du Québec. Au printemps, on décèle souvent sa présence par son cri, un *câu* sonore et répétitif qui porte très loin. Il lui faut beaucoup d'espace sur l'eau et beaucoup de battements de pattes pour prendre son envol et, une fois dans l'air, il ne s'y maintient qu'avec peine. C'est pourquoi il n'émigre jamais loin, à peine ce qu'il faut pour trouver un marais d'eau douce. Il lui arrive d'ailleurs, par brusques gels, de rester pris dans les glaces.

Le grèbe à bec bigarré a fait, au début du siècle, l'objet d'une chasse commerciale intense, car ses plumes étaient recherchées par les modistes qui en garnissaient les chapeaux de dames. Or l'oiseau avait la réputation d'être à peu près insaisissable. Les chasseurs prétendaient qu'entre le moment où se produisait l'éclair du coup de feu et celui où la balle l'aurait atteint, il avait le temps de plonger et le projectile ne faisait que ricocher à la surface de l'eau.

Les juvéniles du grèbe à bec bigarré ont un plumage rayé comme d'anciens forçats.

Description. Longueur 30-38 cm (12-15 po). Oiseau trapu et brun terne ; dessous de la queue blanc ; bec court et pâle, marqué d'un anneau noirâtre. Plonge souvent ; se cache dans la végétation aquatique et ne montre que le bec.
Habitat. Étangs, marais, cours d'eau lents.
Nidification. Nid flottant, fait de plantes aquatiques en décomposition et amarré à des roseaux ; 2-10 œufs bleuâtres ou verdâtres, vite souillés de boue ; 23 jours d'incubation assurée par le couple. Les oisillons, couverts de duvet, quittent le nid peu après l'éclosion. Parfois deux couvées par saison.
Nourriture. Insectes, crustacés, poissons.

Grèbe cornu
(Grèbe esclavon)

Podiceps auritus

Mâle
en hiver

Mâle en
plumage nuptial

Le grèbe protège son estomac des arêtes de poisson en avalant ses propres plumes.

Entre novembre et avril, cet oiseau emprunte les couleurs des océans d'hiver ; il est gris tempête et argent dépoli. Mais le soleil du printemps colore comme par magie son plumage. Sa gorge et ses flancs deviennent chataigne. Ses joues blanches et creuses s'étoffent et se noircissent. Deux grandes touffes de plumes de couleur chamois apparaissent de chaque côté du vertex et le font ressembler à quelque Mercure ailé des marais. Mais qu'il soit vêtu de sa livrée hivernale ou de ses couleurs d'été, il arbore toujours l'œil le plus écarlate qui soit parmi la gent aviaire.

L'aire de nidification du grèbe cornu — ou grèbe esclavon — se situe au Canada, surtout à l'ouest de l'Ontario, mais elle inclut l'île d'Anticosti et les îles de la Madeleine. Le nid est de structure tout à fait ingénieuse : amarré aux roseaux, il flotte telle une petite embarcation cachée dans les joncs au bord de l'étang. Et son entretien est facile : quand il menace ruine, le grèbe rajoute de nouvelles plantes.

Dès la naissance, les oisillons, tigrés comme des félins, suivent leurs parents à l'eau et se mettent à nager sous surveillance constante. Si la distance à parcourir est trop longue pour de si petites pattes, qu'à cela ne tienne, toute la couvée monte à bord de papa ou de maman et fait le voyage à dos de grèbe. Le spectacle est adorable et touchant. S'il y a danger, ils plongent et se maintiennent au fond en s'accrochant à une tige par le bec.

Description. Longueur 32-38 cm (12½-15 po). Bec court et effilé. Plumage nuptial : tête noire ornée de deux touffes de plumes dorées ; cou et flancs roux ; dos noir. Plumage d'hiver : vertex et dos noirs ; joues, gorge et poitrine blanches. **Habitat.** Marécages, étangs, cours d'eau lents. **Nidification.** Nid flottant fait de boue et de plantes paludéennes, amarré à des roseaux ou des buissons ; 3-6 œufs bleuâtres ou verdâtres, vite souillés de boue ; 25 jours d'incubation assurée par le couple. Les oisillons, couverts de duvet à la naissance, quittent le nid peu après l'éclosion. Parfois deux couvées par saison. **Nourriture.** Poissons, crustacés, insectes.

Grèbe jougris

Podiceps grisegena

D'un bout à l'autre de la côte atlantique, on sait quand la glace prend sur les Grands Lacs sans avoir à consulter le bulletin météorologique quotidien. Ce sont les grèbes jougris qui le signalent en arrivant par grands vols ; la glace les a privés de leurs marais d'eau douce.

Le jougris est un grand grèbe robuste qui fréquente les marécages profonds en été et hiverne sur des côtes abruptes où la mer aime à se déchaîner. En été, avec ses joues et sa gorge blanchâtres et son cou marron, il présente un motif chromatique facile à repérer parmi les sauvagines qui habitent les mêmes marais d'eau douce que lui. En hiver, quand il troque ces beaux coloris pour une livrée gris et blanc, on le distingue du grèbe cornu, auquel il ressemble, par sa taille et sa forme, mais aussi par son cou cendré et son bec jaunâtre.

Durant la migration ou en hiver, on pourra l'observer en petites colonies si la nourriture est abondante. Mais les jougris sont des grèbes solitaires. Éparpillés parmi les eiders, les kakawis et les macreuses qui animent les rudes rivages rocheux de la Nouvelle-Angleterre, ils vont chercher leur nourriture en eau profonde. S'ils se retrouvent à plusieurs dans la même zone, ils se tiennent à bonne distance les uns des autres et tolèrent encore plus mal l'ornithophile même le mieux intentionné. Pris par surprise, l'oiseau plonge et file, ne laissant qu'un petit sillon grisâtre dans les eaux vert-gris de l'océan ; une minute plus tard, vous le verrez remonter en toute sécurité à la surface, à plusieurs mètres de distance.

Piscivores, les grèbes jougris ne dédaignent pas à l'occasion l'insecte ou l'écrevisse.

Description. Longueur 43-56 cm (17-22 po). Bec long et pointu. Plumage nuptial : cou roux ; joues blanchâtres ; bec jaunâtre. Plumage d'hiver : gris terne ; joues grisâtres.
Habitat. Marais, lacs, étangs ; baies marines en hiver.
Nidification. Nid flottant fait de boue et de plantes paludéennes, amarré à des roseaux ou des buissons ; 3-6 œufs bleu pâle vite souillés de boue ; 23 jours d'incubation assurée par le couple. Les oisillons, couverts de duvet à la naissance, quittent le nid peu après l'éclosion.
Nourriture. Poissons, insectes, crustacés.

Grèbe
à cou noir

Podiceps nigricollis

Avant de quitter son nid, le grèbe à cou noir recouvre ses œufs de plantes mouillées.

Il a un petit air dément, ce grèbe à cou noir, avec sa tête hirsute et son œil rouge d'une inquiétante fixité. Le mâle exécute, pour faire sa cour, des danses si emportées que les eaux du marais se couvrent d'écume blanche. Quand une colonie entière se met à proférer ses *co-iiic* à l'unisson, on croirait entendre tout un établissement de grenouilles coassant sous la pleine lune de mai.

Même pour un grèbe, sa façon de construire le nid paraît pour le moins brouillonne. Tout en flottant, la femelle réunit autour d'elle des matières végétales qu'elle glane à la surface et leur donne vaguement la forme d'un nid qu'elle ne cherche pas du tout à abriter. Se ravisant soudain, elle abandonne l'ouvrage et en entreprend un second, un troisième, un quatrième. Dans les marais fréquentés par une grande colonie de grèbes à cou noir, il y a tant de nids, actifs ou abandonnés, que l'ensemble se met à ressembler à un énorme saladier.

Ses mœurs imprudentes ont fait du grèbe à cou noir une cible facile pour les chasseurs commerçants. Vers la fin du XIXe siècle, l'industrie du vêtement consommait voracement les plumes de cet oiseau ; à New York, une peau garnie de plumes pouvait rapporter jusqu'à 20 cents à son propriétaire, somme importante à l'époque. Des milliers d'oiseaux furent ainsi détruits durant la nidification. Maintenant qu'il est protégé, ce grèbe excentrique a fait une remontée intéressante et n'est plus en péril.

Description. Longueur 32-34 cm (12½-13½ po). Bec court et effilé. Plumage nuptial : noir ; huppe noire ; touffes auriculaires dorées. Plumage d'hiver : noirâtre ; vertex noir ; tache blanche derrière l'oreille. S'observe en bandes.
Habitat. Marais, étangs, cours d'eau lents.
Nidification. Nid flottant fait de boue et de plantes paludéennes, amarré à la végétation ; 3-9 œufs blancs, vite souillés de boue ; 22 jours d'incubation assurée par le couple. Les oisillons, couverts de duvet à la naissance, quittent le nid peu après l'éclosion. Niche en colonies. Parfois deux couvées par saison.
Nourriture. Insectes, poissons, crustacés.

Grèbe élégant
(Grèbe de l'Ouest)

Grèbe élégant *Aechmophorus occidentalis*
Grèbe à face blanche *Aechmophorus clarkii*

Le mois de mai fait éclater le printemps sur la prairie. Dans les lacs et les marais, les colverts et les pilets mâles rivalisent de vitesse pour conquérir la femelle pendant que les guifettes noires nagent deux par deux et que le chœur des carouges à tête jaune fait vibrer les scirpes. Mais parmi toutes les espèces animales en quête de l'âme sœur, aucune ne rivalise avec le grèbe élégant : la grâce de ses gestes, son assurance et son adresse lui valent une note parfaite.

Pour commencer le rituel, les grèbes élégants nagent côte à côte, en arquant gracieusement le cou. Soudain dressés sur leurs pattes, ils se mettent à courir follement sur l'eau, leur cou tendu en un S spectaculaire. Après quelques minutes, ils se reposent au fil de l'eau, mais la démonstration n'est pas finie. Bientôt face à face, les deux oiseaux plongent pour émerger à nouveau, leurs poitrines se touchant, une brindille de mousse dans leur bec qui pointe vers le ciel. Une, deux, trois pirouettes marquent la fin du spectacle ; les deux grèbes reprennent chacun pour soi leur lente promenade.

Le grèbe à face blanche est un proche parent du grèbe élégant ; jusqu'à tout récemment, les deux ne formaient qu'une espèce. Ces oiseaux occupent la même aire de distribution ; physiquement, ils sont très semblables et leurs mœurs se ressemblent : ils nichent en colonies entre les roseaux des marais d'eau douce et hivernent dans les baies et les lacs intérieurs qui bordent les côtes océanes.

Une tache blanche englobant l'œil différencie le grèbe à face blanche du grèbe élégant.

Description. Longueur 56-74 cm (22-29 po). Bec long et effilé ; cou long, gracile, noir et blanc ; bec verdâtre ; masque noir englobant les yeux. Grèbe à face blanche : bec jaune vif ; vertex noir ne se prolongeant pas sous les yeux.
Habitat. Marais de la prairie, baies larges.
Nidification. Nid flottant, fait de boue et de plantes paludéennes, amarré à des plantes aquatiques ; 3-4 œufs bleu pâle ou chamois, vite souillés de boue ; 23 jours d'incubation assurée par le couple. Les oisillons, couverts de duvet à la naissance, quittent le nid peu après l'éclosion. Grands nids ; colonies bruyantes.
Nourriture. Poissons, crustacés, insectes.

Cormoran
à aigrettes

Phalacrocorax auritus

Il semblerait que le cormoran à aigrettes ait été conçu comme une blague de la nature. Cet oiseau ne gagnera jamais de concours de beauté et ses mœurs ne sont pas plus sympathiques que son apparence. Il nourrit ses petits par régurgitation. Dans son nid peu soigné, on peut trouver des objets aussi baroques qu'un peigne de poche, des pinces à cheveux et des couverts de plastique. Le seul son qu'il émet ressemble aux grognements du porc. Ses prouesses à la pêche ne font qu'indisposer les pêcheurs qui redoutent ce rival trop habile ; nageur et pêcheur émérite, il se déplace en effet avec une vitesse redoutable, en utilisant en même temps ses pattes palmées et ses ailes. Enfin l'odeur qui se dégage d'une colonie de cormorans se chauffant au soleil par un après-midi d'été n'est pas faite pour séduire les narines sensibles.

Et pourtant, le comportement du couple au nid est à la fois étonnant et touchant. Quand vient le moment de remplacer l'oiseau qui couve, le second membre du couple s'approche du nid, tourne autour, prodigue mille marques de tendresse à son conjoint et met affectueusement la tête sous son aile. L'oiseau qui couvait prend alors son envol et rejoint parfois ses congénères pour exécuter avec eux quelques montées et descentes à basse altitude. Devant un tel spectacle, l'observateur ne peut que s'avouer conquis.

En bandes, les cormorans à aigrettes sont capables de monter très haut dans le ciel. On les voit voler en file, ou en V plus ou moins symétrique, ou en compagnies éparses. Quand ils se perchent, ils ont l'habitude d'ouvrir à demi les ailes comme s'ils voulaient les faire sécher au soleil.

Grâce à ses pattes palmées, le cormoran se déplace très rapidement.

Description. Longueur 74-91 cm (29-36 po). Adulte noir avec une petite tache jaune-orange sur la gorge ; queue longue. Nage le bec en l'air. Vole en file ou en V.
Habitat. Bords de mer, ports, lacs, marécages boisés où le poisson est abondant.
Nidification. Nid fait de branchettes et d'herbes marines, logé sur des corniches rocheuses ou à moins de 15 m (50 pi) du sol dans un arbre ; 2-9 œufs bleu crayeux ; 25 jours d'incubation assurée par le couple. Les oisillons restent 5-6 semaines au nid ; sont autonomes après 10 semaines. Niche en colonies.
Nourriture. Poissons et quelques crustacés.

Anhinga d'Amérique

Anhinga anhinga

Il hante silencieusement les endroits solitaires et son allure d'oiseau préhistorique convient aux marécages reculés qu'il affectionne. Il n'existe que quatre espèces d'anhinga dans le monde entier ; une seule appartient à l'hémisphère occidental. C'est en réalité un oiseau tropical : les sujets qu'on peut voir en Floride et dans d'autres États américains se trouvent aux limites septentrionales de leur aire de distribution géographique. Le corps de l'anhinga est recouvert d'un plumage si dense qu'on le croirait revêtu de fourrure et non de plumes et il se tient gauchement dans les arbres et les buissons sur ses pattes palmées d'oiseau aquatique, garnies de fortes griffes.

Bien que lourd et trapu, l'anhinga nage avec facilité grâce à des sacs aériens qui lui permettent de rester en surface ou de couler à pic, sans faire de ride. Quand il nage, il n'a que la tête et le cou hors de l'eau et poursuit avec une surprenante agilité les poissons, grenouilles, couleuvres d'eau ou jeunes alligators dont il se nourrit. Sous l'eau, il harponne sa victime avec son bec acéré et, remontant à la surface, il la lance dans les airs et la rattrape tête la première pour l'avaler entière.

Aussi agile dans l'eau que maladroit sur terre, l'anhinga est à son mieux dans les airs. On peut le voir tracer des cercles à des hauteurs incroyables. Avec ses congénères, il se laisse porter pendant de longues heures par les courants d'air pour le simple bonheur, semble-t-il, de planer.

L'anhinga aime à se laisser planer pendant des heures à haute altitude.

Description. Longueur 81-91 cm (32-36 po). Oiseau noir ; long cou mince ; bec long et acéré ; longue queue en éventail. Mâle : plumes blanches sur le dos. Femelle : tête, cou et poitrine chamois.
Habitat. Étangs et rivières bordés d'arbres.
Nidification. Nid de brindilles, garni de feuillage vert, à moins de 12 m (40 pi) au-dessus de l'eau ou parfois dans un vieux nid de héron ; 1-5 œufs bleu crayeux ; 25-28 jours d'incubation assurée par le couple. Durée du séjour des oisillons au nid inconnue. Niche parfois en colonies, souvent avec des hérons.
Nourriture. Poissons, grenouilles, crustacés.

Cygne siffleur

Cygnus columbianus

Le cygne siffleur niche tôt au printemps, quand les glaces barrent la route aux humains.

Il est bien vrai que le cygne siffleur émet un chant poignant et magnifique lorsqu'il est sur le point de mourir. En 1898, Daniel G. Elliot, une autorité en matière de canards, de cygnes et d'oies, raconta comment, au cours d'une excursion de chasse à Currituck Sound, en Caroline du Nord, un membre du groupe fit feu et blessa mortellement un cygne. L'oiseau étendit les ailes et se laissa tomber en planant, sans cesser de chanter son « chant du cygne », une mélodie qui, selon Elliot, ne ressemblait aucunement à celle que le cygne émet habituellement ; c'était une musique à la fois très douce et très triste. Des chasseurs ont affirmé avoir déjà entendu ce chant de mort.

Puis en 1955, un spécialiste des oiseaux aquatiques, H. A. Hochbaum, découvrit que les cygnes siffleurs lancent un « chant de départ » en prenant leur envol, ce que John K. Terres confirma par la suite en ajoutant que ce chant était d'une très grande beauté. Selon Hochbaum, ce chant de départ serait à l'origine de la légende sur le chant que le cygne émet au moment de mourir ; lorsqu'il est mortellement blessé, il chante, non pas parce qu'il va mourir, mais parce qu'il cherche en vain à rejoindre ses congénères dans les airs.

Le cygne siffleur niche dans le nord du Canada. En migration, il traverse la Colombie-Britannique, la Prairie et l'ouest de l'Ontario, mais il ne passe que rarement dans le sud-ouest du Québec. On peut l'observer de la mi-mars à la mi-avril à la Longue Pointe, sur le lac Érié, en Ontario.

Description. Longueur 1,2-1,5 m (47-58 po). Grand oiseau blanc à long cou droit ; bec noir ; petit point jaune en avant des yeux. Juvénile : teinté de gris ; bec rosé. Voyage en bandes. Cri d'appel musical.
Habitat. Lacs, baies et estuaires ; niche dans la toundra ou les marais.

Nidification. Nid de feuilles et d'herbes, en forme de monticule, près de l'eau ; 2-7 œufs blanchâtres ; 32 jours d'incubation assurée par la femelle. Les oisillons, couverts de duvet, quittent le nid peu après l'éclosion, mais restent avec les parents jusqu'au printemps suivant.
Nourriture. Plantes aquatiques, mollusques.

Cygne trompette

Cygnus buccinator

Les cygnes trompettes avaient presque entièrement disparu vers 1912, comme on le constate dans les écrits de l'ornithologue Edward Howe Forbush. En vain avait-on protesté pendant longtemps contre la terrible déprédation dont ils étaient victimes : il n'existait toujours aucune réglementation sur la chasse. Encouragés par l'appât du gain, les chasseurs les décimaient pour faire des houppes à poudre avec leurs plumes et leur duvet, tandis que les gourmets s'étaient pris d'engouement pour leurs œufs.

Il restait moins d'une centaine de cygnes trompettes quand un programme de conservation fut enfin instauré. Quelques couples avaient survécu dans le parc national américain de Yellowstone grâce à la loi Lacey de 1894 qui interdisait la chasse dans les limites du parc. À partir de 1916, les cygnes qui nichaient hors des limites du parc furent eux aussi protégés par le traité sur les oiseaux migrateurs. Enfin, en 1935, les Américains créèrent le Red Rock Lakes Migratory Waterfowl Refuge dans le sud-ouest du Montana, englobant une étendue de 55 000 ha où nichaient déjà les cygnes trompettes. Petit à petit, leurs populations se reformèrent. On en trouve maintenant plusieurs centaines à Red Rock Lakes et quelques milliers d'autres un peu partout en Amérique du Nord où leur voix, plus grave et plus sonore que celle du cygne siffleur, signale avec des accents de trompette la victoire des forces de conservation sur les forces de destruction.

Grâce à son long cou, le cygne trompette puise sa nourriture au fond de l'eau.

Description. Longueur 1,5-1,8 m (59-72 po). Grand oiseau blanc à long cou droit ; bec noir uni, sans point jaune en avant des yeux. Juvénile : teinté de gris ; bec rosé. Se voit en petits groupes. Cri à accents de trompette.
Habitat. Lacs et rivières en montagne ; fréquente parfois les côtes en hiver.

Nidification. Nid de feuilles et d'herbes, en forme de monticule, près de l'eau ; 2-13 œufs crème ; 33 jours d'incubation assurée par la femelle. Les oisillons, couverts de duvet, quittent le nid peu après l'éclosion, mais restent avec les parents jusqu'au printemps suivant.
Nourriture. Plantes aquatiques, insectes.

Cygne tuberculé
(Cygne muet)

Cygnus olor

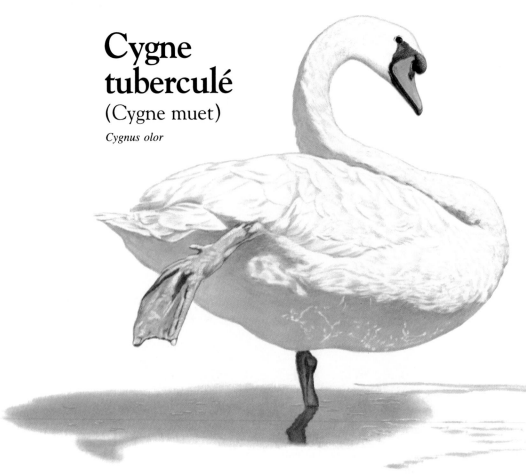

Avec des cris gutturaux et des mouvements d'ailes menaçants, il chasse les intrus.

L a musique et la littérature ont répandu la réputation de ce cygne. C'est dans un conte intitulé *Le vilain petit canard* que l'écrivain danois Hans Christian Andersen raconte l'histoire d'un petit canard rejeté par les siens qui devient plus tard, à son plus grand étonnement, un grand et beau cygne. Et dans une pièce intitulée *Le Cygne*, le compositeur français Camille Saint-Saëns a décrit musicalement, avec le timbre émouvant du violoncelle, la grâce sinueuse de l'oiseau.

Le cygne tuberculé, autrefois appelé cygne muet, est natif des régions tempérées de l'Eurasie. Il fut importé aux États-Unis vers 1850 pour orner les pièces d'eau des domaines privés et des parcs. De ces oiseaux en captivité proviennent les milliers de descendants qui vivent maintenant à l'état sauvage ou demi-sauvage sur notre continent et dont le nombre ne cesse d'augmenter.

Les cygnes s'accouplent en général pour la vie, quoique environ 5 p. 100 des unions se brisent, on ne sait pas encore pourquoi. Par ailleurs, le cygne tuberculé est un oiseau d'une force remarquable, supérieur en cela au pygargue à tête blanche et à l'aigle royal. Avec son bec orange, qui lui sert à puiser sa nourriture au fond de l'eau, l'oiseau peut porter des coups terribles et fracturer, d'un mouvement de cou rapide et impétueux, le bras d'un homme dans la force de l'âge.

Description. Longueur 1,4-1,6 m (56-62 po). Grand oiseau blanc à long cou gracieusement incurvé ; bec orange à protubérance noire. Juvénile : teinté de gris ; bec grisâtre, sans protubérance. Nage les ailes repliées comme des voiles sur le dos.
Habitat. Étangs et lacs en régions habitées.

Nidification. Nid volumineux de matières végétales, près de l'eau ; 4-6 œufs gris-bleu ; 34-38 jours d'incubation assurée par la femelle. Les oisillons, couverts de duvet, quittent le nid peu après l'éclosion, mais restent 4 mois avec les parents. Niche isolément ou en petites colonies.
Nourriture. Plantes aquatiques.

Oie rieuse
(Oie à front blanc)

Anser albifrons

Toutes les oies sont monogames ; elles s'accouplent pour la vie. Tous les oiseaux n'ont pas ce comportement, beaucoup s'en faut. Chez certaines espèces, c'est « Bonjour, madame. Merci, madame. » La chose faite, ni vu, ni connu. Cela se passe ainsi chez les tétras et chez tous les oiseaux qui ne s'établissent pas de territoire. Le colibri mâle ne tient pas compagnie très longtemps, lui non plus, à sa dame. Mais d'autres oiseaux, plus nombreux, tissent avec leur compagne des liens plus durables ; le couple se maintient durant toute la saison de nidification et peut avoir ensemble deux couvées ou davantage. Dans certains cas, l'union ne se termine pas avec l'hiver ; au printemps suivant, le couple se reforme. Parfois le mâle participe aux travaux domestiques ; parfois il se contente de chanter sa sérénade dans les arbres.

Les oies sont le symbole même de la fidélité dans le couple. Le mâle reste auprès des siens, protégeant le nid et les petits. Mâle et femelle ne se quittent pas durant la migration et l'hivernage ; la mort seule les sépare. D'aucuns prétendent que cette fidélité est affaire de commodité ; les oies appariées seraient davantage fidèles au site de nidification qu'à leur conjoint. On cite toutefois des cas où la fidélité et le sacrifice ont atteint des sommets peu communs, chez les oiseaux comme chez les humains.

Quelques oies rieuses se joignent parfois aux vols de bernaches du Canada.

Description. Longueur 66-86 cm (26-34 po). Corps brun grisâtre ; bec tronqué, rose ou orange ; face, croupion et dessous de la queue blancs ; abdomen barré de noir ; pattes orange. S'observe en bandes.
Habitat. Champs, prés et marais ; niche dans la toundra arctique.

Nidification. Nid peu profond, tapissé de duvet et de plumes, près de l'eau ; 4-7 œufs crème ; 28 jours d'incubation assurée par la femelle. Les oisillons, couverts de duvet, quittent tôt le nid, mais restent avec les parents jusqu'au printemps suivant. Niche en colonies.
Nourriture. Plantes aquatiques, insectes, grain.

Oie des neiges
(Oie blanche)

Chen caerulescens

Phase bleue

Phase blanche

Les oies des neiges volent en U, et non pas en V comme les bernaches du Canada.

L'oie des neiges regroupe trois formes qui constituaient encore naguère des espèces : l'oie bleue, la grande oie blanche, la petite oie blanche. On sait maintenant que l'oie bleue n'est qu'une phase de coloration que la grande oie blanche ne présente pas tandis que la petite oie blanche présente les deux phases. Les trois formes nichent dans les régions arctiques.

Les oies des neiges sont bien connues des Québécois. Bien qu'elles soient présentes en migration dans certaines régions de l'ouest du Canada, c'est au cap Tourmente, à 50 km au nord de Québec, qu'elles s'arrêtent en très grand nombre. Le spectacle, de toute beauté, attire des visiteurs de partout. Il faut voir en automne ces milliers de grands oiseaux, au cou presque aussi long que celui du cygne, tournoyer dans les airs, tout blancs contre la falaise grise du cap Tourmente qui s'élève à quelque 550 m au-dessus du fleuve Saint-Laurent.

Durant la migration, les oies des neiges volent très haut, non pas en formant un V comme les bernaches du Canada, mais en une longue ligne courbe en forme de U. Quand elles aperçoivent un lac, elles redressent leur corps, agitent les pattes et freinent des ailes pour venir se poser doucement dans l'eau, tandis qu'elles émettent à l'unisson leur *caûc* aigu et guttural qui n'est pas dépourvu de charme.

Description. Longueur 63-79 cm (25-31 po). Corps blanc ; bout des ailes noir ; bec rosé à lamelles noires. Phase bleue : corps gris foncé ; tête et cou blancs. Vole en troupeaux nombreux. Cri d'appel : un *caûc* très aigu.
Habitat. Marais, champs et dunes. Niche dans la toundra arctique.

Nidification. Nid dans une dépression du sol remplie d'herbes, de tiges et de duvet ; 3-8 œufs blancs ; 22-25 jours d'incubation assurée par la femelle. Les oisons, couverts de duvet, quittent le nid peu après l'éclosion, mais restent avec les parents jusqu'au printemps suivant.
Nourriture. Plantes aquatiques, herbes, céréales.

Bernache cravant

Branta bernicla

Très appréciée des chasseurs, la bernache cravant est une petite oie qui fréquente de préférence les eaux salées. En migration, au lieu du V caractéristique de la bernache du Canada, elle vole en longue file onduleuse, parfois aussi sans ordre ni symétrie. Les bernaches cravants nichent dans la zone polaire. Pendant l'hiver et en migration, elles se nourrissent principalement de zostères, qu'elles attrapent par les racines à marée basse ou qu'elles vont cueillir dans l'eau en exécutant une demi-pirouette comme certains canards. En 1931, une épidémie fit disparaître presque complètement les zostères et les populations de bernaches cravants faillirent elles aussi en mourir. Quelques sujets, cependant, s'habituèrent à manger des algues appelées laitues de mer et survécurent. Aujourd'hui, les bernaches cravants, prudentes, mangent indifféremment zostères et laitues de mer.

Les bernaches cravants sont des oiseaux très sociables qui se nourrissent et voyagent en grands troupeaux de 20 à 50 sujets. Elles hivernent généralement sur les côtes, à partir de la Colombie-Britannique jusqu'en Basse-Californie à l'ouest, et depuis le Massachusetts jusqu'en Caroline du Nord, à l'est. Leur migration printanière est tardive et on les voie souvent s'attarder dans les Maritimes jusqu'au début de juin.

Quand les plantes aquatiques sont gelées, les cravants scrutent les terrains de golf.

Description. Longueur 56-66 cm (22-26 po). Tête, poitrine et cou noirs ; tache blanche sur le cou ; plumes blanches sous la queue. Forme de l'Est : dessous blanc ; forme de l'Ouest : dessous brun foncé. Cri : un rauque *roûc-roûc*.
Habitat. Côtes rocheuses ou marécageuses ; grèves de sable. Niche dans la toundra arctique.

Nidification. Nid au sol garni de plantes, de duvet et de plumes ; 1-7 œufs blanc terne ; 22-26 jours d'incubation assurée par la femelle. Les oisons, couverts de duvet, quittent tôt le nid, mais restent en famille jusqu'au printemps suivant.
Nourriture. Plantes aquatiques, algues marines ; insectes, crustacés, mollusques.

Bernache du Canada
(Bernache canadienne, outarde)

Branta canadensis

À l'encontre de la plupart des canards, le jars reste près d'un an avec ses petits.

L'oie est plus grande que le canard ; elle a un cou plus long que le sien, mais plus court que celui du cygne. Herbivore, elle se nourrit de céréales, d'herbes et d'autres matières végétales comme certaines algues.

Pour les Canadiens, la bernache du Canada est l'oie sauvage par excellence. Au Québec, on l'appelle « outarde » ; sans doute s'agit-il d'un nom donné analogiquement à la bernache par les Français de Nouvelle-France à qui elle devait rappeler leur outarde, oiseau de chasse comme l'oie sauvage.

Le jars est réputé pour ses parades amoureuses. C'est un gros oiseau dont l'envergure peut atteindre 1,5 m et le poids, 6 kg. Il est aussi farouche que courageux quand vient l'heure de défendre ses petits. Cet oiseau s'accouple pour la vie et les parents restent les deux tiers de l'année avec leur couvée. Pourtant, les oisons apprennent vite à se tirer d'affaire : à peine âgés de quelques jours, ils savent nager 3 ou 4 m sous l'eau ; devant le danger, ils ont l'art de s'aplatir contre une roche jusqu'à ressembler à la pierre.

L'oie du Canada vit une vingtaine d'années lorsqu'elle réussit à échapper aux chasseurs. La chasse est en effet intense et tend à décimer les populations qui ont quand même réussi jusqu'à ce jour à se maintenir.

Description. Longueur 56-122 cm (22-48 po). Dimensions variables. Tête et cou noirs ; croissant blanc sur la joue ; corps brun-gris ; plumes blanches sous la queue. Vole en V. Cri : *ca-rûnc*.
Habitat. Étangs, lacs, rivières, marais d'eau douce ou saumâtre ; champs de céréales.
Nidification. Nid dans une grosse dépression, tapissée de matières végétales et de duvet ; 2-12 œufs blancs ; 25-30 jours d'incubation assurée par la femelle. Les oisons, couverts de duvet, quittent le nid peu après l'éclosion, mais restent avec les parents jusqu'au printemps suivant.
Nourriture. Plantes et petits animaux aquatiques, céréales, herbes.

348

Dendrocygne fauve

Dendrocygna bicolor

Pourquoi classe-t-on parmi les canards un oiseau qui ne ressemble pas à un canard, ne se comporte pas comme un canard et, qui plus est, porte le mot « cygne » dans son nom ? C'est la question que se pose invariablement l'observateur.

Quel curieux mélange de genres que ce volatile qu'on peut rencontrer dans le golfe du Mexique. Son long cou l'apparente au cygne. En vol, il laisse traîner derrière lui, quand il plane, de longues pattes de héron ; quand il agite les ailes, il rame comme un ibis. En bandes, loin d'adopter les strictes formations du canard, il se déplace en groupes confus, dont l'ordre est laissé au hasard. Décide-t-il d'atterrir ? Il se laisse pendre le cou comme une oie. Au sol, il allonge le cou comme une grue, redresse la taille et marche bien droit, sans rien de l'allure claudicante qui a rendu le canard célèbre grâce à Charlot. Devant la menace, il s'immobilise, le cou tendu, comme un butor. Mais sitôt le danger écarté, il se met à fourrager dans la boue, comme une oie.

Bien plus, ce dendrocygne porte parfois le nom de canard siffleur parce qu'il siffle au lieu de cancaner comme un canard. S'alimenter de jour comme le colvert ? Pensez-vous ! Lui, il descend de nuit dans les rizières. Et pourtant, il a des pieds fortement palmés, un bec plat et un duvet gonflant qui le tient bien au chaud. Voilà ce qui fait de lui un canard. Mais c'est un secret bien gardé chez les dendrocygnes.

Un nid de dendrocygnes peut contenir jusqu'à 60 œufs provenant de plusieurs.couples.

Description. Longueur 46-53 cm (18-21 po). Cou long ; pattes longues ; corps chamois ; croupion blanc ; flancs rayés de blanc ; dos et ailes sombres.
Habitat. Marais d'eau douce ; étangs broussailleux ; marécages boisés ; champs de céréales.
Nidification. Nid au sol, tapissé de plantes, caché dans les hautes herbes, ou parfois dans la cavité d'un arbre, à 1-9 m (4-30 pi) du sol ; 10-20 œufs crème ou chamois ; 24-26 jours d'incubation assurée par le couple. Les canetons, couverts de duvet, quittent le nid peu après l'éclosion ; premier vol à 8-9 semaines.
Nourriture. Graines et céréales.

Canard branchu
(Canard huppé)

Aix sponsa

Femelle

Mâle

À peine éclos, le caneton branchu atterrit dans l'eau où sa mère lui apprend à nager.

Aussi heureux sur la terre que dans l'eau, le canard branchu est considéré comme l'une des plus jolies sauvagines en Amérique du Nord et même comme l'un des plus beaux oiseaux du monde. Lorsqu'un couple navigue paisiblement au fil de l'eau et que la lumière miroitante du soleil souligne la huppe multicolore du mâle et la robe discrètement colorée de sa compagne, on croirait voir flotter entre ciel et terre deux feuilles d'automne à la dérive.

Si paisible qu'il paraisse, ce canard est d'une étonnante vigueur : il faut le voir sortir de l'eau comme une fusée quand on le dérange. Néanmoins, au début du XXe siècle, les chasses intenses furent près d'anéantir l'espèce. Des lois sévères survinrent à temps pour mettre un terme aux déprédations et les populations se sont refaites depuis lors.

Les couples de canards branchus se montrent très unis. La fidélité de la cane englobe l'aire de nidification où elle a vu le jour ; elle peut y retourner année après année avec le mâle pour y élever ses couvées. Les canetons, au nombre de 8 à 14, sont adorables. Bien qu'ils naissent à quelque 15 m du sol, ils ne tardent pas à sortir du nid en claudiquant sur leurs pattes palmées pour prendre leur premier bain d'air et de vide. Sur l'incitation des parents, ils se laissent tomber comme des boules de duvet vers la mère qui les attend pour leur donner leur première leçon de natation.

Description. Longueur 43-50 cm (17-20 po). Huppe ; longue queue. Mâle : masque facial prononcé ; bec rouge ; poitrine marron ; flancs chamois. Femelle : gris foncé ; tache oculaire blanche. S'observe souvent en couple.
Habitat. Marais boisés, étangs, marécages.
Nidification. Nid tapissé de duvet blanc, logé à 1,5-15 m (5-50 pi) du sol dans une cavité d'arbre ; 8-14 œufs blanc terne ou havane ; 28-32 jours d'incubation assurée par la cane. Les canetons, couverts de duvet, quittent tôt le nid et volent à 7 semaines. Deux couvées par saison.
Nourriture. Plantes aquatiques, noix, fruits ; insectes, petits poissons, crustacés.

Canard noir

Anas rubripes

C'est le canard par excellence de la chasse sportive. Il est aussi connu, dans l'est du Canada, que le colvert dans l'Ouest. Farouche, prudent et rapide, il déjoue les chasseurs les plus habiles, mais sa chair fine ravive leur ardeur.

Qu'il fréquente les rivières, les marais ou les étangs, le canard noir réussit toujours à bien se nourrir, ce qu'il fait de préférence la nuit. Au printemps, il pique la tête sous l'eau, souvent à l'unisson, pour se nourrir de plantes submergées. En été, il ajoute à son menu des grenouilles, des crapauds et des escargots. À l'automne, quand les céréales sont mûres, il s'alimente dans les champs. L'hiver, il fréquente les marais d'eau saumâtre où l'eau ne gèle pas et lui réserve une bonne provision d'herbes aquatiques.

L'habileté du canard noir est proverbiale. Devant la menace, il décolle à la verticale et atteint rapidement une vitesse de 40 km/h. Les canetons apprennent très vite à se garer du danger. À peine sont-ils éclos qu'il leur faut claudiquer sur leurs pattes mal assurées pour se rendre, parfois à plus d'un kilomètre, de leur nid jusqu'à l'eau. Une fois là, l'ennemi les guette. Au bord, il y a les tortues hargneuses et les ouaouarons ; plus loin, les gros poissons qui, de nuit, s'aventurent près des plages. Au mois d'août vient le salut : les petits peuvent voler et ceux qui ont survécu aux dangers entreprennent leur propre vie de canards adultes.

Pendant que les canetons se nourrissent, la cane les surveille à l'écart.

Description. Longueur 53-63 cm (21-25 po). Corps brun sombre ; tête et cou brun jaunâtre ; dessous des ailes blanc ; miroir (tache alaire) violet ; pattes orange ou rouges. Mâle : bec vert-jaune. Femelle : bec tacheté.
Habitat. Marais, lacs, étangs.
Nidification. Nid d'herbes et de tiges, tapissé de duvet, caché dans les herbes près de l'eau ; 5-17 œufs crème ou verdâtres ; 26-28 jours d'incubation assurée par la femelle. Les canetons, couverts de duvet, quittent le nid peu après l'éclosion et volent à 9 semaines.
Nourriture. Plantes aquatiques, vers, escargots, graines.

Canard brun

Anas fulvigula

Le canard brun consomme plus de poisson et d'animaux aquatiques que le colvert.

Le canard brun réside dans les marais du sud des États-Unis où on l'appelle communément le canard d'été. En principe, il demeure à longueur d'année dans son aire de nidification et les couples se constituent dès le début de l'hiver. Grâce à ses mœurs sédentaires et aux marais isolés qu'il fréquente, grâce aussi à sa longue saison de nidification, il n'est pas menacé par les chasseurs et ses populations demeurent pour l'instant à peu près stables.

Et pourtant, sa vie n'est pas facile puisque les canards bruns sont les moins abondants de tous en Amérique du Nord. En dépit d'une longue période d'accouplement, les couvées sont peu prolifiques car la femelle abandonne son nid dès qu'elle se sent en danger. Le nid lui-même, situé à faible hauteur, est menacé par les pluies torrentielles qui s'abattent parfois sur l'extrême sud de la Floride ou sur les côtes du golfe du Mexique et par les prédations des ratons laveurs, des mouffettes, des serpents, des opossums et des quiscales. On connaît le cas d'une cane qui dut faire cinq essais et pondre 34 œufs avant d'avoir des rejetons. Après l'éclosion surgissent d'autres dangers ; les canetons sont à la merci des gros poissons, des tortues, des alligators et, dans les marais de la côte, des hordes de crabes bleus. Or, il n'y a qu'une couvée par saison. Bref, les risques sont grands pour la survie du canard brun, surtout que l'homme ne cesse de transformer en terres agricoles les marais qui constituent son habitat naturel.

Description. Longueur 50 cm (20 po). Brun ; joues et gorge chamois ; miroir vert bordé de blanc à l'arrière ; bec jaune, sans les taches sombres du bec des colverts.
Habitat. Marais, étangs.
Nidification. Nid d'herbes, de joncs et de tiges, tapissé de duvet et caché dans la végétation près de l'eau ; 8-11 œufs crème ou verdâtres ; 26-28 jours d'incubation assurée par la cane. Les canetons, couverts de duvet, quittent le nid peu après l'éclosion ; moment du premier vol non connu.
Nourriture. Insectes aquatiques, escargots, poissons, graines, céréales et plantes aquatiques.

Femelle

Mâle

Canard colvert
(Malard)

Anas platyrhynchos

Parmi les canards, on distingue souvent ceux qui se nourrissent en surface de ceux qui se nourrissent en plongée. Le plus connu des canards de surface est le colvert que l'on trouve dans tout l'hémisphère boréal. C'est un oiseau éclectique, l'ancêtre de presque toutes nos variétés domestiques de canards. En terres sauvages, il se nourrit de ce qu'il trouve : escargots, insectes aquatiques, sauterelles, œufs de poisson et plantes aquatiques charnues ; on dit même qu'il consomme de grandes quantités de créatures nuisibles, comme des larves de moustiques. Mais il est surtout friand de céréales, de riz sauvage et de maïs dont il fait une grande consommation quand il le peut. Voilà pourquoi sa chair est si fine. On ne s'étonnera pas que le colvert fasse partie des poulaillers traditionnels sur trois continents, mais surtout en Chine où des générations de gourmets ont dégusté avec ferveur ses œufs et sa chair et utilisé habilement son duvet et ses plumes.

Cette espèce circumpolaire niche presque partout en Europe et en Asie ; elle hiverne jusqu'en Inde et en Afrique. En Amérique du Nord, elle niche au Canada et aux États-Unis et son aire d'hivernage pénètre loin en Amérique Centrale. Une dispersion aussi grande et des mœurs aussi familières à l'égard des humains ont fait du colvert un canard presque domestique partout au monde où son cri sonore, un *couâc* grave chez la femelle, aigu chez le mâle, est devenu synonyme de canard.

Les canards de surface ont une manière amusante de basculer dans l'eau.

Description. Longueur 50-70 cm (20-28 po). Miroir bleu liseré de blanc. Mâle : tête verte et luisante ; bec jaune ; poitrine marron. Femelle : brun clair ; bec moucheté d'orange ; queue brun-gris.
Habitat. Lacs, marais, tourbières, parcs.
Nidification. Nid d'herbes et de tiges, tapissé de duvet et caché dans la végétation près de l'eau ; 5-14 œufs blancs ou vert pâle ; 26-29 jours d'incubation assurée par la cane. Les canetons, couverts de duvet, quittent le nid peu après l'éclosion et volent à 8 semaines.
Nourriture. Graines, escargots, insectes, petits poissons.

Canard pilet

Anas acuta

La femelle du canard pilet ne brille pas par son coloris mais par l'élégance de son cou.

Les canards de surface, dont fait partie le canard pilet, ont généralement sur les ailes une tache iridescente qui leur sert de trait distinctif. Cette tache, identique chez les oiseaux des deux sexes, s'appelle un miroir et, plus scientifiquement, un spéculum. Chez le canard pilet, ce miroir est bronzé, liseré de marron à l'avant, de noir et de blanc à l'arrière.

Espèce circumpolaire, le pilet préfère les régions peuplées d'étangs peu profonds où il trouve à manger sans avoir à plonger. Sa façon de se nourrir est typique des canards de cette grande sous-famille et elle est toujours fort amusante à observer. L'oiseau se donne un élan et très vite bascule à la verticale, tête, cou et partie antérieure du corps dans l'eau tandis que la queue dépasse largement au-dessus de l'eau. Le pilet préfère les graines des herbes paludéennes qu'il trouve dans la vase, mais il ne dédaigne pas les escargots, les insectes, les écrevisses et autres petits animaux aquatiques qu'il peut avaler sans difficulté.

Pendant l'été, le mâle connaît une mue brève mais complète et, jusqu'en novembre, son plumage éclipse est semblable à celui de la femelle. Le pilet a un grand avantage sur les canards plongeurs. Il n'a pas besoin de courir à la surface de l'eau pour prendre son envol. Comme ses ailes sont très grandes par rapport à son corps, il lui suffit d'exécuter un petit saut hors de l'eau pour s'envoler, ce qui n'est pas un mince avantage quand on vit dans un monde plein de prédateurs et de déprédateurs.

Description. Longueur : mâle : 64-74 cm (25-29 po) ; femelle : 50-56 cm (20-22 po). Mâle : tête brune ; cou gracile à rayure blanche ; corps gris ; queue terminée par de longues plumes pointues noires. Femelle : brun-gris ; long cou fin ; bec gris.
Habitat. Marais et étangs.

Nidification. Nid de matières végétales, tapissé de duvet ; 6-12 œufs crème ou verdâtres ; 26 jours d'incubation assurée par la cane. Les canetons, couverts de duvet, quittent le nid peu après l'éclosion et volent à 7 semaines.
Nourriture. Graines, escargots, insectes, crustacés, petits poissons.

Sarcelle à ailes bleues

(Sarcelle soucrourou)

Anas discors

Mâle

Femelle

Avec son miroir vert brillant, séparé du bleu des ailes par une mince ligne blanche, la sarcelle à ailes bleues est indéniablement un canard de surface. Mais au lieu de barboter à l'envers dans l'eau — partie antérieure du corps immergée, partie postérieure en saillie —, elle écrème la surface de l'onde et filtre à travers son bec garni de lamelles les animalcules qui s'y trouvent. Les sujets plus audacieux explorent à l'occasion les fonds vaseux peu profonds pour y chercher des graines et des animaux aquatiques.

Aucun point d'eau n'est trop petit pour cette sarcelle. Non seulement peut-elle s'envoler sans courir à la surface de l'eau, mais elle peut aussi voler assez lentement pour se poser dans un rond d'eau dissimulé entre les quenouilles et les carex. Ces plantes lui sont d'ailleurs précieuses car elles sèment leurs délicieuses graines dans l'eau mais, en plus, elles offrent des abris appréciables pour les canetons ainsi que pour les adultes durant la mue.

Dans l'intimité d'un étang, grand ou petit, les canards de surface, se sentant en sécurité, deviennent très bruyants. Les canes font entendre leurs séries décroissantes de *couâc*, depuis ceux, faibles mais aigus, des sarcelles jusqu'aux sons rauques et graves du canard pilet. Les mâles se livrent au plaisir de la conversation et sifflent, piaulent et cancanent à qui mieux mieux pour le bonheur, semble-t-il, des femelles.

La sarcelle à ailes bleues garde son plumage éclipse tout l'automne.

Description. Longueur 36-41 cm (14-16 po). Petit ; tache bleu poudre sur les ailes ; miroir vert. Mâle au printemps : tête gris-bleu ; croissant blanc sur la face. Femelle et mâle en hiver : brun grisâtre ; tache alaire bleu pâle.
Habitat. Marais et étangs peu profonds.
Nidification. Nid d'herbes, tapissé de duvet et caché dans la végétation, près de l'eau ; 6-15 œufs blancs ou crème ; 24 jours d'incubation assurée par la cane. Les canetons, couverts de duvet, quittent le nid peu après l'éclosion et volent à 6 semaines.
Nourriture. Graines, plantes aquatiques, escargots, insectes.

Sarcelle cannelle

Anas cyanoptera

La sarcelle cannelle (au-dessus) a le bec un peu plus long que la sarcelle à ailes bleues.

Une odeur furtive portée par le vent peut signer l'arrêt de mort d'une jeune sarcelle cannelle. Cette odeur, celle que laisse échapper un œuf en s'ouvrant, signale aux prédateurs qu'un caneton vient d'éclore. C'est pour eux un parfum aussi appétissant que pour nous l'arôme d'un poulet bien rôti et il sonne la cloche du déjeuner pour tous les ratons laveurs et les carnivores des environs. Leur succès est affaire de chronométrage. S'ils surviennent dès l'éclosion du premier œuf, seul le caneton déjà né s'en tirera indemne ; mais s'ils arrivent sur le tard, la couvée aura été mise en sécurité et ils en seront quittes pour digérer leur déception.

La mère doit donc s'arranger pour que l'éclosion des œufs se fasse simultanément. C'est ce que tente de faire, comme beaucoup d'autres canards, la sarcelle cannelle femelle ; elle attend, avant de se mettre à couver, que tous ses œufs soient pondus. Trois semaines plus tard, en l'espace de quelques heures, une douzaine de canetons se mettront en même temps à briser leurs coquilles pour suivre leur mère vers la sécurité des hautes herbes.

La sarcelle cannelle n'est pas très répandue au Canada. Elle niche ici et là dans le sud de la Colombie-Britannique et dans le sud de l'Alberta ; mais elle est inusitée en Ontario et au Québec. C'est un oiseau de petite taille qui se caractérise par la couleur rouge cannelle de son corps et des taches alaires bleues. Le miroir, vert iridescent, est liseré de noir.

Description. Longueur 36-43 cm (14-17 po). Petit canard avec une tache alaire bleu poudre. Mâle en plumage nuptial : rouge cannelle. Femelle : brun-gris ; tache alaire plus pâle.
Habitat. Marais, étangs peu profonds.
Nidification. Nid d'herbes peu profond, tapissé de duvet et caché dans la végétation près de l'eau ; 9-12 œufs blancs ou chamois rosé ; 25 jours d'incubation assurée par la cane. Les canetons, couverts de duvet à la naissance, quittent le nid peu après l'éclosion ; ils volent à 7 semaines.
Nourriture. Graines, plantes aquatiques, escargots, insectes.

Sarcelle à ailes vertes
(Sarcelle d'hiver)

Anas crecca

Femelle

Mâle

Pour racheter leur petite taille, la nature a donné aux sarcelles à ailes vertes, également dénommées sarcelles d'hiver, la faculté de voler en formation serrée à très grande vitesse et en groupes très nombreux. Simplement pour se déplacer d'un étang à un autre, la bande entière virevolte, monte et descend avec un ensemble parfait. Les femelles manifestent leur satisfaction par de faibles *couâc* en gamme descendante et les mâles leur donnent la réplique en émettant des sifflements courts et moins aigus, semblables aux gazouillements des chants d'amour. Pourtant, ces musiques n'ont rien à voir avec l'accouplement. Les sarcelles à ailes vertes réservent, pour leurs ritournelles amoureuses, un son entièrement distinct qu'on n'entend qu'au moment de la pariade.

Les parades de séduction varient d'une espèce de canard à l'autre ; quelques-uns des meilleurs effets se retrouvent dans toutes les parades, mais la mise en scène diffère. Dans certains cas, le mâle nage à toute vitesse autour de la femelle, dresse la tête et la queue, déploie les ailes et se pose ainsi, immobile, devant elle, dans toute sa gloire. Chez d'autres espèces, le mâle se dresse au-dessus de l'eau, incline le cou, siffle et lance vers sa compagne un bouquet de fines gouttelettes d'eau que le soleil fait briller comme autant d'arcs-en-ciel. Les femelles acceptent ces hommages avec désinvolture et font comme si elles ne voyaient rien. Mais si se présente un autre mâle sur le terrain des amours, elles incitent rapidement leur prétendant à mettre l'intrus en déroute.

Une rare visiteuse, la sarcelle européenne, n'a pas de ligne blanche verticale.

Description. Longueur 33-41 cm (13-16 po). Petit canard à miroir vert brillant. Mâle : gris à tête rousse ; tache auriculaire verte ; tache verticale blanche en avant de l'aile. Femelle : brun-gris ; abdomen blanchâtre. Sarcelle européenne : semblable, mais sans la tache verticale blanche. **Habitat.** Marais, étangs, lacs, vasières.

Nidification. Nid d'herbes peu profond, tapissé de duvet et caché dans la végétation près de l'eau ; 7-15 œufs blanc terne, verdâtres ou chamois ; 24 jours d'incubation assurée par la cane. Les canetons, couverts de duvet, quittent le nid peu après l'éclosion ; ils volent à 6 semaines. **Nourriture.** Insectes, graines, plantes aquatiques.

357

Canard souchet

Anas clypeata

Malgré son plumage terne, on reconnaît la femelle du souchet à son bec spatulé.

En 1840, John James Audubon, qui se plaisait autant à faire cuire le canard qu'à le peindre, écrivait : « Aucun sportif qui a du goût ne laissera échapper un souchet pour abattre un morillon à dos blanc. » Comme la chair du morillon est d'une très grande finesse, grâce, croit-on, au céleri sauvage dont il se nourrit, on peut se demander à quel degré d'inanition devait être rendu le grand naturaliste, après une expédition dans les bois, pour manifester avec tant d'autorité des préférences aussi contestables.

Car l'élégant canard souchet n'est pas considéré comme une chair délectable, beaucoup s'en faut. Plus d'un chasseur s'empresserait d'en faire cadeau à son pire ennemi plutôt que de le manger lui-même. Fumé, mariné, cuit au gril, au four ou à l'étouffée, son goût douteux finit toujours par transparaître.

Le souchet puise sa nourriture dans le fond de l'eau aussi bien qu'en surface. Munies de lamelles dentelées, les deux mandibules de son bec lui permettent de filtrer l'eau et d'en retenir les minuscules éléments nourrissants qui s'y trouvent. Ainsi se nourrit-il de graines, mais aussi d'une myriade d'animalcules — mollusques filiformes, escargots menus, larves de moucherons et autres petites créatures plus gastronomiques pour l'oiseau que pour l'humain. Comme tous les canards de surface, il fréquente volontiers les étangs de décantation où la nourriture est abondante, mais de douteuse origine. Aussi faut-il vous méfier du canard non identifié qu'un chasseur vous offre avec trop d'insistance.

Description. Longueur 43-50 cm (17-20 po). Bec long et spatulé ; taches alaires bleu poudre ; miroir vert. Mâle : tête verte ; poitrine blanche ; flancs roux. Femelle : brun-gris.
Habitat. Marais, étangs peu profonds, lacs.
Nidification. Nid d'herbes peu profond, tapissé de duvet et caché dans la végétation près de l'eau ; 6-14 œufs chamois ou verdâtres ; 26 jours d'incubation assurée par la cane. Les canetons, couverts de duvet à la naissance, quittent le nid peu après l'éclosion et volent à 7 semaines.
Nourriture. Crustacés, insectes, mollusques, graines, plantes aquatiques.

Canard chipeau

Anas strepera

Arthur Cleveland Bent, l'une des grandes figures de l'ornithologie américaine, fut très impressionné par le canard chipeau. C'était en juin 1905, près de Crane Lake, en Saskatchewan. Bent avait été chargé par l'Institut Smithsonian de répertorier les oiseaux aquatiques vivant dans ces parages. Il progressait péniblement à travers une série de marais peu profonds lorsque d'un mouvement du pied il déclencha un spectacle impressionnant. Des centaines, peut-être des milliers de canards sauvages s'élevèrent d'entre les herbes mouillées ; on aurait dit une nuée de moustiques. Ils tournoyaient au-dessus de l'intrus, multipliant les cris, battant frénétiquement des ailes. L'horizon n'était que canards et confusion.

Il s'agissait surtout de canards chipeaux, inconnus de Bent. Celui-ci passa de nombreuses journées à découvrir leur rituel nuptial : cris et sifflements d'appel, constructions furtives du nid parmi les hautes herbes, vols spectaculaires durant lesquels le mâle frôle la femelle de si près qu'on entend leurs ailes se heurter. Bent n'oublia pas ces scènes étonnantes quand, par la suite, il publia une vingtaine de volumes sur les oiseaux de l'Amérique du Nord.

Le canard chipeau fréquente très rarement le Québec, que ce soit pour nicher ou durant la migration. C'est en Colombie-Britannique qu'on a le plus de chances de l'apercevoir en été, mais surtout en automne.

En automne, les chipeaux délaissent l'eau pour chercher des glands dans les sous-bois.

Description. Longueur 48-58 cm (19-23 po). Miroir blanc, visible en vol. Mâle : gris ; tête brun-gris pâle ; plumes noires sous la queue. Femelle : brun-beige ; s'identifie surtout à son miroir blanc.
Habitat. Étangs, lacs, marais.
Nidification. Nid peu profond tapissé de matiè-res végétales et d'un peu de duvet, près de l'eau, souvent dans une île ; 7-15 œufs crème ; 25-28 jours d'incubation assurée par la cane. Les canetons, couverts de duvet, quittent le nid peu après l'éclosion et volent à 7-9 semaines.
Nourriture. Plantes aquatiques et graines ; quelques insectes et mollusques.

Mâle

Femelle

Canard siffleur d'Amérique

Anas americana

Le siffleur se promène entre les sillons frais plantés et arrache de petites pousses.

Le canard siffleur d'Amérique n'est pas très bon plongeur, mais il raffole de la vallisnérie, le céleri sauvage qui croît en eau profonde. Il confie donc aux canards plongeurs le soin de la cueillir pour lui. Ses pourvoyeurs sont des morillons de diverses espèces, tous appartenant au sous-groupe des canards plongeurs, tous amateurs de cette plante aquatique qu'ils vont cueillir par la racine dans la vase. Il ne reste plus à notre canard siffleur d'Amérique qu'à adopter les parcours migratoires et les zones d'hivernage des morillons pour déguster à longueur d'année la nourriture qu'il aime.

Comment se fait la récupération ? Dès qu'un morillon à tête rouge plonge vers un banc de vallisnérie, le canard siffleur se prépare à agir. Prévoyant où va sortir l'oiseau, il s'y rend à la nage et attend. Lorsque le morillon fait surface, le bec plein d'herbes, le siffleur lui en arrache une petite botte.

Le morillon va-t-il se mettre en colère et chasser le voleur ? Bien au contraire, les canards plongeurs semblent accepter leur rôle de pourvoyeurs avec une extrême tolérance. Peut-être s'agit-il d'un échange de bons procédés, car les siffleurs sont de bons gardiens. Plus soupçonneux que les plongeurs, ils décèlent vite le danger et lancent un cri d'alarme qui fait s'envoler instantanément tous les plongeurs. De tels services valent bien une brindille ou deux de vallisnérie.

Description. Longueur 46-58 cm (18-23 po). Grande tache alaire blanche, bien visible en vol ; miroir vert. Mâle : front blanc ; tache auriculaire verte. Femelle : brun doré ; bec gris-bleu pâle ; s'identifie surtout à ses taches alaires blanches.
Habitat. Lacs, étangs, marais.
Nidification. Nid peu profond tapissé d'herbes et de beaucoup de duvet, caché dans de hautes herbes assez loin de l'eau ; 6-12 œufs crème ; 25 jours d'incubation assurée par la cane. Les canetons, couverts de duvet, quittent le nid peu après l'éclosion et volent à 7-8 semaines.
Nourriture. Graines et feuilles de plantes aquatiques ; quelques insectes et mollusques.

Morillon à collier
(Fuligule à bec cerclé)
Aythya collaris

Mâle

Femelle

Dans le fond des étangs, des marais et des lacs où ils se nourrissent, un danger insidieux guette les canards, les oies et les cygnes : les milliers de plombs de chasse qui s'accumulent dans la vase et causent des intoxications fatales.

Tous les oiseaux aquatiques sont menacés par cette nouvelle forme de pollution, mais le morillon à collier et ses semblables — gibier à plume prisé — le sont encore davantage car ils fourragent constamment dans le fond de l'eau à la recherche des graines et des tubercules de plantes aquatiques. Sans le savoir, ils absorbent en même temps des plombs minuscules qui se fragmentent dans le gésier. Certains éléments du plomb pénètrent alors dans le flux sanguin, attaquent les reins et le foie et provoquent inévitablement la mort, une mort lente et atroce. On estime qu'entre 1,5 et 3 millions d'oiseaux aquatiques meurent ainsi chaque année. Même le pygargue à tête blanche, parce qu'il se nourrit de gibier d'eau, est menacé par l'ingestion létale de plomb au second degré.

On estime à 6 000 tonnes par an la quantité de plombs qui tombent en pluie meurtrière dans les étangs et les marais des États-Unis. Depuis 1991, le service américain responsable de la faune et des pêcheries a introduit des mesures réglementaires visant à interdire l'usage des plombs. On peut espérer que ces mesures auront bientôt force de loi, mais elles n'empêcheront pas pour autant tous les plombs déjà fichés dans la vase de constituer une menace pour les oiseaux à naître.

Ce morillon est un des rares canards à nicher dans les tourbières de la forêt boréale.

Description. Longueur 38-48 cm (15-19 po). Canard trapu ; bec gris cerclé de blanc près du bout. Mâle : presque tout noir ; flancs blancs ; miroir gris perle visible en vol. Femelle : brun-gris ; cercle oculaire blanchâtre.
Habitat. Étangs et lacs en pays boisé ; marais, estuaires.

Nidification. Nid peu profond fait d'herbes et de duvet, caché dans la végétation près de l'eau ; 6-14 œufs verdâtres ; 26 jours d'incubation assurée par la cane. Les canetons, couverts de duvet, quittent tôt le nid et volent à 7-8 semaines.
Nourriture. Graines et feuillage de plantes aquatiques ; insectes, escargots, crustacés.

Morillon à tête rouge

Aythya americana

La femelle du morillon à tête rouge déserte son nid pour aller pondre ailleurs.

Certains oiseaux ne pondent qu'un œuf par an ; la femelle du morillon à tête rouge n'est pas de ceux-là. Après avoir rempli son nid d'une douzaine d'œufs, elle semble incapable de s'arrêter et en sème un peu partout, dans des nids de canards de son espèce ou d'une autre. En proie à la même urgence de pondre, d'autres femelles y ajoutent les leurs. Bref, il se forme une espèce de nid-entrepôt dans lequel s'accumulent plus d'œufs qu'aucun oiseau ne sera jamais capable d'en couver. Un observateur a vu 13 femelles pondre dans le même nid ; dans un autre nid, il a compté 87 œufs.

On ne saisit pas encore très bien le sens de ces nids-entrepôts. Certains ornithologues pensent qu'il s'agirait d'une première étape vers un parasitisme semblable à celui des vachers qui pondent dans les nids d'autres espèces. Pour l'instant, les morillons à tête rouge couvent leurs œufs et élèvent leurs petits, mais ils font preuve de moins d'attachement à leur nid que la plupart des autres canards ; les nids-entrepôts constitueraient un premier pas vers la propagation de l'espèce sans les ennuis de la maternité.

L'oiseau ne survivra peut-être pas assez longtemps pour nous fournir une réponse. L'exploitation industrielle et des sécheresses récurrentes ont décimé les populations à tel point que la chasse en est maintenant interdite dans les régions critiques. De pareilles mesures ont sauvé le canard branchu ; auront-elles le même succès avec le morillon à tête rouge ?

Description. Longueur 46-56 cm (18-22 po). Canard trapu ; bec gris-bleu à bout noir ; œil jaune ; miroir gris. Mâle : tête rousse ; poitrine noire ; dos gris. Femelle : entièrement brune.
Habitat. Marais, étangs, lacs, baies.
Nidification. Nid peu profond de fibres végétales, tapissé de duvet, caché dans de hautes herbes près de l'eau ; 10-16 œufs chamois ; 24 jours d'incubation assurée par la cane. Pond parfois dans le nid d'autres oiseaux aquatiques. Les canetons, couverts de duvet, quittent le nid peu après l'éclosion ; volent à 8-10 semaines.
Nourriture. Feuillage et graines de plantes aquatiques ; quelques insectes et mollusques.

Morillon à dos blanc

Aythya valisineria

Femelle

Mâle

I l est facile de distinguer ces morillons des autres canards : leur bec est long et leur front est fuyant. Ils se déplacent en grands vols et se posent en bandes serrées à la surface de l'eau, loin du rivage, pour se nourrir, pour se reposer ou pour dormir. Maladroits sur terre, ils se posent rarement sur les rivages, sauf durant la saison de nidification où ils s'installent dans les marais profonds et les terrains marécageux du Nord-Ouest. C'est dans cet habitat qu'ils construisent des nids semi-flottants amarrés à des plantes paludéennes qui croissent dans au moins 60 cm d'eau.

Durant les deux ou trois mois pendant lesquels elle couve ses œufs et élève ses petits, la femelle se débrouille seule. Dès la ponte des œufs, les mâles s'envolent par petits groupes vers des eaux plus profondes pour plonger et pêcher. À la fin de l'été, les femelles et leurs petits s'en vont les rejoindre ; en octobre les grands vols migratoires se forment et prennent leur départ. Les morillons à dos blanc volent très haut et forment un énorme V ; certains filent vers les côtes de l'Atlantique où ils hivernent au large de la Virginie et de la Caroline du Nord.

Récemment, les morillons à dos blanc ont connu des chutes de population inquiétantes. Les chasseurs les harcèlent car leur chair est la plus fine de toutes ; mais l'assèchement des terres marécageuses à des fins agricoles leur a été encore beaucoup plus néfaste, car c'est un habitat dont ils ne peuvent pas se passer pour la nidification.

Couvert de duvet, ce caneton n'a pas encore le bec long et le front fuyant de son espèce.

Description. Longueur 48-61 cm (19-24 po). Canard trapu à bec long et front fuyant ; œil rouge ; miroir gris. Mâle : tête et cou roux ; bec noirâtre ; corps blanc ; poitrine noire. Femelle : tête brune, bec grisâtre. S'observe en bandes.
Habitat. Lacs, étangs, marais, baies.
Nidification. Nid robuste d'herbes et de tiges, tapissé de duvet, caché dans de hautes herbes près de l'eau ; 7-12 œufs verdâtres ; 24-27 jours d'incubation assurée par la cane. Les canetons, couverts de duvet, quittent le nid peu après l'éclosion et volent à 10-12 semaines.
Nourriture. Racines et tubercules de plantes aquatiques.

Grand morillon
(Fuligule milouinan)
Aythya marila

Femelle

Mâle

Les femelles regroupent leurs petits et en assurent ensemble la surveillance.

L'abandon des petits est fréquent parmi les canards, surtout chez le sous-groupe des plongeurs dont fait partie le grand morillon. Mais leur cas n'est pas désespéré car les petits, même abandonnés, sont loin d'être seuls. Beaucoup d'autres se trouvent dans le même cas ; ils rejoignent donc des groupes composés de canardeaux de différents âges et issus de couvées différentes. Les jeunes suivent leurs aînés comme s'ils suivaient leur mère. Mais ces canetons sans parent ne sont pas au fait des dangers qui les menacent. Privés de la protection des adultes, ils sont facilement victimes des prédateurs.

Dans certains cas, les canetons trouvent refuge dans un groupe surveillé, augmentant ainsi leurs chances de survie. Le groupe, constitué de plusieurs couvées sans parents, est placé sous l'égide de quelques femelles adultes qui peuvent avoir des petits bien à elles dans le groupe, ou n'avoir pas de progéniture du tout. Ce genre de groupe surveillé comprend généralement jusqu'à une centaine de canetons confiés à la garde de quelques adultes qui rendent service probablement autant aux parents qu'aux petits. En effet, après des semaines de couvaison à temps complet, les adultes sont émaciés et faibles ; en confiant la charge de leur couvée à d'autres, ils ont la liberté de se reposer et de se nourrir à leur guise tandis que les jeunes poursuivent leur voie vers l'indépendance.

Description. Longueur 40-50 cm (16-20 po). Canard trapu ; long miroir blanc, visible en vol ; bec bleu pâle. Mâle : tête ronde, vert luisant ; corps gris pâle ; poitrine et croupion noirs. Femelle : brun foncé ; tache faciale blanche. S'observe en très grandes bandes.
Habitat. Lacs, étangs, baies et estuaires.

Nidification. Nid peu profond tapissé de matières végétales et de duvet, souvent à découvert ; 8-11 œufs chamois olive ; 24-28 jours d'incubation assurée par la cane. Les canetons, couverts de duvet, quittent le nid peu après l'éclosion et volent à 5-6 semaines.
Nourriture. Plantes aquatiques et mollusques.

Petit morillon

Aythya affinis

Les canards sont tous des oiseaux nidifuges, c'est-à-dire prêts à quitter le nid dès qu'ils sont éclos. Ils naissent les yeux grands ouverts et chaudement revêtus de duvet, capables d'affronter le danger, tandis que les oiseaux nidicoles, nus et aveugles, sont totalement dépendants.

Les canards nagent d'instinct, savent obéir aux ordres et apprennent rapidement. Lorsqu'une cane commande à ses petits, à peine éclos, de sauter à l'eau, chacun rampe comme il peut hors du nid — quel que soit le nid et où qu'il se trouve — et se jette à l'eau à tour de rôle. Puis toute la couvée la suit, tant bien que mal, jusqu'à l'endroit de toute sécurité qu'elle a repéré. Alors, mais alors seulement, elle autorise ses petits à chercher de quoi se nourrir.

En quelques jours, les canetons apprennent comment dépister les dangers, trouver des voies d'évitement, repérer leur nourriture et assurer leur survie. Les adultes les surveillent et les défendent ; pour le reste, les canetons ne doivent compter que sur eux-mêmes. En cela, leur précocité est un atout. À l'âge de trois jours, le petit morillon est remarquablement habile à se nourrir de façon autonome. En quelques séances, il apprend à plonger, à attraper un petit poisson et à revenir à la surface. Il ne lui en faut pas davantage pour survivre. Avant même de savoir voler, le caneton va bientôt être laissé à lui-même, tandis que sa mère entre en mue postnuptiale.

Le petit morillon (à droite) ressemble au grand morillon, avec un front plus rond.

Description. Longueur 38-48 cm (15-19 po). Canard trapu ; court miroir blanc, visible en vol ; bec bleu pâle. Mâle : tête à reflets pourpres ; corps gris pâle ; poitrine et croupion noirs. Femelle : brun foncé ; tache faciale blanche. S'observe en grands vols.
Habitat. Lacs, étangs, baies et estuaires.

Nidification. Nid peu profond tapissé de fibres végétales et de duvet, caché dans la végétation près de l'eau ; 6-15 œufs chamois olive ; 26-27 jours d'incubation assurée par la cane. Les canetons, couverts de duvet, quittent le nid peu après l'éclosion et volent à 7 semaines.
Nourriture. Plantes aquatiques, mollusques.

Eider à duvet
(Eider commun)
Somateria mollissima

Les eiders volent à la queue leu leu et se protègent du vent dans le creux des vagues.

L a vague océane déferle sur la grève ourlée de glace. La neige tourbillonne dans la tempête hivernale. Il fait un froid glacial. À peine visible dans la grisaille arctique, une bande d'eiders nagent et plongent dans l'eau glaciale. Comment font-ils pour survivre tandis que tous les autres oiseaux se sont envolés vers le sud depuis longtemps déjà ?

C'est que les eiders ont une morphologie parfaitement adaptée à la vie au grand froid. Leur coefficient d'adhérence au sol et surtout dans l'eau est relativement minime grâce à leur masse compacte, d'où une perdition de chaleur réduite. Par ailleurs, un duvet épais sous leurs plumes et une épaisse couche de graisse augmentent leur résistance au froid. La densité du réseau vasculaire isole leurs pattes de l'eau glacée où elles sont constamment plongées : le sang chaud des artères réchauffe celui glacé des veines. Ils ont aussi beaucoup plus de plumes autour du bec que la plupart des oiseaux, et leurs ailes, peu utiles puisque l'espèce n'émigre pas, sont assez petites pour ne pas entraîner de pertes de chaleur significatives.

Les sacs de couchage, les édredons les plus chauds sont remplis de duvet d'eider (le mot édredon vient de l'islandais *aedar-dun*, duvet d'eider) ; c'est la matière isolante la plus efficace qu'on connaisse. Ainsi, quand le vent d'hiver hurle dans la nuit, tous ceux qui s'enveloppent de duvet d'eider connaissent le même confort que cet oiseau des grands froids.

Description. Longueur 58-69 cm (23-27 po). Gros et trapu ; bec long ; front fuyant ; plumes de la base du bec dépassant les narines ; excroissance sur le front. Mâle : surtout blanc ; vertex, front et flancs noirs. Femelle : beau plumage brun ; flancs finement rayés de noir.
Habitat. Rivages marins rocailleux.

Nidification. Nid peu profond tapissé de fibres végétales et de duvet, à découvert et souvent en colonie ; 3-5 œufs bruns ou verdâtres ; 24-27 jours d'incubation assurée par la cane. Les canetons, couverts de duvet, quittent le nid peu après l'éclosion et volent à 8 semaines.
Nourriture. Mollusques, crustacés, poissons.

Eider à tête grise
(Eider remarquable)

Somateria spectabilis

Durant l'été arctique, des millions d'oiseaux n'ont qu'un souci : trouver de quoi se nourrir et nourrir leurs petits. La solution consiste à chercher là où les autres oiseaux ne vont pas. Tandis que l'eider à duvet va pêcher des mollusques en eau profonde, l'eider à tête grise, qui fréquente normalement lui aussi l'océan, s'en va nicher dans les terres, près des étendues d'eau douce qui lui fournissent des larves d'insectes et des plantes aquatiques. Une fois les œufs pondus, les mâles retournent vers l'océan ; les canes et les canetons les rejoindront dès que les petits seront en état de voler.

Le long des côtes, il arrive aux eiders à tête grise de se mêler aux eiders à duvet pour pêcher tranquillement les moules, à l'abri du grand roulis. Mais, plus souvent, ils s'écartent du rivage et, pour trouver des moules, des crabes et d'autres crustacés et mollusques, plongent à des profondeurs de 55 m, bien au-delà de toute concurrence.

Pour nager en surface, l'eider se sert de ses pattes palmées, mais pour avancer sous l'eau, il « pagaie » avec ses ailes. On peut donc dire avec raison — et sans figure de style — que l'eider *vole* dans l'eau. Ses ailes, petites et robustes, sont bien adaptées à cet exercice ; elles lui permettent de descendre et de remonter avec facilité, voire même de s'envoler en émergeant directement de l'eau, sans avoir à se poser à la surface pour reprendre son élan.

Au sortir de son plumage éclipse, l'eider à tête grise est terne mais reconnaissable.

Description. Longueur 48-64 cm (19-25 po). Mâle : surtout blanc et noir ; tache alaire blanche ; bec et éminence frontale orange vif. Femelle : d'un beau brun ; petits croissants sur les flancs.
Habitat. Rivages marins rocailleux.
Nidification. Nid peu profond fait d'herbes, généreusement tapissé de duvet et placé près de l'eau ; 4-7 œufs chamois olive ; 23 jours d'incubation assurée par la cane. Les canetons, couverts de duvet, quittent le nid peu après l'éclosion ; moment du premier vol non connu.
Nourriture. Mollusques, étoiles de mer, insectes, crustacés, poissons.

Canard arlequin

Histrionicus histrionicus

Avec sa petite face pivelée de taches blanches, la femelle a l'air d'une petite macreuse.

Le terme canard éveille le plus souvent, dans l'imaginaire des gens, la silhouette d'un colvert barbotant dans les eaux calmes d'un étang, celle d'un petit garrot au repos dans le cadre enchanteur d'une baie ou celle d'une macreuse se jouant des vagues qui déferlent sur le rivage. On imagine moins bien le canard adopter comme habitat les eaux vives et turbulentes des torrents de montagne.

C'est pourtant le cadre que fréquente le canard arlequin, un oiseau magnifique qui a la tête petite, le front bombé et le bec court. Ce délicat profil est rehaussé, chez le mâle en plumage nuptial, de couleurs riches et subtiles : une raie médiane noire au sommet de la tête, bordée de blanc et de marron ; une tache blanche sur l'oreille, un dos bleu ardoise, des flancs marron orangé, un miroir bleu métallique. On dirait un bibelot de porcelaine sans toutefois la fragilité, car il fréquente des habitats reconnus pour leur rudesse.

En hiver, on le rencontre dans les eaux déchaînées des côtes rocailleuses où sa virtuosité le met à l'abri des vagues déferlantes. Au printemps, cet oiseau des rudes océans se transforme en oiseau des rudes torrents, en pays de montagne, où il se conduit comme un saumon. S'aidant de ses pattes et de ses ailes à demi déployées, il inspecte les fonds rocailleux à la recherche d'insectes aquatiques et de petits crustacés. Comme le cincle d'Amérique, il sait marcher au fond du torrent en avançant à l'oblique pour résister au courant.

Description. Longueur 38-53 cm (15-21 po). Mâle : gris ardoise ; flancs marron ; taches blanches sur la tête ; rayures blanches sur le dos et les côtés de la poitrine. Femelle : brun foncé ; petites taches blanches sur la tête.
Habitat. Côtes rocheuses ; torrents en montagne.
Nidification. Nid peu profond tapissé d'herbes et de duvet, caché dans la végétation épaisse près de l'eau ; 5-10 œufs chamois ou crème ; 27-33 jours d'incubation assurée par la cane. Les canetons, couverts de duvet, quittent le nid peu après l'éclosion et volent à 6 semaines.
Nourriture. Insectes aquatiques, mollusques, petits poissons, crustacés.

Canard kakawi
(Harelde de Miquelon)

Clangula hyemalis

Mâle en hiver

Femelle en hiver

Par les froids matins brumeux d'hiver, c'est à peine si l'on devine le lent glissement des barques de pêcheurs qui prennent la mer. Pas un canard n'est en vue. Mais il en est un qu'on entend presque toujours : le kakawi. C'est un oiseau bruyant qui émet une grande variété de cris dont le principal, d'une grande musicalité, lui a donné son nom : *kâ-kâ-oui*. Ce chant, qui porte loin, fait penser aux aboiements d'une meute de chiens. Mais les pêcheurs ne s'y trompent pas. Quand ils reviennent vers la terre ferme après une dure journée de travail, c'est le cri du kakawi qui leur souhaite la bienvenue.

L'hiver, avec sa longue queue et son plumage d'un blanc étincelant, ce canard est sans aucun doute l'un des plus élégants de tous. Mais en été, il devient un banal canard brun foncé marqué d'une tache blanche sur la joue — l'inverse de sa livrée d'hiver — qui nage sagement dans les étangs de la toundra. En règle générale, les canards ont un seul plumage adulte, brièvement masqué en fin d'été par un plumage éclipse, et la plupart des femelles gardent toujours le même.

Le kakawi se distingue à ce chapitre car il a cinq plumages d'adulte : hiver, été et éclipse pour le mâle ; hiver et été pour la femelle.

Tout autant que sa voix et sa beauté, la virtuosité du kakawi en plongée est étonnante : il peut atteindre des profondeurs de 60 m pour trouver les mollusques et les crustacés dont il se nourrit. À moins qu'il ne soit séduit par « le silence éternel de ces espaces infinis » qui effrayait Pascal.

Le kakawi en hiver est le seul canard à avoir le corps blanc et les ailes toutes noires.

Description. Longueur 38-58 cm (15-23 po). Ailes sombres en vol. Mâle en hiver : beaucoup de blanc ; tache faciale foncée ; motif noir et blanc sur le reste du corps; deux rectrices centrales longues, effilées et noires. Femelle : tête blanche marquée de noir ; dos sombre. Mâle en été : tête et cou noirs ; faciès blanc.

Habitat. Golfes et baies. Niche dans la toundra. **Nidification.** Nid peu profond d'herbes et de duvet, dans les plantes ou les roches ; 5-11 œufs chamois ou crème ; 23-25 jours d'incubation assurée par la cane. Les canetons, couverts de duvet, quittent tôt le nid et volent à 5 semaines. **Nourriture.** Plantes marines, crevettes, insectes.

Macreuse à bec jaune
(Macreuse noire)

Melanitta nigra

Mâle

Femelle

Sur l'Atlantique comme sur le Pacifique, la macreuse à bec jaune raffole de la moule bleue.

La macreuse doit son nom à un mot normand, *macrouse,* lui-même emprunté au néerlandais *markol.* C'est une espèce circumpolaire qui niche dans les régions boréales du Canada de même qu'en Alaska, en Islande et en Écosse, et dans le nord de la Norvège et de la Russie.

En hiver, elle descend le long de la côte du Pacifique, depuis les Aléoutiennes jusqu'au sud de la Californie, tandis que du côté de l'Atlantique, on peut la rencontrer depuis Terre-Neuve jusqu'en Caroline du Sud. Ce canard robuste, prompt à s'envoler, semble manier ses ailes avec autant d'aisance à 30 m sous l'eau que tout en haut dans les airs.

Bien que les macreuses à bec jaune aient l'habitude de nicher dans la toundra arctique, on en rencontre néanmoins de petits groupes dans le Sud pendant l'été. La raison en est que, chez ces macreuses, l'accouplement est différé jusqu'au troisième été. Les jeunes mâles demeurent donc dans leur aire d'hivernage pendant que leurs aînés s'envolent vers les terres de nidification.

Par ailleurs, les mâles s'éloignent souvent de leurs semblables pour hiverner en solitaires et ne sont disposés à s'accoupler qu'au moment de prendre le départ au printemps. C'est au cours de ces vols migratoires qu'a lieu la pariade. On entend alors mieux que jamais les sifflements mélodieux, presque cristallins, des mâles auxquels les canes répondent par un chant similaire, mais que leur voix transforme en un croassement rauque, râpeux et fort peu musical.

Description. Longueur 43-53 cm (17-21 po). Canard trapu ; reflet argenté sous l'aile en vol. Mâle : noir ; protubérance jaune ou orangée à la base du bec. Femelle : brun sombre ; joues pâles. **Habitat.** Baies et océans ; niche dans les lacs de la toundra.
Nidification. Nid peu profond fait d'herbes et de duvet, dissimulé près de l'eau ; 5-8 œufs chamois ou rosés ; 27-31 jours d'incubation assurée par la cane. Les canetons, couverts de duvet, quittent le nid peu après l'éclosion et volent à 6 semaines.
Nourriture. Mollusques, crustacés ; insectes et plantes aquatiques.

Macreuse à front blanc
(Macreuse à lunettes)

Melanitta perspicillata

Comme tous les canards qui fréquentent l'océan, la macreuse à front blanc plonge, nage sous l'eau, flotte par grandes bandes et se livre à un rituel amoureux au moment de la pariade. Mais toutes ces activités, la macreuse à front blanc s'y adonne avec un style qui n'appartient qu'à elle.

Elle s'alimente de jour. Chaque matin, dans le plus grand silence, des bandes de macreuses à front blanc s'assemblent sur l'océan. Puis à un signal donné — que l'homme ne perçoit pas —, elles plongent toutes ensemble. Une demi-minute plus tard, les canards émergent de l'onde, non pas tous à la fois, mais un à un ou par petits groupes. Les macreuses semblent aimer les vagues écumantes qui viennent en longs rouleaux mourir sur le rivage. Dans le creux de la vague déferlante, la macreuse, divinement à l'aise, s'élance et vole ou nage parallèlement au rivage.

Les couples se forment durant l'hivernage de sorte que les parades nuptiales ont toutes pour objet non de conquérir une femelle — c'est chose faite — mais d'écarter les rivaux. Comment se fait l'appariement ? On n'en sait rien car cela se passe sous l'eau. Lorsque plusieurs mâles font la cour à une même femelle, on les voit nager follement autour d'elle, tantôt pour la poursuivre, tantôt pour se donner la chasse les uns aux autres. Soudain, toute la bande plonge. Et quand elle refait surface, on voit la femelle s'éloigner lentement auprès d'un mâle, tandis que les prétendants évincés se retirent.

La femelle a deux taches blanches sur la face mais aucune sur l'aile.

Description. Longueur 43-53 cm (17-21 po). Canard trapu ; pas de blanc sur l'aile. Mâle : noir ; taches blanches sur la tête ; bec marqué d'orange, de blanc et de noir. Femelle : brun foncé ; taches pâles sur les côtés de la tête.
Habitat. Baies et océan ; niche dans les lacs de la toundra.

Nidification. Nid peu profond fait d'herbes et de duvet, à une certaine distance de l'eau ; 5-8 œufs chamois ou rosés ; incubation assurée par la cane, de durée inconnue. Les canetons, couverts de duvet, quittent le nid peu après l'éclosion ; moment du premier vol non connu.
Nourriture. Crustacés, plantes aquatiques.

Macreuse à ailes blanches
(Macreuse brune)

Melanitta fusca

La macreuse à ailes blanches tapisse son nid de duvet une fois tous ses œufs pondus.

Les poissons sont faits pour vivre dans l'eau, les animaux terrestres, sur terre, les oiseaux, dans les airs. Si tout était aussi simple en ce monde, la nature serait facile à comprendre. Mais elle nous paraîtrait en même temps monotone car les sujets intéressants sont souvent ceux qui se placent entre deux mondes, en d'autres termes ceux qui se sont adaptés à un élément autre que le leur.

La macreuse à ailes blanches est un canard de mer. Comme d'autres du même genre, elle s'est adaptée à une existence aquatique : pour supporter le froid, elle a un plumage imperméable ; pour nager plus facilement, ses pattes sont palmées. Mais cela n'est rien à côté des modifications qu'ont subies ses ailes pour lui permettre tantôt de voler, tantôt de nager.

La plupart des oiseaux plongeurs font appel à deux méthodes de locomotion dans l'eau. Ou bien ils avancent grâce à leurs pattes palmées, logées tout à fait à l'arrière du corps, d'où leur difficulté à marcher sur le sol ; ou bien ils se servent de leurs ailes comme moyen de propulsion, auquel cas celles-ci sont de dimensions réduites, d'où leur difficulté à voler. Mais il existe des cas intermédiaires, comme celui de notre macreuse à ailes blanches, qui, pour nager sous l'eau, utilise à la fois ses pattes et ses ailes, entrouvrant celles-ci à moitié.

Description. Longueur 48-60 cm (19-24 po). Canard trapu ; tache alaire blanche visible en vol. Mâle : noir ; petite tache blanche derrière l'œil. Femelle : brun foncé ; tache blanche de chaque côté de la tête.
Habitat. Baies et océans ; niche dans les lacs et les rivières du Nord.

Nidification. Nid dans une dépression du sol, tapissé de matières végétales et de duvet ; 6-14 œufs chamois ou rosés ; 28 jours d'incubation assurée par la cane. Les canetons, couverts de duvet, quittent tôt le nid et volent à 9-11 semaines.
Nourriture. Mollusques, crustacés, dollars de sable, plantes aquatiques.

Garrot à œil d'or
(Garrot commun)

Bucephala clangula

Mâle

Femelle

Toutes les mères qui ont déjà tenté d'inciter leurs enfants à nager savent par quelles affres passe la femelle du garrot à œil d'or. Et pourtant, son sort est bien pire que le leur, car elle doit tout d'abord persuader ses rejetons de se jeter en bas du nid, généralement situé au sommet d'un arbre.

Dès que le couple atteint son aire de nidification, la femelle se met en quête d'un grand trou percé par un pic dans un arbre. Pour rendre le nid douillet, elle le tapisse de duvet qu'elle arrache à sa propre poitrine, puis elle pond une douzaine d'œufs au rythme d'un par matin. Quand elle a pondu le dernier, elle se met à couver ; jamais avant. Une trentaine de jours plus tard, tous éclosent en l'espace de quelques heures. Elle materne les canetons un jour ou deux, le temps de leur donner assez de force pour sauter dans le vide.

Après s'être assurée qu'aucun prédateur n'est à l'affût, elle entre et sort précipitamment du nid à plusieurs reprises pour inciter ses petits à escalader les parois de la cavité. Dès qu'ils sont près de la sortie, elle s'installe au pied de l'arbre et leur lance des encouragements à venir la rejoindre. L'un après l'autre, leurs petites ailes déployées pour amortir tant bien que mal la chute, les canetons se laissent tomber et atterrissent comme des boules de duvet. En une minute à peine, l'opération est terminée et la cane guide ses rejetons vers l'eau où dorénavant se déroulera leur vie.

Les ailes du garrot à œil d'or sifflent plus fort, dans les airs, que celles des autres canards.

Description. Longueur 40-50 cm (16-20 po). Canard trapu. Mâle : surtout blanc ; tête verte, ronde et luisante ; rond blanc à la base du bec ; dos noir. Femelle : parties supérieures grises ; tête brune ; bec foncé à bout jaunâtre. Vol sifflant.
Habitat. Lacs, grandes rivières, baies.
Nidification. Nid de duvet accumulé au fond d'un trou ou dans un nichoir, à 2-18 m (6-60 pi) du sol ; 6-15 œufs vert pâle ; 27-32 jours d'incubation assurée par la cane. Les canetons, couverts de duvet, quittent le nid peu après l'éclosion et volent à 8-9 semaines.
Nourriture. Insectes aquatiques, plantes aquatiques, mollusques, crustacés.

Femelle

Mâle

Petit garrot

Bucephala albeola

Le plumage noir et blanc du caneton mâle n'annonce pas du tout son plumage adulte.

C'est le plus petit de tous nos canards de mer. Il passe ses hivers au Mexique et dans les États américains autour du golfe du Mexique, mais aussi dans les îles Aléoutiennes, en Alaska, dans les Grands Lacs et dans le sud-ouest du Nouveau-Brunswick. Son aire de nidification couvre une grande partie du sud du Canada, sauf les régions dépourvues d'arbres, et le couple occupe à lui seul un lac tout entier. En migration, on le rencontre en assez grand nombre dans le sud de l'Ontario et dans le sud-ouest du Québec.

À l'époque de la nidification, la femelle retourne à l'endroit qui l'a vue naître. Elle place son nid de préférence dans un trou percé par un pic, le garnit de son propre duvet et pond un œuf par jour pendant 6 à 11 jours. Ensuite vient la couvaison. C'est le moment que choisit son compagnon pour rejoindre d'autres mâles et passer avec eux la période de la mue.

Il faut un mois pour que les œufs éclosent. Après un jour ou deux de soins à domicile, les petits sont invités à faire le grand saut jusqu'au sol. Ils ne vont pas, comme les petits garrots à œil d'or, tout de suite à l'eau, mais dans un nouveau territoire où la cane est mieux en mesure de les défendre. Dès qu'ils sauront voler, toute la famille ira rejoindre les mâles.

Tout cet exercice, depuis la conquête d'un territoire lacustre jusqu'au retour auprès des mâles, s'effectue en 120 jours ; précisément le nombre de jours où l'aire de nidification du petit garrot est dépourvue de glace. Ainsi a-t-il adapté son cycle de reproduction aux particularités du climat où il niche.

Description. Longueur 33-40 cm (13-16 po). Petit canard dodu. Mâle : noir et blanc ; tête noire avec une grande tache blanche derrière l'œil. Femelle : dessus brun foncé ; grande tache blanche de chaque côté de la tête.
Habitat. Lacs, grandes rivières, baies.
Nidification. Nid de plumes et de duvet au fond d'un trou de pic ou dans une autre cavité, à 1,5-6 m (5-20 pi) du sol ; 6-11 œufs chamois pâle ; 29 jours d'incubation assurée par la cane. Les canetons, couverts de duvet, quittent le nid peu après l'éclosion et volent à 7-8 semaines.
Nourriture. Insectes aquatiques, escargots, crustacés, plantes aquatiques.

Canard roux
(Érismature roux)

Oxyura jamaicensis

L e canard roux est un petit canard d'eau douce, la seule espèce du genre au Canada. Son bec large et aplati présente
une arête concave et se termine par un petit onglet recourbé
vers le dessous. Sur l'eau, il élève souvent la queue, comme
un troglodyte. Bien que ce soit essentiellement un canard
d'eau douce, en migration il fréquente des nappes d'eau saumâtre et se pose même dans des baies d'eau salée.

Les mœurs reproductrices de la femelle du canard roux sont
tout à fait particulières. Elle pond une énorme quantité d'œufs
— jusqu'à 17 par couvée —, tous plus gros que ceux du
colvert, lequel fait le double de son poids. Toutefois, lorsqu'on
rencontre un nid en contenant 40, 50 ou même 60, on se doute
bien qu'aucune femelle n'en peut couver autant. Il s'agit donc
clairement d'un cas de parisitisme.

On connaît des oiseaux, comme les vachers, qui parasitent
les nids des autres oiseaux. Mais il en existe aussi — les au-
truches, par exemple, et notre canard roux —, qui déposent
leurs œufs dans le nid d'autres femelles de leur propre espèce.
Dans ce cas, la supercherie est plus difficile à déceler. On croit
que le phénomène se produit lorsque le nid de la femelle a été
détruit ou qu'il n'y a pas assez de nichoirs naturels pour toutes
les femelles. Il arrive parfois que plusieurs femelles choisissent un même nid pour y déposer leurs œufs. Qu'est-ce qui
les motive à agir ainsi ? Croient-elles que l'une d'entre elles
va accepter de couver à la place de toutes les autres ? Quoi
qu'il en soit, le mystère des nids-entrepôts attend encore son
explication.

Comme le canard roux adulte,
le petit plonge avec adresse,
mais sa démarche est gauche.

Description. Longueur 35-40 cm (14-16 po). Petit canard trapu à longue queue. Mâle en plumage nuptial : roux ; vertex noir ; bec bleu vif ;
joues blanches. Femelle et mâle en hiver : brun
terne ; vertex foncé ; joues pâles, avec ligne noire chez la femelle.
Habitat. Marais et étangs à herbes aquatiques.

Nidification. Nid flottant fait de tiges et de
feuilles, amarré à des plantes paludéennes ; 5-
17 œufs blancs ou crème ; 24 jours d'incubation assurée par la cane. Les canetons, couverts
de duvet, quittent le nid peu après l'éclosion et
volent à 6-7 semaines. Deux couvées.
Nourriture. Plantes d'eau, insectes, escargots.

Bec-scie couronné

Lophodytes cucullatus

Femelle

Mâle

Quand le bec-scie fait voir le blanc de sa huppe, c'est qu'il y a un danger.

Le bec-scie est un canard au bec effilé et cylindrique, doté de lamelles pointues avec lesquelles il capture les petits poissons et qui lui ont donné son nom. La tête surmontée d'une huppe noire et blanche, le bec-scie couronné se pavane dans les lacs et les étangs et ne craint pas de s'approcher du rivage. Durant la saison des amours, on peut le voir courir sur l'eau autour de la cane et exécuter des pirouettes dans les airs pour attirer son attention. Parfaitement indifférente, du moins en apparence, celle-ci continue à observer le fond de l'eau, prompte à croquer le petit poisson qui la croit distraite par son compagnon.

Mais un moment vient où elle se choisit un mâle. Finie la belle vie ! Car toutes les corvées domestiques reposent maintenant sur ses épaules. C'est elle qui choisit l'emplacement du nid, un trou dans un arbre, ou un nichoir qu'elle dispute au canard branchu, soucieux lui aussi de loger ses petits dans un boisé humide. C'est elle qui s'arrache des plumes de la poitrine pour tapisser son nid, qui pond de beaux œufs blancs et luisants et qui les couve durant quatre à cinq semaines.

Dès après l'éclosion, elle se hâte de guider sa marmaille vers l'eau pour lui apprendre les rudiments de la vie d'un bec-scie. C'est merveille de voir toute la nichée patauger dans l'eau peu profonde pendant que la mère surveille attentivement les alentours. Un cri bref, et tous les canetons s'installent sur son dos pour s'enfuir pendant qu'un dernier, pas tout à fait laissé pour compte, s'agrippe comme il peut à la queue de sa mère en lançant de petits cris plaintifs.

Description. Longueur 40-48 cm (16-19 po). Élancé ; huppé ; bec effilé. Mâle : surtout noir ; grande tache blanche frangée de noir sur la huppe ; flancs roux. Femelle : brun terne ; dessous pâle ; huppe teintée de chamois ou d'orange.
Habitat. Lacs, étangs, cours d'eau entourés d'arbres ; estuaires et marais en hiver.

Nidification. Nid de duvet et de plumes au fond d'un trou dans un arbre ou une bûche ; 6-18 œufs blancs ; 29-37 jours d'incubation assurée par la cane. Les canetons, couverts de duvet, quittent tôt le nid et volent à 9 semaines.
Nourriture. Crustacés, mollusques, insectes aquatiques, grenouilles.

376

Femelle

Mâle

Grand bec-scie
(Harle bièvre, bec-scie commun)

Mergus merganser

Répandu, au nord de l'équateur, partout où il trouve un habitat convenable, le grand bec-scie doit son nom à ses dimensions qui sont supérieures à celles du bec-scie couronné. Il s'appelait autrefois le bec-scie commun pour des raisons également pratiques quoique différentes : son aire de distribution géographique dépasse celle de tous les autres becs-scie.

Aussi gros qu'une oie, il est facile à distinguer sur les fonds sombres des rivières ou des lacs où il se plaît. Il est encore plus voyant en plumage nuptial, avec sa tête sombre à reflets verts, ornée d'une crinière de plumes et d'un bec rouge corail, son dos noir et sa poitrine blanche.

Le grand bec-scie est un canard d'autant plus facile à observer qu'il vit en petites colonies. Comme le bec-scie couronné, le mâle abandonne la femelle à ses tâches de reproductrice sitôt que commence la couvaison et se joint à d'autres mâles pour passer avec eux la période de la mue. Quand les petits sont capables de voler, de grandes bandes se constituent en automne ou au début de l'hiver. Elles n'ont pas toutes le sud comme destination. Quelques-uns, plus robustes, s'attachent à leur lieu de nidification et, bravant les rigueurs de l'hiver, n'hésitent pas à plonger dans l'eau glacée pour se nourrir. La longueur de leur séjour parmi nous, leur taille et leurs coloris font des grands becs-scie des canards faciles à observer.

Comme bien des plongeurs, le grand bec-scie doit courir sur l'eau avant de s'envoler.

Description. Longueur 53-69 cm (21-27 po). Grand et élancé. Mâle : tête verte ; poitrine et flancs blancs ; dos noir ; bec rouge. Femelle : tête rousse ; huppe échevelée ; poitrine blanche.
Habitat. Lacs et rivières bordés d'arbres ; hiverne près de grandes rivières.
Nidification. Nid tapissé de duvet, au fond d'un trou dans un arbre, une bûche ou un rocher ; 6-17 œufs chamois ou jaunâtres ; 28-32 jours d'incubation assurée par la cane. Les canetons, couverts de duvet, quittent le nid peu après l'éclosion et volent à 9-10 semaines.
Nourriture. Poissons, crustacés, mollusques, grenouilles et salamandres.

Bec-scie à poitrine rousse
(Harle huppé)

Mergus serrator

Le plumage de ce caneton n'a rien des riches couleurs qui distinguent son espèce.

Bien que son aire de distribution recoupe partiellement celle du grand bec-scie, le bec-scie à poitrine rousse se distingue facilement de son cousin. On le reconnaît surtout à la huppe échevelée qui couronne sa tête d'un vert chatoyant ; et au lieu d'une poitrine blanche, il arbore une bande pectorale striée de rouge cannelle et marbrée de noir.

Autre signe distinctif, le bec-scie à poitrine rousse ne loge pas son nid au fond d'un trou dans un arbre : il préfère s'installer dans une dépression bien dissimulée sous des buissons, ou bien dans un amoncellement de roches ou de bûches, ou encore sous les racines d'un arbre, à peu de distance de l'eau. Et il reste auprès de la femelle pendant qu'elle couve, s'occupant, par la suite, des petits avec elle, ce qui le différencie également du grand bec-scie.

On verra les becs-scie à poitrine rousse voler bas en file indienne au-dessus de l'eau. Plongeurs et nageurs émérites, ils pêchent à la manière de leurs cousins : peu de poissons échappent à l'étau meurtrier de leurs mandibules ornées de lamelles acérées en dents de scie, d'où leur nom. L'ornithophile qui voit un bec-scie à poitrine rousse s'élever dans les airs en tenant dans son bec un petit poisson gris argenté n'oubliera pas de sitôt le spectacle. Dans le temps de le dire, l'oiseau réussit à placer la proie glissante dans la position voulue pour l'avaler d'un seul trait.

Description. Longueur 50-66 cm (20-26 po). Canard fort et élancé ; huppe échevelée. Mâle : tête verte ; poitrine striée de cannelle ; flancs gris ; dos noir ; bec rouge. Femelle : tête rousse, poitrine et flancs brun-gris.
Habitat. Rivières, étangs et lacs bordés d'arbres. Hiverne près de l'eau salée.

Nidification. Nid peu profond tapissé d'herbes et de duvet, caché dans la végétation ou entre les roches ; 6-16 œufs chamois verdâtre ; 28-35 jours d'incubation assurée par la cane. Les canetons, couverts de duvet, quittent le nid peu après l'éclosion et volent à 8 semaines.
Nourriture. Petits poissons.

Râle gris

Rallus longirostris

L e râle gris est un grand oiseau au long bec. On pourrait le confondre avec le râle élégant, mais outre une différence dans la couleur du plumage, on ne verrait jamais le râle élégant dans les marais d'eau salée qu'il affectionne.

C'est un oiseau terriblement bruyant. Ses cris ressemblent aux craquètements de la cigogne et se répercutent à travers les roseaux et les joncs, amplifiés par l'humidité que dégagent les terres marécageuses. Ce sont eux qui révèlent sa présence car le râle gris, parfaitement camouflé par ses teintes et ses marques parmi les plantes paludéennes, est impossible à observer tant qu'il ne bouge pas. Et il n'est guère plus facile à voir quand, à l'approche d'un intrus, il file sur ses pattes longues et fines avec l'agilité d'un sprinter.

C'est qu'il a mille et une raisons d'être méfiant ; ses prédateurs sont nombreux et variés : lynx roux, opossums, mouffettes, visons et ratons laveurs ; éperviers, buses, corneilles de rivage ; serpents, gros poissons, tortues de mer. Aux grandes marées, la tempête emporte les œufs brisés, les nids détruits, les oisillons et les adultes noyés. Même la pleine lune lui est néfaste en aidant les braconniers à le repérer quand il tente d'échapper aux fortes marées qu'elle provoque.

Néanmoins, le râle n'est pas complètement démuni. Il sait plonger, quoique à faible profondeur, et il sait nager, mais si c'est pour peu longtemps. Quand il se sent pourchassé, il se jette à l'eau et va s'accrocher avec ses pattes à une plante aquatique. Seul le bout de son bec dépasse à la surface de l'eau pour lui permettre, comme un tuba, de respirer jusqu'à ce que l'ennemi se soit éloigné.

Rituel peu banal, le râle gris mâle donne la becquée à la femelle qu'il courtise.

Description. Longueur 36-42 cm (14-16½ po). Bec long ; queue très courte ; poitrine brun-gris (brun-roux chez les formes du Pacifique et du golfe du Mexique) ; flancs rayés ; plumes sous-caudales blanches. Oiseau bruyant mais craintif ; s'entend plus qu'il ne s'observe.
Habitat. Marais d'eau salée.

Nidification. Nid d'herbes paludéennes, caché parmi les plantes dans la partie sèche du marais ; 6-14 œufs chamois ou verdâtres, tachetés de brun ; 21 jours d'incubation assurée par le couple. Les oisillons, couverts de duvet, quittent tôt le nid et volent à 5-6 semaines.
Nourriture. Crabes, mollusques, insectes.

Râle de Virginie

Rallus limicola

Le râle de Virginie court sitôt éclos, mais ne nage que si quelque menace l'y oblige.

Les marais qu'affectionnent les râles de Virginie sont lents à reprendre vie au printemps. Sous la végétation automnale, tordue et décimée par l'hiver, les jeunes pousses tardent à transpercer. Mais les râles sont déjà là, affairés à établir leur territoire et à trouver leur nourriture. C'est la meilleure saison pour les observer.

Leur nid prend la forme d'une corbeille de brins d'herbe lâchement entrelacés, reliée à quelques plantes hautes, un peu au-dessus de l'eau. À l'automne, quand la végétation s'est étiolée, on peut apercevoir ce qu'il en reste dans les marais du sud du Québec qu'ils fréquentent en été.

Ce petit râle à poitrine rouge cannelle a le bec long, fin et rougeâtre et les joues grises. Les naturalistes qui ont le courage de barboter dans les terres marécageuses où il niche le reconnaissent à sa taille plus menue que celle des grands râles, à son bec plus long que celui des petits râles. Maintenant qu'on peut l'appeler artificiellement, il est plus facile à observer, mais non moins émouvant à apercevoir quand, trompé par les sons, il se faufile entre les plantes paludéennes, aussi fin et élancé qu'elles.

À découvert, la démarche du râle de Virginie est hésitante. Il fait plusieurs petits pas, puis un long, hochant la tête et branlant la queue à chaque mouvement. On dirait qu'il danse dans un effort incessant pour assurer son équilibre. Si rien ne l'inquiète, on le verra fouiller la vase de son long bec avant de disparaître furtivement parmi les herbes.

Description. Longueur 21,5-26,5 cm (8½-10½ po). Bec long ; queue très courte ; poitrine roux pâle ; joues grises ; flancs rayés de noir. Oiseau craintif, facile à entendre, mais difficile à voir.
Habitat. Marais d'eau douce et d'eau salée.
Nidification. Nid d'herbes et de roseaux, en corbeille, caché parmi les plantes paludéennes ;

5-12 œufs chamois tachetés de brun ; 21 jours d'incubation assurée par le couple. Les oisillons naissent couverts de duvet et quittent le nid peu après l'éclosion. Moment du premier vol non connu.
Nourriture. Insectes, mollusques et petits poissons ; graines et plantes aquatiques.

Râle de Caroline

Porzana carolina

C'est le râle le plus répandu en Amérique du Nord. Son cri est la voix même des marais, comme l'avait noté, il y a 60 ans, Arthur Cleveland Bent, le célèbre ornithophile américain. Cet homme d'affaires qui avait la passion des oiseaux fut chargé, en 1910, par l'Institut Smithsonian, de rédiger une étude en six volumes sur les oiseaux d'Amérique du Nord. Elle en compta finalement 26, dont les trois derniers furent compilés après sa mort, en 1954, à l'âge de 88 ans.

Bent structura sa documentation autour d'un certain nombre de rubriques : habitat, nidification, comportement nuptial, nourriture, traits distinctifs du plumage, habitudes migratoires et quelques autres. À ses propres observations, il ajouta celles de ses collègues et collaborateurs et, à la manière de l'époque, enroba ses observations scientifiques dans un style littéraire empreint de sentimentalité. Du râle de Caroline, il écrivit notamment qu'un bruit soudain, comme le son mat d'un coup de fusil, d'une pagaie frappant l'eau ou d'une pierre lancée dans l'herbe, fait surgir un chœur de cris qui éclatent d'un bout à l'autre du marais. Les râles, ajoutait-il, demeurent dans les marais jusqu'aux premiers gels ; fin septembre, début octobre, ils s'envolent pour le Sud tous ensemble au cours d'une même nuit et le marais qui, la veille encore, bruissait de leur vol, tombe subitement dans le plus profond silence.

Les râles de Caroline apportent de la nourriture à leurs petits pendant quelques jours.

Description. Longueur 20-25 cm (8-10 po). Bec court et jaune ; queue très courte ; poitrine grise ; face noire ; flancs rayés de noir. Juvénile : plus brun ; pas de noir sur la face.
Habitat. Marais d'eau douce et d'eau salée ; étangs peuplés de plantes paludéennes.
Nidification. Nid d'herbes et de roseaux lâche-ment tressés, caché parmi les plantes ; 6-18 œufs chamois maculés de brun ; 21 jours d'incubation assurée par le couple. Les oisillons, couverts de duvet, quittent le nid peu après l'éclosion. Moment du premier vol non connu.
Nourriture. Mollusques, insectes, graines, lentilles d'eau.

Gallinule violacée
(Gallinule pourprée)

Porphyrula martinica

Grâce à ses longs doigts, la gallinule violacée peut marcher sur les nénuphars.

Occasionnellement, la gallinule violacée se rencontre dans le sud-est du Canada. C'est un oiseau curieusement constitué d'un petit corps juché sur de longues et fortes pattes. Mais lorsqu'on a la chance de l'apercevoir dans un marais du Sud-Est américain, on comprend pourquoi il est ainsi fait. Grâce à ses « bottes de sept lieues », l'oiseau, empruntant la voie royale des nénuphars, marche littéralement sur les eaux.

Quelle déception pour l'observateur quand il voit la gallinule violacée prendre son vol. Sous son corps élégant ballottent de longues pattes jaunes dont l'oiseau semble encombré. Voler n'est pas son fort. Et pourtant, chaque année, quelques sujets s'écartent de leur aire normale de distribution pour atteindre la Californie, le Minnesota et même Terre-Neuve.

Ce peu d'aisance en vol caractérise toute la famille des rallidés : râles, gallinules et foulques sont des oiseaux beaucoup mieux adaptés à la marche. Dérangés, ils préfèrent courir plutôt que de s'envoler. Leurs battements d'ailes sont faibles et lents. Pourtant, ils ont été capables de traverser de grandes étendues d'eau pour coloniser des îles éloignées. On en a déjà vu à Tristan da Cunha, environ 3 000 km au large du Brésil. En guise d'explication, il existe une théorie amusante sinon avérée : ayant autant de réticence à atterrir qu'à voler, l'oiseau, une fois dans les airs, ne voudrait plus se poser.

Description. Longueur 30-36 cm (12-14 po). Dessus vert ; tête et dessous bleu violacé ; plaque frontale bleu pâle ; bec rouge à bout jaune ; pattes longues et jaunes. Juvénile : chamois verdâtre ; bec sombre ; pattes jaunâtres.
Habitat. Marais d'eau douce ; étangs paludéens.
Nidification. Nid peu profond d'herbes, de roseaux et de feuilles, fixé à des plantes paludéennes ; 5-10 œufs chamois maculés de brun. Durée de l'incubation non connue. Les oisillons, couverts de duvet, quittent le nid peu après l'éclosion. Moment du premier vol non connu.
Nourriture. Graines, céréales, feuillage, insectes, grenouilles, œufs d'oiseau.

Poule-d'eau
(Gallinule commune)
Gallinula chloropus

La poule-d'eau, avec son bec rouge foncé et ses pattes jaunâtres, ressemble fort à une poule domestique. On l'appelait autrefois gallinule commune, par analogie avec son nom latin, *gallinula*, qui veut dire petite poule ; mais les ornithologues se sont finalement inclinés pour lui donner le nom que cet oiseau cosmopolite porte partout dans le monde.

Contrairement aux râles, ses proches parents, la poule-d'eau n'exige pas de grandes quantités de quenouilles et de roseaux pour s'installer ; quelques plantes en bordure d'un étang ou d'un cours d'eau lui suffisent. D'un naturel confiant, elle picore graines et baies sur les terres sèches, gambade joyeusement sur les feuilles de nénuphar, nage, plonge ou bascule dans l'eau à la verticale comme n'importe quel canard et ne s'inquiète aucunement de ceux qui la regardent.

Son nid est généralement amarré à des plantes paludéennes et surélevé de 30 à 60 cm au-dessus de l'eau. Le couple lui fait une rampe qui débouche dans l'eau et qui sert aux allées et venues durant toute la nidification. La femelle pond une dizaine d'œufs au centre du nid et commence à couver aussitôt le premier pondu. Cela signifie qu'il y a près de deux semaines de différence entre le premier et le dernier poussin. Mais les parents ont construit plusieurs plates-formes autour du nid ; à mesure qu'ils éclosent, les petits y prennent place et le couple s'en occupe avec beaucoup de dévouement.

Deux poules-d'eau femelles pondent et couvent parfois dans le même nid.

Description. Longueur 30-38 cm (12-15 po). Oiseau gris ardoise ; bec et plaque frontale rouges ; dos brun ; marques blanches sur les flancs. Juvénile : plus terne ; bec foncé.
Habitat. Marais, étangs, bords de lac.
Nidification. Nid d'herbes paludéennes, doté d'une entrée de roseaux et de tiges et caché dans le marais ; 4-17 œufs chamois ou roux pâle, maculés de brun ; 21 jours d'incubation assurée par le couple. Les oisillons naissent couverts de duvet et quittent le nid peu après l'éclosion. Moment du premier vol non connu.
Nourriture. Graines, racines et feuilles de plantes aquatiques ; insectes et escargots.

Foulque d'Amérique
(Foulque américaine)
Fulica americana

Le pied lobé facilite la nage et les griffes acérées sont une arme redoutable.

L es foulques sont de drôles d'oiseaux. Semblables aux canards par leurs mœurs et leur corps compact, elles s'apparentent plutôt aux râles, aux gallinules et aux poules-d'eau par
leurs doigts impairs et lobés qui remplacent les pattes palmées
des canards. La foulque d'Amérique a la taille d'un petit canard ; son bec blanc, orné d'un point marron, rappelle celui
de la poule domestique et sa tête est fine et petite.

Les foulques sont des oiseaux grégaires. En hiver, elles se
rassemblent à plusieurs centaines sur un grand lac et se tiennent serrées les unes contre les autres. De loin, le vol entier
semble être constitué d'un bloc homogène qui, soudain, se défait puis se reforme pour inclure les retardataires.

Quand les foulques partagent leur lac avec des canards ou
des cygnes, on les voit parfois se livrer à un curieux manège.
Un ou deux oiseaux nagent en direction d'un colvert ou d'un
morillon à dos blanc et pirouettent tout en becquetant l'eau.
On croirait assister à un rituel nuptial, mais il n'en est rien.
Les foulques sont en train de picorer les plantes et les bestioles que les oiseaux aquatiques ont fait monter à la surface
avec leurs battements de pieds. C'est ce qu'on appelle un cas
de convivialité spécifique, qui profite aux foulques sans rien
enlever aux canards. Des relations semblables, cette fois avan-
tageuses aux deux parties, existent entre les grandes aigrettes
et les ibis blancs. Ceux-ci font monter les poissons à la surface pendant que les aigrettes surveillent les environs et protègent les ibis tout en se protégeant elles-mêmes.

Description. Longueur 33-41 cm (13-16 po). Surtout gris ardoisé ; tête noirâtre ; plaque frontale et bec blancs ; plumes sous-caudales blanches ; pattes et doigts longs ; doigts lobés. Juvénile : semblable, mais plus pâle.
Habitat. Étangs, marais, lagunes.
Nidification. Nid à demi flottant, fait de plantes paludéennes ; 2-22 œufs chamois ou rosés, tachetés de brun ; 24 jours d'incubation assurée par le couple. Les oisillons naissent couverts de duvet ; quittent le nid peu après l'éclosion ; deviennent indépendants en 7-8 semaines.
Nourriture. Végétation aquatique, poissons, mollusques et insectes ; parfois œufs d'oiseaux.

Mergule nain

Alle alle

Bien sûr, le renard bleu est aussi indifférent aux chaînes alimentaires que peut l'être le gerfaut à la dynamique démographique. Cela ne les empêche pas tous deux de savoir que le printemps ramène dans leurs parages le mergule nain et que cet oiseau contribue à leur survie.

Quand l'hiver arctique tire à sa fin et que les jours s'allongent en prévision du soleil de minuit, les premiers vols de mergules nains quittent la haute mer pour venir nicher dans les falaises. Ils seront bientôt suivis de millions d'autres mergules nageant à la cime des vagues écumantes. Les renards, les faucons et les populations humaines de l'Arctique les attendent, car les mergules nains s'inscrivent dans une chaîne alimentaire dont ils sont un maillon important à cause de leur très grand nombre.

Les gerfauts, les goélands bourgmestres et les corbeaux surveillent les denses colonies de mergules à la recherche d'oisillons qui engraisseront les leurs. Les renards bleus fréquentent leurs aires de nidification et trouvent dans leur chair les lipides qui leur sont utiles l'hiver suivant. Les Inuits aussi dépendent de ces petits oiseaux ; ils en capturent pour les manger, mais vivent également de la vente de la peau des renards, qui seraient moins nombreux n'étaient des mergules.

Cette espèce marine, qui fréquente les rivages abrupts de l'océan, est pour l'instant très prolifique ; l'homme ne hante pas les régions où elle vit et la mer lui fournit amplement les crustacés dont elle se nourrit. Qu'on ne pollue pas les eaux salées où elle trouve sa nourriture, qu'on ne trouble pas les solitudes où elle niche, et des millions de mergules nains continueront de remplir leur mission durant l'été arctique.

Autour des glaces flottantes, les eaux arctiques abondent en nourriture.

Description. Longueur 20-22,5 cm (8-9 po). Oiseau petit, trapu, à ailes courtes et bec robuste. Plumage nuptial : noir ; abdomen blanc. Plumage d'hiver : joues et poitrine blanches.
Habitat. Eau salée, au large des côtes ; eaux du littoral.
Nidification. Aucun nid ; un seul œuf blanc pondu sur une plate-forme rocheuse ; 24 jours d'incubation assurée par le couple. L'oisillon naît couvert de duvet ; quitte la falaise 4 semaines après l'éclosion pour gagner la haute mer avec les parents. Forme parfois de grandes colonies dans les îles de l'Arctique et sur les côtes.
Nourriture. Petits crustacés marins ; poissons.

Marmette de Troïl

(Guillemot de Troïl,
marmette commune,
de l'Atlantique ou
de Californie)

Uria aalge

Piriforme, l'œuf de la marmette
de Troïl ne risque pas de
tomber en bas de la falaise.

O bserver une colonie de marmettes, c'est s'émerveiller que
tant d'ordre puisse régner sous tant de chaos. Épaule à
épaule, bec à bec, des milliers de marmettes de Troïl nichent
sur d'étroites corniches marines. C'est là que les femelles pondent leur œuf unique, qui a la forme d'une poire. Heureusement d'ailleurs qu'il a cette forme ; s'il était rond, au moindre
mouvement, il roulerait en bas de la falaise.

C'est lorsque les œufs éclosent que la confusion s'installe.
Des escadrilles d'oiseaux adultes s'élancent vers la mer pour
y pêcher les petites morues et les jeunes harengs dont ils vont
nourrir leurs petits. Mais les déplacements ne sont pas syn-
chronisés ; au moment où les uns reviennent, les autres partent. Il s'ensuit un désordre indescriptible ; une chatte n'y
retrouverait pas ses petits. Pourtant, parmi les quelque 10 000
petits, tous identiques aux yeux de l'homme, qui piaillent bec
ouvert dans le même désespoir de leur ventre affamé, les parents retrouvent leur unique rejeton et se posent près de lui,
en refermant leurs longues ailes sans bousculer personne.

Pendant trois semaines, les adultes nourriront ainsi leur petit. Un jour, plutôt que de revenir, ils lui intimeront l'ordre de
venir les rejoindre. Alors, on pourra voir des milliers de petites boules de duvet hésiter au bord du gouffre avant de se
laisser tomber dans l'écume menaçante. Ils amerriront près de
leurs parents et prendront avec eux le chemin du grand large.

Description. Longueur 41-43 cm (16-17 po).
Semblable au manchot avec un bec long et effilé. Plumage nuptial : dessus, tête et cou brun
noirâtre ; dessous blanc. Plumage d'hiver : face
bien marquée de blanc ; ligne noire derrière l'œil.
Habitat. Haute mer ; niche sur des falaises.
Nidification. Aucun nid ; un seul œuf blanc, vert
ou brun, à macules foncées, pondu sur une corniche ; 28-34 jours d'incubation assurée par le
couple. Le petit naît couvert de duvet ; quitte le
nid 25 jours plus tard pour nager vers le large
avec ses parents. Niche en colonies nombreuses
sur des îles ou des rivages marins protégés.
Nourriture. Poissons, crevettes, calmars.

Guillemot à miroir
(Guillemot noir)

Guillemot à miroir *Cepphus grylle*
Guillemot du Pacifique *Cepphus columba*

Suspendu à plus de 60 m au-dessus de la mer, Henry Emery devait prier le ciel de sortir indemne de cette aventure. Le grand ornithologue John James Audubon lui avait demandé d'inspecter une falaise des îles de la Madeleine pour lui rapporter des œufs de guillemot à miroir.

Audubon avait l'habitude de récolter les œufs. Beaucoup se retrouvèrent dans des musées. D'autres — surtout ceux d'espèces aquatiques comme le guillemot à miroir et le guillemot du Pacifique — aboutirent dans les assiettes des vaillants matelots qui risquaient leur vie pour faire avancer la science et manger des aliments frais. C'est ainsi que le capitaine de navire Emery se retrouva dans les airs en juin 1832, nanti d'une mission inusitée pour un marin : chasser de leur nid les guillemots en couvaison et s'emparer de leurs œufs.

Du haut de la falaise, des matelots avaient descendu avec des câbles ce pauvre Emery qui n'avait rien d'un alpiniste. Le vent le ballottait contre le roc. Les oiseaux volaient comme des boulets autour de lui. Quand des roches s'abîmaient dans la mer, Emery les évitait de justesse pendant que les marins s'efforçaient de le maintenir en équilibre. Audubon raconta plus tard son angoisse : « Imaginez mon soulagement, cher lecteur, quand je vis qu'on remontait M. Emery et que, du haut de la falaise, il m'envoyait la main en signe de succès. » On imagine surtout le soulagement du cher M. Emery !

Guillemot à miroir

Guillemot du Pacifique

Description. Longueur 30-35,5 cm (12-14 po). Oiseau élancé à bec fin ; grande tache alaire blanche (traversée d'une bande noire chez le guillemot du Pacifique). Plumage nuptial : noir ; pattes rouges. Plumage d'hiver : blanc.
Habitat. Littoral marin ; îles au large des côtes.
Nidification. Aucun nid ; 1-2 œufs blanc ou vert ternes, maculés de brun, cachés dans les crevasses des falaises ; 3-4 semaines d'incubation assurée par le couple. Les petits naissent couverts de duvet ; ils quittent le nid à 5-6 semaines pour nager vers le large avec leurs parents.
Nourriture. Poissons, mollusques, crevettes et crabes.

Alque
marbrée

Brachyramphus marmoratus

En hiver, les alques marbrées au plumage noir et blanc se nourrissent près des côtes.

Chaque soir, au crépuscule, on entendait son cri : un *kîr-kîr* aigu jeté en cascade depuis la cime des conifères altiers où s'accrochent les brumes vespérales de l'océan Pacifique. Les bûcherons de Californie, tout comme les Amérindiens de la côte de la Colombie-Britannique, savaient que ce chant était celui des alques marbrées qui enchantent les nuits d'été de leur voix mélodieuse. Mais on n'en savait pas davantage sur ces habituées du grand large qui parcourent chaque soir des dizaines de kilomètres à l'intérieur des terres pour retrouver leurs nids, juchés dans les arbres à quelque 60 m du sol.

Le mystère des alques marbrées fut l'un des derniers à être résolu par les ornithologues nord-américains. Arthur Cleveland Bent y travailla très fort durant la compilation de son œuvre majeure sur l'histoire des oiseaux de l'Amérique du Nord. Il passa les forêts de la côte du Pacifique au peigne fin dans l'espoir d'y découvrir un nid d'alque marbrée. En vain ! Il offrit une récompense à qui pourrait lui en procurer un. Peine perdue ! On apercevait bien de temps à autre des juvéniles, mais jamais les nids. En 1974, la chance donna un coup de pouce à la science. Perché dans un sapin de Douglas, un élagueur d'arbres du nord de la Californie fit tomber accidentellement un oisillon d'un nid situé à 45 m du sol. On étudia l'oisillon et le nid. Les experts rendirent leur verdict : le mystère de l'alque marbrée était enfin élucidé.

Description. Longueur 22,5-26,5 cm (9-10½ po). Oiseau trapu ; bec foncé et pointu. Plumage nuptial : dessus brun noirâtre ; dessous marbré de roux ou de gris. Plumage d'hiver : dessus noirâtre ; fine bande blanche à l'arrière du cou ; dessous blanc ; tache alaire blanche.
Habitat. Baies ; eaux du littoral.

Nidification. Nid petit et plat fait de lichens et de mousse, au sommet d'un grand arbre ; un seul œuf vert pâle tacheté de brun. Dans le Grand Nord, niche parmi les roches ; nids rarement repérés. Durée de l'incubation et durée du séjour de l'oisillon au nid non connues.
Nourriture. Poissons, mollusques, crustacés.

Macareux rhinocéros
(Alque à bec cornu)
Cerorhinca monocerata

Si les oiseaux pouvaient pondre dans l'eau, le macareux rhinocéros ne mettrait jamais pied à terre. Les choses étant ce qu'elles sont, notre macareux passe le moins de temps possible loin de la mer. Ce superbe plongeur, grand amateur de sardines fraîches, ne peut même pas supporter la vue d'un littoral : il évite les détroits et ne vit qu'au grand large. Au printemps toutefois, l'apparition d'une petite corne à la naissance du bec lui signale le moment de la pariade ; il va alors, dans des îles boisées, creuser une longue galerie terminée par une chambre au fond de laquelle la femelle pondra un œuf unique.

Aboyant, grognant, caquetant comme un perroquet, cet oiseau, peu bruyant en d'autres circonstances, se met en devoir d'aménager, de nuit, un terrier de 2-6 m de long ou d'en rénover un ancien. L'œuf éclot en peu de temps, laissant voir un oisillon couvert de duvet. Chaque nuit, les parents vont pêcher en mer jusqu'à l'aube, puis ils restent terrés avec leur petit tout le jour jusqu'au crépuscule.

L'aversion pour la lumière, tout comme le choix d'un terrier comme nid, est une des particularités du macareux rhinocéros ; parmi ses proches parents, les alques et les guillemots nourrissent leurs rejetons en plein jour, tandis que les marmettes et les pingouins pondent leurs œufs sur des plates-formes rocheuses. Ces différences évitent que des espèces parentes entrent en concurrence pour les sites de nidification.

Le macareux rhinocéros perd sa corne en hiver et sa tête se dégarnit de plumes.

Description. Longueur 35,5-39,5 cm (14-15½ po). Plumage nuptial : dessus brunâtre ; dessous plus pâle ; abdomen blanc ; tête marquée de 2 lignes de longues plumes blanches ; bec rougeâtre garni d'une corne à la base. Plumage d'hiver : semblable ; tête dégarnie ; bec sans corne. **Habitat.** Haute mer ; falaises du littoral.

Nidification. Un seul œuf blanc, parfois maculé de gris ou de mauve, pondu sur un petit tas de brindilles au bout d'un long terrier, dans une île boisée ; 33 jours d'incubation assurée par le couple. L'oisillon naît couvert de duvet ; prend le large avec ses parents à 5-6 semaines. **Nourriture.** Poissons et crustacés.

Macareux huppé

Fratercula cirrhata

Le macareux huppé se fait souvent voler la nourriture qu'il apporte à son petit.

Tout comme le daim se défait de son andouiller à une certaine époque de l'année, le macareux huppé perd, lui, les plaques cornées de son bec flamboyant. Cette mue se produit en fin d'été, quand les couples ont sorti leur unique rejeton du terrier. La saison de nidification est terminée ; c'est le début de la vie en mer. Elle durera neuf mois pendant lesquels les macareux huppés ne fréquenteront que les eaux turbulentes du Pacifique. L'immense bec leur serait un bagage inutile.

À l'arrivée du printemps, les plaques cornées et multicolores se multiplient à nouveau sur le bec de l'oiseau ; il lui en pousse pas moins de sept. En automne, elles tombent les unes après les autres et il se retrouve avec un bec brunâtre, amputé du tiers de sa taille.

L'hiver lui arrache un autre attribut spectaculaire : les superbes touffes de plumes de couleur jaune paille qui, naissant au-dessus des yeux comme une bande superciliaire, se prolongent en aigrettes vers le cou. Disparaît aussi son masque facial d'un blanc immaculé, et la face devient brun terne. Ainsi revêtu d'une livrée banalisée mais sans doute plus pratique, le macareux huppé patrouille la haute mer. Que les poissons soient sur leurs gardes ! Moins flamboyant, son bec aux mandibules en dents de scie n'en est que plus redoutable. En eau profonde, il y loge plusieurs poissons en attente tandis qu'il continue de pêcher avec une énergie inlassable.

Description. Longueur 36,5-39,5 cm (14½-15½ po). Plumage nuptial : surtout noir ; face blanche ; touffe de longues plumes dorées, incurvées derrière l'œil ; bec fort, orange vif. Plumage d'hiver : plus terne ; touffes très réduites ; bec brun ou orangé.
Habitat. Eaux côtières ; falaises du littoral marin.

Nidification. Nid aménagé au fond d'un terrier creusé dans le sable de la plage, sur une île côtière, souvent en colonies ; un seul œuf blanc ou bleu pâle, maculé et lavé de mauve. Durée de l'incubation et durée du séjour de l'oisillon au nid non connues. Parfois deux couvées.
Nourriture. Petits poissons.

Macareux moine
(Macareux arctique ou de l'Atlantique)

Fratercula arctica

Seul macareux à fréquenter les côtes de l'Atlantique, le macareux moine arbore, comme tous les autres, un bec multicolore, aplati sur les côtés.

Bien que macareux et manchots vivent aux deux pôles de la terre, leurs mœurs sont fort semblables. Ils fréquentent des étendues glaciales, se propulsent dans l'eau avec leurs ailes, marchent au sol avec maladresse mais filent comme des torpilles dans l'eau et ne craignent pas la présence humaine. Au physique, ils arborent la même livrée imperméable noir et blanc, bon chic bon genre.

Or, les deux espèces ne sont absolument pas apparentées. Leurs similitudes sont nées sans doute de la nécessité, car leur environnement, géographiquement opposé, est identique : le sud du Sud, le nord du Nord. Des milieux où, pour survivre, il faut avoir le corps aérodynamique et le plumage épais.

Par ailleurs, des différences essentielles les séparent. Le macareux moine pond dans un terrier, au sommet d'une falaise recouverte d'humus ; le manchot dépose ses œufs sur la glace. Le manchot est incapable de voler ; le macareux y arrive, quoiqu'il éprouve souvent de la difficulté à s'élever dans les airs. Mais cela n'a guère d'importance, car c'est dans l'eau que manchots et macareux font la démonstration de leur virtuosité ; dans les étendues glacées de leurs océans, ils sont heureux... comme des poissons dans l'eau.

Rien, chez l'oisillon, ne laisse présager le bec qu'aura l'adulte en plumage nuptial.

Description. Longueur 29-34,5 cm (11½-13½ po). Oiseau trapu à gros bec ; dessus noir ; face et dessous blancs ; bec triangulaire rouge, jaune et bleu ; pattes orange. En hiver : plus terne ; face sombre ; bec plus petit et moins coloré. **Habitat.** Haute mer. Niche sur des îles rocheuses. **Nidification.** Nid d'herbes, de plantes marines et de plumes, logé au fond d'un terrier ; un seul œuf blanc, parfois tacheté de brun ; 5-6 semaines d'incubation assurée par la femelle. L'oisillon naît couvert de duvet ; quitte le nid, seul, 7 semaines après l'éclosion. **Nourriture.** Poissons, mollusques, crustacés.

Sans eux, la mer ne serait plus la mer
et il manquerait des accents au grand
souffle palpitant de la vague. Peut-on
imaginer Percé sans les fous de Bassan,
la côte gaspésienne sans les mouettes
et les goélands ? Le ciel au-dessus
de l'océan serait bien vide sans les
sternes, les guifettes, les puffins et les
pélicans, tous ces oiseaux marins qui
planent dans la splendeur du jour,
plongent comme des fusées, écument
la blanche couronne des vagues
et vont dans les profondeurs marines
cueillir les fruits de mer dont
ils se nourrissent.

Oiseaux de mer

Goéland cendré

Fulmar
boréal

Fulmarus glacialis

Adulte en phase pâle

A iles grises, tête et queue blanches : au premier coup d'œil, ce fulmar pourrait passer pour un goéland. Mais il est bien plus marin que le goéland qui s'écarte rarement de la côte ; le fulmar, lui, ne fréquente que le grand large.

Il vaut mieux, d'ailleurs, observer le fulmar de loin que de près, car l'oiseau, s'il est surpris, vomit une substance huileuse stomacale dont l'odeur nauséabonde et musquée reste plus longtemps dans la mémoire de l'ornithophile que tout autre trait caractéristique. Pourtant il fut un temps où on recueillait cette huile pour s'éclairer et pour soigner certaines maladies.

Oiseau robuste, le fulmar se range parmi les espèces à narines externes et tubulaires dont les orifices se situent dans la partie avant du bec, juste au-dessus du bout crochu. Des glandes spéciales se conjuguent à ces tubes nasaux pour éliminer l'excès de sel de son sang et lui permettre de boire l'eau de mer. Le fulmar est chez lui dans les eaux grises de l'Arctique et sur les falaises glaciales où seule une mince couche d'humus isole ses œufs du pergélisol. Quand s'installe l'hiver, il descend vers le sud pour pêcher les petits poissons et les créatures marines dont il se nourrit. Il se ralliait autrefois aux baleiniers pour les détritus qu'ils jetaient à la mer et dont l'oiseau faisait ses beaux jours. Aujourd'hui, les fulmars se rassemblent autour des grands bateaux de pêche, tout comme les goélands qu'ils ne sont pas.

Description. Longueur 43-50 cm (17-20 po). Semblable au goéland. Plumage surtout blanc ; ailes et dos gris ; bec épais, jaune et incurvé. Phase foncée : plumage uniformément gris. Plane et vole au ras de l'eau.
Habitat. Haute mer, sauf pour nicher.
Nidification. Nid peu profond fait d'herbes et de tiges, posé sur une corniche ou une falaise du littoral ; un seul œuf blanc ; 8 semaines d'incubation assurée par le couple. L'oisillon naît couvert de duvet ; quitte le nid 7 semaines après l'éclosion.
Nourriture. Poissons, mollusques et crustacés ; détritus lancés par les bateaux à la mer.

Pétrel cul-blanc

Oceanodroma leucorhoa

Les pétrels-tempête appartiennent à la famille des hydrobatidés qui compte 11 espèces en Amérique du Nord, dont quatre au Canada. Ce sont de petits oiseaux de mer qui ressemblent un peu aux hirondelles par leurs ailes longues et leur queue fourchue. Ils vivent presque tout le temps en mer, ne revenant sur terre que pour nicher.

Les pétrels-tempête ont toujours été des oiseaux de mauvais augure. Les marins, souvent superstitieux, craignaient de les voir se rassembler à la proue du navire car ils présageaient, selon eux, le mauvais temps. Le nom de pétrel vient de Pietro, nom italien de saint Pierre. On le donna à l'oiseau en souvenir du disciple du Christ qui aurait marché sur les eaux. C'est ce qu'on dit du pétrel ; il a souvent l'air de courir au sommet ou dans le creux des vagues. Pure illusion d'optique !

Dans un vol de pétrels-tempête, le pétrel cul-blanc, nommé ainsi à cause de son croupion blanc, est plus gros que les autres et fait penser à une chauve-souris. Comme tous les pétrels-tempête, il aménage son nid au fond d'un étroit terrier creusé par le mâle, dans une île boisée. Durant la saison de nidification, il est surtout actif de nuit. Arrivant de la mer, il se dirige vers l'amas de sapins et d'épinettes qui surplombe son terrier et se laisse tomber de branche en branche ; au sol, se frayant un chemin à travers les obstacles, il repère, parmi les nombreuses entrées, celle qui mène à son propre nid. Le rejeton qui s'y trouve aura acquis, en septembre, les forces nécessaires pour suivre ses parents en haute mer.

Le petit pétrel séjourne deux mois au terrier avant de suivre ses parents en haute mer.

Description. Longueur 19-22,5 cm (7½-9 po). Petit oiseau noirâtre, semblable à une hirondelle. Croupion blanc, parfois foncé chez les formes du Pacifique ; queue fourchue. Voltige bas sur l'océan en repliant à demi les ailes ; vole comme un épervier avec d'amples battements d'ailes. **Habitat.** Haute mer.

Nidification. Niche dans un terrier creusé par le mâle sous une bûche, dans une île du littoral ; un œuf blanc ; 6 semaines d'incubation assurée par le couple. L'oisillon naît couvert de duvet ; quitte le nid à 9-10 semaines. Mœurs nocturnes ; niche en colonie nombreuse.
Nourriture. Poissons, crevettes, ordures en mer.

Puffin fuligineux

Puffinus griseus

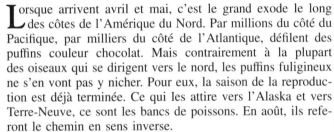

Lorsque arrivent avril et mai, c'est le grand exode le long des côtes de l'Amérique du Nord. Par millions du côté du Pacifique, par milliers du côté de l'Atlantique, défilent des puffins couleur chocolat. Mais contrairement à la plupart des oiseaux qui se dirigent vers le nord, les puffins fuligineux ne s'en vont pas y nicher. Pour eux, la saison de la reproduction est déjà terminée. Ce qui les attire vers l'Alaska et vers Terre-Neuve, ce sont les bancs de poissons. En août, ils referont le chemin en sens inverse.

Il faut des aptitudes particulières pour franchir les grandes distances qui séparent les deux hémisphères et ce sont celles que possède le puffin fuligineux, ce spécialiste du long cours. Certains oiseaux font le trajet en ramant puissamment des deux ailes ; d'autres se laissent porter par les courants thermiques en planant passivement. Les puffins fuligineux conjuguent les deux techniques ; leurs longues ailes étroites tirent parti du vent pour leur permettre de s'élever dans les airs et rejoindre, en altitude, les courants plus rapides. Une fois là haut, ils comptent sur la gravité pour passer d'une nappe d'air à l'autre et ils naviguent ainsi pendant des heures sans jamais cesser de planer. C'est quand le vent tombe que surviennent les difficultés. Ils n'ont plus alors qu'à se poser sur l'eau en grandes bandes brunes pour attendre, à l'instar des bateaux à voile, que le vent souffle à nouveau.

Description. Longueur 48-50 cm (19-20 po). Oiseau élancé à longues ailes. Plumage uniforme brun foncé ; dessous des ailes blanchâtre. Plane au ras des vagues ou en altitude ; parfois suit les navires. S'observe en grands vols, surtout au-dessus du Pacifique.
Habitat. L'océan ; niche dans l'hémisphère Sud.

Nidification. Niche en colonies nombreuses au fond d'un terrier dans une île en pleine mer ; un seul œuf, blanc ; 8 semaines d'incubation assurée par le couple. L'oisillon naît couvert de duvet ; quitte le nid 14 semaines après l'éclosion.
Nourriture. Poissons, calmars, crustacés ; parfois, détritus des bateaux en mer.

Puffin majeur
(Grand puffin)

Puffinus gravis

En avril, la population mondiale entière des puffins majeurs quitte ses terriers de nidification dans le plus grand silence et abandonne les minuscules îles de l'Atlantique du Sud où sont nés ses petits. En mai et en juin, on retrouve les puffins majeurs sur les rivages marins de l'est de l'Amérique du Nord où ils font bombance parmi les anguilles de sable. En juillet, ils se rassemblent par millions sur les bancs de poissons au large de Terre-Neuve où ils demeureront jusqu'au mois de septembre, à l'affût des déchets et des appâts inutilisés que les pêcheurs rejettent à la mer.

Bruns dessus, blancs dessous, silencieux comme les hiboux dans la neige, ils tracent des cercles au-dessus des chalutiers comme une armée de sentinelles à plumes. Maladroits sur terre, ils sont d'une grâce admirable dans les airs et sur l'eau, parfaitement en harmonie avec le vent et la mer. On peut les regarder planer pendant des heures au ras des vagues, leurs ailes recourbées effleurant l'écume blanche qui déferle. Mais si du pont on lance à la mer quelques morceaux de choix, le ballet se transforme en mêlée. Des douzaines d'oiseaux se disputent à coups d'aile et de bec chaque bouchée du festin.

Autrefois, les marins les abattaient par milliers pour s'en nourrir et en faire des appâts. Aujourd'hui, c'est hasard ou malchance si un puffin majeur s'enferre dans un hameçon, comme un tribut à payer pour avoir droit au banquet.

Le puffin majeur plonge dans la mer pour attraper poissons et calmars.

Description. Longueur 46-50 cm (18-20 po). Oiseau élancé à longues ailes. Dessus brun ; tête brun foncé ; face, gorge et dessous blancs. Plane en altitude et au ras des vagues ; suit les navires.
Habitat. L'océan ; niche dans l'hémisphère Sud.
Nidification. Nid d'herbe au bout d'un terrier en colonies dans une île océanique lointaine ; un seul œuf, blanc ; 8 semaines d'incubation assurée par le couple. L'oisillon naît couvert de duvet ; quitte le nid 12 semaines après l'éclosion.
Nourriture. Poissons, calmars, crustacés ; déchets jetés en mer par les bateaux de pêche.

Fou brun

Sula leucogaster

Les fous sont de grands oiseaux marins caractérisés par de longues ailes pointues, un bec long, effilé et droit, et une petite poche peu visible sur la gorge. Ils ont l'habitude de planer longuement dans les airs et de plonger de très haut dans la mer quand ils aperçoivent un poisson.

Le fou brun ne fréquente le Canada qu'exceptionnellement. Dans les années 40, un spécimen vivant fut capturé en Nouvelle-Écosse. On pouvait, paraît-il, s'approcher de lui sans l'effrayer. L'anecdote nous ramène à l'origine du mot « fou » pour désigner cette espèce d'oiseaux. Un texte écrit en 1725 et cité par le grand naturaliste français Buffon expliquait qu'on a donné le nom de *fol* à cet oiseau à cause de sa stupidité, de son air niais, de sa manie de secouer la tête sans arrêt et parce qu'il se laisse prendre facilement avec les mains. En anglais, il porte le nom de *booby*, c'est-à-dire « idiot », qui vient d'un terme espagnol *bobo*, ou « stupide », introduit dans la langue anglaise vers 1600. Or c'est justement le terme qu'utilisaient par dérision les marins espagnols pour désigner cet oiseau à cause de sa trop grande crédulité envers les êtres humains.

Le fou brun niche dans les Antilles et fréquente les eaux tropicales de l'Atlantique, du Pacifique et de l'océan Indien. On le trouve également en fin d'été à l'extrémité méridionale de la Floride, dans ce qu'on appelle la mer de Salton. Sa livrée est classique : parties supérieures, tête, cou, poitrine brun foncé ; parties inférieures blanches. Seules taches de couleur : un bec et des pattes jaune paille.

Sur la côte ouest, le fou brun a la tête blanche et sur la côte est, la tête brune.

Description. Longueur 66-71 cm (26-28 po). Gros oiseau à queue et bec pointus. Dessus et poitrine brun foncé ; abdomen et dessous des ailes blancs ; poitrine et abdomen bien délimités. Petite poche gulaire jaune, visible de près. Juvénile : entièrement brun foncé.
Habitat. Océans tropicaux.

Nidification. Aucun nid ; 1-3 œufs bleu pâle, pondus sur le sol ou le roc nu, souvent au bord d'une falaise ; 6 semaines d'incubation assurée par le couple. Les oisillons quittent le nid 13-15 semaines après l'éclosion.
Nourriture. Poissons pêchés en plongeant du haut des airs.

Fou de Bassan

Morus bassanus

À 5 km au large de Percé, l'île Bonaventure est fréquentée chaque année par des milliers de visiteurs et des milliers de fous de Bassan qui nichent dans la falaise. On fait le tour de l'île en bateau, mais on peut aussi se rendre à pied au sommet de la falaise où s'empilent, dans la confusion la plus totale, un nombre incroyable de ces beaux oiseaux.

Le fou de Bassan est moins élégant sur terre que dans les airs. Il marche en se dandinant et se querelle sans cesse avec ses voisins. Mais dès qu'il s'envole, il force l'admiration. Tout un rituel précède ce moment. L'oiseau lève la tête vers le ciel, la secoue et ouvre à demi les ailes. Il marche alors clopin-clopant vers le bord de la falaise et s'élance dans le vide.

Le fou de Bassan est un plongeur d'une audace redoutable. Inquiétante même pour l'ornithophile qui se trouve dans une barque au moment où les pêcheurs, tirant leurs lignes, rejettent à la mer les appâts. Une observatrice raconte : « Il pleuvait des fous tout autour du bateau. Plus leur nombre augmentait, plus ils plongeaient de haut et se rapprochaient de la barque. À tel point qu'un oiseau se prit le bec dans l'énorme hameçon que venait de dégager un pêcheur. Il fallut l'amener dans la barque et, pendant que nous le tenions à trois sans essuyer trop de résistance, le pêcheur retira délicatement l'engin avant de remettre l'oiseau à la mer. Ce fut un moment inoubliable, un face à face inespéré avec un fou de Bassan. »

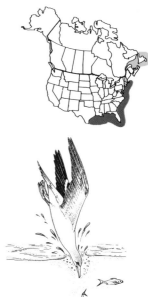

Le fou de Bassan plonge très vite et de très haut, les ailes à demi repliées.

Description. Longueur 89-102 cm (35-40 po). Grand oiseau à queue et bec pointus. Adulte : blanc de neige ; bout des ailes noir ; tête marquée de jaune ; bec gris. Juvénile : tacheté de brun ; dessous blanchâtre. Vole au-dessus des vagues ; plonge de très haut.
Habitat. Haute mer.

Nidification. Nid fait d'un amas d'algues et de débris végétaux divers, en colonies nombreuses sur une falaise du littoral ou sur une île ; un seul œuf, bleu poudre ; 6 semaines d'incubation assurée par le couple. L'oisillon quitte le nid 13-15 semaines après l'éclosion.
Nourriture. Poissons capturés en plongeant.

Pélican blanc d'Amérique
(Pélican blanc)

Pelecanus erythrorhynchos

Le bec plat du pélican blanc s'orne d'excroissances cornées au moment de la nidification.

Le pélican est un oiseau marin d'une grande élégance et d'une grâce incomparable. Un de ses traits distinctifs est particulièrement curieux. La mandibule inférieure de son bec est pourvue d'une grande poche de peau nue qui communique avec la gorge et peut se dilater pour contenir jusqu'à 10 litres d'eau qu'il recueille avec les poissons, le double de la capacité de son estomac. À peine âgé de neuf semaines, le bébé pélican aurait déjà engouffré quelque 70 kg de petits poissons que les parents s'épuisent à lui fournir, car il leur faut parfois parcourir jusqu'à 150 km pour s'approvisionner.

Mais le dévouement familial n'est pas le seul trait remarquable de cet oiseau. La nature offre peu de spectacles aussi admirables qu'un groupe de pélicans blancs planant et ramant à l'unisson, en file ou en formation, dans le ciel de la Prairie canadienne. Même de très loin, on peut voir briller dans le ciel le blanc éblouissant de leur plumage que mettent en relief le noir du bout des ailes et le jaune du bec et des pattes. Ce sont des maîtres pêcheurs, même s'ils ne plongent pas du haut des airs comme les fous. Seuls ou en petits groupes, ils pataugent dans l'eau peu profonde et happent le poisson d'un coup de bec adroit. Ils savent aussi faire équipe. Formant une longue chaîne, ils avancent vers le rivage en frappant bruyamment l'eau de leurs ailes puissantes pour rabattre les poissons vers les eaux peu profondes où ils les attraperont facilement.

Description. Longueur 1,3-1,8 m (50-70 po). Très grand oiseau trapu ; plumage blanc neige ; bout des ailes noir ; pattes et bec plat jaunes. S'observe en grands vols ; plane souvent.
Habitat. Marais, lacs, lagunes.
Nidification. Nid : un gros monticule de terre et de débris végétaux, sur une île ou dans un marais (nid parfois flottant, parfois totalement absent) ; 1-6 œufs blanc terne ; 5 semaines d'incubation assurée par le couple. Les oisillons quittent le nid 4 semaines après l'éclosion.
Nourriture. Poissons capturés à la surface de l'eau.

Pélican brun

Pelecanus occidentalis

Comme tous les oiseaux de son espèce, le pélican brun a une queue courte et des pattes palmées, une poche bien visible sur la gorge et un long bec plat dont la mandibule supérieure est incurvée. En dépit de son nom, ce pélican a la tête presque entièrement blanche et le corps gris et n'a de brun marron qu'une bande recouvrant le cou et la nuque. Il niche le long des côtes américaines du Pacifique et de l'Atlantique. Si on le voit au Canada, c'est près de la frontière des États-Unis, en Colombie-Britannique ou en Nouvelle-Écosse.

L'espèce fut sauvée de l'extinction au début du siècle grâce au président Theodore Roosevelt qui, en 1903, lui destina une île au large de la Floride où il était désormais interdit aux pêcheurs et aux chasseurs de le tuer. Ce fut le premier refuge d'oiseaux au monde et le pélican brun, maintenant hors de danger, en est le vivant héros.

Grand plongeur et adroit pêcheur, il s'élance, tête la première, d'une hauteur d'environ 20 m pour émerger ensuite de l'écume un poisson dans le bec. Un réseau de sacs aériens, qui s'étend sur tout son squelette et juste sous son épiderme, le fait remonter à la surface et toujours face au vent pour reprendre son vol plus facilement. Facilement : c'est vite dit ! Quand on voit l'énergie qu'il déploie pour atteindre la vitesse nécessaire avant de s'élever dans les airs, on en conclut qu'il a beaucoup de mérite à plonger.

Le jeune pélican brun est vraiment brun ; plus tard, sa tête s'agrémente de blanc.

Description. Longueur 1-1,4 m (42-54 po). Très grand oiseau à gros bec plat. Adulte : corps brun-gris ; tête et cou blancs ; capuchon et nuque brun marron en plumage nuptial. Juvénile : brun terne. Plonge du haut des airs ; se perche sur les bittes des jetées.
Habitat. Baies continentales, lagunes, estuaires.

Nidification. Nid : un amas de brindilles, de roseaux et de débris végétaux, à 1-3 m (4-10 pi) du sol dans un arbuste ; ou bien monticule de boue et de matières végétales, au sol ; 2-3 œufs blanchâtres ; 4 semaines d'incubation. Niche en colonies, souvent dans des îles protégées.
Nourriture. Poissons et quelques crevettes.

Labbe parasite

Stercorarius parasiticus

L'ornithophile, sans le vouloir, chasse les parents du nid et le labbe se saisit des petits.

Les labbes appartiennent à deux mondes. Ce sont des oiseaux de proie qui fréquentent les mers et les terres. Ils passent pour les maîtres dans l'art de piller les autres oiseaux. En mer, ils poursuivent les goélands et les sternes pour les forcer à laisser tomber la proie de leur bec. En Europe, on les appelle des stercoraires, du mot latin *stercus* qui veut dire fumier. Cette étymologie en dit long sur la réputation des labbes. On les nomme également mouettes pillardes.

Durant les interminables journées de l'été arctique, les labbes font planer la terreur sur les oiseaux nicheurs. Volant bas au-dessus de la toundra, ces pirates ailés débusquent et dérobent œufs et oisillons sans vergogne. Les petits rongeurs ne sont pas à l'abri de leurs prédations, non plus d'ailleurs qu'un certain nombre d'oiseaux adultes qu'ils dévorent ou transportent dans leur nid pour alimenter leurs petits.

La distribution des labbes en mer n'est pas encore parfaitement connue. On sait néanmoins qu'en hiver et durant les migrations, les labbes parasites s'approchent davantage des rivages que les labbes pomarins et les labbes à longue queue. Mais il faut être particulièrement choyé des dieux pour entrevoir un labbe, qu'il soit pomarin ou parasite. D'ailleurs, tout ce qu'on aperçoit la plupart du temps, c'est une ombre sinistre qui fend sa route à travers un vol de goélands inquiets.

Description. Longueur 38-53 cm (15-21 po). Dessus brun ; vertex noirâtre ; dessous blanchâtre ; bande pectorale mal dessinée ; rectrices centrales longues et pointues ; marques blanches au bout des ailes en vol. Poursuit goélands et sternes pour leur voler la nourriture.
Habitat. Plages et océan. Niche dans la toundra.

Nidification. Nid creusé dans le sol et non tapissé ; 1-3 œufs olive marqués de brun ; 24-28 jours d'incubation assurée par le couple. Les oisillons naissent couverts de duvet ; quittent le nid 5 semaines après l'éclosion.
Nourriture. Poissons dérobés à d'autres oiseaux ; rongeurs, petits oiseaux dans la toundra.

Mouette de Bonaparte

Larus philadelphia

Au sein d'une famille notoire pour ses cris rauques, son appétit grossier et ses querelles bruyantes, la mouette de Bonaparte tranche sur le commun par son caractère pacifique. Ce petit goéland au manteau gris préfère élever sa famille dans les forêts conifériennes de l'Alaska et de l'ouest du Canada, loin de la concurrence qui sévit près des côtes. C'est l'oiseau le plus menu de sa famille dans l'hémisphère boréal, dont l'élégance rappelle celle de la sterne en vol. Il mange avec la plus grande distinction, soit qu'il écume la surface de la mer pour capturer des poissons, soit qu'il plonge pour picorer de petits crustacés et des vers arénicoles.

La mouette de Bonaparte amorce au mois d'août son vol migratoire vers ses quartiers d'hiver ; en chemin, elle fait de nombreux arrêts pour se nourrir et fréquente alors les vasières. Les routes qu'elle emprunte en amènent un bon nombre jusque dans les Antilles ; la plupart du temps, cependant, elle suit les rivières et les fleuves pour aboutir sur les côtes de l'Atlantique et du Pacifique. L'un des cours d'eau qu'elle affectionne tout particulièrement est la rivière Niagara, fréquentée par quelque 60 000 spécimens à la fois qui prennent plaisir à survoler ses eaux tumultueuses en amont et en aval des chutes. D'autres s'en vont vers le sud par la baie de Fundy où l'on est habitué à voir en fin d'été la petite mouette distinguée, encapuchonnée de noir.

À l'inverse de ses semblables, la mouette de Bonaparte niche dans un arbuste loin des côtes.

Description. Longueur 30-35,5 cm (12-14 po). Plumage nuptial : capuchon noir ; bec noir ; dos et ailes gris pâle ; marque blanche sur l'aile externe ; dessous des ailes blanc ; pattes rouges. En hiver : tête blanche ; petit point noir derrière l'œil. Juvénile : barre alaire gris sombre ; barre caudale noire.

Habitat. Lagunes, estuaires, rivages ; niche dans les lacs du Nord.

Nidification. Nid de brindilles dans un conifère, à 1,5-6 m (5-20 pi) de haut ; 2-3 œufs chamois marqués de brun ; 24 jours d'incubation assurée par le couple. Oisillons couverts de duvet.

Nourriture. Insectes, crustacés, vers arénicoles.

Mouette de Franklin

Larus pipixcan

Les mouettes de Franklin suivent la charrue pour saisir les insectes qu'elle soulève.

Identifier des goélands parmi un groupe de leurs congénères de tout âge et de toute couleur n'est pas chose aisée. Pour s'y retrouver, il faut savoir en combien d'années le goéland en question acquiert son plumage d'adulte. La mouette de Franklin, par exemple, met deux ans avant d'acquérir le sien. Elle naît en été, porte brièvement un plumage de juvénal puis, après une courte mue, acquiert le plumage du juvénile à son premier hiver. Le printemps suivant, nouvelle mue et plumage du juvénile à son premier été. Quand l'automne arrive, l'oiseau mue de nouveau et se revêt du plumage de l'adulte en hiver. Le printemps suivant, après la mue, il arbore pour la première fois la livrée de l'adulte en plumage nuptial. Dès lors, il alternera entre la phase d'hiver et la phase d'été. Donc, pour identifier la mouette de Franklin, il faut s'attendre, en toute saison, à rencontrer deux plumages.

La mouette de Bonaparte suit la même évolution. Par contre, le goéland de Heermann et le goéland à bec cerclé acquièrent leur plumage adulte à trois ans, le goéland de Californie, le goéland argenté et le goéland à manteau noir, à quatre ans. Chaque année les couleurs changent, jusqu'à l'acquisition du plumage adulte qui, par la suite, ne change qu'entre l'hiver et l'été. Heureusement, mâles et femelles sont identiques.

Description. Longueur 33-38 cm (13-15 po). Adulte en plumage nuptial : capuchon noir ; large cercle oculaire incomplet ; bec rouge ; ailes et dos gris ; bout des ailes noirâtre, marqué d'une barre blanche ; fine ligne blanche à l'extrémité des ailes. Juvénile : dessus brun foncé ; dessous blanc terne ; capuchon cendré ; bec noir ; croupion blanc ; large barre caudale noire. **Habitat.** Marais, lacs, rivages de l'intérieur. **Nidification.** Nid d'herbes paludéennes, dans un marais ; 2-3 œufs olive maculés de brun foncé ; 3 semaines d'incubation. Oisillons couverts de duvet. Durée du séjour au nid non connue. **Nourriture.** Insectes, petits poissons.

Mouette à tête noire

(Mouette atricille, mouette rieuse d'Amérique)

Larus atricilla

Ce petit goéland adore se percher sur les bittes des jetées où les barques viennent s'amarrer de retour au port. La mouette à tête noire, qu'on appelait autrefois mouette rieuse, niche sur la côte atlantique, depuis la Nouvelle-Écosse jusqu'à la Floride, et sur le littoral du golfe du Mexique. Sa présence est occasionnelle autour de Montréal, dans le sud du Québec, et dans le sud de l'Ontario.

L'adulte en plumage nuptial présente un manteau gris et des ailes ourlées de blanc aux extrémités ; il a la tête noire, le bec rouge et les primaires de la queue ponctuées de blanc. Mais attention ! En fin d'été, l'oiseau quitte sa belle livrée pour adopter un plumage d'hiver. Le capuchon noir qu'il porte sur la tête pâlit pour faire place à des plumes plus ternes, comme cela se produit chez la plupart des goélands à tête noire. (Curieusement, c'est le contraire qui arrive chez les goélands à tête blanche, comme le goéland de Californie.)

Cet oiseau suit le littoral marin d'assez près. Il ne fréquente ni les dépotoirs, ni les étangs de décantation, mais préfère s'attaquer avec courage et entrain aux œufs des limules et aux vers de terre qu'il cueille dans la terre des sillons que vient de retourner la charrue. Des centaines de mouettes à tête noire se rassemblent, en temps opportun, pour croquer les insectes suceurs qui éclosent sur les rivages marins. Bombance faite, les oiseaux retournent à leurs marais d'eau salée où ils nichent en vastes colonies.

La mouette à tête noire espère pouvoir voler un poisson au pélican.

Description. Longueur 38-43 cm (15-17 po). Adulte en plumage nuptial : capuchon noir ; bec rouge ; ailes et dos gris ; ailes bordées de blanc sur la partie postérieure. Adulte en hiver : tête blanche marbrée de gris ; bec noirâtre. Juvénile : dessus brun foncé ; dessous blanchâtre ; croupion blanc ; queue à large barre noire.

Habitat. Plages, marais salés, lagunes.
Nidification. Nid d'herbes paludéennes en forme de coupe, dans un marais saumâtre ; 3-4 œufs olive tachés de brun foncé ; 3 semaines d'incubation. Les oisillons naissent couverts de duvet. Durée de leur séjour au nid non connue.
Nourriture. Poissons, vers, insectes, déchets.

Goéland de Heermann
(Mouette de Heermann)

Larus heermanni

Le goéland de Heermann doit protéger ses œufs contre la chaleur étouffante.

Quel soulagement d'apercevoir soudain un goéland de Heermann ! Enfin un oiseau de mer qui se laisse facilement identifier. Son manteau gris foncé contraste avec son bec rouge et, en été, avec sa tête blanche. Quand il étend les ailes, on voit qu'elles sont ourlées de blanc sur la partie postérieure, tandis que sa queue blanche est noire au bout. Même les juvéniles, brun chocolat, sont aisément reconnaissables.

Jeunes et adultes se distinguent donc par leur plumage des goélands à corps blancs et, parfois, à tête noire que l'on rencontre d'ordinaire en Amérique du Nord. Ils s'en distinguent aussi par leurs mœurs. Les goélands de Heermann se reproduisent au printemps dans le nord-ouest du Mexique où les parents couvent les œufs, non pas pour les réchauffer, mais pour les abriter du soleil meurtrier. Une fois les oisillons élevés, les colonies de goélands de Heermann émigrent vers le nord, à travers les États-Unis, pour atteindre la Colombie-Britannique en juillet. Ils hivernent sur le littoral du Pacifique qu'ils abandonnent pour venir à nouveau nicher au Mexique.

On ne sait pas pourquoi le goéland de Heermann affiche un tel comportement. La nourriture abondante qu'il trouve sur les rivages du Pacifique n'y est sans doute pas étrangère. Neuf autres espèces de goélands hivernent dans ces parages dont huit viennent, elles, du nord. Puisque les colonies de goélands de Heermann se portent bien, c'est qu'elles ont raison de passer l'hiver au nord de leur aire de nidification.

Description. Longueur 46-53 cm (18-21 po). Corps gris. Adulte en plumage nuptial : tête blanche ; bec rouge ; queue noire. Adulte en hiver : tête marquée de brun-gris. Juvénile : brun chocolat ; bec rosé.
Habitat. Baies, ports, rivages marins.
Nidification. Nid d'herbes et de brindilles parmi les roches dans des îles du littoral ; 2-3 œufs crème maculés de brun et de mauve. Durée de l'incubation et durée du séjour des oisillons au nid non connues. Niche en colonies.
Nourriture. Poissons, mollusques, crevettes et autres crustacés. Éboueur et nécrophage.

Goéland cendré
(Goéland à bec court)

Larus canus

La plupart des laridés ont la même apparence et les mêmes mœurs : ils tournoient au-dessus des dépotoirs et accompagnent bruyamment les barques des pêcheurs. Mais ils ne sont pas tous mendiants et charognards. Le goéland cendré, quant à lui, préfère de beaucoup débusquer des vers de terre près des marais d'eau douce, des lacs et des rivières, durant la saison de nidification, et chercher des mollusques sur les plages marines et dans les vasières, en hiver et en migration.

Au printemps, en route pour faire son nid à l'intérieur des terres, le goéland cendré dédaigne les décharges pour s'abattre en grandes bandes dans les champs cultivés. Il sait que la charrue, en retournant la terre, dégagera des milliers de larves d'insectes, une nourriture de choix. Or, un grand nombre de ces larves sont des ravageurs de récolte ; les agriculteurs saluent donc l'arrivée massive des goélands cendrés (comme ailleurs, celle des goélands de Californie et des mouettes de Franklin) avec grande satisfaction.

Volant en rase-mottes au-dessus des trouées ouvertes par le soc, les goélands cendrés piquent avec entrain pour arracher leurs proies à la terre. De même, en hiver, ils survolent la mer et, d'un coup de bec, cueillent prestement des anguilles de sable. Des glandes spéciales logées au-dessus des yeux — et que possèdent beaucoup d'oiseaux de mer — leur permettent de boire impunément l'eau salée.

Description. Longueur 41-46 cm (16-18 po). Surtout blanc ; ailes et dos gris ; bout des ailes noir avec une tache blanche ; bec petit et jaune ; pattes rosées. Juvénile : brun-gris tacheté ; bec petit à bout noir ; pattes rose terne.
Habitat. Littoral marin, lacs marécageux, rivières.
Nidification. Nid d'herbes et de plantes palu-déennes, logé au sol ou dans une épinette, souvent en colonie ; 1-4 œufs chamois ou verdâtres, maculés de brun ; 25-33 jours d'incubation assurée par le couple. Les oisillons, couverts de duvet, quittent le nid peu après l'éclosion ; ils deviennent autonomes à 5 semaines.
Nourriture. Insectes, vers de terre, crustacés.

Goéland
à bec cerclé

Larus delawarensis

Durant l'été, les sauterelles sont une bonne source de protéines.

Quelle est la différence entre une mouette et un goéland ? Aucune qui soit essentielle : c'est une question de taille. Le passage d'un nom à l'autre s'effectue entre 40-45 cm. À moins de 40 cm, on donne à l'oiseau le nom de mouette, qui vient d'un vieux mot francique, *maoue* ; au-dessus de 45 cm, c'est un goéland, mot originant du bas breton, *gwelan*. Entre les deux, c'est comme on veut.

Avec ses 46 cm, le goéland à bec cerclé a pleinement droit à son nom. John James Audubon le considérait comme le goéland le plus commun en Amérique du Nord. Depuis lors, il semble avoir délaissé certains de ses territoires et perdu son titre de premier goéland du continent. Le plus répandu de tous, c'est maintenant le goéland argenté : grâce à son éclectisme qui lui permet de vivre un peu partout et de manger un peu de tout, il est devenu le goéland par excellence.

Plus petit que lui, le goéland à bec cerclé lui ressemble par la morphologie, la couleur et le vol. Un trait, cependant, le distingue au premier coup d'œil : l'anneau noir qu'il arbore presque au bout du bec et qui lui a donné son nom. L'ornithophile remarquera également que l'adulte a les pattes jaunes alors que celles du goéland argenté sont rosées.

Les goélands à bec cerclé sont les bienvenus dans les terres agricoles où ils reviennent nicher chaque année. Ardents insectivores, ils affectionnent tout particulièrement les sauterelles, au grand soulagement des agriculteurs.

Description. Longueur 46-50 cm (18-20 po). Surtout blanc ; ailes et dos gris ; bout des ailes noir à taches blanches ; bec jaune marqué d'un cercle noir ; pattes jaunes. Juvénile : tacheté de gris pâle et de brun ; queue blanche à ligne noire ; bec à bout noir ; pattes rose terne.
Habitat. Littoral marin, lacs, parcs urbains.

Nidification. Nid d'herbes et de tiges dissimulé au sol ; 2-4 œufs brun pâle maculés de brun et de mauve ; 25 jours d'incubation assurée par le couple ; les oisillons naissent couverts de duvet ; âge du premier vol non connu. Niche en grandes colonies.
Nourriture. Insectes et petits poissons ; ordures.

Goéland de Californie

Larus californicus

Le goéland de Californie ne porte pas tout à fait son nom puisqu'il niche non seulement dans le nord-est de la Californie, mais aussi dans les provinces de la Prairie canadienne et certains États américains. Il hiverne le long de la côte du Pacifique entre l'État de Washington et le Guatemala.

On pourrait aisément le confondre avec le goéland argenté n'étaient de ses pattes verdâtres et de taches noire et rouge sur la mandibule. Le goéland à bec cerclé s'en différencie par l'anneau foncé qu'il porte sur le bec et qui lui a donné son nom. Il se rapproche aussi du goéland cendré ; l'ornithophile remarquera cependant qu'il est plus petit que ce dernier qui, par ailleurs, a le bec uniformément vert-jaune, sans marque.

Au cours de la période de nidification, le goéland de Californie fréquente les étendues d'eau douce de l'intérieur, lacs, rivières ou marais ; il ne s'éloigne jamais beaucoup des champs cultivés qui lui fournissent les petits rongeurs, les insectes ravageurs et les vers des moissons dont il fait ses beaux jours, pour le plus grand bonheur des agriculteurs. À cette nourriture terrienne, il ajoute de petits poissons d'eau douce.

Comme le goéland argenté, le goéland de Californie n'acquiert son plumage adulte qu'à partir de la quatrième année.

Le goéland de Californie niche avec le goéland à bec cerclé dans des îles lacustres.

Description. Longueur 53-56 cm (21-22 po). Oiseau blanc à ailes et dos gris ; bout des ailes noir tacheté de blanc ; bec jaune marqué de rouge et de noir ; pattes vert-jaune. Juvénile : macules gris pâle et brunes ; queue blanche à ligne noire ; bec à bout foncé ; pattes roses.
Habitat. Littoral marin, lacs, terres agricoles.

Nidification. Nid d'herbes et de tiges sur le sol, en colonie, près de l'eau ; 2-4 œufs chamois maculés de gris et de brun ; 23-27 jours d'incubation assurée par le couple. Les oisillons, couverts de duvet, quittent le nid peu après l'éclosion ; âge du premier vol non connu.
Nourriture. Insectes, rongeurs ; détritus.

Goéland argenté

Larus argentatus

L'oisillon bécote le point rouge du bec de l'adulte pour qu'il régurgite sa nourriture.

Peu d'écrivains ont parlé avec autant d'émotion de l'interdépendance des êtres vivant près de la mer que la célèbre naturaliste Rachel Carson. Elle disait du goéland argenté, par exemple, que c'est un oiseau remarquablement équipé pour affronter tous les temps, tous les orages et toutes les mers. Elle a décrit avec un merveilleux sens de l'observation un rivage rocailleux sur le bord de l'océan, peuplé de douzaines de goélands argentés attendant placidement au soleil que la marée se retire pour leur livrer des crabes et des oursins.

Ce goéland semble savoir d'instinct comment obtenir ce qu'il veut sans trop d'effort. Doté d'une morphologie particulièrement bien adaptée au vol, il se déplace avec puissance dans les airs aussi bien en avançant qu'en reculant et change de direction d'un imperceptible coup d'aile. Pourquoi se fatiguer à ouvrir avec son bec les carapaces des crustacés ? Il suffit de voler à une hauteur calculée au-dessus d'un chemin pavé et de laisser tomber sa proie. Sous le choc, la carapace casse ; il n'y a plus qu'à déguster l'occupant.

Les populations de goélands argentés croissent rapidement des deux côtés de l'Atlantique, favorisées par la multiplication des centres urbains dont ces oiseaux fréquentent les dépotoirs et les poubelles. Leur présence envahissante prive de lieux de nidification d'autres espèces plus faibles, autant sur le littoral qu'à l'intérieur des terres où les goélands argentés semblent en voie de s'installer de façon permanente.

Description. Longueur 56-66 cm (22-26 po). Oiseau blanc à ailes et dos gris ; bout des ailes noir tacheté de blanc ; bec jaune à point rouge ; pattes rosées. Juvénile : tacheté de brun ; queue à large barre noire ; pattes roses.
Habitat. Littoral marin, lacs, villes.
Nidification. Nid d'herbes, de tiges et d'algues, en colonies sur le sol ; 2-3 œufs bleuâtres, verdâtres ou chamois, maculés de brun ; 25-33 jours d'incubation assurée par le couple. Les oisillons naissent couverts de duvet ; quittent le nid peu après l'éclosion ; volent à 7 semaines.
Nourriture. Poissons, petits animaux marins, œufs et oisillons d'oiseaux de mer ; détritus.

Goéland d'Audubon
(Goéland de l'Ouest)

Larus occidentalis

C et oiseau opportuniste apprécie la proximité de l'homme et les nourritures facilement accessibles. Dans les dépotoirs des villes, le goéland d'Audubon a maintenant ses habitudes. Mais ce n'est pas d'hier qu'il sait comment profiter de la table abondante et variée qu'on lui fournit.

Au milieu du XIXe siècle, le goéland d'Audubon s'était rendu compte que les chasseurs d'œufs pouvaient lui rendre de grands services. Il les voyait apparaître en formation sur les plages des petites îles, pour chasser avec méthode et efficacité les oiseaux de leurs nids et s'emparer de leurs œufs. Au même moment, une vaste bande de goélands se rassemblait dans les airs. Les chasseurs d'œufs, avançant en ordre, traversaient l'île d'un bout à l'autre pour mettre les oiseaux en fuite. Les goélands s'abattaient aussitôt sur les nids désertés et brisaient autant d'œufs qu'ils le pouvaient. Les chasseurs laissaient aux prédateurs les œufs brisés pour se précipiter sur ceux qui demeuraient intacts.

La chasse aux œufs est révolue. Il n'empêche ! Ornithophiles, pêcheurs, touristes jouent parfois le même rôle que ces chasseurs, et avec les mêmes résultats. Quand leur présence inopinée chasse les oiseaux de leur nid, les goélands ne laissent pas passer l'aubaine. Telle est la loi de la nature.

Sur la côte du Pacifique, le goéland d'Audubon se nourrit des œufs des oiseaux de mer.

Description. Longueur 61-69 cm (24-27 po). Oiseau blanc à ailes et dos noirâtres ; bout des ailes marqué de blanc ; bec fort, jaune, à tache rouge ; pattes roses. Juvénile : maculé de brun ; queue blanche à large barre noire ; pattes rosées.
Habitat. Littoral marin.
Nidification. Nid à parois épaisses, fait d'herbes et de tiges, logé parmi les roches en colonie sur une falaise du littoral ou dans une île ; 1-4 œufs chamois maculés de brun ; 24-29 jours d'incubation assurée par le couple. Les oisillons naissent couverts de duvet et quittent le nid peu après l'éclosion et volent à 7 semaines.
Nourriture. Poissons ; ordures.

Goéland à ailes grises
(Goéland à ailes glauques)

Larus glaucescens

Les goélands à ailes grises et ceux d'Audubon s'accouplent fréquemment entre eux.

Cet oiseau cancane, barrit, pleure, crie et aboie. Lors de deux expéditions, en 1905 et en 1907, dans des îles désertes au large de la côte de l'État de Washington, W. Leon Dawson étudia le comportement des goélands à ailes grises. Les oiseaux ne semblaient pas troublés par sa présence et continuaient de couver sans s'occuper de lui. La cacophonie des sons qu'ils émettaient éveilla sa curiosité. Il aurait pu tout bonnement noter que ces oiseaux n'avaient pas la voix musicale. Il soupçonna plutôt que sous ces sons désagréables mais multiples se cachait peut-être un langage.

Il nota donc que les goélands à ailes grises émettaient surtout des *kou*, des *kâouk* et des *klouk-klouk*. Il remarqua que le premier cri, *kou*, proféré seul ou répété en syllabes, exprimait la désapprobation. Plus les *kou* devenaient aigus, plus semblait croître l'agitation de l'oiseau. Il y avait aussi des sons amicaux. Dans les couples, celui qui était resté sur le nid saluait d'un tendre *orî-â* son compagnon rentré d'une pêche en mer. Le plaisir paraissait s'exprimer par des *kîr-kîr* lancés en chœur par la colonie pendant que les oiseaux étiraient le cou et projetaient la tête en avant.

Dawson, fou de joie, en une occasion resta sur place toute une semaine à prendre des notes. Il sentait bien qu'un langage inconnu des savants se déployait devant lui. Avec une oreille fine, des yeux perçants, une patience à toute épreuve, il avait percé le secret d'un code de communication encore inviolé.

Description. Longueur 61-69 cm (24-27 po). Oiseau blanc à dos et ailes gris pâle ; ailes ourlées de blanc ; bec jaune marqué d'un point rouge ; pattes roses. Juvénile : maculé de brun-gris pâle ; tête blanchâtre ; bec noir ; pattes rosées.
Habitat. Littoral marin.

Nidification. Nid d'herbes et de plantes marines, en colonie sur le sol nu ou entre des roches ; 2-4 œufs chamois ou olive, maculés de brun ; 26 jours d'incubation assurée par le couple. Les oisillons naissent couverts de duvet ; quittent le nid peu après l'éclosion ; volent à 5-7 semaines.
Nourriture. Poissons ; détritus.

Goéland à manteau noir
(Goéland marin)

Larus marinus

Avec de lents mouvements d'ailes, le goéland à manteau noir vole haut dans le ciel, bien au-dessus de ses congénères de plus petite taille. Du droit du plus fort et du plus habile, il usurpe les meilleures places dans les colonies mixtes de nidification et se pose sur les perchoirs les plus élevés.

C'est le plus majestueux de tous les goélands. Sur les terrains de nidification qu'il partage avec de nombreuses espèces, on remarque qu'il est moins bruyant que les autres. Mais c'est le seul trait distinctif de sa personnalité. Pour le reste, en véritable laridé, il tire grand profit de la prolifération des dépotoirs. Ce sont eux qui ont permis aux populations de goélands et de mouettes de prendre de l'expansion aux dépens des oiseaux de mer de moindres dimensions. Pour aider ces derniers, on a pourtant installé des réserves naturelles, mais souvent à proximité de ces mêmes dépotoirs. Or, que pensez-vous qu'il arrive ? Au moment même où le goéland argenté a toute une couvée à nourrir, à proximité des décharges qu'il fréquente se trouvent des milliers de nids pleins d'œufs et d'oisillons où, grâce à sa taille, à sa force et à son audace de prédateur, il peut piquer tout à loisir ce qu'il faut à ses petits.

Mais la nature est juste dans sa cruauté. Lorsque les goélands argentés délaissent leur nid pour piller ceux des autres, des bandes de goélands à manteau noir s'y abattent et leur rendent la monnaie de leur pièce. Œil pour œil ; œuf pour œuf.

Le goéland à manteau noir dévore les rejetons des goélands plus petits que lui.

Description. Longueur 71-79 cm (28-31 po). Oiseau blanc à dos et ailes noirâtres ; ailes ourlées de blanc ; bec jaune à point rouge ; pattes roses. Juvénile : maculé de brun ; tête blanchâtre ; bec noir ; pattes rosées.
Habitat. Littoral marin, lacs, villes.
Nidification. Nid d'herbes, d'algues et de mousse, placé au sol, parfois en petite colonie ; 2-3 œufs olive ou havane, maculés de brun ; 26-30 jours d'incubation assurée par le couple. Les oisillons naissent couverts de duvet ; quittent le nid peu après l'éclosion ; volent à 6-8 semaines.
Nourriture. Poissons ; charogne ; œufs et oisillons ; ordures.

Mouette tridactyle

Rissa tridactyla

Chez la mouette tridactyle, le deuxième œuf, plus petit, parvient rarement à maturité.

La mouette tridactyle doit son nom à un trait distinctif, peu accessible à l'ornithophile amateur. Elle présente en effet un doigt postérieur réduit à une minuscule protubérance cutanée, sans griffe. De tous les goélands, elle est la seule à avoir cette anomalie, si l'on excepte la mouette à pattes rouges qui ne se rencontre pas d'ordinaire au Canada.

La mouette tridactyle ne vient à terre que pour nicher en immenses colonies sur les corniches qui surplombent l'océan. Son nid est si petit qu'elle doit se coller la poitrine contre le roc pour couver ses œufs, tandis qu'elle a la queue dans le vide. Quand les œufs éclosent, les oisillons apprennent vite à se tenir cois dans leur petit abri d'algues marines et de mousse exposé à tous les vents.

La mer est l'univers des mouettes tridactyles. On les voit se rassembler comme de gros nuages gris derrière les flottilles de pêche et les bandes de baleines, non pas pour mendier des restes, mais dans l'attente des petits mollusques et crustacés qui remontent avec le plancton dans leur sillage. Elles planent comme des sternes, puis plongent tête la première et nagent sous l'eau à la poursuite de leurs proies. Elles ne boivent que de l'eau salée et sommeillent en flottant sur les vagues.

La mouette tridactyle est une grande voyageuse circumpolaire. Au Québec, on peut voir des multitudes de mouettes tridactyles dans l'île Bonaventure côtoyer les fous de Bassan.

Description. Longueur 41-46 cm (16-18 po). Surtout blanc ; dos et ailes gris pâle ; bout des ailes noir, sans tache blanche ; bec jaune ; pattes noires. Juvénile : bande noire en travers de la nuque ; marque noirâtre en M sur les ailes et le dos ; queue pointue, noire au bout.
Habitat. Haute mer.

Nidification. Nid robuste d'algues, de mousse et de boue, en colonie, sur une étroite corniche en bordure de mer, côté nord ; 1-3 œufs vert pâle ou crème, tachetés de brun ; 23-28 jours d'incubation assurée par le couple. Oisillons couverts de duvet ; quittent le nid à 35-55 jours.
Nourriture. Petits poissons, crustacés.

Sterne hausel

Sterna nilotica

Il y a deux siècles, des centaines de milliers de sternes hausels nichaient dans les marais d'eau salée qui s'étendent depuis la côte du New Jersey jusqu'au sud de la Virginie. Mais il arriva que leurs tout petits œufs, un mets de choix pour les gourmets, et leurs plumes délicates, fort prisées des modistes pour orner les chapeaux des dames de la haute société, constituèrent un motif de chasse sans frein qui eut des effets désastreux sur les populations de sternes hausels.

Ironiquement, la nature même de ces oiseaux conspirait à leur perte. Téméraires quand il s'agit de défendre leur nid, ils avaient l'habitude d'attaquer de front les chasseurs d'œufs. Quoi de plus facile que de les descendre alors d'un coup de feu et de gagner sur deux tableaux : œufs et plumes. Pour ajouter à leur malheur, les liens étroits qui unissent les sternes entre elles les incitaient, quand l'une d'elles tombait à la mer foudroyée par une balle, à venir voleter au-dessus de la victime, s'offrant ainsi en cible à leur tour. Plus il en tombait, plus il en accourait des marais environnants ; le massacre se terminait quand les chasseurs étaient à court de munitions.

Les populations nord-américaines de sternes hausels ne se sont jamais remises de ces déprédations. On ne trouve plus aujourd'hui que des couples éparpillés sur les baies les plus écartées, toujours sous la protection d'espèces populeuses.

Le bec fort de la sterne hausel est idéal pour consommer grenouilles et petits crustacés.

Description. Longueur 33-39,5 cm (13-15½ po). Surtout blanc ; ailes longues et pointues ; queue un peu fourchue. Plumage nuptial : vertex noir ; bec fort et noir. Adulte en hiver et juvénile : tête blanche ; tache noire autour de l'œil.
Habitat. Marais d'eau salée, plages, lagunes.
Nidification. Nid peu profond tapissé d'herbes et de débris de coquilles, en colonie dans un marais ; 2-5 œufs chamois maculés de brun ; 23 jours d'incubation assurée par le couple. Les oisillons naissent couverts de duvet et restent près du nid ; volent à 4-5 semaines.
Nourriture. Insectes capturés au vol ; grenouilles, crustacés, petits poissons.

Sterne caspienne

Sterna caspia

Les sternes caspiennes nichent généralement en colonie, parfois aussi isolément.

L a sterne caspienne est la plus grande sterne non seulement de l'Amérique du Nord mais du monde. On la confond souvent avec un goéland et cela, a priori, n'a rien d'étonnant. Tous deux faisant partie de la même famille, il est normal qu'ils aient des traits communs. Mais la sterne caspienne ressemble tellement à un goéland qu'on dirait qu'elle l'imite.

Elle lui ressemble par sa façon de voler. Les sternes ont l'habitude de voler bas en battant continuellement des ailes, le bec pointé vers la mer. La sterne caspienne vole bien ainsi, mais uniquement lorsqu'elle pêche. Durant ses voyages au long cours, elle se tient bien au-dessus de ses congénères, pointe le bec droit devant elle, étend largement les ailes et se laisse porter par les courants d'air — comme un goéland. Lorsque la sterne caspienne pêche en sterne, elle vole au ras des flots et plonge. Mais il lui arrive aussi de pêcher comme un goéland : bien installée sur les ondes, elle fait du surplace et attrape les poissons en surface. Et pour finir, à l'instar des goélands, elle ne se fait pas scrupule de voler les prises des autres oiseaux et de dévorer leurs œufs et leurs oisillons.

C'est la moins sociable de toutes les sternes ; elle voyage seule ou en petits groupes. Et c'est la moins aimable avec sa progéniture ; elle la picote et la tarabuste pour la forcer à se terrer au fond du nid. Mais elle a raison d'être sévère. Car comme dans les colonies de goélands, l'hirondeau qui s'aventure dans un autre nid de sterne caspienne est aussitôt considéré comme un prédateur et mis à mort.

Description. Longueur 48-58 cm (19-23 po). Gros oiseau blanc ; ailes longues et pointues ; queue fourchue. Adulte en plumage nuptial : vertex noir à courte huppe ; bec rouge ; dessous du bout des ailes noirâtre. Adulte en hiver : vertex rayé de blanc. Vole comme un goéland.
Habitat. Lacs, rivières, plages, baies.

Nidification. Nid peu profond creusé dans le sable, parfois tapissé d'herbes, généralement en colonies ; 1-4 œufs chamois rosé maculés de brun foncé ; 20-22 jours d'incubation assurée par le couple. Les hirondeaux naissent couverts de duvet et restent près du nid ; volent à 25-30 jours.
Nourriture. Poissons ; œufs et oisillons.

Sterne royale

Sterna maxima

Aucun autre oiseau en Amérique du Nord ne niche dans une telle promiscuité. On trouve jusqu'à 10 000-12 000 nids de sternes royales groupés sur le sable d'une même île ; ils sont tellement rapprochés les uns des autres que les plumes des couveuses peuvent presque se toucher. Il ne s'agit pas d'une aire de nidification commune : chaque couple s'occupe exclusivement de ses œufs. Mais quand la colonie est aussi dense, la ponte des œufs et la couvaison s'effectuent de telle sorte que tous les oisillons éclosent en l'espace de quelques jours. Par la force du nombre, les prédateurs sont tenus à l'écart et les chances de survie sont d'autant plus grandes.

Lorsque les jeunes sont capables de courir sur le sable sans pouvoir encore voler, on les place tous ensemble sous la garde de quelques adultes. Le groupe, ou crèche, qui rassemble des milliers d'hirondeaux, fonctionne avec une étonnante homogénéité. Sur un signal, on le fait déplacer pour le soustraire aux prédateurs ou pour le mettre à l'abri de la chaleur et des tempêtes. Dégagés de la responsabilité du nid, les adultes sont libres d'aller en mer chercher de quoi nourrir leur petit. Au retour, ils le reconnaissent à sa voix. Mais il appartient au petit de se faire entendre — il n'y manque pas — car les parents ne nourrissent que leur rejeton et aucun autre.

Contrairement aux autres sternes, la sterne royale ne pond en général qu'un œuf.

Description. Longueur 46-53 cm (18-21 po). Grand oiseau blanc ; longues ailes pointues ; queue un peu fourchue. Plumage nuptial : vertex noir ; huppe échevelée ; bec orange ; dessous du bout des ailes blanchâtre. Adulte en hiver et juvénile : front blanc. Vole avec grâce. **Habitat.** Plages ; lagunes du littoral.

Nidification. Nid, une dépression dans le sable, en colonies nombreuses ; 1-2 œufs chamois ou blancs, maculés de brun ; 30 jours d'incubation assurée par le couple. Les hirondeaux, couverts de duvet, sont rassemblés sous garde commune ; volent à 25-30 jours. **Nourriture.** Poissons et calmars.

Sterne
élégante

Sterna elegans

La reproduction des sternes élégantes est étroitement liée au cycle de l'anchois.

Les sternes élégantes, comme la plupart des oiseaux de mer, s'accouplent pour la vie. Le mâle et la femelle, bien qu'ils passent la plus grande partie de l'année à des milliers de kilomètres l'un de l'autre, se retrouvent fidèlement quand arrive la période de nidification.

Le mâle arrive le premier et se manifeste par des cris et des parades, dans la plus pure tradition des sternes élégantes. Il ne cherche pas à trouver une compagne, mais à retrouver la sienne propre parmi les milliers d'oiseaux qui rentrent de leurs quartiers d'hiver. C'est au son de la voix que les couples se reforment ; au son de la voix aussi que parents et hirondeaux se reconnaissent. Or, ce lien essentiel, qui assure la pérennité des couples, doit être renouvelé à chaque printemps.

Le couple doit néanmoins retrouver une certaine intimité. La femelle veut être séduite de nouveau, ce que s'empresse de faire le mâle par des danses amoureuses. Quand elle ne le menace plus de son bec, la cause est gagnée une fois de plus. Ils se rapprochent peu à peu ; bientôt il lui donne, de bec à bec, quelques bonnes bouchées de poisson frais. Durant toute la couvaison, leur comportement ne change pas ; la lune de miel se maintient jusqu'à la séparation à l'automne.

Ils s'en vont alors chacun vers son site d'hivernage. Mais le printemps suivant, ils reconnaîtront la voix de leur partenaire et reprendront leur duo amoureux.

Description. Longueur 41-43 cm (16-17 po). Grand oiseau blanc, élancé ; longues ailes pointues ; queue un peu fourchue. Plumage nuptial : vertex noir à huppe échevelée ; bec mince et jaune. Adulte en hiver : front blanc ; tache noire englobant les yeux. Vole avec grâce.
Habitat. Baies ; eaux du littoral.

Nidification. Nid creusé dans le sable, en colonies ; 1-2 œufs blancs ou chamois, maculés de brun et de noir ; durée de l'incubation non connue. Les hirondeaux naissent couverts de duvet ; restent près du nid après l'éclosion ; âge du premier vol non connu.
Nourriture. Petits poissons.

Sterne caugek

Sterna sandvicensis

Quand on dit que les sternes caugeks, les sternes royales et d'autres nichent en colonies, il faut savoir que les nids, dans ces colonies, sont vraiment entassés les uns près des autres ; il n'y a pas, entre eux, plus que l'espace d'une aile déployée. Dans un tel encombrement, le chaos paraît inévitable. Or, chose curieuse, les adultes sont capables de retrouver, entre tous, leur nid et leurs petits. Les erreurs sont très rares, selon les observateurs.

Les œufs des sternes caugeks et ceux des sternes royales éclosent à peu près en même temps ; les petits des deux espèces sont réunis ensemble par milliers sous la garde de quelques adultes. Il s'agit en quelque sorte d'une crèche qui accueille les hirondeaux durant la journée, pendant que les parents vont pêcher en mer. À leur retour, ceux-ci reprennent possession de leur progéniture pour lui donner la becquée. Comment identifient-ils leurs petits parmi les milliers d'hirondeaux dans la crèche ? Peut-être un peu au coloris de leur plumage, mais surtout par la voix.

À mesure que les hirondeaux prennent de l'âge et qu'approche le moment où ils exécuteront leur premier vol, la crèche se rapproche de l'eau. Les adultes qui en ont la charge veillent à ce qu'aucun des petits ne s'écarte du groupe. Les protéger de tous les dangers, et non seulement des prédateurs, tel semble être en effet l'objectif de ces crèches, depuis toujours en existence chez les oiseaux qui fréquentent l'eau.

Chez la sterne caugek et toutes les grandes sternes, front et vertex sont blancs en hiver.

Description. Longueur 36-41 cm (14-16 po). Grand oiseaux blanc, élancé ; ailes longues et pointues ; queue un peu fourchue. Plumage nuptial : vertex noir ; huppe échevelée ; bec noir à bout jaune. Adulte en hiver et juvénile : front blanc. Vole avec grâce.
Habitat. Plages, estuaires, baies.

Nidification. Nid creusé dans le sable ; en colonies, souvent avec des sternes royales ; 1-3 œufs chamois ou rosés, maculés de brun et de gris ; 21-24 jours d'incubation assurée par le couple. Les hirondeaux, couverts de duvet, sont rassemblés sous garde commune ; volent à 5 semaines.
Nourriture. Poissons ; calmars et crevettes.

Sterne de Forster

Sterne de Forster *Sterna forsteri*
Sterne pierregarin (Sterne commune) *Sterna hirundo*

Sterne de Forster

Sterne pierregarin

Comment distinguer la sterne de Forster ? Voici un véritable casse-tête pour l'ornithophile amateur. Examinez les rectrices externes — les rectrices sont les plumes rigides de la queue. Observez les ramus de ces rectrices — ce sont les parties situées de chaque côté du rachis ou tuyau central de la plume. Si le ramus interne — attention, le ramus interne et non externe — des rectrices externes est foncé, pas de doute : vous êtes en présence de la sterne de Forster. Bonne chance !

Bref, il n'est pas facile de distinguer une sterne d'une autre sterne chez les espèces qui se ressemblent comme les sternes pierregarins, les sternes de Dougall et arctiques. Les distinctions entre elles sont minimes.

Le mieux, c'est de procéder par élimination. Considérez l'habitat : elles ne se trouvent pas toutes dans la même région au même moment. En été, par exemple, une sterne sur la côte nord du golfe du Mexique ne peut être qu'une sterne de Forster ou une sterne pierregarin ; en Nouvelle-Angleterre, ce sera plus probablement une sterne pierregarin ou une sterne de Dougall. En hiver, on peut parier partout sur la sterne de Forster et se méfier si on vous annonce une sterne pierregarin.

Vous l'avez deviné : pour identifier correctement les sternes, il faut avoir des connaissances, de la sagacité et de la patience.

Description. Longueur 33-42 cm (13-16½ po). Oiseau blanc à queue fourchue. Plumage nuptial : vertex noir ; bec à bout noir, orange chez la sterne de Forster, rouge chez la sterne pierregarin ; dessus plus pâle dans le premier cas que dans le second. Adultes en hiver : front blanc.
Habitat. Marais, plages, lacs et rivières.

Nidification. Nid creusé dans le sable (pierregarin) ou parmi des plantes paludéennes (Forster), en colonies ; 2-4 œufs olive ou havane, maculés de brun ; 21-26 jours d'incubation assurée par le couple. Les hirondeaux, couverts de duvet, restent près du nid ; volent à 4 semaines.
Nourriture. Insectes (Forster) ; poissons.

Petite sterne

Sterna antillarum

Durant la majeure partie du XIXᵉ siècle, aucune loi ne protégeait les oiseaux sauvages de la destruction ; or, les plumes de la petite sterne se vendaient cher aux modistes et aux créateurs de chapeaux. Tant et si bien qu'en 1913, année où fut promulguée une loi interdisant de tuer certains oiseaux sauvages, l'espèce avait pratiquement disparu. Les populations reprirent du nombre durant la décennie qui suivit mais le combat était loin d'être gagné.

Dans les années 80, la petite sterne a connu de nouveau des moments difficiles. Les chasseurs de plumes n'étaient plus en cause ; c'est son habitat qui se rétrécissait de façon alarmante. Les grandes plages de sable où elle niche sont de plus en plus exploitées commercialement. La compétition pour les sites de nidification, dans les îles encore sauvages où elle pourrait trouver des plages de sable, avantage les sternes de plus grande taille. S'installe-t-elle sur le continent qu'elle se voit la cible de prédations et de déprédations de toutes sortes.

Mais en certains endroits les choses sont en train de changer. Sur une partie de la côte du Mississippi, les petites sternes se sont multipliées ; on les comptait par douzaines en 1972, par milliers en 1990. À proximité d'une autoroute fort achalandée et de plages très fréquentées, on lui a réservé un petit territoire de nidification de 2 km de long qu'on a fièrement identifié, sur un grand panneau-réclame, comme étant la capitale mondiale de la petite sterne.

La petite sterne volette au-dessus de l'eau en pointant son bec vers le bas.

Description. Longueur 21,5-24 cm (8½-9½ po). Petit oiseau blanc ; queue à peine fourchue. Plumage nuptial : dessus de la tête noir ; front blanc ; bec jaune à bout noir. Adulte en hiver : vertex rayé de blanc. Agite beaucoup les ailes. **Habitat.** Marais, littoral marin, lacs, bancs de sable dans les cours d'eau.

Nidification. Nid creusé dans les plages ou les bancs de sable, très souvent en petites colonies mixtes ; 2-3 œufs chamois maculés de brun foncé ; 20-22 jours d'incubation assurée par le couple. Les hirondeaux naissent couverts de duvet et restent près du nid ; volent à 15-17 jours. **Nourriture.** Petits poissons, crustacés.

Guifette noire
(Sterne noire)

Chlidonias niger

Les guifettes noires bâtissent des nids flottants dans les marais d'eau douce.

En 1978, la guifette noire fut ajoutée à la liste des espèces menacées. Cette liste, que publie la National Audubon Society depuis 1971, constitue un outil précieux pour les diverses agences nord-américaines de conservation de la faune et de la flore. Constituée par les membres de la société Audubon à partir d'observations sur le terrain, elle signale les difficultés qu'éprouvent certaines espèces, comme la guifette noire, et suggère à quels facteurs il faut les imputer.

Bien avant 1971, la société Audubon avait déjà recours à des observateurs bénévoles pour promouvoir la conservation des espèces d'oiseaux. Dès le début du XXᵉ siècle, des membres de la société avaient signalé des déprédations massives d'oiseaux de mer et d'échassiers commises dans un grand nombre d'États à des fins commerciales. C'est à partir de ces rapports que furent peu à peu élaborées des lois visant à protéger les espèces en danger.

La collaboration du public s'est maintenue jusqu'à ce jour. Les États sont de plus en plus nombreux à soutenir les efforts des bénévoles qui émettent des rapports détaillés sur les oiseaux nicheurs. Les résultats, après compilation, sont publiés dans des atlas qui permettent aux responsables de la faune de contrôler étroitement les populations locales d'oiseaux.

La survie des guifettes noires est encore problématique, mais au moins a-t-on identifié le facteur responsable : la disparition croissante des marais d'eau douce. On assiste donc aujourd'hui à des efforts concertés de la part des organismes publics et privés pour préserver ces marais et conserver parmi nous la gracieuse et jolie guifette noire qui y habite.

Description. Longueur 22,5-26,5 cm (9-10½ po). Adulte en plumage nuptial : noir avec des zones blanches sur le dessus des ailes ; bec noir ; queue grisâtre. Adulte en hiver : dessus gris ; vertex noirâtre ; dessous blanc ; zones foncées de chaque côté de la poitrine. Vole avec grâce. **Habitat.** Marais, lagunes, lacs.

Nidification. Petit nid de plantes mortes, posé sur des plantes paludéennes ou une hutte de rat musqué, en colonie ; 2-4 œufs chamois ou olive, maculés de brun ; 22 jours d'incubation assurée par le couple. Les hirondeaux, couverts de duvet, restent au nid 2 semaines ; volent à 3 semaines. **Nourriture.** Insectes ailés, poissons, crustacés.

Bec-en-ciseaux noir
(Bec-en-ciseaux)

Rynchops niger

Cet oiseau est marqué au coin de l'individualité. Son bec, mince comme une lame de couteau, lui vaut des habiletés particulières. Contrairement à la plupart des oiseaux, sa mandibule inférieure dépasse largement sa mandibule supérieure ou maxille. L'oiseau vole lentement au-dessus de l'eau dont il fend la surface avec la partie inférieure de son bec. Quand il y entre un petit poisson, une crevette, un animalcule marin qui lui convient, il referme prestement la maxille sur sa proie. C'est aussi le seul oiseau à contracter les pupilles, comme un chat, ne laissant apparaître que deux minuscules fentes verticales où se concentre une vision aiguë.

On voit souvent les becs-en-ciseaux, en file indienne, survoler les rivages abrités et les marais en émettant des sons rauques. Si le temps est tumultueux, ils s'en vont écumer les rivières et les étangs plus calmes. Au Canada, l'espèce ne se rencontre qu'après un ouragan. Lorsque des douzaines ou des centaines de becs-en-ciseaux serrent les rangs et font face au vent, on croirait apercevoir une bande de Charlots, chemise blanche empesée et redingote noir luisant, rangés en ordre de bataille, le regard triste et l'attitude fière.

La mandibule inférieure du bec-en-ciseaux noir élimine les effets de la friction de l'eau.

Description. Longueur 41-50 cm (16-20 po). Adulte : long bec rouge et noir ; mandibule plus longue que la maxille ; dessus noir ; ailes liserées de blanc ; dessous blanc. Juvénile : dessus marbré de brun ; bec plus court.
Habitat. Plages, littoral marin, lagunes.
Nidification. Nid creusé dans le sable, en colonies ; 1-5 œufs bleuâtres ou crème, maculés de brun et de gris ; durée de l'incubation non connue. Les oisillons, couverts de duvet, restent près du nid après l'éclosion ; âge du premier vol non connu.
Nourriture. Petits poissons, crustacés.

Grands échassiers

Les échassiers sont des oiseaux carnivores,
capables de marcher dans les marais grâce à leurs
longues pattes. C'est un très vieux groupe dont
il existe des fossiles datant de 50 millions d'années.
Voilà sans doute pourquoi on les trouve
partout dans le monde. Bihoreaux arpentant
les rivages au clair de lune, butors dissimulés dans
les herbes paludéennes, grues blanches prenant
leur envol dans un déploiement spectaculaire — tous
ont en commun une grâce souveraine qui en fait
les aristocrates de la classe avienne.

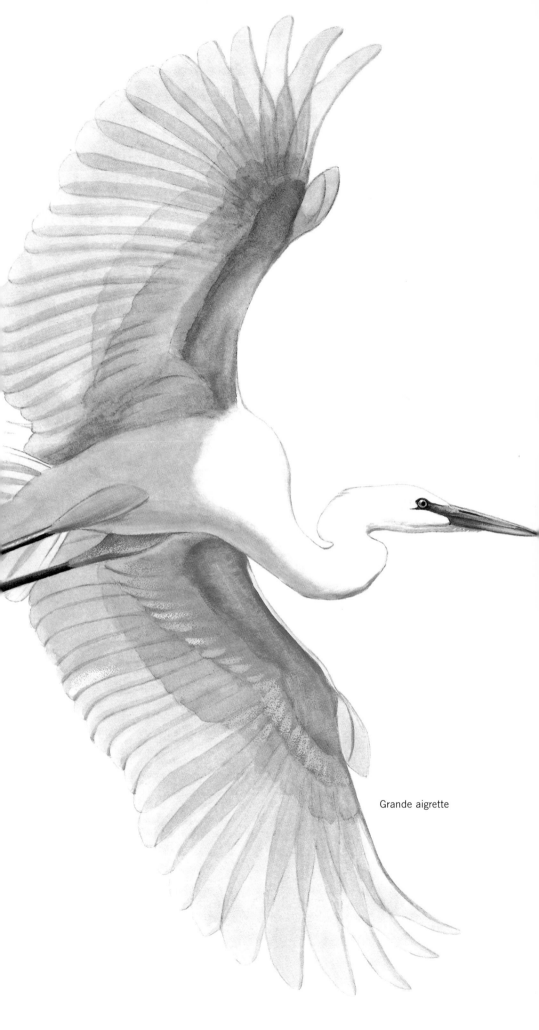

Grande aigrette

Butor d'Amérique
(Butor américain)

Botaurus lentiginosus

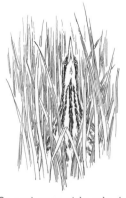

On peut passer très près du butor d'Amérique sans le voir, tant est parfait son camouflage.

Les butors font partie de la famille des hérons. Ils fréquentent les marais et les marécages herbeux et nichent sur le sol. Ce sont des oiseaux timides ; ils quittent rarement les plantes paludéennes parmi lesquelles ils se dissimulent. Pour les voir, il faut aller là où ils nichent, dans le monde marécageux peuplé de hautes plantes à feuilles étroites, de carouges à épaulettes et de troglodytes des marais. Sur un arrière-plan de roseaux souples, on apercevra, pétrifiée dans une attitude bizarre, une branche morte, anguleuse et pointue, d'un brun somptueux chamarré de noir, qui luit dans la lumière réfractée du soleil. Si l'on s'approche de trop près, on verra cette branche morte s'animer, étendre de longues ailes pointues et s'envoler dans un beuglement grave et éclatant.

De couleurs subtiles, le plumage rayé du cou, de la gorge et de la poitrine se confond dans les rayons verticaux du soleil avec les ombres des plantes ; pour accentuer son camouflage, l'oiseau raidit son long cou, pointe son bec vers le ciel et s'immobilise complètement. Si une brise légère agite les herbes paludéennes qui l'entourent, l'oiseau oscillera lentement avec elles. Le butor d'Amérique n'est pas plus facile à identifier par son cri : le son de ventriloque qu'il émet en soirée se perd parmi les coassements des grenouilles.

En mars et en avril, le butor sort de sa réserve naturelle pour exécuter devant tous ses danses nuptiales. Profitez-en : cela ne dure pas. Très vite il met un terme à sa vie publique et retourne savourer la chère solitude de ses marais.

Description. Longueur 61-86 cm (24-34 po). Brun foncé et strié. Cou marqué d'une rayure noire ; bout des ailes foncé en vol. Furtif ; surpris, il s'immobilise, le cou raide et le bec pointé vers le ciel.
Habitat. Marais ; rives herbeuses des lacs.
Nidification. Nid plat, isolé, fait de roseaux et d'herbes, au niveau de l'eau dans un marais ; 3-5 œufs chamois ou olive ; 29 jours d'incubation assurée par la femelle. Les héronneaux naissent couverts de duvet ; quittent le nid 6-7 semaines après l'éclosion.
Nourriture. Poissons, grenouilles, petites anguilles, couleuvres d'eau, insectes.

Petit butor
(Petit blongios)
Ixobrychus exilis

Sa survie est inexorablement liée à celle des espaces marécageux, surtout ceux peuplés de quenouilles, qu'il affectionne. Bien qu'on le décrive comme un oiseau furtif et timide, le petit butor est fidèle et opiniâtre ; il continuera de fréquenter ses marais, même s'ils sont intégrés à un espace urbain, tant qu'on ne les aura pas asséchés et comblés.

L'explication est simple. Parfaitement adapté à son environnement, le petit butor est capable de se faire tout petit pour circuler sans difficultés à travers des enchevêtrements de roseaux et de quenouilles. Ses pattes sont en outre munies de doigts longs et flexibles grâce auxquels il est capable de grimper dans les quenouilles et de courir au travers des roseaux. Il attrape deux ou trois tiges en même temps et vole ainsi de plantes en plantes, un peu comme le fait l'écureuil quand il saute d'arbre en arbre. Comme il a les yeux plantés de chaque côté du bec, il repère rapidement son chemin dans les fouillis végétaux les plus inextricables.

Surpris par un intrus, il se camoufle à la façon du butor d'Amérique ou s'envole pour disparaître parmi les plantes. À mesure que les marais s'assèchent, les populations de petits butors décroissent. Déjà peu visible dans les marais qu'il fréquente, le petit butor ne le sera plus du tout quand viendront à disparaître ces marais essentiels à son existence.

Le petit butor grimpe souvent au sommet des roseaux qui peuplent son habitat.

Description. Longueur 28-37 cm (11-14½ po). Petit. Vertex et dos noirs ; cou et dessous chamois ; grandes taches alaires chamois et marron. Furtif ; surpris, s'immobilise, cou raide et bec pointé vers le ciel ; grimpe sur les roseaux.
Habitat. Marais peuplés de roseaux et d'herbes.
Nidification. Nid plat fait de plantes desséchées, posé à 20-35 cm (8-14 po) au-dessus de l'eau dans un marais ; isolé ou en petites colonies ; 2-7 œufs bleu pâle ou verdâtres ; 20 jours d'incubation assurée par le couple. Les héronneaux, couverts de duvet à la naissance, quittent le nid 25 jours après l'éclosion.
Nourriture. Poissons, grenouilles, crapauds.

427

Grand héron

Ardea herodias

Le grand héron blanc (phase blanche de celui-ci) ne se rencontre qu'en Floride.

Si vous projetez de visiter une héronnière, nous vous recommandons de vous couvrir le chef d'un chapeau dur : en effet, quand ces oiseaux nourrissent leurs petits au nid, il leur arrive de lancer par-dessus bord des os de grenouille ou des morceaux de poisson pourris.

Les grands hérons nichent par colonies de plusieurs centaines de nids. Ce sont des structures de branchages, massives et relativement plates, installées dans le haut des arbres. Les petits, couverts de duvet à la naissance, s'y agitent en poussant des gémissements aigus. Tout autour, des juvéniles gloussent dans les branches. Bientôt apparaissent les parents, le bec plein de grenouilles et de poissons qu'ils sont allés pêcher dans les environs. Leur venue déclenche une véritable émeute. Sentant l'odeur de la nourriture, les héronneaux se démènent et piaillent à qui mieux mieux. C'est à qui bousculerait l'autre pour s'approcher davantage du bord du nid, au risque de perdre pied et en se rattrappant de justesse d'un battement d'ailes.

Les parents atterrissent, les pattes tendues comme des cordes de parachute. Une clameur salue leur arrivée. À grands coups de bec, les héronneaux tentent d'arracher quelques bouchées et, dans la confusion qui règne, il n'est pas rare que tombent hors du nid une grenouille ou un poisson à demi déchiquetés, un tronçon de couleuvre d'eau ou un jeune rat musqué. D'où ce conseil aux ornithologues : gare à la tête !

Description. Longueur 1,25-1,35 m (50-54 po). Très grand oiseau. Adulte : surtout gris ; tête blanche ; vertex à 2 bandes noires finissant en aigrette ; bec jaune. Juvénile : vertex noir. Vole le cou replié, la tête entre les épaules.
Habitat. Marais, lacs, rivières, rivages.
Nidification. Nid de branches, à 30 m (100 pi) ou moins du sol, en colonies, dans un buisson ou un arbre, ou sur des rochers ; 3-7 œufs bleu pâle ou verdâtres ; 28 jours d'incubation assurée par le couple. Les héronneaux naissent couverts de duvet ; quittent le nid à 8 semaines.
Nourriture. Poissons, grenouilles, serpents, petits mammifères.

428

Grande aigrette

Casmerodius albus

L'un des oiseaux les plus élégants et les plus gracieux de la famille des hérons est la grande aigrette. Elle était déjà fort admirée vers la fin du XIXᵉ siècle, ce qui a bien failli entraîner son extinction. On la chassait pour les longues plumes fines et blanches qui s'étalent sur son dos et lui ont donné son nom. Ces plumes étaient recherchées en chapellerie où elles servaient à orner les chapeaux des belles élégantes. Mais l'aigrette avait aussi ses défenseurs qu'alarmaient les déprédations dont elle était victime dans son aire de nidification.

Durant les années pendant lesquelles a sévi la mode des chapeaux à plumes, la grande aigrette n'a pas été la seule espèce menacée de disparition. Durant une promenade effectuée en 1886 sur la Cinquième Avenue, à New York, l'ornithologue Frank M. Chapman regarda déambuler les femmes coiffées de chapeaux sur lesquels il put identifier des plumes de sternes, de pics et d'une quarantaine d'espèces d'autres oiseaux. Les plus précieuses étaient celles de la grande aigrette ; elles valaient 32 $ US l'once en 1900.

Si la mode gagnait en popularité, la contestation gagnait en étendue. Les sociétés de conservation de la faune condamnèrent le commerce des plumes. L'affaire fit de plus en plus de bruit, grâce à des conférences et à des articles de revues. Vers 1914, il devint mal vu de porter un chapeau garni de plumes naturelles. La grande aigrette était sauvée.

C'est dans la nature qu'on admire maintenant les belles plumes de la grande aigrette.

Description. Longueur 94-104 cm (37-41 po). Grand oiseau blanc. Bec fort et jaune ; pattes noires. Longues plumes fines sur le dos en plumage nuptial. Vole le cou replié sur le dos.
Habitat. Marais, lacs, lagunes, marécages boisés, cours d'eau.
Nidification. Nid plat de brindilles, à 6-12 m (20-40 pi) au-dessus du sol, dans un bosquet ou un arbre, en colonies ; 1-6 œufs bleu pâle ou verdâtres ; 23-26 jours d'incubation assurée par le couple. Les héronneaux naissent couverts de duvet ; quittent le nid à 6-7 semaines.
Nourriture. Poissons, grenouilles, insectes, couleuvres d'eau.

Aigrette
neigeuse

Egretta thula

La jeune aigrette neigeuse
a une ligne jaune sur la face
postérieure de ses pattes.

Il est des oiseaux qui peuvent se traîner les pieds sans être pour autant fainéants. Telle est l'aigrette neigeuse : non seulement traîne-t-elle un pied dans la vase, tout en assurant son équilibre avec l'autre, mais elle le tortille pour gratter le sol en surface et l'y enfonce pour le sonder en profondeur. Les chercheurs qui ont observé son manège en ont conclu que, parmi les hérons de l'Amérique du Nord, cette diane chasseresse aux belles plumes est certainement celle qui a le plus de tours dans son sac.

Pour fouiller le sol, l'aigrette doit remuer la vase avec un pied. Comme elle a les pieds jaunes, on a remarqué que cet éclair doré qui brille par intermittence intrigue grenouilles et poissons et les incite à bouger. Débusqués par l'aigrette, ils sont prestement happés de son long bec pointu. Sonder le sol exige une autre série de mouvements : l'aigrette neigeuse enfonce son pied profondément dans la boue et l'agite de façon préméditée. Autre technique quand elle racle la terre en y posant à peine les doigts : c'est un compromis entre les deux méthodes précédentes. Si elle appuyait davantage, elle fouillerait le sol ; autrement elle se contenterait de le gratter. Enfin l'aigrette neigeuse a une dernière technique à sa disposition : le pied enfoncé dans la vase, elle l'agite de bas en haut.

Bref, quand l'aigrette neigeuse pénètre dans un marais, on peut dire qu'elle met fort habilement le pied dans le plat.

Description. Longueur 56-66 cm (22-26 po). Petit et blanc. Cou très fin ; bec effilé et noir ; pattes noires ; pieds jaunes. Arbore de longues plumes sur le dos et la tête en plumage nuptial.
Habitat. Marais, marécages boisés, lagunes, lacs, étangs.
Nidification. Nid plat fait de branches, caché sur le sol ou fixé dans un arbre, à 1,5-9 m (5-30 pi) au-dessus du sol ou de l'eau, en colonies ; 1-6 œufs bleu pâle ou verdâtres ; 20-24 jours d'incubation assurée par le couple. Les héronneaux naissent couverts de duvet ; quittent le nid 4 semaines après l'éclosion.
Nourriture. Petits poissons, grenouilles, serpents.

Héron garde-bœufs
(Héron garde-bœuf)

Bubulcus ibis

Ce petit héron trapu, au cou court et au « menton » fort, vivait naguère exclusivement dans le sud de l'Europe, en Afrique et en Asie. C'est vers 1880 qu'il aurait traversé avec succès l'océan Atlantique entre l'Afrique et le Surinam pour faire son apparition en Amérique du Sud. En 1916, il avait gagné la Colombie, sans rencontrer d'opposition à son expansion au sein de la population locale de hérons.

Depuis lors, il n'a cessé de pousser vers le nord et vers l'ouest. On rapportait sa présence en Floride en 1953, un peu plus tard au Texas et sur les rives du golfe du Mexique. Il nichait en Ontario pour la première fois en 1962. Vers la même époque, on le rencontrait au Québec, sur le lac Saint-Pierre. Vers 1985, le héron garde-bœufs semblait s'être confortablement installé dans la moitié des États américains et dans plusieurs provinces du Canada. Il n'était pas un coin au sud du Yukon qu'il n'ait visité à un moment ou à un autre, durant ses vagabondages postnuptiaux, peut-être en vue de tester les limites de son habitat.

Il n'a pas beaucoup de grâce, ce héron blanc et chamois, mais il a des mœurs fascinantes et un instinct de survie qui force l'admiration. Nomade de nature, il fréquente les régions d'élevage et particulièrement les prés et les prairies où s'engraisse le bétail car, en broutant, les bestiaux délogent en sa faveur les insectes qui gîtent dans le sol.

C'est au bétail d'élevage qu'on doit la rapide expansion du héron garde-bœufs.

Description. Longueur 48-53 cm (19-21 po). Petit oiseau trapu, surtout blanc ; bec court et jaune ; pattes pâles. Plumage nuptial : vertex et poitrine chamois. Fréquente les pâturages ; se nourrit d'insectes que délogent les bestiaux.
Habitat. Marais, vasières, champs, clos à bestiaux, pistes d'atterrissage.

Nidification. Nid de branchages et de brindilles, à 1,5-3,5 m (5-12 pi) du sol ou de l'eau, en colonies ; 2-6 œufs pervenche ; 22-26 jours d'incubation assurée par le couple. Les héronneaux naissent couverts de duvet ; quittent le nid 4 semaines après l'éclosion.
Nourriture. Insectes, vers de terre, grenouilles.

Aigrette tricolore

Egretta tricolor

Dans l'attente d'une proie, l'aigrette tricolore, immobile, étire le cou et fixe l'eau.

U n étang aux eaux noires perdu dans un décor vert sombre, ponctué de cyprès chauves aux curieuses protubérances : nous sommes dans les marécages du sud-est des États-Unis. Même quand le soleil est éclatant, l'ambiance ici reste feutrée, inquiétante, mystérieuse. Au printemps, on peut entendre chanter la paruline à collier ; en hiver, les chances de voir un pygargue à tête blanche sont nombreuses. En fin d'été, il vaut mieux ne pas s'attarder dans ces parages fréquentés par des hordes d'insectes et par des mocassins d'eau.

Mais avant de quitter les lieux, on jette un dernier regard. Derrière un enchevêtrement de vignes et de lianes, dans un kaléidoscope d'ombres et de rayons lumineux, se dresse un héron tricolore. On distingue à peine les coloris pastel, les formes indécises de cette aigrette. Elle ne bouge pas. Elle n'émet aucun son. Elle est là, comme si le passage du temps l'avait enracinée sur place, les pattes dans quelques centimètres d'eau. Au bout de quelques minutes, la situation devient angoissante. Et la vérité apparaît. L'aigrette tricolore ne bouge pas parce qu'elle ne peut pas bouger. Prise dans l'exubérance végétale des lieux, elle ne s'en tirera que si un visiteur expérimenté lui couvre les yeux d'un vêtement et la dégage. Ce même visiteur, dûment mandaté, verra à ce qu'elle reprenne du poids ; les blessures qu'elle s'est infligées aux pieds guériront. On la ramènera dans le marécage auquel elle appartient. Et sans un instant d'hésitation, elle prendra son vol.

Description. Longueur 61-66 cm (24-26 po). Taille élancée. Plumage surtout gris-bleu foncé ; abdomen et croupion blancs. Marche souvent les pattes complètement immergées.
Habitat. Marais, lacs, lagunes.
Nidification. Nid peu profond de branchages, au sol ou à moins de 6 m (20 pi) du sol dans un buisson ou un arbre ; en colonies, parfois avec d'autres espèces de hérons ; 3-7 œufs bleu-vert pâle ; 21-25 jours d'incubation assurée par le couple. Les héronneaux naissent couverts de duvet ; quittent le nid à 5 semaines.
Nourriture. Petits poissons, grenouilles, reptiles, vers, insectes.

Aigrette bleue

Egretta caerulea

Entre le plumage presque tout blanc du juvénile et celui presque tout bleu de l'adulte, l'aigrette bleue passe par toutes sortes de livrées plus ou moins bizarres dont certaines qu'elle n'arbore que durant de brèves périodes.

Au début, quand elles quittent la héronnière, les jeunes aigrettes bleues ont le corps blanc et le bec noir ; seules les pointes des primaires présentent un coloris bleu ardoise qui deviendra leur livrée à l'âge adulte. Les aigrettes bleues demeurent ainsi parées durant leur premier automne et la plus grande partie de leur premier hiver ; on pourrait alors les prendre pour des aigrettes neigeuses aux pieds sales. En février, elles abordent une phase de bariolage dont seul le temps les guérira. Tout au long du printemps et durant une partie de l'été, c'est la mue : des plumes bleues remplacent peu à peu les plumes blanches et les oiseaux prennent ce qu'il est convenu d'appeler leur premier plumage nuptial.

Mais les sujets n'évoluent pas tous au même rythme ; certains, bien que sexuellement adultes, conservent des plumes blanches durant la première saison d'accouplement. Cette période de moucheture est typique, et les oiseaux qui la connaissent forment un groupe unique parmi les hérons. Elle se termine lorsque les juvéniles achèvent la mue qui leur donnera leur plumage adulte d'hiver. Les transformations sont désormais finies. Les mues saisonnières se poursuivront — les oiseaux continueront de connaître un plumage nuptial et un plumage hivernal — mais elles seront constantes.

La jeune aigrette bleue peut mystifier l'observateur par sa parfaite blancheur.

Description. Longueur 64-74 cm (25-29 po). Adulte : surtout bleu ardoise ; tête et cou rouge pourpre foncé ; pattes verdâtres ; bec bleu terne à bout noirâtre. Juvénile : blanc, bec noir.

Habitat. Marais du Sud, lacs, lagunes, vasières boisées.

Nidification. Nid plat ou creux, fait de branches et placé à 0,60-12 m (2-40 pi) du sol dans un buisson ou un arbre, en colonies ; 3-6 œufs bleu pâle ou verdâtres ; 20-23 jours d'incubation assurée par le couple. Les héronneaux naissent couverts de duvet ; quittent le nid 6-7 semaines après l'éclosion.

Nourriture. Poissons, grenouilles, reptiles.

Bihoreau violacé

Nyctanassa violacea

Le bec robuste du bihoreau violacé convient à cet amateur de crabes et d'écrevisses.

Moins répandu et, dans la majeure partie de sa distribution géographique, moins commun que son homologue à couronne noire, le bihoreau violacé offre pourtant aux ornithophiles un avantage. Sans renier ses mœurs crépusculaires et noctures, il est aussi actif durant le jour.

Actif, c'est vite dit. On le verra le plus souvent perché sur une branche dans l'immobilité la plus absolue. Il guette sa proie. Même ses mouvements, s'il daigne bouger, sont lents. Mais qu'on ne se méprenne pas. Le coup de fouet qu'il peut donner du cou est aussi fulgurant et définitif que l'éclair.

Cet échassier de taille moyenne est amateur de crustacés ; à un point tel qu'on aurait pu l'appeler le bihoreau mangeur de crabes. Mais le qualificatif de violacé ne lui messied pas non plus, encore que sa face noir et blanc rappelle par la finesse de ses lignes les dessins qui ornaient d'anciens vases grecs. Des plumes dorées s'échappent de son heaume hérissé tandis que le plumage de son dos rappelle le gris miroitant des étains antiques que la clarté lunaire teintait de mauve.

Pris de court, l'oiseau s'immobilise sur ses pattes couleur d'ambre. Les yeux mi-clos, il examine l'intrus d'un air ennuyé, sans chercher à s'envoler. L'ornithophile que le destin gratifie d'une telle rencontre peut alors examiner tout à loisir cet oiseau d'une beauté hors du commun.

Description. Longueur 56-71 cm (22-28 po). Adulte : surtout gris ; tête noire ; vertex blanc ; tache blanche sur la joue ; front jaunâtre ; bec robuste et noir. Juvénile : brun foncé, taché et strié de blanc.
Habitat. Marais et marécages.
Nidification. Nid robuste de branchages et de brindilles, à 4,5-15 m (15-50 pi) du sol ; parfois en petites colonies ; 2-8 œufs bleu-vert pâle ; 21-25 jours d'incubation assurée par le couple. Les héronneaux naissent couverts de duvet ; quittent le nid 25 jours après l'éclosion.
Nourriture. Écrevisses, crabes ; insectes, grenouilles, mollusques.

Bihoreau à couronne noire
(Héron bihoreau)

Nycticorax nycticorax

Dans l'ombre apparaît une silhouette voûtée, vaguement menaçante. De sa nuque s'échappent deux plumes blanches, fines et dansantes. Enfoncés sous les arcades sourcilières brillent deux petits yeux de braise qui ne clignent jamais. Mais quelle est donc cette créature tout droit sortie de Poe ou de Lautréamont ? Son nom scientifique évoque deux mots grecs, *nux* et *corax*, corbeau de nuit. C'est le bihoreau à couronne noire, petit héron trapu à pattes courtes et de mœurs nocturnes.

Le jour, il a tendance à se percher dans un arbre et à y demeurer, immobile et pensif. Durant les nuits tièdes, il émet un seul cri, un *couâc* rauque de corbeau qui lui a sans doute valu son nom latin. Chaque soir, à l'heure où la plupart des hérons se retirent pour dormir, le bihoreau à couronne noire sort. Les sites qu'il affectionne ont trois traits en commun ; ils sont solitaires, protégés par une végétation dense et situés près d'un point d'eau.

Son nid déçoit. C'est un amoncellement de branchages entassés à la va-comme-je-te-pousse et précairement accrochés à des branches. Il y en a qui sont grands et robustes. Mais d'autres sont si mal faits qu'on voit le jour au travers. Ébranlés par les grands orages d'été, ils se retrouvent souvent en pièces détachées au pied de l'arbre avec leurs occupants, œufs ou héronneaux trop petits pour voler. Et pourtant, les tempêtes du ciel, les renards de la terre et toutes les corneilles, promptes à chasser les femelles couveuses pour festoyer parmi leurs œufs, ne sont pas venus à bout de cet échassier obstiné dont la voix se fait entendre à l'heure où tous les chats sont gris.

En vol, le bihoreau à couronne noire est plus ramassé qu'un héron ou qu'une aigrette.

Description. Longueur 58-71 cm (23-28 po). Héron trapu. Adulte : vertex et dos noirs ; ailes gris pâle ; dessous blanc. Juvénile : brun-gris, taché et strié de blanc.
Habitat. Rivières, marais, marécages.
Nidification. Nid fait d'un tas de roseaux, de branchages et de brindilles, caché entre les roseaux d'un marais ou perché en hauteur dans un arbre jusqu'à 48 m (160 pi) du sol, en colonies ; 1-6 œufs vert-bleu pâle ; 24-26 jours d'incubation assurée par le couple. Les héronneaux naissent couverts de duvet ; quittent le nid 6-7 semaines après l'éclosion.
Nourriture. Poissons, grenouilles, crustacés.

Héron vert

Butorides striatus

S'il est inquiet, le héron vert dresse les plumes noires et pointues de sa huppe.

Dans l'Espagne médiévale, tel poète évoquait la beauté d'une femme en disant qu'elle avait un cou de héron. En français, on apprend vite à connaître cet échassier grâce au signalement, aussi exact que poétique, qu'en donne La Fontaine en deux vers :

Un jour, sur ses longs pieds, allait, je ne sais où,
Le Héron au long bec emmanché d'un long cou.

Le héron est bel et bien ce modèle de patience qui attend, immobile, le moment où sa proie — petits poissons, grenouilles, couleuvres d'eau, écrevisses — vient à passer à portée de son bec. Tête baissée, dans une attitude empreinte de grâce et de dignité, il scrute la surface de l'eau et seul le mouvement de ses yeux signale à l'observateur qu'il n'est ni endormi ni perdu dans sa rêverie.

Malgré sa petite taille, le héron vert est aussi habile pêcheur que les autres membres de la famille. Son style personnel lui accorde en efficacité ce qu'il lui soustrait en grâce. Le cou rentré, le corps tendu comme pour défier les lois de la gravité, il exerce une étroite surveillance sur toutes les allées et venues de son cours d'eau. Quand la patience vient à manquer, le héron vert se met à arpenter la forêt, semant la panique sur son passage. En raclant astucieusement le sol, il force ses proies à prendre la fuite et se lance aussitôt sur leur trace. Ce faisant, il émet un *quéaû* fort et strident qu'il accompagne d'une impressionnante variété de sons rauques.

Description. Longueur 46-56 cm (18-22 po). Petit héron sombre. Dos et ailes bleu-vert ; vertex noir ; cou brun pourpre ; pattes jaune orange. Juvénile : même coloris, mais très strié.
Habitat. Rivières, cours d'eau, étangs, boisés humides, vasières, marais.
Nidification. Nid plat de branchages, fixé à 9 m (30 pi) ou moins du sol ou de l'eau ; parfois en colonies ; 3-6 œufs bleu pâle ou verdâtres ; 21-25 jours d'incubation assurée par le couple. Les héronneaux naissent couverts de duvet ; quittent le nid à 5 semaines.
Nourriture. Poissons, grenouilles, crustacés et insectes.

Spatule rosée

Ajaia ajaja

Sur les rivages battus par les marées, on observe sur des kilomètres des herbes très vertes, des flaques d'eau argentées et de grandes bandes de hérons et d'ibis. Parmi eux, il n'est pas rare d'apercevoir un oiseau tout rose qui n'est pas un flamant, l'un des plus spectaculaires oiseaux des marécages du sud-est des États-Unis, la spatule rosée.

C'est un oiseau au bec étrange dont les deux mandibules sont aplaties comme des spatules. Aucun autre oiseau en Amérique du Nord n'a réussi à se doter de ce qui demeure une merveille d'adaptation à son environnement particulier. Que fait donc la spatule rosée avec son bec spatulé ? La tête sous l'eau, elle le promène de gauche à droite et de droite à gauche, comme une seine, pour capturer ses proies.

En présence de ces magnifiques oiseaux, on peut déplorer que leur distribution géographique soit si restreinte. Mais il faut plutôt se réjouir que les spatules rosées aient tout simplement réussi à survivre. On en a tué des milliers pour faire des éventails avec leurs plumes avant qu'une loi n'intervienne pour les protéger et leur permettre de se multiplier de nouveau sur les rivages du golfe du Mexique.

À la naissance, la spatule rosée n'a pas encore ses mandibules spatulées.

Description. Longueur 76-86 cm (30-34 po). Bec long et spatulé ; ailes roses marquées de rouge ; queue orange ; cou et corps blancs ; tête dégarnie et grise. Juvénile : tout blanc sauf pour les ailes teintées de rose. Vole en étirant le cou. **Habitat.** Marais, lagunes ; mangroves. **Nidification.** Nid robuste de branchages et de brindilles, à 1,5-4,5 m (5-15 pi) du sol ou de l'eau dans un buisson ou un petit arbre, en colonies ; 1-4 œufs blancs maculés de brun ; 23 jours d'incubation assurée par le couple. Les oisillons naissent couverts de duvet ; quittent le nid 5-6 semaines après l'éclosion. **Nourriture.** Poissons, mollusques, insectes.

Ibis falcinelle
(Ibis luisant)

Ibis falcinelle *Plegadis falcinellus*
Ibis à face blanche *Plegadis chihi*

Ibis falcinelle

Ibis à face blanche

Vu de loin sous un ciel orageux, l'oiseau semble terne et sans vie — l'image même de l'hiéroglyphe que traçaient dans la pierre des pyramides les anciens Égyptiens pour nous parler de lui. Mais que paraisse le soleil, et l'image prend forme et vie. Les plumes couleur de bronze luisent alors, montrant leurs accents cachés : des rouges profonds et des verts subtils chatoient sous la chaude lumière.

Il y a cinquante ans, sans être rare, l'ibis falcinelle se restreignait aux marais côtiers du Sud du continent. Dans les années 30, on n'en avait pour ainsi dire jamais vu dans le New Jersey ; vers 1955, on y identifiait un premier site de nidification et, 20 ans plus tard, c'était devenu l'espèce aquatique la plus répandue sur le territoire. Que s'était-il donc passé ?

Selon une théorie, l'oiseau serait tard venu en Amérique du Nord ; sa progression vers le nord résulterait d'une expansion normale. Selon une autre, c'est la transformation et la mise en valeur progressives des marais floridiens qui l'auraient obligé à monter vers le nord. Enfin une troisième théorie fait intervenir l'irruption des ibis à face blanche dans le sud des États-Unis ; ils auraient tout bonnement chassé leurs congénères.

On a effectivement remarqué que là où le Texas touche à la Louisiane sur le golfe du Mexique, les ibis à face blanche ont peu à peu remplacé les ibis falcinelles, auxquels d'ailleurs ils ressemblent beaucoup. Qui plus est, les mœurs expansionnistes des premiers ressemblent à celles des seconds et c'est vers l'est qu'ils avancent à un rythme constant.

Description. Longueur 48-66 cm (19-26 po). Sombre et luisant ; bec gris et incurvé ; pattes grises. Plumage nuptial : ligne blanche en bordure du masque facial nu chez l'ibis falcinelle, plus large chez l'ibis à face blanche. Juvéniles : yeux bruns chez le premier, rouges chez le second. Vole en étirant le cou.

Habitat. Marais, marécages, étangs, fermes.
Nidification. Nid plat de branchages, en colonies, au sol ou à moins de 3 m (10 pi) du sol ; 3-4 œufs vert-bleu ; 21 jours d'incubation assurée par le couple. Les oisillons naissent couverts de duvet ; quittent le nid à 4 semaines.
Nourriture. Écrevisses, insectes, grenouilles.

Ibis blanc

Eudocimus albus

Le long de la route Tamiami Trail qui coupe d'est en ouest le cœur des Everglades, les automobilistes roulent à toute allure, sans apercevoir au-dessus d'eux un fin trait d'oiseaux qui planent avec grâce. Il y a quelque chose de magique chez l'ibis blanc. Ses ailes et son corps sont d'un blanc si étincelant qu'on les croirait une émanation des nuages. Son masque facial, son bec incurvé en faucille et ses longues pattes sont d'un rose incroyable. Les ailes largement étendues, le vol entier se laisse porter avec légèreté. Quand il atterrit, les mouvements des oiseaux ont tant de maîtrise et tant de souplesse à la fois qu'on croirait assister à un ballet nautique.

Dans les zones côtières du Sud, les ibis blancs sont l'avant-garde des tropiques. Bien avant le lever du soleil, ils abandonnent leurs quartiers de nuit pour aller se nourrir dans les marais, les marécages et les mangroves. Quand un troupeau entier se déplace dans ces bas-fonds, on croirait voir évoluer des moissonneurs en habits de chirurgien. Les mandibules rouges sondent le sol vaseux comme des paires de pinces. Quand elles trouvent de quoi se mettre sous la dent — si l'on peut dire — l'oiseau rejette la tête en arrière et avale rapidement ; on a l'impression qu'il craint de perdre sa place ou de laisser une bouchée à son voisin.

Le soir venu, le troupeau entier regagne ses pénates et l'on n'entend plus que leurs voix dans l'ombre croissante.

On a déjà pris le juvénile de l'ibis blanc comme une espèce à part entière.

Description. Longueur 55-70 cm (21½-27½ po). Adulte : blanc ; bout des ailes noir ; bec incurvé rouge. Juvénile : poitrine et dos bruns ; abdomen blanc ; bec brun rosé. Vole en étirant le cou.
Habitat. Marais, marécages, mangroves.
Nidification. Nid plat de brindilles, à 1-4,5 m (3-15 pi) au-dessus de l'eau, dans un buisson ou des herbes paludéennes ; en colonies ; utilise parfois un nid de héron ; 3-4 œufs verdâtres maculés de brun ; 21-23 jours d'incubation assurée par le couple. Les oisillons naissent couverts de duvet ; quittent le nid à 4-5 semaines.
Nourriture. Crustacés, poissons, insectes.

Tantale d'Amérique
(Cigogne d'Amérique)
Mycteria americana

Le tantale d'Amérique niche souvent tout au sommet des très grands cyprès chauves.

Le tantale vole très haut dans le ciel où il apparaît beau, fier, gracieux. Mais lorsque la distance s'abolit, l'illusion se dissipe. On a devant soi un grand oiseau au cou nu, reptilien, grotesque. Si l'on sait faire preuve d'un peu de patience toutefois, on verra ce cousin de la cigogne retrouver une partie de sa grâce évanouie debout dans un marais, un pied devant l'autre comme s'il s'apprêtait à danser le menuet.

Contrairement à beaucoup d'échassiers du Sud, le tantale d'Amérique n'a pas eu à supporter les déprédations des chasseurs de plumes ou d'œufs, soucieux de satisfaire une clientèle de gourmets et de coquettes. L'oiseau, déplumé, n'excitait pas les convoitises. En 1954, un ornithologue américain pouvait donc écrire que l'oiseau semblait vivre dans des conditions stables en Floride tandis qu'un autre ajoutait : « Il survivra probablement longtemps dans son habitat originel. »

Naïveté ? Inconscience ? Un tel optimisme s'est révélé bien illusoire. Les oiseaux ne survivent qu'en autant que leur habitat se maintient. Or, les marais et les marécages qui font vivre le tantale et tant d'oiseaux aquatiques sont en voie de disparition. On a d'abord endigué le lac Okeechobee ; c'était de là que venait l'eau des Everglades. Puis, on a asséché des marais pour exterminer les moustiques. La transformation des sols marécageux en terres agricoles et quelques sécheresses naturelles ont fait le reste. En 1984, les experts du gouvernement américain décrétaient que le tantale d'Amérique était une espèce menacée d'extinction. Or, elle n'a pas cessé de diminuer depuis et se réduit maintenant à un maigre troupeau.

Description. Longueur 89-114 cm (35-45 po). Grand ; longues pattes ; surtout blanc. Tête nue et noirâtre ; queue et partie postérieure des ailes noires ; bec long, robuste et incurvé. Juvénile : bec jaunâtre ; tête garnie de plumes brun-gris.
Habitat. Marécages, marais.
Nidification. Nid de branchages et de brindilles, à 1,5-24 m (5-80 pi) du sol dans un arbre, en grande colonie ; 3-4 œufs blanchâtres ; 28-32 jours d'incubation assurée par le couple. Les oisillons volent 50-55 jours après l'éclosion.
Nourriture. Poissons, grenouilles, reptiles et insectes.

Courleau

Aramus guarauna

On n'a jamais vu de courleau au Canada, mais on a souvent entendu sa voix. Les studios de Hollywood s'en servaient pour donner de la couleur locale dans la trame sonore des films se déroulant en Afrique. Or, cet oiseau n'a jamais fréquenté ni de près ni de loin le continent africain. Aux États-Unis, le courleau, seul représentant de la famille des aramidés, habite, outre Hollywood, la Floride et la Georgie.

Sur les rivages vaseux des rivières qu'il arpente craintivement, la tête basse, on le prendrait pour un super râle. En vol, il étire le cou, laisse dépasser ses pattes au-delà de sa queue et bat des ailes d'un mouvement lent et bien maîtrisé, comme une grue. Le courleau a pourtant un trait bien à lui. Quand il marche, le poids de son corps repose sur une seule patte, ce qui lui donne l'air de boiter.

Le courleau a longtemps été apprécié en gastronomie pour la finesse de sa chair, succès dangereux qui l'a menacé d'extinction. Une loi l'a sauvé à temps et lui a permis de refaire ses populations. Comme le milan des marais, il se nourrit d'un escargot en forme de pomme, l'ampullaire, qui abonde dans les marais d'eau douce des régions tropicales. L'oiseau a mis au point une technique infaillible pour déloger la bête de sa carapace. Il dépose l'escargot de façon que l'ouverture de la coquille soit sur le dessus, puis il attend. Quand le mollusque, curieux, ouvre son opercule, le courleau attrape la membrane avec son bec et l'arrache ; il ne lui reste plus qu'à retirer de sa forteresse la délicieuse petite bête.

Comme pour le milan des marais, l'ampullaire est essentielle à la survie du courleau.

Description. Longueur 58-71 cm (23-28 po). Longues pattes ; long bec. Brun, strié et tacheté de blanc. Bec un peu incurvé. Cri puissant et plaintif, surtout au crépuscule et durant la nuit. **Habitat.** Marais et marécages d'eau douce. **Nidification.** Nid plat fait de roseaux et logé à 1-5 m (3-17 pi) au-dessus de l'eau dans la végétation des marécages ou dans les buissons ; 4-8 œufs chamois maculés de brun et de gris ; incubation assurée par le couple, de durée inconnue. Les oisillons, couverts de duvet, quittent tôt le nid ; âge du premier vol inconnu. **Nourriture.** Gros escargots d'eau douce ; grenouilles, insectes, écrevisses.

Grue du Canada
(Grue canadienne)

Grus canadensis

Contrairement aux petits des grands échassiers, la grue du Canada marche en naissant.

La grue du Canada est un oiseau de forte taille. Son plumage, d'apparence écailleuse sur le corps, est de teinte gris ardoise, marbré ici et là de roux. Les adultes ont un espace dégarni de plumes sur le front et le haut de la face ; cette plaque nue est rougeâtre. On pourrait confondre la grue du Canada avec le grand héron. En vol, la distinction est pourtant facile à établir. Le héron vole en repliant le cou en forme de S, tandis que chez la grue, le cou est tendu et droit.

La grue du Canada est extrêmement craintive ; sans doute se souvient-elle de l'époque où les chasseurs ont tué des milliers de ses ancêtres. Toutefois, elle se défend énergiquement si elle se sent coincée et son long bec pointu est une arme redoutable. John James Audubon dut un jour se jeter à l'eau pour échapper à la colère d'une grue qui s'était cassé l'aile. Des chiens de chasse ont souvent été blessés à mort par des femelles déterminées à protéger leur couvée.

En été, la grue du Canada se tient dans les marais de l'ouest de l'Amérique du Nord, depuis la Californie jusqu'au Yukon. Dans les territoires où elle niche, les rares observateurs de ses danses nuptiales ont déclaré que c'était un spectacle inoubliable. En hiver et durant la migration, la grue du Canada délaisse un peu les marécages pour se nourrir dans la prairie. Mais elle se fait de plus en plus rare et les régions qu'elle avait l'habitude de fréquenter au centre du continent se plaignent de ne plus entendre son cri perçant et plaintif.

Description. Longueur 86-122 cm (34-48 po). Grande taille ; cou long ; pattes longues. Surtout gris ; tache rouge dégarnie de plumes sur le vertex. Vole le cou tendu et droit, non replié comme chez le héron ; voyage en troupes bruyantes.
Habitat. Marais, prairies, toundra arctique.
Nidification. Nid fait d'un amas de matières végé-tales sur un sol sec ou humide ; 1-3 œufs chamois ou olive, maculés de marron et de mauve ; 30-32 jours d'incubation assurée par le couple. Les oisillons, couverts de duvet, quittent le nid peu après l'éclosion ; volent à 10 semaines ; restent avec les parents jusqu'au printemps suivant.
Nourriture. Céréales, insectes, petits animaux.

Grue blanche d'Amérique

Grus americana

Voici une espèce menacée d'extinction. En 1941, il ne restait plus que 11 grues blanches d'Amérique. En 1964, le Service canadien de la faune recensait 42 oiseaux à l'état sauvage et 8 en captivité. Aujourd'hui, grâce à des méthodes sévères de préservation, ces individus se sont multipliés pour former une population d'environ 200 sujets. Leur survie est pourtant encore précaire. L'oiseau a un taux de reproduction faible. En outre, chassé de ses zones habituelles de nidification dans l'ouest de l'Amérique du Nord, il est obligé, pour se reproduire, d'effectuer deux fois par an un long voyage depuis le Texas jusqu'au fleuve Mackenzie, sur une voie migratoire parsemée d'embûches de toutes sortes.

Devant le drame qu'aurait représenté sa disparition, les conservateurs de la faune et les ornithologues ont décidé de faire appel à une technique inusitée. Depuis quelques années, on prélève des œufs dans quelques nids de la grue blanche d'Amérique et on les dépose dans des nids de grues du Canada qui les élèvent comme si ces oisillons étaient les leurs. C'est ainsi qu'on est arrivé à créer une nouvelle colonie en Idaho. Si ce subterfuge continue à donner de bons résultats, on peut espérer conserver parmi nous cette grue blanche qui, comme le démontre l'étude des fossiles, vit en Amérique du Nord depuis plus d'un million d'années.

La grue blanche d'Amérique niche dans les marais et les tourbières du nord du Canada.

Description. Longueur 1,25-1,40 m (49-56 po). Très grand oiseau à long cou et longues pattes. Adulte : blanc ; bout des ailes noir ; tache rouge dénudée sur le vertex et les joues. Juvénile : blanc teinté de roux ; vertex sans tache rouge. **Habitat.** Marais ; vallées de rivières. **Nidification.** Nid de matières végétales empilées sur un sol sec ou humide ; 1-3 œufs chamois ou verdâtres, maculés de marron et de mauve ; 33-35 jours d'incubation assurée par le couple. Les oisillons, couverts de duvet, quittent vite le nid ; volent à 14-18 semaines ; restent avec les parents jusqu'au printemps suivant. **Nourriture.** Poissons, amphibiens et mollusques.

Oiseaux de rivage

Avec leur bec fin et leurs inépuisables réserves
d'énergie, les oiseaux de rivage sont particulièrement
adaptés à fouiller les berges marécageuses des rivières,
les fonds vaseux des tourbières et les plages
inondées de soleil qu'ils affectionnent. Déambulant
à petits pas pressés dans leurs terrains de prédilection,
ils fouinent du bec dans le sable ou sous les cailloux
avec une constance qui n'a d'égale que leur
détermination. Chevaliers solitaires et méthodiques,
pluviers à la démarche dansante, huîtriers habiles à
débusquer les moules et à les ouvrir, bécasses, bécasseaux
et bécassines, tous ces échassiers petits et moyens sont
joliment actifs et parfaitement heureux dans les milieux
marécageux ou champêtres qui leur conviennent.

Bécasseau sanderling

Huîtrier d'Amérique
(Huîtrier américain)

Haematopus palliatus

L'huîtrier ouvre les huîtres et les moules avec son bec pour avoir accès au mollusque.

L'huîtrier d'Amérique n'a pas l'habitude de fréquenter les cieux du Canada. John James Audubon prétendait que cette espèce aurait niché, autrefois, dans la baie de Fundy et sur la côte nord du golfe du Saint-Laurent. Cette assertion n'a jamais pu être vérifiée. Les huîtriers sont de grands oiseaux de rivage, tantôt tout noirs, tantôt blanc et noir. Ce qui constitue, chez eux, un trait tout à fait distinctif, c'est leur long bec pointu, comprimé sur les côtés et d'un rouge vif.

Aujourd'hui, l'huîtrier d'Amérique niche sur la côte atlantique à partir du New Jersey, sur les rives du golfe du Mexique et dans les Antilles, ainsi que sur la côte du Pacifique, depuis la Basse-Californie jusqu'au Chili. Sauf pour quelques taches blanches, il ressemble beaucoup à l'huîtrier de Bachman qui se rencontre au Canada. Les deux espèces ont des mœurs similaires, se partagent une partie de leur aire de dispersion et ont donné naissance à des sujets hybrides. Certains ornithologues prétendent que les deux espèces n'en forment qu'une seule ; d'autres disent qu'il s'agit de deux sous-espèces d'une espèce disparue. La discussion reste ouverte.

Une troisième espèce, celle de l'huîtrier pie (*Haematopus ostralegus*), qu'on appelait naguère l'huîtrier européen, est aussi présente aux États-Unis, mais pas au Canada. Les trois huîtriers ont le bec rouge, des pattes massives et ils sont de la taille de la corneille d'Amérique.

Description. Longueur 43-53 cm (17-21 po). Gros oiseau trapu à couleurs bien marquées ; tête et cou noirs ; dos brun foncé ; ailes, taches caudales et dessous blancs ; bec long, comprimé latéralement, rouge orangé ; pattes rose pâle.
Habitat. Plages de sable ; vasières.
Nidification. Nid creusé dans le sable, parfois tapissé de cailloutis et de plantes desséchées ; 2-4 œufs verdâtres ou chamois, maculés de brun foncé ; 24-29 jours d'incubation assurée par le couple. Les oisillons, couverts de duvet, quittent tôt le nid et s'envolent à 5 semaines.
Nourriture. Mollusques, étoiles de mer et vers de mer.

Huîtrier de Bachman
(Huîtrier noir)

Haematopus bachmani

E n règle générale, les oiseaux se nourrissent d'aliments difficiles à attraper mais faciles à consommer. Les huîtriers font exception. Les moules et autres bivalves dont ils se nourrissent garnissent en abondance les rivages marins qu'ils fréquentent. Les consommer demande néanmoins que l'oiseau ait recours à des techniques spéciales.

Il a à sa disposition un couteau à huîtres idéal, un bec long, comprimé en lame et pointu. Ouvert, ce bec lui permet de dégager facilement les moules de leur emprise dans le sable ou la vase. Fermé, il l'introduit, comme un couteau, entre les deux demi-coquilles, à l'endroit exact où tout bon écailler saurait que se trouve le petit muscle qui les tient refermées. Crac : le muscle est sectionné et la bête offerte à l'appétit de son prédateur. Certains huîtriers, plus brouillons ou plus pressés, ne font pas tant de façons ; ils martèlent le côté de la coquille de coups de bec jusqu'à ce qu'elle se brise.

Les huîtriers ne sont pas les seuls oiseaux marins à se nourrir de moules ou d'huîtres ; les goélands aussi, mais avec une technique différente, laquelle consiste à s'élever dans les airs avec la proie et à la laisser tomber sur une surface dure pour en briser la coquille. Pour se nourrir, certains oiseaux sont particulièrement ingénieux. Dans les îles Galapagos vit un frigillidé qui extrait ses proies des trous où elles se trouvent avec une épine de cactus, tandis qu'en Égypte une espèce de vautour brise les œufs d'autruche à coups de pierre.

Les huîtriers n'ont pas les pattes palmées ; ce sont pourtant d'excellents nageurs.

Description. Longueur 42-47 cm (16½-18½ po). Gros oiseau trapu ; brun noirâtre sans marque blanche ; bec long, aminci en lame, vermillon ; pattes rose pâle.
Habitat. Îles et rivages rocailleux.
Nidification. Nid creusé dans le gravier, parfois tapissé de cailloutis ou de fragments de coquillages et de plantes ; 1-4 œufs chamois maculés de brun foncé ; 24-29 jours d'incubation assurée par le couple. Les oisillons, couverts de duvet, quittent le nid peu après l'éclosion ; sont autonomes à 5 semaines.
Nourriture. Moules, étoiles de mer, vers de mer, crustacés et autres animaux marins.

Échasse
d'Amérique

Himantopus mexicanus

Cette petite échasse a déjà les longues pattes typiques de son espèce.

Aux États-unis, l'échasse d'Amérique a été surnommée l'oiseau avocat à cause du discours entêté qu'elle poursuit durant la saison des amours. Comme bien des oiseaux de rivage, elle a été presque rayée du globe par les chasseurs au XIXᵉ siècle. Aujourd'hui, grâce aux lois sur la protection de la faune, l'échasse d'Amérique prolifère dans ses zones de nidification du sud et de l'ouest des États-Unis.

Cet oiseau est assez remarquable. Juché sur ses longues pattes — ses échasses —, il parcourt les marais d'eau fraîche ou d'eau salée. C'est peut-être l'espèce qui présente les pattes les plus longues par rapport à son corps. Durant les étés chauds et humides, il quitte son nid une centaine de fois par jour, pour se rendre au point d'eau le plus près mouiller les plumes de son abdomen ; l'évaporation fait le reste. C'est ainsi qu'il se garde au frais et protège ses œufs, puis ses oisillons, de l'atroce chaleur. Sans ce stratagème, bien des femelles périraient à passer de longues heures immobiles sur leurs œufs.

Les échasses d'Amérique nichent en colonies d'une quarantaine de nids dans des savanes humides, près des étangs, des marais et des champs fréquemment inondés. Affairées toutes ensemble à pêcher dans un marais, à l'aube ou au crépuscule, elles forment, avec leur silhouette dégingandée et leurs longues pattes à demi pliées, un spectacle assez exceptionnel.

Description. Longueur 34,5-39,5 cm (13½-15½ po). Oiseau élancé ; fin bec noir ; très longues pattes ; dessus noir ; dessous blanc ; queue blanche ; pattes vermillon.
Habitat. Marais, vasières, étangs et lacs peu profonds.
Nidification. Nid peu profond aménagé dans le sol, tapissé d'herbes et de fragments de coquilles ; en petites colonies ; 3-5 œufs chamois maculés de brun foncé et de noir ; 22-26 jours d'incubation assurée par le couple. Les oisillons, couverts de duvet, quittent le nid peu après l'éclosion ; sont autonomes à 4-5 semaines.
Nourriture. Insectes aquatiques et escargots.

Avocette d'Amérique
(Avocette américaine)
Recurvirostra americana

L'avocette d'Amérique est l'un des oiseaux les plus gracieux et les plus séduisants de l'Amérique du Nord. C'est dommage qu'elle soit si peu répandue au Canada ; elle niche seulement dans la partie méridionale du Manitoba, de la Saskatchewan et de l'Alberta.

Ce grand oiseau de rivage présente des traits assez remarquables et surtout un bec long et mince, aplati et habituellement retroussé, encore que la pointe en soit parfois incurvée pour former une sorte de petit crochet. Il a les pattes très longues et bleu pâle, la tête et le cou d'un roux saumoné, une tache circulaire blanche à la naissance du bec, un cercle blanc autour d'un œil noir et perçant et les ailes marquées de bandes blanches et noires.

L'avocette d'Amérique fréquente les terres humides où la végétation pousse avec retenue : grèves et basses terres planes, rivages de lacs et de marécages. Ses longues pattes lui permettent d'entrer dans l'eau pour ramoner les fonds vaseux ou sablonneux avec son long bec noir en forme d'alène. Ce bec remarquable lui sert aussi d'arme de chasse. En vol, l'oiseau croque les insectes ou va cueillir d'un coup de bec précis et rapide ceux qui flottent sur les étangs et les marais.

Après la nidification, la tête et le cou roux de l'avocette d'Amérique deviennent blancs.

Description. Longueur 43-47 cm (17-18½ po). Grand oiseau à pattes longues et fines, bleu-gris ; bec noir retroussé ; dos marqué de grands motifs blancs et noirs ; dessous blanc ; tête et cou roux en plumage nuptial, blancs en hiver. **Habitat.** Étangs, marais, basses terres, champs inondés.

Nidification. Nid peu profond creusé dans le sol et tapissé d'herbes sèches ; 4 œufs olive maculés de brun ; 22-29 jours d'incubation assurée par le couple. Les oisillons, couverts de duvet, quittent le nid peu après l'éclosion ; sont autonomes à 5 semaines.
Nourriture. Insectes aquatiques.

Pluvier doré
d'Amérique

Pluvialis dominica

Avant d'entreprendre son long périple, le pluvier doré se gave de myrtilles.

Du bec à la queue, il ne mesure pas 30 cm ; à l'âge adulte, il pèse à peine 170 g. Et ce minuscule oiseau est capable de parcourir 32 000 km deux fois par an en période migratoire à des vitesses qui peuvent atteindre 115 km à l'heure quand il vole au-dessus de l'océan.

Espèce circumpolaire, le pluvier doré d'Amérique niche dans la toundra qui borde l'océan Arctique en Sibérie, en Alaska et dans le nord du Canada. Au mois d'août, la population se scinde en deux avant d'entreprendre sa longue migration vers le sud. Une moitié se dirige vers l'océan Atlantique pour s'installer depuis le sud de la Bolivie et du Brésil jusque dans les lointaines pampas de l'Argentine. L'autre emprunte la voie de l'océan Pacifique pour se rendre en Inde, dans le sud de la Chine, en Australie et en Nouvelle-Zélande. Peu d'oiseaux, même plus gros, ont l'énergie d'entreprendre des périples de cette envergure.

Le pluvier doré n'est pas seulement beau, il est aussi bon à manger. C'est pourquoi on avait coutume de l'abattre, au siècle dernier, lors de ses migrations. Il s'en tua 41 000 en un seul jour à la Nouvelle-Orléans. Bien protégés maintenant par la législation, il n'est pas rare d'apercevoir une bande de pluviers dorés, par jour de grand vent, faire halte sur la côte avant de reprendre leur exténuant périple.

Description. Longueur 23-28 cm (9-11 po). Parties supérieures et croupion sombres sans bande alaire ni tache sur l'aile. Adulte au printemps : face et dessous noirs ; dos tacheté de brun et de jaune. À l'automne : dessus sombre ; dessous et raie superciliaire blanchâtres.
Habitat. Prés, rivages ; niche dans la toundra.

Nidification. Nid peu profond dans le sol, tapissé de mousse et de feuilles ; 4 œufs chamois maculés de noir et de brun ; 27 jours d'incubation assurée par le couple. Les oisillons naissent couverts de duvet ; quittent le nid peu après l'éclosion ; âge de l'autonomie non connu.
Nourriture. Insectes et crustacés.

Pluvier argenté
(Pluvier à ventre noir)

Pluvialis squatarola

C'est avec le pluvier doré d'Amérique qu'on confond le plus souvent le pluvier argenté en tous ses plumages. Au printemps et en été, cependant, il a la tête presque complètement blanche, plus de blanc sur les dessous et pas de points chamois sur le dos. Peut-être parce qu'il se déplace en petites bandes, il a réussi à déjouer les chasseurs suffisamment pour échapper à l'extinction.

Ce bel oiseau robuste, le plus grand pluvier d'Amérique du Nord, niche dans les territoires arctiques, en Asie comme en Amérique. C'est un véritable expert dans l'art de fouiller le sable à marée basse pour y débusquer les vers dont il est particulièrement friand. Mais il ne dédaigne pas pour autant les prés, les marais saumâtres et les champs fraîchement labourés. Il court quelques mètres au sol sur ses petites pattes agiles, croque prestement sa proie et inspecte fréquemment les environs pour y déceler la présence de possibles prédateurs.

Parmi les 65 espèces de pluviers présentes dans le monde, celle-ci est la plus cosmopolite, puisqu'elle hiverne en Afrique du Sud, en Inde, en Australie, au Chili et en Argentine. On peut observer le pluvier argenté en mai, le long des côtes, pendant sa migration vers l'Arctique. Et quelques spécimens passent l'hiver dans le sud-ouest de la Colombie-Britannique.

Description. Longueur 28-34,5 cm (11-13½ po). Adulte au printemps : face et poitrine noires ; partie postérieure de l'abdomen blanche ; dessus tacheté blanc et noir. Adulte en automne : dessus tacheté gris ; dessous blanchâtre. En vol, exhibe un croupion blanc, une large bande alaire blanche et une tache noire à la base de l'aile.

Habitat. Plages et marais ; niche dans la toundra. **Nidification.** Nid aménagé dans le sol, tapissé de mousse ; 4 œufs verts, gris ou havane, maculés de brun ; 26-27 jours d'incubation assurée par le couple. Les oisillons, couverts de duvet, quittent tôt le nid et s'envolent à 6-7 semaines. **Nourriture.** Petits animaux marins, insectes.

Gravelot à collier interrompu
(Pluvier neigeux)

Charadrius alexandrinus

Le gravelot, grand mangeur d'insectes, a le bec plus fin que la plupart des pluviers.

Pluviers et chevaliers présentent de terribles défis aux ornithophiles et ornithologues sur le plan de l'identification. Les deux sont représentés par de nombreuses espèces dont les aires géographiques se chevauchent souvent, surtout en hiver et durant les migrations. Pour arriver à les distinguer les uns des autres, il faut savoir identifier avec précision leurs plumages, leurs habitats et leurs cris. Un autre trait apparaît parfois d'une grande utilité : le comportement.

Alors que la plupart des chevaliers se réunissent en colonies importantes pour fouiller le sable ou la boue de leur bec très sensible, les pluviers chassent à la vue, pourchassent leur proie et la dévorent en solitaires. Ils courent au sol, s'arrêtent, se remettent à courir et s'immobilisent abruptement pour picorer le sol. Cette façon de procéder, facilement identifiable, les distingue, même de loin, des autres oiseaux de rivage.

D'autres oiseaux s'identifient aussi à leur comportement. Voyez-vous un petit oiseau trapu dans un étang peu profond, le bec dans l'eau et la tête qui monte et descend comme une aiguille de machine à coudre ? Il y a fort à parier que cet oiseau est un bécasseau. Le même comportement dans un marais d'eau douce vous suggérera des bécassines. Devant des oiseaux qui s'affairent à picorer sur les cailloux, vous penserez à des tournepierres. Le chevalier qui hoche la tête sera vraisemblablement un chevalier solitaire tandis que s'il balance constamment la partie postérieure de son corps, ce sera plutôt un chevalier branlequeue. Bref, quand il s'agit d'identifier un petit oiseau de rivage, la règle à suivre semble être : « Ne regardez pas de quoi j'ai l'air ; regardez ce que je fais. »

Description. Longueur 15-17,5 cm (6-7 po). Petit oiseau à bec noir et fin : dessus brun-gris pâle ; face et dessous blancs ; tache noirâtre près de l'oreille et sur le côté de la poitrine. Juvénile : taches brun-gris pâle.
Habitat. Plages de sable, étangs d'eau salée ; lacs alcalins.

Nidification. Nid peu profond tapissé de débris de coquillages, dans le sable ; 2-3 œufs chamois maculés de gris et de noir ; 4 semaines d'incubation assurée par le couple. Les oisillons, couverts de duvet, quittent le nid peu après l'éclosion ; sont autonomes à 1 mois.
Nourriture. Insectes, petits crustacés.

Pluvier siffleur

Charadrius melodus

Ce petit pluvier a un chant si mélodieux que son nom, autant en latin avec *melodus* qu'en français avec *siffleur*, y fait allusion. Tantôt il émet ue seul sifflement, *couîp*, tantôt il module deux sons descendants, *couîp-lo*, dont la dernière note s'allonge avec douceur et mélancolie. Son chant vient de partout et de nulle part ; on ne soupçonnerait pas que ce petit oiseau couleur de sable puisse en être l'auteur.

L'ornithologue Arthur Cleveland Bent a prétendu que la voix des oiseaux de rivage, autant que leur plumage, reflète leur environnement. Les sifflements aigus et les cris perçants appartiennent aux oiseaux qui fréquentent les grèves et les basses terres marécageuses. Les appels gutturaux des bécassines conviennent à des oiseaux qui vivent dans des fondrières en compagnie des hérons et des grenouilles, tandis que les sons flûtés et ténus des bécasseaux à poitrine cendrée sont parfaitement adaptés aux sons qu'on entend dans les marais d'eau salée. Beaucoup d'oiseaux de rivage émettent des cris rocailleux qui font penser au roulement mat des cailloutis que la vague entraîne et ramène avec elle dans un mouvement incessant et monotone.

Ainsi donc, si les voix des oiseaux de rivage varient beaucoup d'une espèce à l'autre, elles remplissent les fonctions qui leur sont assignées : s'approprier des territoires de nidification, établir avec leur compagnon un lien essentiel, donner l'alarme en cas de danger, chasser les intrus, appeler et éduquer les oisillons. Par moments, on croirait pourtant qu'ils chantent pour le simple bonheur d'exister, surtout lorsque leur voix est aussi mélodieuse que celle du pluvier siffleur.

Piquetés de noir et de mauve, les œufs du pluvier siffleur se confondent avec le sable.

Description. Longueur 15-17,5 cm (6-7 po). Plumage nuptial : dos brun pâle ; ventre blanc ; bande noire sur la poitrine et sur le front ; bec orange à bout noir ; pattes orange. Adulte en automne et juvénile : pas de bande sur la poitrine ni le front ; bec sombre ; pattes jaunâtres.
Habitat. Plages de sable.

Nidification. Nid aménagé dans le sable, avec quelques cailloux et coquillages ; 4 œufs gris ou chamois, mouchetés de noir et de mauve ; 25-31 jours d'incubation assurée par le couple. Les oisillons, couverts de duvet, quittent tôt le nid ; sont autonomes à 3-4 semaines.
Nourriture. Insectes ; créatures aquatiques.

Pluvier semipalmé
(Pluvier à collier)

Charadrius semipalmatus

Ce pluvier est dit semipalmé à cause de la membrane qui relie partiellement ses doigts.

Le pluvier semipalmé arpente les rivages marins au-dessus de la limite de la marée montante, attendant que la mer se retire pour reprendre sa quête incessante de nourriture. Si vous vous promenez sur la plage, vous en verrez facilement trottiner un ou deux devant vous. Puis, vous aurez l'impression qu'ils se multiplient comme par magie. Comment se fait-il que vous ne les ayez pas tous aperçus immédiatement ?

Les pluviers semipalmés, tout comme les pluviers kildirs et la plupart des pluviers à collier, sont d'intéressants exemples de ce que les savants nomment coloration homochromique. Il s'agit d'une identité de couleur, et donc d'apparence, entre un animal et le milieu dans lequel il vit ; l'homochromie rend cet animal difficile à voir, tout au moins par l'œil humain. Avec ses coloris de brun-gris et de blanc cassé, le pluvier se confond avec le sable de la plage.

L'homochromie passive prend différents aspects parmi les oiseaux de rivage, mais elle est toujours disruptive, c'est-à-dire qu'elle trompe l'observateur sur la forme et la position du corps de l'oiseau qu'il cherche à voir. La bécasse d'Amérique arbore sur son plumage les couleurs de son environnement, celles des feuilles mortes parmi lesquelles elle se repose ou niche. D'autres oiseaux ont des parties supérieures foncées qui deviennent de plus en plus claires à mesure qu'elles se rapprochent des parties inférieures. Même le tournepierre, aux découpes voyantes sur ses ailes déployées, se fond dans son décor naturel sitôt qu'il se pose au sol.

Description. Longueur 16,5-20 cm (6½-8 po). Plumage nuptial : dessus brun ; dessous blanc ; bande noire sur la poitrine ; bec orange à bout noir ; pattes orange. Adulte en automne et juvénile : bec sombre ; pattes jaunâtres.
Habitat. Plages, battures, rives des lacs, étangs et rivières ; niche dans la toundra.

Nidification. Nid aménagé au sol, parfois tapissé d'herbes ou de débris de coquillages ; 4 œufs chamois maculés de brun ; 23-25 jours d'incubation assurée par le couple. Les oisillons, couverts de duvet, quittent rapidement le nid ; sont autonomes à 3-4 semaines.
Nourriture. Créatures aquatiques, insectes.

Pluvier kildir

Charadrius vociferus

Deux jours avant que les rejetons du pluvier kildir ne se fraient un chemin hors de leur coquille, ils pépient à qui mieux mieux et s'habituent à la voix de leurs parents. Ce ne sont pas des oisillons nidicoles ; à 1 heure environ d'intervalle entre le premier et le dernier, ils naissent couverts de duvet, mais trempés jusqu'aux os et épuisés par les efforts qu'ils ont dû fournir pour sortir de leur coquille. Quelques heures plus tard, secs et reposés, les yeux enfin ouverts, ils quittent le nid en compagnie des adultes, petites houppettes d'ouate chinée, chacune montée sur deux cure-dents.

Ils ne tarderont pas à picorer le sol, tout étonnés d'y déterrer des graines et des insectes. Mais cet âge est sans défense. Le danger guette. Au plus petit signe émis par les parents, les petits savent comment fermer les yeux et figer sur place tandis que les adultes, par des vols piqués, essaient d'éloigner les vaches indifférentes qui piétinent la glèbe ou de distraire le prédateur en jouant devant lui la comédie de l'oiseau blessé. Si la menace est plus grave, les parents donnent le signal du départ ; les petits s'élancent vers l'étang ou la mare et s'enfuient en nageant. Lorsque le prédateur est une buse, ils plongent et nagent sous l'eau.

Ainsi s'écoulent une trentaine de jours pendant lesquels les oisillons apprennent à vivre tandis qu'il leur pousse des plumes aux ailes. Désormais autonomes, ils voleront joyeusement par bandes au-dessus des prés et des prairies.

Le kildir a deux bandes pectorales ; le petit n'en a qu'une, comme n'importe quel pluvier.

Description. Longueur 23-28 cm (9-11 po). Pluvier de forte taille. Dessus brun ; dessous blanc ; 2 bandes pectorales noires ; base de la queue et croupion roux ; bande alaire blanche. Cri : un puissant *kil-dîr*.
Habitat. Pâturages, champs cultivés, berges de rivière, basses terres, aéroports.

Nidification. Nid gratté au sol, tapissé de fragments d'herbes, de coquillages et de tiges ; 3-5 œufs chamois, maculés de brun ; 24-28 jours d'incubation assurée par le couple. Les oisillons, couverts de duvet, quittent presque aussitôt le nid ; sont autonomes à 25 jours.
Nourriture. Insectes, vers de terre, escargots.

Grand
chevalier
(Grand chevalier
à pattes jaunes)

Tringa melanoleuca

Le grand chevalier, qui
s'affole facilement, donne en
même temps l'alerte générale.

Son ancien nom le décrivait bien : ce grand chevalier — tout comme le petit chevalier dont seule sa taille élancée le distingue — a des pattes jaune vif. Mais c'est à peu près tout ce qu'il a d'uni. Le reste de son plumage présente un extraordinaire mélange de moucheture claires sur fond sombre (les parties supérieures) ou sombres sur fond clair (le dessous), avec un relief plus accentué en période nuptiale. Son bec long et fin est légèrement retroussé.

Les oiseaux de rivage présentent une gamme invraisemblable de becs ; il y en a pour tous les habitats et tous les types d'aliments, depuis celui des bécasseaux, un peu incurvé pour fouiller la boue en surface, jusqu'à celui, effilé et long, du courlis qui s'enfonce profondément dans la terre humide pour y débusquer des vers de terre. Bécasseaux maubèches, bécasseaux variables, barges marbrées, courlis corlieux, chacune de ces espèces a le bec qui convient à son environnement. Ainsi se partagent-elles les ressources alimentaires extrêmement variées qu'offrent les littoraux de toutes sortes.

Grâce à ses longues pattes, le grand chevalier peut avancer assez loin dans l'eau ; son bec ne lui servira donc pas à fouiller la vase, mais à capter des invertébrés et à piquer de petits poissons. Ses va-et-vient frénétiques à certains moments peuvent paraître ridicules ; en réalité, il revendique ainsi le garde-manger qui lui est réservé et en tire le meilleur parti possible.

Description. Longueur 35,5 cm (14 po). Dessus brun foncé et strié ; dessous blanchâtre, strié sur la poitrine et l'abdomen ; bec long, fin et un peu retroussé ; longues pattes jaunes ; croupion blanc visible en vol. Cri sonore.
Habitat. Marais, étangs, vasières ; niche dans les tourbières du Nord.

Nidification. Nid peu profond tapissé de mousse, au sol, près de l'eau ; 4 œufs chamois, maculés de brun ; 23 jours d'incubation assurée par la femelle. Les oisillons, couverts de duvet, quittent tôt le nid ; sont autonomes à 20 jours.
Nourriture. Petits poissons, insectes et larves d'insectes, escargots.

Petit chevalier
(Petit chevalier à pattes jaunes)

Tringa flavipes

Ce chevalier a lui aussi les pattes jaunes ; c'est la copie conforme du grand chevalier, sauf pour la taille. Il n'est pas rare de les apercevoir côte à côte. La distinction est alors facile à établir. Mais tout change lorsqu'on les voit séparément. Il faut alors espérer que l'oiseau fasse entendre son ramage, car les deux espèces ont des cris tout à fait différents. Le grand chevalier lance des séries de trois ou quatre notes retentissantes, tandis que le petit chevalier émet des notes uniques ou doubles, sifflantes et très douces.

Un autre trait les distingue l'un de l'autre. Les deux espèces ont des aires de nidification différentes ; le grand chevalier niche dans la zone septentrionale des provinces canadiennes tandis que le petit chevalier ajoute à cette aire la plus grande partie de l'Alaska, tout le Yukon et une grande partie des Territoires du Nord-Ouest.

Le petit chevalier se reconnaît aussi à ses parades nuptiales. Il se laisse tomber du haut des airs comme une feuille morte pour prendre pied au sommet d'une épinette rabougrie. Tout près, un pluvier doré d'Amérique décolle et s'en va marquer son territoire en battant des ailes lentement, comme un énorme papillon. Un peu plus loin, un bécasseau semipalmé sort en trombe de derrière une petite éminence et s'élève en piaillant avec furie. Tous n'ont qu'un souci en tête : s'approprier un territoire, le signaler aux concurrents possibles et tirer parti de toutes les minutes d'un été arctique si terriblement court.

Le bec très fin du petit chevalier lui sert à croquer une foule de petits insectes.

Description. Longueur 25-27,5 cm (10-11 po). Plus petit que le grand chevalier. Dessus brun foncé et strié ; dessous blanchâtre, strié sur la poitrine et l'abdomen ; bec long, fin et droit ; longues pattes jaunes ; croupion blanc visible en vol. **Habitat.** Marais, étangs, vasières ; niche dans les forêts septentrionales et dans la toundra.

Nidification. Nid dans une petite dépression au sol, souvent loin de l'eau ; 4 œufs chamois maculés de brun ; 23 jours d'incubation assurée par la femelle. Les oisillons, couverts de duvet, quittent le nid peu après l'éclosion ; sont autonomes à 3 semaines. **Nourriture.** Insectes et crustacés.

Chevalier solitaire

Tringa solitaria

Là où ils nichent, les chevaliers solitaires se perchent précairement dans les arbres.

Le chevalier solitaire n'est pas vraiment solitaire, mais ses mœurs particulières font de lui une sorte d'original parmi tous les chevaliers. Il niche dans la grande solitude des forêts conifériennes du Canada et de l'Alaska, habitat que les chevaliers, d'ordinaire, ne fréquentent pas. Autre trait distinctif, il niche dans les arbres, et non au sol, en utilisant des nids abandonnés de merles, de quiscales ou de mainates rouilleux. Ces nids se trouvant à environ 12 m du sol, les oisillons du chevalier solitaire ont, dès la naissance, un défi à affronter.

Car ils ne sauront pas voler avant plusieurs semaines. Or l'atavisme les pousse à courir hors du nid sitôt que leur duvet est sec. Lorsque le chevalier niche au sol, cela ne pose aucun problème. Mais comme ces petits naissent haut dans les airs, force leur est de faire comme certains canetons : se laisser choir en agitant frénétiquement leurs petites ailes dans l'espoir de ralentir la chute et d'atteindre sans dommage un sol que l'humidité garde heureusement spongieux.

À partir de là, la vie du petit chevalier solitaire ressemble à celle de tous les petits chevaliers ; il apprend à nager, à plonger, à dévorer des crapauds, des insectes, des crustacés et même de petites grenouilles. Il apprend aussi à remuer la vase d'un seul pied pour en faire sortir les petites créatures qui s'y cachent et à plonger aussitôt la tête dans l'eau pour profiter de la manne qui passe.

Description. Longueur 20-22,5 cm (8-9 po). Dessus brun olive foncé ; croupion sombre ; gorge et poitrine striées de brun ; tête brun olive ; cercles oculaires blancs. Agite la queue.
Habitat. Étangs et lacs de régions boisées, marais, estuaires.
Nidification. Pond, dans un nid abandonné, à 1-12 m (3-40 pi) du sol, 4 œufs verdâtres ou chamois, maculés de brun ; 24 jours d'incubation assurée par la femelle. Les oisillons, couverts de duvet, quittent rapidement le nid ; élevés par la femelle seule ; âge de l'autonomie non connu.
Nourriture. Insectes, araignées, crustacés, petits animaux aquatiques.

Chevalier semipalmé

Catoptrophorus semipalmatus

Chez le chevalier semipalmé, la marque distinctive ce sont ses grandes taches alaires noires et blanches qui apparaissent par intermittence quand l'oiseau est en vol. Il sait d'ailleurs comment s'en servir à bon escient et, pour cela, exécute d'amples battements d'ailes à des moments précis.

Lorsque, par exemple, la buse des marais manifeste de mauvaises intentions, il n'est pas rare de voir intervenir des bandes de chevaliers semipalmés qui font cause commune pour intercepter l'oiseau de proie et lui signifier à coup de sémaphores alaires qu'il doit s'en aller. La méthode est efficace. Empêchée par tous ces signaux de repérer au sol les nids pleins d'œufs ou d'oisillons, la buse préfère aller exercer ses talents en des territoires moins bien défendus.

Pour défendre son nid, la femelle imite le mâle et bat des ailes pour transmettre un message non équivoque. Si la menace vient du sol, elle joue le numéro de l'oiseau blessé en déployant ses ailes pour capter l'attention du prédateur.

Lorsque les prédateurs ont été mis en déroute, le chevalier semipalmé agite de nouveau les ailes, cette fois en signal de soulagement. Il le fait aussi en vol et cette signalisation aérienne a toutes les allures d'un signal de ralliement lorsque, en migration, la bande nombreuse risque de se disperser.

La nidification terminée, le chevalier semipalmé prend une livrée uniforme gris moyen.

Description. Longueur 35,5-43 cm (14-17 po). Grand oiseau à plumage gris, strié en été, uni en hiver ; large bande alaire blanche ; croupion blanc ; bec long, droit et épais. S'identifie à son cri puissant : *pil-ouilette*.
Habitat. Marais, grèves et vasières.
Nidification. Nid peu profond creusé au sol, nu ou tapissé d'herbes ; 4 œufs olive maculés de brun ; 22-29 jours d'incubation assurée par le couple. Les oisillons, couverts de duvet, quittent le nid peu après l'éclosion ; élevés par la femelle seule ; âge de l'autonomie non connu.
Nourriture. Insectes, petits animaux marins et graines.

Chevalier branlequeue
(Chevalier grivelé, maubèche branle-queue)

Actitis macularia

Le branlequeue s'identifie facilement car il balance constamment la queue.

Personne n'aurait pensé que le chevalier branlequeue nous réserverait tant de surprises, que deux oiseaux identiques d'allure, mâle et femelle, nous donneraient une version aussi peu orthodoxe du couple engagé dans la reproduction de l'espèce. C'est pourtant bien ce qui s'est produit en 1972 lorsque l'ornithologue Helen Hays révéla que, dans cette espèce avant-gardiste, c'est la femelle qui, première arrivée au site de nidification, affronte d'autres femelles pour délimiter et posséder un territoire pour ensuite se conquérir un mâle parmi les candidats. Qui gratte la terre pour y creuser une légère dépression, qui tapisse ce nid de brins d'herbe ? On ne sait pas. On sait seulement que la femelle y pond les œufs !

Elle en pond quatre d'ordinaire. Aussitôt, le mâle la remplace dans le nid et amorce la couvaison pendant qu'elle va faire sa cour à l'un des mâles évincés. Parfois, l'aventure est sans lendemain et la femelle revient au nid prendre sa part de couvaison. Parfois aussi, elle s'éprend de son nouveau compagnon. Le couple se délimite un territoire et construit un nid ; la femelle pond de nouveau quatre œufs et le mâle se met à les couver pendant que, toujours aussi volage, elle s'en va flirter avec un troisième larron. Elle peut répéter ce manège quatre ou cinq fois avant de s'établir enfin sérieusement et de participer aux activités du nid avec son dernier compagnon pendant que tous les autres sont obligés d'élever seuls la couvée qu'elle leur a donnée.

Description. Longueur 19-20 cm (7½-8 po). Plumage nuptial : dessus brun-gris ; bande alaire blanche ; poitrine et abdomen blancs tachetés de noir ; bec court, rose à la base. Adulte en automne : dessous uniformément blanc. Agite énergiquement la queue en marchant. Vole au ras de l'eau en battant rapidement des ailes.

Habitat. Étangs et cours d'eau ; grèves marines.
Nidification. Nid creusé dans le sol ; 4 œufs verdâtres ou chamois, maculés de brun ; 20-24 jours d'incubation assurée par le mâle. Les oisillons, couverts de duvet, quittent le nid peu après l'éclosion ; sont autonomes à 17-21 jours.
Nourriture. Insectes, petits poissons, crustacés.

Maubèche des champs
(Bertramie à longue queue)
Bartramia longicauda

Lorsque les chasseurs eurent abattu toutes les tourtes en Amérique du Nord pour fournir les marchés d'alimentation, ils tournèrent leurs armes meurtrières contre la maubèche des champs qui, en ces temps-là, abondait dans les prés et les prairies herbeuses. Au début du XXe siècle, elle était au bord de l'extinction. Cette gentille espèce au chant si touchant, qui avait souvent protégé les récoltes contre les sauterelles, les légionnaires uniponctués, les charançons et les vers des moissons, se voyait presque décimée par ceux-là mêmes qu'elle avait aidés. Constatant la disparition progressive de plusieurs espèces d'oiseaux, on se mit enfin à voter des lois pour les protéger. Dans certains cas, il était déjà trop tard ; dans d'autres, les lois sauvèrent l'espèce.

Comme tous les oiseaux, la maubèche des champs doit affronter de nombreux dangers naturels : accidents, maladies, orages, prédateurs. Ses routes migratoires (11 000-13 000 km) ne sont pas de tout repos et, dans son territoire hivernal, elle est encore en butte à la déprédation. En dépit de tous ces obstacles et grâce à la protection dont elle jouit maintenant, il semble bien que la maubèche des champs parvienne à maintenir ses populations, pour notre plus grand bonheur.

Entre deux vols, la maubèche des champs fait une pause et dresse gracieusement les ailes.

Description. Longueur 28-31,5 cm (11-12½ po). Petite tête ; cou fin et long ; dessus marqué d'écailles et de stries brunes ; dessous pâle, strié et rayé ; ailes à bout noir ; pattes longues et jaunâtres. Se perche souvent sur des pieux de clôture.
Habitat. Prés, prairies, champs.

Nidification. Nid peu profond tapissé d'herbes, au sol ; 4 œufs crème ou havane, maculés de marron ; 21-27 jours d'incubation assurée par le couple. Les oisillons, couverts de duvet, quittent le nid peu après l'éclosion ; sont autonomes à 4 semaines.
Nourriture. Insectes, graines.

Courlis corlieu
(Courlis hudsonien)

Numenius phaeopus

Les jeunes oiseaux restent sur les lieux de nidification après le départ des adultes.

À l'instar de nombreux oiseaux de rivage, le courlis corlieu niche dans les terres basses qui bordent la baie d'Hudson. Ce sont des zones humides parsemées de tertres, peuplées de laîches, d'éricacées et de mousses où la toundra subarctique jouxte la forêt coniférienne boréale. Une étude entreprise vers 1975 y a révélé la présence de trois habitats distincts ; le courlis corlieu les fréquente tous les trois avec des fortunes diverses. Il y a d'abord les tourbières à sphaigne où poussent bouleaux nains, épinettes noires et mélèzes laricins. Ensuite viennent les prés humides, patrie du carex et de quelques rares arbustes. Enfin, c'est la toundra, plaine nue à rares crêtes rocheuses tapissées de mousses et de lichens.

L'étude montre que la nidification donne les meilleurs résultats dans les tourbières : 86 p. 100 des nids présentaient au moins un oisillon après la couvaison ; dans les deux autres habitats, le taux de succès n'atteignait que 54 p. 100.

Deux facteurs semblent intervenir. La densité des nids est beaucoup plus grande dans la tourbière ; il y a donc plus de femelles couveuses, capables de chasser les prédateurs. En outre, la tourbière est un lieu naturellement protégé. Les nids logés du côté opposé à celui des vents dominants, au pied des arbustes ou des conifères, sont à l'abri du froid ; goélands, corneilles et labbes ont plus de difficulté à les apercevoir. Les couples de courlis corlieux qui nichent avec succès dans la tourbière y reviennent presque à tout coup ; ceux qui perdent leur couvée dans les deux autres habitats très souvent n'y reviennent pas.

Description. Longueur 39,5-48 cm (15½-19 po). Gros oiseau à bec incurvé ; brun et strié ; tête rayée de lignes brun foncé ; ni bande alaire blanche ni croupion blanc.
Habitat. Marais, prairies, rivages, vasières ; niche dans la toundra.
Nidification. Nid dans une dépression au sol ;

3-5 œufs olive maculés de brun et de mauve ; 28 jours d'incubation assurée par le couple. Les oisillons, couverts de duvet, quittent le nid peu après l'éclosion ; sont autonomes à 5-6 semaines.
Nourriture. Insectes, vers, crustacés, baies.

Courlis
à long bec

Numenius americanus

Le plus grand des oiseaux de rivage de l'Amérique du Nord, le courlis à long bec présente des mœurs excentriques ; grand amateur de sauterelles, il fréquente les pâturages torrides du centre des États-Unis et du centre-sud du Canada. Cet imposant échassier est à l'aise dans les vertes prairies de l'intérieur ; autrefois, avant que n'arrivent les colons avec leurs fusils et leurs charrues, il nichait jusque dans l'Illinois.

Or, nicher dans la prairie, ce n'est pas de tout repos. Les blaireaux d'Amérique, les coyotes et les belettes à longue queue sont de grands amateurs de ses gros œufs. Les serpents-taureaux les gobent parfois d'un seul coup. Pour neutraliser ses prédateurs, le courlis à long bec reste le plus souvent auprès de son nid ; mais si tôt qu'il a le dos tourné, pies et corbeaux en profitent pour le piller. Dernière fatalité, dans les prés où il aime nicher paissent aujourd'hui des moutons et des vaches qui écrasent œufs et oisillons sous leurs pieds.

Les oisillons qui réussissent à voir le jour n'en ont pas pour autant la vie sauve. Pendant les cinq semaines où ils ne volent pas encore, plusieurs succombent à la chaleur, à la maladie et aux attaques des éperviers. Bref, la survie de l'espèce n'est pas vraiment assurée. Une enquête menée dans l'Idaho a révélé que sur deux couvées annuelles de quatre œufs, un seul oisillon en moyenne survit.

Avec son long bec, ce courlis va déloger les proies enfouies jusqu'à 15 cm dans le sable.

Description. Longueur 53-66 cm (21-26 po). Grand oiseau à très long bec. Dessus brun-roux marqué de stries ; dessous chamois ; dessous des ailes cannelle ; tête non rayée ; ni bande alaire blanche, ni croupion blanc.
Habitat. Prés, prairies, plaines ; marais d'eau salée ; plages en migration et en hiver.

Nidification. Nid dans une dépression tapissée d'herbes ; 4 œufs blanchâtres ou chamois, maculés de brun ; 27-30 jours d'incubation assurée par le couple. Les oisillons, couverts de duvet, quittent le nid peu après l'éclosion ; sont autonomes à 32-45 jours.
Nourriture. Insectes ; bestioles aquatiques.

Barge marbrée

Limosa fedoa

Pour trouver à se nourrir, la barge marbrée plonge souvent la tête entière dans l'eau.

Pour photographier des oiseaux, il faut savoir supporter la chaleur et les piqûres de moustiques, s'immerger de longues heures jusqu'à la taille dans l'eau des marécages ou attendre encore plus longtemps dans des caches glacées. Allan Cruickshank savait qu'il allait devoir subir toutes ces tortures. Le plus grand photographe d'oiseaux en Amérique du Nord s'attendait au pire.

Mais, comme pour le récompenser de son abnégation, une barge marbrée se trouva bientôt devant lui. De couleur fauve comme le feuillage autour, la femelle, presque invisible, était installée sur une dépression peu profonde en train de couver quatre œufs olive. En s'approchant, Cruickshank la fit s'envoler. Il se confectionna une cache. L'oiseau revint presque immédiatement. Confiante dans son camouflage parfait, la barge marbrée a la réputation de tolérer que les instrus viennent tout près de son nid. Allait-elle se montrer aussi débonnaire à l'égard de notre photographe ? La réalité dépassa ses attentes. La barge, docile, se laissa prendre et déplacer par Cruickshank qui put ainsi photographier le nid avec son contenu.

La situation allait changer radicalement à l'éclosion des œufs. La barge marbrée réagit violemment à la présence du photographe, lui signifia d'une voix puissante son mécontentement et amena rapidement ses petits loin du nid. L'époque des familiarités était terminée. Mais Cruickshank avait eu le temps de prendre ses photos — et beaucoup plus facilement qu'il ne l'aurait imaginé.

Description. Longueur 41-50 cm (16-20 po). Gros oiseau ; bec très long, à peine retroussé, rose à bout noir. Dessus maculé de brun ; dessous cannelle à rayures foncées ; dessous des ailes cannelle ou roux.
Habitat. Plaines et prairies ; rivages marins en migration et en hiver.

Nidification. Nid dans une dépression, caché dans l'herbe ; 4 œufs verdâtres ou olive, maculés de brun ; 21 jours d'incubation. Les oisillons, couverts de duvet, quittent le nid peu après l'éclosion ; sont autonomes à 21 jours.
Nourriture. Principalement mollusques, vers, crustacés et insectes.

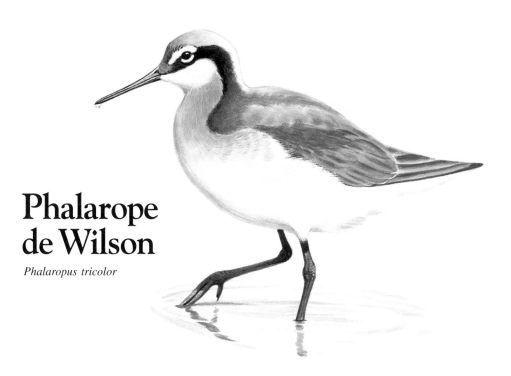

Phalarope de Wilson

Phalaropus tricolor

Existe-t-il une loi de la nature d'après laquelle les oiseaux femelles doivent se contenter d'admirer pendant que les mâles, dans leurs costumes magnifiques, exécutent leurs parades spectaculaires, quitte à se retrouver souvent seules à bâtir le nid et seules à couver ? Ce n'est en tout cas pas la loi qui régit les phalaropes de Wilson. Cette espèce a inversé les rôles ; le mâle fait tout dans le nid — sauf pondre les œufs.

Dans la prairie, au printemps, les femelles, plus grosses et plus colorées, font la cour aux mâles avec des vols acrobatiques et des ballets aquatiques où on les voit, toutes plumes gonflées autour du cou, nager vers les mâles en émettant des sons étrangement rauques. Les mâles feignent la nonchalance devant les avances non équivoques des femelles. Parfois deux ou trois d'entre elles s'acharnent sur le même individu qui fuit devant ces fiévreuses déclarations d'amour.

Mais le répit est de brève durée. Une femelle l'emporte et l'accouplement s'effectue. Le nid est une petite dépression cachée dans les herbes, à proximité d'un point d'eau. Lorsque la femelle a pondu ses œufs, le mâle prend docilement place dans le nid et couve. Une vingtaine de jours plus tard, les oisillons sortent des œufs ; c'est encore le mâle qui seul s'en occupe et les élève. Parfois la femelle quitte carrément la région avant même l'éclosion des œufs. Le plus souvent, les femelles désœuvrées s'assemblent sur l'étang et jouent dans l'eau pendant que les mâles s'affairent.

Les phalaropes se nourrissent en croquant les insectes qui flottent ou nagent sur l'eau.

Description. Longueur 21,5-24 cm (8½-9½ po). Bec effilé. Femelle en plumage nuptial : front et vertex gris ; ligne oculaire noire descendant sur le cou ; poitrine roussâtre ; dos gris. Mâle terne. En hiver : dos gris, dessous et croupion blancs ; ligne oculaire noirâtre. Nage, tourne sur l'eau. **Habitat.** Marais, lacs, baies d'eau salée.

Nidification. Nid au sol tapissé d'herbe ; 4 œufs chamois maculés de brun et de gris ; 16-21 jours d'incubation assurée par le mâle. Les oisillons, couverts de duvet, quittent le nid peu après l'éclosion ; élevés par le mâle seul ; âge de l'autonomie non connu. **Nourriture.** Larves d'insectes, crevettes, graines.

Tournepierre noir

Arenaria melanocephala

On identifie aisément le tournepierre noir en vol au motif de ses ailes et de son dos.

On peut connaître les oiseaux et ignorer presque tout de leurs œufs. En songeant aux oiseaux chanteurs, on serait tenté de croire que les œufs sont toujours petits. Or, avec les échassiers, c'est une tout autre histoire. Par rapport à la taille de la femelle, les œufs sont énormes. Réunissez-en quatre, ils seront au total plus lourds que l'oiseau qui les a pondus. Le tournepierre noir est un exemple parfait de cette curiosité de la nature. À peine plus forte qu'un merle, la femelle pond des œufs gros comme ceux de la corneille.

Pourquoi les oiseaux de rivage ont-ils des œufs si gros ? Cela tient sans doute à l'état dans lequel naissent les oisillons. Ce sont des êtres nidifuges, ce qui veut dire qu'au sortir de la coquille, ils ont les yeux ouverts et sont couverts de duvet ; en quelques heures à peine, ils peuvent quitter le nid et s'alimenter eux-mêmes. Ainsi donc le petit du tournepierre doit acquérir, à l'intérieur de l'œuf, une maturité plus grande que celle que possède à la naissance le petit merle nidicole qui vient au monde aveugle, nu et incapable de se nourrir. Bref, pour acquérir la maturité qui lui est nécessaire, il faut à l'embryon du tournepierre un jaune très gros, source de protéines et d'hydrates de carbone — et un œuf plus spacieux où il pourra se développer davantage.

Voilà pourquoi les oiseaux de rivage ont rarement plus de quatre œufs : l'adulte ne peut pas en couvrir davantage. Voilà aussi pourquoi ces œufs sont en forme de poire ; ils s'ajustent les uns aux autres comme les pointes d'une tarte.

Description. Longueur 22,5 cm (9 po). Oiseau trapu à pattes courtes. Adulte en plumage nuptial : poitrine et dessus noirs ; tache blanche sur la face ; abdomen blanc ; pattes sombres ; motif alaire très visible en vol. Adulte en hiver : plus brun ; aucune trace de blanc sur la face.
Habitat. Rives rocailleuses ; niche dans la toundra.

Nidification. Nid dans une petite dépression dans l'herbe courte ; 4 œufs chamois maculés de brun ; 22 jours d'incubation assurée par le couple. Les oisillons, couverts de duvet, quittent le nid peu après l'éclosion ; âge de l'autonomie non connu.
Nourriture. Petits animaux marins.

466

Tournepierre à collier
(Tourne-pierre roux)

Arenaria interpres

Les noms vernaculaires des oiseaux sont souvent choisis en fonction de leurs mœurs alimentaires. Celui-ci a dû étonner davantage ses observateurs par une autre facette de son comportement puisqu'il porte exactement le même nom dans les principales langues occidentales. L'oiseau s'appelle *revuelvepiedras* en espagnol, *turnstone* en anglais, *steinwälzer* en allemand et, pour les traduire tous d'un seul mot, *tournepierre* en français. Il a en effet l'habitude d'insérer son bec sous une pierre et de la retourner d'un mouvement brusque de son cou puissant pour avoir accès à la petite bête qui se cache dessous. Les tournepierres se mettent parfois même à plusieurs pour retourner un gros poisson mort ou pour enrouler sur elle-même une plaque de varech dans l'espoir de découvrir dessous quelques bonnes bouchées.

Évidemment, rien ne force le tournepierre à tourner une pierre pour se nourrir. Il peut se satisfaire aussi d'insectes et d'araignées, de vers de terre et d'escargots, d'oursins, d'étoiles de mer et de crabes. Sur ses territoires septentrionaux de nidification, il se nourrit de graines de carex et, à la veille d'entreprendre le voyage de retour, se gave de myrtilles.

Bref, les tournepierres sont omnivores ou presque. On en a même vu dévorer allègrement des œufs dans une colonie de sternes. Ce n'est sans doute pas dans leurs habitudes car les sternes, loin de les traiter comme des prédateurs, assistaient calmement au carnage sans essayer d'intervenir.

Les tournepierres creusent aussi de gros trous dans le sable pour trouver une proie.

Description. Longueur 19-22,5 cm (7½-9 po). Oiseau trapu à pattes courtes. Plumage d'été : dessus roux à motif visible en vol ; tête noir et blanc ; poitrine noire ; abdomen blanc ; pattes vermillon. Plumage d'hiver : dessus brun ; dessous blanchâtre ; taches sombres sur la poitrine. **Habitat.** Rivages, plages ; niche dans la toundra.

Nidification. Nid peu profond creusé dans le sol et tapissé de tiges ; 4 œufs olive, maculés de brun ; 22-24 jours d'incubation assurée par le couple. Les oisillons, couverts de duvet, quittent tôt le nid ; sont autonomes à 3 semaines.
Nourriture. Petits animaux marins, insectes.

467

Bécasseau maubèche

(Bécasseau à poitrine rousse)

Calidris canutus

Passé la saison des limules, les bécasseaux maubèches se déplacent par petits groupes.

Imaginez une plage si densément peuplée d'oiseaux que le soleil ne parvient pas jusqu'au sable. Si vous vous trouvez à la mi-mai sur une plage de la baie de Delaware, ces oiseaux seront des bécasseaux maubèches.

Ils se rassemblent chaque année dans un espace étroit à la jonction des États américains du New Jersey et du Delaware. Ayant quitté leurs territoires d'hiver en Amérique du Sud, ils se dirigent vers leurs aires de nidification dans l'extrême nord du Canada. Leur arrivée coïncide toujours avec le cycle de reproduction des limules de l'Atlantique qui viennent pondre dans les eaux peu profondes de la baie. Tous les mois de mai, un nombre incalculable de ces fossiles vivants, plus proches parents des araignées que des crabes, déposent leurs œufs au fond des trous qu'ils creusent dans le sable. Les bécasseaux maubèches, les tournepierres à collier et d'autres oiseaux de rivage comptent sur ces œufs pour refaire leurs forces avant d'entreprendre la seconde étape de leur voyage. Les oiseaux se gavent d'œufs de limules durant plusieurs semaines, jusqu'à ce que, plus lourds de 40 p. 100 et enfin rassasiés, ils reprennent leur vol vers l'Arctique.

On estime que près d'un million d'oiseaux font escale sur les rivages de la baie de Delaware en mai. Plus de 80 p. 100 des bécasseaux maubèches qui peuplent l'Amérique du Nord — et près de la moitié des tournepierres à collier — peuvent se retrouver tous ensemble un beau jour sur la plage et créer un spectacle impressionnant à couper le souffle.

Description. Longueur 24-25 cm (9½-10 po). Oiseau trapu à bec droit et noir. Adulte en plumage nuptial : dessus brun à plumes ourlées de beige ; face, poitrine et abdomen roux ou rosâtres ; faible bande alaire. Adulte en hiver : dessus gris ; dessous blanchâtre.
Habitat. Plages de sable ; niche dans la toundra.

Nidification. Nid peu profond creusé dans le sable ; 4 œufs chamois, maculés de brun ; 21-23 jours d'incubation assurée par le couple. Les oisillons, couverts de duvet, quittent le nid peu après l'éclosion ; sont autonomes à 18-20 jours.
Nourriture. Mollusques, graines, larves.

Bécasseau sanderling
(Sanderling)

Calidris alba

Les bécasseaux sanderlings sont une source inépuisable de joie et de curiosité pour les touristes qui fréquentent les plages de l'océan. Ces petits oiseaux trottinent inlassablement sur le sable luisant derrière la vague qui se retire, pour aussitôt refaire le chemin en sens inverse avec autant de célérité devant la crête écumeuse qui menace de les engloutir. Leurs petits pieds noirs à trois doigts laissent partout des empreintes étoilées pendant que leur fin bec noir fouille l'eau mousseuse, prêt à saisir les minuscules crustacés, les vers et les mollusques que la mer apporte. Tous les bécasseaux picorent avec appétit, mais aucun d'entre eux ne donne l'impression d'être aussi affamé que le bécasseau sanderling ; à le voir s'affairer du matin jusqu'au soir, on se demande comment un si petit corps peut absorber autant de nourriture.

Les bécasseaux séjournent en général entre 8 et 10 semaines dans la toundra, le temps de la nidification. À peine les petits ont-ils appris à voler qu'ils sont déjà sur le chemin du retour. Est-ce la hâte de retrouver leur nourriture habituelle ou bien s'agit-il d'une irrépressible nostalgie des marées océanes ? L'attrait est en tout cas si vif que certains bécasseaux délaissent tout bonnement leurs petits pour revenir plus rapidement. Ce n'est pas le cas des sanderlings qui, eux, repartent avec leur progéniture, non pas qu'ils soient de meilleurs parents, mais parce que leurs petits sont capables d'entreprendre la longue envolée dès l'âge tendre de 17 jours.

Le bécasseau sanderling saisit prestement les petits animaux que dépose la vague.

Description. Longueur 17,5-22,5 cm (7-9 po). Bec court et noir ; bande alaire blanche. Adulte en plumage nuptial : poitrine et dessus roux, maculés de noir ; abdomen blanc. Adulte en hiver : grisâtre ; tache noire sur l'épaule.
Habitat. Plages, rivages vaseux et dunes de sable ; niche dans la toundra.

Nidification. Nid peu profond creusé dans le sol, tapissé de feuilles et de mousse ; 3-4 œufs olive, piqués de brun ; 24-31 jours d'incubation assurée par le couple. Les oisillons, couverts de duvet, quittent le nid peu après l'éclosion ; sont autonomes à 17 jours.
Nourriture. Insectes, petits animaux marins.

Bécasseau
semipalmé

Bécasseau semipalmé *Calidris pusilla*
Bécasseau d'Alaska *Calidris mauri*

Bécasseau semipalmé

Bécasseau d'Alaska

Alors que son groupe manque déjà d'esprit de famille, le bécasseau semipalmé l'a particulièrement atrophié. Les bécasseaux, en règle générale, n'ont qu'une hâte : quitter leur aire de nidification. La plupart refrènent leur impatience jusqu'à ce que leurs petits sachent voler, même s'ils ne font pas route avec eux. Mais les bécasseaux semipalmés abandonnent le nid alors que les oisillons, âgés de 14 jours seulement, ont les ailes encore trop faibles pour voler. Le moment venu, les petits n'en sont pas moins capables de se rendre, tout seuls, jusqu'en Amérique du Sud où l'espèce hiverne.

Pour accomplir un aussi long voyage, ces oiseaux ont la chance de voler très vite. C'est un semipalmé qui détient le record de la meilleure vitesse sur le plus long parcours. Quatre jours après avoir été bagué au Massachussetts, ce migrateur d'élite avait franchi 4 500 km et se trouvait en Guyane. Hélas ! son exploit n'a été connu que par le hasard d'un triste événement ; à son arrivée à destination, l'oiseau était abattu par un chasseur qui envoya le numéro de la bague au service américain de la faune et de la flore.

En hiver, le bécasseau d'Alaska ressemble tellement à son cousin semipalmé qu'on les croirait jumeaux, sauf qu'il hiverne le long des côtes américaines. Ainsi donc, si un ornithophile de Californie ou du Texas aperçoit un bécasseau qui ressemble à un semipalmé, il pourra cocher avec assurance « bécasseau d'Alaska » sur sa liste.

Description. Longueur 14-18 cm (5½-7 po). Pattes et bec noirs. Plumage nuptial : dessus brun-gris ; plumes ourlées de roux ; poitrine striée de brun. Adulte en hiver : dessus grisâtre ; dessous blanchâtre. Bécasseau d'Alaska : bec plus long ; vertex, joues et flancs roux en été.
Habitat. Littoral marin ; niche dans la toundra.

Nidification. Nid dans une petite dépression tapissée d'herbe ; 4 œufs chamois ou olive, maculés de roux et de brun-gris ; 18-22 jours d'incubation assurée par le couple. Les oisillons, couverts de duvet, quittent le nid peu après l'éclosion ; sont autonomes à 14-19 jours.
Nourriture. Insectes et petits animaux marins.

Bécasseau minuscule

Calidris minutilla

Le bécasseau minuscule est le plus petit de toute la famille des bécasseaux. Pas plus gros qu'un moineau, il émigre depuis le Grand Nord du Canada et l'Alaska, où il niche, le long des côtes américaines jusqu'à l'extrême sud des États-Unis, où il hiverne. Son plumage le camoufle si bien, ses coloris sont tellement homochromiques qu'à peine le voit-on marcher sur les plages où il se confond avec le sable et la vague. Mais là ne s'arrêtent pas les problèmes de l'ornithophile qui essaie de l'identifier. Sa livrée est si semblable à celle des autres bécasseaux avec lesquels il arpente les rivages qu'il est presque impossible de distinguer une espèce de l'autre, sauf pour quelques rares indices.

Il y a, bien sûr, sa petite taille, mais aussi ses pattes, jaune verdâtre, alors qu'elles sont noires chez ses cousins. De très près, on l'identifie aussi à la palmure qui relie partiellement ses doigts. Par points de comparaison, la femelle du bécasseau d'Alaska a le bec plus long que le sien et légèrement incurvé et le bécasseau de Baird a la poitrine plus chamois ; quant au bécasseau à croupion blanc, il se distingue en vol par les plumes d'un blanc immaculé qui lui ont donné son nom.

Mais il faut être un perfectionniste achevé pour vouloir distinguer et identifier tous les membres de ces bandes vives et animées qu'on rencontre sur les côtes. La plupart des gens se contentent de les désigner par un seul nom : ce sont des bécasseaux, disent-ils.

Le bécasseau minuscule (en haut) a le bec plus court et plus effilé que le semipalmé.

Description. Longueur 14-16,5 cm (5½-6½ po). Petit oiseau à bec court et fin ; pattes jaunâtres. Plumage nuptial : dessus brun ; plumes ourlées de roux et de chamois ; dessous blanc ; poitrine striée. Plumage d'hiver : dessus plus terne. **Habitat.** Vasières, marais et plages ; niche dans la toundra.

Nidification. Nid peu profond, creusé au sol et tapissé d'herbe ou de feuilles ; 4 œufs chamois maculés de brun ; 19-23 jours d'incubation assurée par le mâle. Les oisillons, couverts de duvet, quittent le nid peu après l'éclosion ; élevés par le mâle ; âge de l'autonomie non connu. **Nourriture.** Crustacés et insectes.

Bécasseau à croupion blanc
(Bécasseau de Bonaparte)

Calidris fuscicollis

Les jeunes bécasseaux à croupion blanc se rassemblent autour des étangs d'eau douce.

Quand les jours sont devenus longs, l'été, les bécasseaux à croupion blanc nichent, comme la plupart des autres bécasseaux, dans l'Arctique canadien. Mais dès que l'hiver approche, ils franchissent 15 000 km pour retrouver, à l'extrême pointe de l'Amérique du Sud, les longues journées de l'hiver austral. Ainsi bénéficient-ils d'un plus grand nombre d'heures d'ensoleillement que la plupart des créatures terrestres.

Est-ce l'attrait de la lumière qui incite les bécasseaux à croupion blanc à passer de l'Arctique à l'Antarctique pour retrouver l'été polaire ? Bien sûr, des journées plus longues signifient plus de temps pour se nourrir. Mais cela n'explique pas un voyage de plusieurs milliers de kilomètres.

D'ailleurs la migration des oiseaux demeure un des grands mystères du règne animal. Par exemple, comment se dirigent-ils durant les longs vols migratoires ? Ils utilisent sans doute les étoiles, le soleil, la polarisation de la lumière et même les forces électromagnétiques de la terre pour s'orienter. Mais comment traitent-ils cette information pour être capables de se diriger de façon aussi infaillible vers leur destination, et sur d'aussi longs parcours ? Plus intrigant encore, comment les oiseaux de la dernière couvée peuvent-ils entreprendre seuls le voyage, sans l'aide des adultes, et arriver, sans se perdre, à bon port ? Ce sont là des questions fascinantes qu'on n'est pas près d'élucider.

Description. Longueur 16,5-20 cm (6½-8 po). Bécasseau de bonne taille ; ailes dépassant la queue ; croupion blanc. Plumage nuptial : vertex roux ; tache rousse derrière l'œil ; flancs tachetés et striés de noir. Plumage d'hiver : grisâtre ; ligne superciliaire blanchâtre.
Habitat. Plages, vasières ; niche dans la toundra.

Nidification. Nid en coupelle, sur le sol ; 4 œufs chamois ou verdâtres, maculés de brun ; 22 jours d'incubation assurée par la femelle. Les oisillons, couverts de duvet, quittent rapidement le nid ; sont autonomes à 16-17 jours.
Nourriture. Vers marins, insectes.

Bécasseau
à poitrine cendrée
(Bécasseau tacheté)

Calidris melanotos

P our séduire une dame, le bécasseau à poitrine cendrée se livre à une cour qu'on pourrait qualifier d'exagérée. Les démonstrations ont lieu dans l'Arctique, à l'époque de la nidification. Le mâle, ni laid ni beau, est doté d'attributs pectoraux assez étonnants : dissimulés sous ses plumes, deux sacs aériens expliquent son comportement très différent de celui des autres oiseaux de rivage.

Il suffit à notre amoureux d'apercevoir une femelle pour qu'il remplisse son œsophage d'air. Les sacs pectoraux se gonflent, deviennent aussi gros que lui et l'oiseau s'élève d'environ une quinzaine de mètres dans les airs. Alors, il rejette la tête en arrière, arque la queue vers le bas et se laisse descendre doucement en émettant une série de notes glougloutantes qu'on peut assimiler à un roucoulement ou à un grognement, selon les goûts.

Sitôt qu'il touche terre, le bécasseau à poitrine cendrée se précipite sur la femelle, dresse la tête comme un coq de bataille et halète d'impatience. Il salue. Il s'accroupit. Il avance et recule en se pavanant. Il gonfle et dégonfle alternativement chacun de ses sacs aériens. La femelle observe tout ce manège avec une indifférence dédaigneuse. À vrai dire, elle n'est pas plus monogame que lui. Notre Messaline vient sans doute de s'accoupler avec plusieurs soupirants d'affilée. Tout charmant qu'il soit, ce galant n'est pas le seul mâle de sa vie.

Les bécasseaux à poitrine cendrée sont souvent attirés par les terrains de golf.

Description. Longueur 20-22,5 cm (8-9 po). Gros oiseau à pattes jaunes. Dessus brun à plumes ourlées de chamois ; poitrine brun foncé et striée ; abdomen blanc contrastant.
Habitat. Marais, étangs herbeux ; niche dans la toundra arctique.
Nidification. Nid d'herbes et de feuilles, en cou-pelle, dissimulé au sol ; 4 œufs blanchâtres ou chamois, maculés de brun ; 21-23 jours d'incubation assurée par la femelle. Les oisillons, couverts de duvet, quittent le nid peu après l'éclosion ; élevés uniquement par la femelle ; deviennent autonomes à 3 semaines.
Nourriture. Insectes, petits crabes.

Bécasseau violet
(Bécasseau maritime)

Calidris maritima

Les brise-lames géants de la côte atlantique attirent vers le sud les bécasseaux violets.

Sauf en été quand il niche dans la toundra arctique, le bécasseau violet passe sa vie sur les rivages rocailleux et dans les îlots de la côte septentrionale. À longueur de jour, il fouille les anfractuosités de la falaise ou les tapis d'herbes marines pour se nourrir de crustacés, de mollusques et d'invertébrés qu'il a l'air d'avaler d'un seul trait.

Son audace frôle la témérité quand il déambule sur les étroites corniches où il risque à tout moment de déraper sur la végétation humide pour s'abattre dans les flots déchaînés. Sans doute se rassure-t-il en sachant que, comme bien des oiseaux de rivage, il est habile à nager au besoin. On le voit parfois dériver au gré des courants sur un radeau de varech qu'il fouille du bec pour en tirer tout ce qui se consomme.

Les bécasseaux violets ne sont nulle part abondants, mais ils semblent s'attacher aux lieux qu'ils fréquentent. L'ornithologue John K. Terres l'avait déjà noté ; des vols entiers de bécasseaux violets viennent chaque hiver, année après année, se nourrir et se reposer aux mêmes endroits.

Il y a un demi-siècle, on n'en voyait guère au sud de Long Island. Mais à mesure qu'on construit des brise-lames géants pour protéger les plages de sable contre l'érosion, les bécasseaux violets, qui raffolent de cet environnement, accourent, semble-t-il toujours plus nombreux, et leur habitat d'hiver s'étend maintenant jusqu'en Georgie.

Description. Longueur 20-24 cm (8-9½ po). Oiseau trapu ; courtes pattes jaunâtres ; bec jaune à la base ; grande bande alaire blanche visible en vol. Plumage nuptial : gris pourpré, strié. Plumage d'hiver : gris terne ; dessous blanchâtre strié de brun.
Habitat. Rivages rocheux ; niche dans la toundra.

Nidification. Nid dans une petite dépression du sol, tapissé d'herbes ; 4 œufs verdâtres, maculés de brun ; 22 jours d'incubation assurée par le mâle. Les oisillons, couverts de duvet, quittent le nid peu après l'éclosion ; élevés par le mâle seul ; deviennent autonomes à 3 semaines.
Nourriture. Crustacés, insectes.

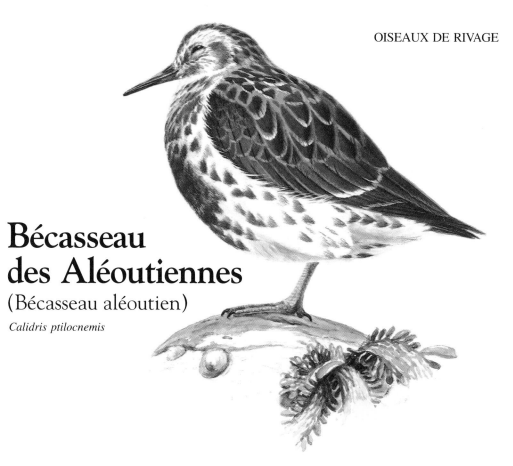

Bécasseau des Aléoutiennes
(Bécasseau aléoutien)

Calidris ptilocnemis

Rarement visibles ailleurs que sur les corniches et les récifs de la côte pacifique, les bécasseaux des Aléoutiennes fouillent les crevasses et les anfractuosités des vieux rochers brisés par la mer. Ils nichent dans l'Arctique, autant en Asie qu'en Amérique, mais se rassemblent tous en Alaska avant la migration d'automne. Certains passent l'hiver dans les îles Aléoutiennes ou dans le sud de l'Alaska ; d'autres descendent la côte jusqu'au nord de la Californie.

Comme la plupart des espèces qui lui sont apparentées, le bécasseau des Aléoutiennes niche dans une petite dépression du sol tapissée de mousse et de lichen, dans la toundra arctique. La femelle pond quatre œufs d'une grosseur étonnante pour un si petit oiseau. Mâle et femelle se partagent la tâche de l'incubation ; quand les petits naissent, couverts de duvet, le couple s'en occupe ensemble. Comme tous les oisillons de cette famille, ils sont prêts à sortir du nid et à se nourrir tout seuls dès que leur duvet est sec.

On ignore à quel âge ils savent voler ; on ignore également si les parents restent avec eux jusqu'à ce moment ou s'ils les abandonnent avant, comme le font la plupart des bécasseaux. Mais il est clair que les petits apprennent seuls à voler et que les parents les quittent bien avant qu'ils soient assez forts pour les accompagner. Comment la nouvelle génération sait-elle où rejoindre son espèce en hiver ? Comment les jeunes oiseaux apprennent-ils à s'y rendre ? Cela demeure un mystère.

Sur la côte rocheuse, les bécasseaux des Aléoutiennes se passent bien des hommes.

Description. Longueur 20-22,5 cm (8-9 po). Oiseau trapu. Plumage nuptial : dessus roux ; dessous blanchâtre ; grande tache noire dans le bas de la poitrine ; bec foncé mais pâle à la base ; pattes courtes, vert-jaune ; grande bande alaire blanche visible en vol. Hiver : gris terne.
Habitat. Rivages rocheux ; niche dans la toundra.

Nidification. Nid dans une petite dépression du sol ; 4 œufs olive maculés de brun ; 20 jours d'incubation assurée par le couple. Les oisillons, couverts de duvet, quittent le nid peu après l'éclosion ; élevés principalement par le mâle ; âge de l'autonomie non connu.
Nourriture. Crustacés, mollusques, insectes.

Bécasseau variable
(Bécasseau à dos roux)

Calidris alpina

Le juvénile est tout picoté ; cette livrée dure si peu qu'on la voit rarement.

Le bécasseau variable, qui s'appelait encore tout récemment le bécasseau à dos roux, est un petit oiseau de la taille du sanderling. Bien qu'en été son dos prenne des tons cannelle, son plumage brun-gris semble, le reste du temps, le recouvrir comme une chape.

En migration, on rencontre le bécasseau variable sur les rivages boueux, aussi bien près de l'eau salée que de l'eau douce. Il fréquente aussi les vasières, les terres herbeuses fréquemment inondées, les plages de sable et les dunes. Il niche dans la toundra couverte d'herbes ou parsemée de petits monticules, là où la terre est sinon mouillée du moins humide ; il niche aussi dans les marais d'eau salée près de la côte. Son nid, une simple dépression dans le sol, est aménagé sur un petit tertre et tapissé d'herbe. Mâles et femelles participent à l'incubation des œufs et à l'éducation des petits.

Parfois, le bécasseau variable arrive si tôt dans son aire de nidification que les étangs et les marais sont encore gelés. Dans ce cas, il fait parfois demi-tour et repart vers le sud pour une migration exceptionnelle qui peut durer plusieurs jours. Ce retard dans les rites d'accouplement ne semble toutefois pas être catastrophique. L'oiseau aura eu le temps d'acquérir sa voix d'adulte en plumage nuptial et pourra séduire la femelle non pas en lui contant fleurette avec de rudes accents hivernaux, mais en lui lançant de mélodieuses ritournelles.

Description. Longueur 16,5-20 cm (6½-8 po). Long bec noir, légèrement incurvé. Plumage nuptial : dessus roux ; dessous blanc, strié ; grande tache noire sur l'abdomen. Adulte en hiver : dessus brun-gris ; dessous blanchâtre.
Habitat. Rivages boueux, plages ; niche dans la toundra arctique et subarctique.

Nidification. Nid peu profond d'herbes et de feuilles, au sol ; 4 œufs verdâtres ou chamois, tachetés de brun ; 22 jours d'incubation assurée par le couple. Les oisillons, couverts de duvet, quittent le nid peu après l'éclosion ; sont autonomes à 18-20 jours.
Nourriture. Petits animaux marins ; larves.

Bécasseau du ressac
(Échassier du ressac)

Aphriza virgata

Cet oiseau pourrait vous faire la peur de votre vie. Imagi-nez que vous ayez grimpé bien haut sur une montagne, en Alaska, dans l'espoir de voir des mouflons de Dall, dont vous savez qu'ils escaladent les sentiers abrupts et surgissent sans crier gare de la brume. Vous êtes loin de l'océan. Vous ne vous attendez certes pas à voir, en cet endroit, un de ces bécasseaux qui hantent les rivages du Pacifique ?

Le sentier que vous suivez se faufile dans une coulée ro-cheuse ; vous vous y aventurez avec précaution car il rétrécit sans cesse. Et c'est au moment où vous voyez à peine votre chemin que l'incident se produit. Un oiseau, magiquement issu du roc, surgit sur vous comme une fusée et vous vise au visage tout en lançant des cris rauques. Il bat vigoureusement des ailes et s'agite comme un forcené. Puis il s'en va en hurlant des appels sonores, pendant que ses ailes et son crou-pion lancent des éclairs blancs.

Le bécasseau du ressac, comme son nom l'indique, fréquen-te bel et bien les rivages rocheux du Pacifique, mais il niche dans le centre de l'Alaska et du Yukon, sur des pentes rocail-leuses. Comment auriez-vous pu savoir qu'en faisant un pas de plus, vous alliez écraser quatre beaux œufs qu'un oiseau anxieux couvait dans un nid bien camouflé ?

Cet oiseau compte sur son camouflage pour le protéger des prédateurs. Mais s'il se sent menacé, il n'hésite pas à attaquer férocement pour protéger son nid et ses oisillons. Il ne joue pas la comédie de l'oiseau malade. Il vise directement l'intrus et la stratégie est en général extrêmement efficace.

En hiver, le bécasseau du ressac est aussi terne que le rivage qu'il arpente.

Description. Longueur 22,5-24 cm (9-9½ po). Adulte en plumage nuptial : livrée marbrée de noir, blanc et marron ; poitrine et flancs rayés de noir ; bande alaire et croupion blancs ; pat-tes verdâtres ; Adulte en hiver : tête, poitrine et dos gris ; abdomen blanc.
Habitat. Rivages rocailleux ; niche en Alaska.

Nidification. Nid peu profond à même le sol, tapissé d'herbes et de mousse ; 4 œufs cha-mois, tachetés de marron ; incubation assurée par le couple, de durée non connue. Les oisil-lons, couverts de duvet, quittent le nid peu après l'éclosion ; âge de l'autonomie non connu.
Nourriture. Crustacés, mollusques, insectes.

Bécasseau roux ou Limnodrome gris
Limnodromus griseus

Bécasseau à long bec ou Limnodrome à long bec
Limnodromus scolopaceus

Bécasseau
roux
(Limnodrome gris)

Bécasseau roux

Bécasseau à long bec

Le bécasseau roux aurait dû être piqueur dans une fabrique de vêtements ; il est naturellement doué pour ce travail. Son bec, qui mesure un bon 10 cm, martèle le sol avec la même insistance que l'aiguille d'une machine à coudre. Ce n'est certes pas pour s'amuser qu'il s'adonne à cette activité, mais pour rendre le sol plus malléable et mieux déloger les vers et les crustacés dont il se nourrit.

Le bécasseau roux doit ses succès de chasseur à un outil singulièrement bien adapté à ses besoins. Tout comme celui des bécasses et des bécassines, son long bec est en effet d'une remarquable souplesse. Il lui permet de se nourrir tout en continuant de fouiller la terre et la vase. Le secret : un bout flexible qui s'entrouvre et se referme dans un éclair.

Mais gober un vers est plus vite fait que de le trouver. Il faut d'abord pouvoir localiser la proie dans une boue épaisse et opaque. À cette fin, le bec du bécasseau roux est doté de sensibilité : de petites cellules logées au cœur de la substance cornée lui permettent de percevoir l'animal dès qu'il y touche. Un de ses proches parents, le bécasseau à long bec, qui fréquente les marais d'eau douce, est doté lui aussi, d'un bec sensible au toucher. Et ce bec lui rend également d'incontestables services, d'autant qu'étant plus long, il peut pénétrer encore plus profond dans la vase.

Description. Longueur 26,5-31,5 cm (10½-12½ po). Bec long ; croupion et dos blancs. Adulte au printemps : dessus brun ; dessous roux. En automne : dessus gris ; dessous blanchâtre. Bécasseau à long bec : taches sur la gorge ; flancs rayés ; du blanc sur l'abdomen. Bécasseau roux : *tou-tou-tou*. Bécasseau à longue queue : *couic*.

Habitat. Rivages ; niche dans la toundra.
Nidification. Nid à même le sol, tapissé d'herbes et de brindilles ; 4 œufs chamois, maculés de brun ; 21 jours d'incubation assurée par le couple. Les oisillons, couverts de duvet, quittent rapidement le nid ; âge de l'autonomie inconnu
Nourriture. Insectes, crustacés, escargots.

Bécasseau à échasses

Calidris himantopus

Il porte bien son nom, le bécasseau à échasses. Ses pattes relativement longues lui valent de dépasser de la tête la plupart de ses congénères sur les berges des étangs, des marais
et des mares qu'il fréquente pour se nourrir. On le confond
parfois avec le petit chevalier, celui qu'on appelait autrefois
le petit chevalier à pattes jaunes. Ils se ressemblent suffisamment pour qu'on ait déjà qualifié celui-ci de faux chevalier à
pattes jaunes. Mais sur le terrain, la confusion n'est plus possible. Le chevalier à pattes jaunes répond à son nom ; il a les
pattes indiscutablement jaunes. Le bécasseau à échasses a les
pattes très nettement verdâtres.

Les bécasseaux à échasses volent en formations denses com-
posées de leur seule espèce et quelquefois en vol mixte avec
d'autres bécasseaux. Mais leurs compagnons les plus fréquents
sur les territoires où ils se nourrissent sont les bécasseaux roux
ou à long bec, pourtant beaucoup plus gros et plus lourds
qu'eux. Ils ont d'ailleurs la même technique de chasse — ou
de pêche — qu'eux. Dans l'eau jusqu'à la taille, ils fouillent
tous ensemble le sable ou la vase avec des mouvements verticaux qui évoquent irrésistiblement une machine à coudre en
pleine piqûre. Même en eau profonde, ils ne renoncent pas à
cette méthode énergique et vont déloger dans la boue les vers,
mollusques, larves et plantes aquatiques qui constituent le plus
clair de leur alimentation.

Peut-on imaginer qu'une espèce a emprunté à l'autre cette
technique ? Tout est possible dans la nature, puisque tout est
empirique. Et le droit du premier inventeur n'a pas encore fait
son apparition parmi la gent ailée.

Le bécasseau à long bec et le
bécasseau à échasses (en bas)
se distinguent par leur taille.

Description. Longueur 19-22,5 cm (7½-9 po).
Élancé à long bec, longues pattes verdâtres et
croupion blanc. Adulte en plumage nuptial : tache auriculaire rousse ; dessous rayé de brun
foncé. En hiver : dessus gris, dessous blanchâtre.
Habitat. Vasières, marais, étangs herbeux ; niche
dans la toundra.

Nidification. Nid simplement creusé au sol ; 4
œufs chamois ou olive, maculés de brun ; 19-
21 jours d'incubation assurée par le couple. Les
oisillons, couverts de duvet, quittent le nid peu
après l'éclosion ; sont autonomes à 18 jours.
Nourriture. Larves d'insectes, graines de plantes
aquatiques.

Bécasse d'Amérique
(Bécasse américaine)

Scolopax minor

La position de ses yeux permet à la bécasse d'Amérique de se nourrir en restant sur ses gardes.

La bécasse d'Amérique fréquente les taillis et les fourrés humides pour trouver les vers de terre dont elle se nourrit à peu près exclusivement. Avec son cou court et ses pattes également courtes, l'oiseau est bien adapté à son occupation au sol. Pour observer l'horizon alors qu'il a le bec enfoncé dans la terre, il est doté de deux très grands yeux dont l'emplacement lui permet de voir ce qui se passe derrière lui plutôt que devant. Son bec long et effilé est souple au bout et il peut l'enfoncer à plus de 15 cm dans le sol meuble.

Cette caractéristique n'a pas été sans inquiéter les ornithologues. Les vers de terre et autres invertébrés emmagasinent dans leur organisme des quantités substantielles de pesticides toxiques sans en être eux-mêmes incommodés. Or, on connaît la chaîne fatale qui du DDT par la feuille de l'orme parvient aux vers de terre et aux merles qui en meurent. On craint donc que dans ses territoires d'hiver, dans le sud des États-Unis, la bécasse d'Amérique absorbe ainsi des résidus de pesticide qui seront néfastes pour l'espèce.

La parade amoureuse de la bécasse s'observe de la mi-mars à la fin juin. Au crépuscule, le mâle s'installe dans un fourré d'aulnes et il lance ses *pînt* nasillards et espacés. Après son tour de chant, il lève du sol dans un sifflement d'ailes, tournoie en vrombissant comme un insecte au-dessus des arbres, descend en zigzaguant vers le sol et s'accouple avec la femelle qu'auront émue ses prouesses amoureuses.

Description. Longueur 26,5-29 cm (10½-11½ po). Oiseau trapu à grosse tête ; très long bec ; ailes arrondies. Motif de feuilles mortes sur le dessus ; dessous roussâtre ; vertex à bandes transversales noires. Vol sifflant.
Habitat. Fourrés et bois humides ; champs avec des broussailles.

Nidification. Nid au sol tapissé de feuilles ; 4 œufs olive ou cannelle, maculés de brun et de mauve ; 21 jours d'incubation assurée par la femelle. Les oisillons, couverts de duvet, quittent le nid peu après l'éclosion ; élevés par la femelle ; deviennent autonomes à 2 semaines.
Nourriture. Insectes et vers de terre.

Bécassine des marais
(Bécassine ordinaire)

Gallinago gallinago

Henry David Thoreau avait beau scruter le ciel attentivement, il continuait de n'y voir rien d'autre qu'un crépuscule au demeurant magnifique. Il en émanait néanmoins par moments un son troublant, un trémolo évanescent.

Le célèbre essayiste de la Nouvelle-Angleterre connaissait pourtant très bien ce son. Écarquillant les yeux dans l'obscurité grandissante, il finit par distinguer l'oiseau au long bec qui s'élevait en spirale dans le ciel. Cachée dans les herbes du marais, une bécassine femelle regardait d'un œil apparemment indifférent son compagnon prendre de l'altitude en décrivant des cercles de plus en plus grands. À près de 100 m dans les airs, l'oiseau étendit la queue et les ailes et se laissa chuter. C'est alors que retentit le son étrange, une sorte de hululement vibrant et grave, *hou-hou*, *hou-hou*, *hou-hou*, qui s'intensifia jusqu'à ce que l'oiseau soit sur le point de toucher au sol.

Pendant de nombreuses années, on se demanda entre savants comme l'oiseau arrivait à produire ce son étrange. Les Américains prétendaient que c'était avec les plumes de ses ailes. Les Européens soutenaient qu'en écartant les plumes externes de la queue et en les maintenant raides, l'oiseau permettait au vent de passer entre elles et de les faire vibrer. C'est à ces derniers que donnèrent raison des études menées sur le terrain. Thoreau avait poétiquement décrit un oiseau porté par le vent comme un esprit. La bécassine, plus simplement, chantait avec sa queue.

Le vent qui passe entre les plumes de sa queue explique le *hou-hou* de la bécassine.

Description. Longueur 26,5-29 cm (10½-11½ po). Bec droit et très long. Tête rayée ; dos brun marqué de raies blanchâtres ; poitrine et flancs maculés et rayés de brun ; abdomen blanc. Tache rouille sur la queue, visible en vol. Cri : *squé-âpe*.

Habitat. Prés humides, marais, tourbières.

Nidification. Nid au sol, tapissé d'herbes et de feuilles ; 4 œufs chamois ou olive, maculés de brun ; 18-20 jours d'incubation assurée par la femelle. Les oisillons, couverts de duvet, quittent tôt le nid ; sont autonomes à 20 jours.

Nourriture. Insectes, crustacés et autres bestioles ; graines.

Collection spéciale

Parmi les oiseaux les plus fascinants qu'on puisse observer, certains ont le défaut d'être peu répandus ou d'occuper des habitats restreints. Petites parulines gentiment colorées, oiseaux-mouches aux coloris somptueux, éperviers farouches et cruels, flamants aux longues pattes, tous ces oiseaux offrent à l'ornithophile des joies d'autant plus précieuses qu'elles sont plus difficiles à savourer.

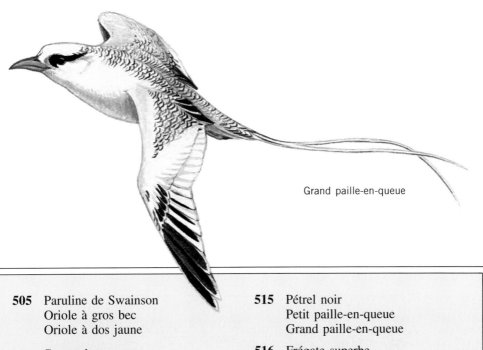

Grand paille-en-queue

Oiseaux de proie

Buse noire
Buteogallus anthracinus

Elle fréquente souvent les bords des cours d'eau. Du haut de son perchoir, elle inspecte le rivage ou marche sur le sable en quête de grenouilles ou de poissons échoués.

Description. Longueur 50-58 cm (20-23 po). Oiseau trapu et noir jais ; grandes ailes ; queue large à bande transversale blanche ; pattes et base du bec jaune vif.
Habitat. Boisés adultes près de cours d'eau.
Nidification. Nid plat fait de brindilles reliées par des tiges, logé à 4,5-30 m (15-100 pi) du sol dans un arbre ; 1-3 œufs blanchâtres marqués de brun. Incubation et séjour des oisillons au nid de durée non connue ; utilise le même nid chaque année en l'agrandissant.
Nourriture. Poissons, grenouilles, crabes, lézards.

Phase de coloration claire

Buse à queue courte
Buteo brachyurus

Cette petite buse trapue passe le plus clair de son temps à planer ou à ramer très haut dans le ciel. C'est une espèce tropicale qui ne monte pas plus haut que le sud de la Floride.

Description. Longueur 38-43 cm (15-17 po). Coloration claire : dessus brun ; dessous blanc ; bandes transversales pâles sur la queue ; pattes jaunes. Coloration foncée : dessus et dessous sombres ; queue à bande transversale ; pattes jaunes. La seule buse foncée de la Floride.
Habitat. Mangroves et marécages à cyprès ; terrains parsemés d'arbres.
Nidification. Nid fait d'un amas de branchages souvent tapissé de matières végétales, logé à 12-30 m (40-100 pi) du sol dans un arbre ; 2-3 œufs blanchâtres. Incubation et séjour des oisillons au nid de durée non connue.
Nourriture. Lézards, petits oiseaux, insectes.

Buse à queue blanche
Buteo albicaudatus

Elle n'est pas très répandue, sauf dans le sud du Texas où elle est facile à observer puisqu'elle se perche sur un pieu de clôture ou sur un poteau de téléphone. Elle construit son nid dans un endroit dégagé d'où elle peut facilement surveiller les environs.

Description. Longueur 58-61 cm (23-24 po). Dessus gris ; épaulettes rousses ; dessous blanc ; queue blanche marquée d'une étroite bande noire près du bout. Plane les ailes en V.
Habitat. Terres herbeuses ; prés broussailleux.
Nidification. Nid fait d'un amas de branchages, logé à 1,5-4,5 m (5-15 pi) du sol au sommet d'un arbre ou d'un yucca ; 1-3 œufs blancs souvent maculés de brun. Incubation et séjour des oisillons au nid de durée non connue.
Nourriture. Rongeurs, lapins, serpents, lézards, insectes.

Buse à queue barrée
Buteo albonotatus

En vol, la buse à queue barrée ressemble à un urubu à tête rouge : elle plane en disposant ses ailes en V. Certains experts pensent qu'elle imite l'urubu pour mieux s'approcher de ses proies.

Description. Longueur 47-54,5 cm (18½-21½ po). Ailes étroites ; plumage noir ; bandes blanches sur la queue ; pattes jaunes ; base du bec jaune.
Habitat. Boisés de pins et de chênes en colline et en canyon ; boisés en bordure de cours d'eau.
Nidification. Nid volumineux fait de matières végétales, situé à 8-30 m (25-100 pi) du sol dans un arbre ; 1-3 œufs blancs ou bleu pâle. Incubation et séjour des oisillons au nid de durée non connue.
Nourriture. Serpents, lézards, grenouilles, poissons et petits mammifères.

Faucon gerfaut
Falco rusticolus

Ce faucon, le plus gros de tous, fréquente l'Arctique en solitaire et se nourrit d'oiseaux qu'il rabat au sol ou saisit en vol grâce à sa rapidité.

Description. Longueur 50-63,5 cm (20-25 po). Trois phases de coloration : blanche, grise, foncée. Ne présente pas le masque facial du faucon des prairies et du faucon pèlerin. Queue longue et profilée dépassant le bout des ailes quand l'oiseau est perché ; pattes et base du bec jaunes.
Habitat. Falaises, pentes rocheuses dans la toundra.
Nidification. Nid peu profond logé sur une corniche abritée ; utilise parfois le nid abandonné d'une buse pattue ou d'un corbeau dans un arbre ; 3-8 œufs, plutôt 4, blanchâtres ou jaunâtres, tachetés de rouge ; 4 semaines d'incubation assurée par la femelle. Premier vol des petits 7 semaines après l'éclosion.
Nourriture. Oiseaux, surtout des lagopèdes ; petits mammifères.

Phase blanche

Phase grise

Petit-duc à moustaches
Otus trichopsis

Timide et mal connu, il fréquente les montagnes du sud-ouest des États-Unis et doit son nom aux longues soies qu'il porte sur la face. Les mâles répondent aux imitations de leur cri et s'observent facilement la nuit.

Description. Longueur 16,5-20 cm (6½-8 po). Petit oiseau gris rayé de noir ; courte aigrette sur l'oreille ; yeux jaunes. Cri : une série de notes simples ou doubles d'une grande douceur, semblable au morse. Le petit-duc des montagnes présente des rayures plus étroites et son cri comporte une série de notes sur le même ton, s'accélérant vers la fin.
Habitat. Chênaies, forêts mélangées de chênes et de pins ; banlieues.
Nidification. Pond 3-4 œufs au fond d'une cavité dans un arbre. Incubation et séjour des oisillons au nid de durée non connue.
Nourriture. Insectes et araignées.

Chouette épervière

Sturnia ulula

Comme beaucoup d'oiseaux du Grand Nord, la chouette épervière, peu farouche, se laisse facilement approcher et l'ornithophile peut l'examiner tout à son aise.

Description. Longueur 36,5-44,5 cm (14½-17½ po). Longue queue ; oreilles dépourvues d'aigrette. Dessus brun-gris ; dessous rayé brun et blanc ; disque facial bordé de noir. Mœurs diurnes ; balance souvent la queue quand elle se perche.
Habitat. Forêts de conifères et de bouleaux clairsemés.
Nidification. Pond 3-7 œufs blancs au fond d'une cavité dans un arbre ou dans un nid abandonné de corneille ou de buse, à 3-12 m (10-40 pi) du sol ; 21-28 jours d'incubation assurée par la femelle. Oisillons couverts de duvet ; s'envolent à 25-35 jours.
Nourriture. Rongeurs, oiseaux, gros insectes.

Chouette brune

Glaucidium brasilianum

La chouette brune est une petite espèce tropicale qui fréquente la frontière américano-mexicaine. Active de jour comme de nuit, elle est néanmoins difficile à apercevoir parce qu'elle se cache dans des fourrés épais de prosopis.

Description. Longueur 16,5-17,5 cm (6½-7 po). Petite chouette sans aigrette. Plumage brun-roux ; taches blanches sur le front ; flancs rayés ; queue étroite à bandes transversales. Chouette naine : plus brune ; flancs tachetés.
Habitat. Boisés près de cours d'eau ; déserts de saguaros et de prosopis.
Nidification. Pond 2-7 œufs blancs au fond d'une cavité dans un arbre ; 28 jours d'incubation assurée par la femelle. Oisillons couverts de duvet ; nourris par le couple ; restent 4 semaines au nid.
Nourriture. Lézards et gros insectes ; petits oiseaux à l'occasion.

Nyctale boréale
(Chouette de Tengmalm)
Aegolius funereus

La nyctale boréale est un oiseau du Grand Nord qui quitte peu souvent son aire de nidification. Les rares sujets qui descendent plus au sud l'hiver ne se laissent pas facilement observer.

Description. Longueur 21,5-30 cm (8½-12 po). Tête ronde ; grand disque facial bordé de noir ; yeux jaunes ; bec pâle ; aucune aigrette. Dessus brun tacheté de blanc ; front tacheté ; dessous blanchâtre marqué de rayures brunes.
Habitat. Forêts conifériennes.
Nidification. Pond 3-10 œufs blancs dans un vieux trou de pic, au fond d'une cavité dans un arbre ou dans un nichoir ; 4 semaines d'incubation assurée par la femelle. Oisillons couverts de duvet ; restent 28-33 jours au nid.
Nourriture. Petits rongeurs, insectes.

Ortalide chacamel
Ortalis vetula

Près du rio Grande, l'aurore retentit d'un cri d'oiseau très particulier. C'est l'appel vibrant que lance l'ortalide chacamel cachée dans un arbre. Plutôt discrète, elle se laisse néanmoins approcher dans les parcs où elle est protégée.

Description. Longueur 50-61 cm (20-24 po). Ressemble à une poule. Dessus brun-gris ; dessous brun chamois ; queue longue et foncée, pâle au bout. Cri : un *tcha-tcha-lac, tcha-tcha-lac* rauque.
Habitat. Fourrés et boisés épais près d'un cours d'eau.
Nidification. Nid plat et fragile fait de brindilles, logé à 1,5-7 m (5-25 pi) du sol dans un arbre ; 2-4 œufs blancs ; 22-25 jours d'incubation assurée par la femelle. Oisillons couverts de duvet ; volent en 3 semaines ; restent toute la saison avec les adultes.
Nourriture. Fruits, bourgeons, feuillage, insectes.

Perdrix grise
(Perdrix européenne)
Perdix perdix

Importée d'Europe au XIXᵉ siècle, la perdrix grise, habile à se dissimuler, se contente, pour survivre, des restes de céréales et des mauvaises herbes qu'elle trouve sur les terres cultivées.

Description. Longueur 30-32,5 cm (12-13 po). Ressemble à une poule. Plumage gris ; face orangée ; bandes transversales brun-roux sur les flancs ; grande tache foncée sur l'abdomen ; rémiges externes de la queue rousses, visibles en vol.
Habitat. Terres agricoles ; prés herbeux.
Nidification. Pond 5-20 œufs olive dans une petite dépression tapissée de feuilles mortes ; 25 jours d'incubation assurée surtout par la femelle. Oisillons couverts de duvet ; quittent le nid dès l'éclosion ; volent en 16 jours ; restent avec la femelle jusqu'au printemps suivant.
Nourriture. Graines, céréales, insectes.

Perdrix choukar
Alectoris chukar

Dans le Grand Bassin, peu d'oiseaux sont aussi craintifs que cette perdrix importée de l'Asie Mineure. On entend souvent ses cris, mais on en voit très rarement l'émettrice.

Description. Longueur 32,5-39 cm (13-15½ po). Ressemble à une poule. Plumage gris ; flancs rayés de noir ; rémiges externes de la queue rousses ; face et gorge chamois ; collier noir ; bec, cercle oculaire et pattes rouges.
Habitat. Flancs de colline secs et rocailleux, peuplés d'armoises et d'herbes.
Nidification. Pond 10-20 œufs blanchâtres maculés de brun dans une dépression peu profonde tapissée d'herbes et cachée parmi les roches ; 24 jours d'incubation assurée par la femelle. Oisillons couverts de duvet ; quittent le nid dès l'éclosion ; volent en 2 semaines. Familles réunies en grandes colonies à la fin de l'été.
Nourriture. Graines, feuillage, sauterelles.

Tétras du Canada
(Tétras des savanes)
Dendragapus canadensis

Le tétras du Canada est très familier et peu craintif. Mais il se fait plus rare à mesure que la forêt disparaît sous la hache des bûcherons.

Description. Longueur 38-43 cm (15-17 po). Mâle : plumage brun ; gorge, poitrine et queue noires ; frange cornée rouge au-dessus des yeux. Forme de l'Est : bout de la queue chamois. Forme des Rocheuses : taches blanches à la base de la queue. Femelle : plumage brun et rayé.
Habitat. Forêts conifériennes adultes.
Nidification. Pond 5-10 œufs olive dans une dépression tapissée d'herbes sous un arbre abattu ; 24 jours d'incubation assurée par la femelle. Oisillons couverts de duvet ; volent en 10-12 jours.
Nourriture. Aiguilles et bourgeons de conifère ; graines et insectes.

Mâle en hiver

Mâle en mue printanière

Lagopède des saules
Lagopus lagopus

Communs surtout dans le sud de la toundra, les lagopèdes des saules recherchent les vallées abritées, peuplées d'arbres en regain. Si l'hiver est rude, ils vont vers les forêts conifériennes.

Description. Longueur 38-43 cm (15-17 po). Ressemble à une poule. Bec robuste ; plumes noires sur la queue. Oiseaux en hiver : blanc immaculé. Mâle en été : tête et dos brun roux foncé ; ailes blanches. Femelle : brun chaud ; fines lignes noires.
Habitat. Toundra et forêts broussailleuses.
Nidification. Pond 5-17 œufs jaunâtres maculés de brun dans une dépression aménagée au sol dans la toundra, à l'abri d'un buisson ou d'un tertre ; 22 jours d'incubation assurée par la femelle. Oisillons couverts de duvet ; quittent le nid à l'éclosion ; volent en 1 semaine.
Nourriture. Feuilles, bourgeons, fruits, chatons et insectes.

Lagopède des rochers
(Lagopède alpin)
Lagopus mutus

Il vit la plus grande partie du temps sur les pentes désertiques de l'Arctique, mais émigre dans les vallées lorsque la neige couvre les graines et les bourgeons qui assurent sa survie.

Description. Longueur 33-41 cm (13-16 po). Ressemble à une poule. Bec petit ; plumes noires sur la queue. Un peu plus petit que le lagopède des saules. Adulte en hiver : blanc immaculé ; ligne noire traversant l'œil chez le mâle. Mâle en été : tête et dos bruns ; ailes blanches. Femelle : brun finement rayé de noir.
Habitat. Toundra arctique et alpine.
Nidification. Pond 6-13 œufs chamois lavés de brun dans une dépression au sol dans la toundra ; 3 semaines d'incubation assurée par la femelle. Oisillons couverts de duvet ; quittent le nid à l'éclosion ; volent en 10 jours.
Nourriture. Graines, pousses, feuilles, baies, insectes.

Mâle en hiver

Mâle en plumage nuptial

Petite poule-des-prairies
Tympanuchus pallidicinctus

La petite poule-des-prairies a disparu au même rythme que les prairies ; on ne la retrouve plus que dans le sud de la Grande Plaine.

Description. Longueur 41 cm (16 po). Ressemble à une poule. Plumage rayé brun clair et chamois ; queue courte en éventail, brun foncé. Mâle : sacs aériens rouge terne sur le cou, visibles durant les parades nuptiales. Grande poule-des-prairies : plus forte et plus sombre ; sacs aériens jaunes ou orange.
Habitat. Prairies et plaines sèches et sableuses.
Nidification. Pond 11-13 œufs blanchâtres ou chamois, parfois maculés de brun, dans une dépression creusée dans le sable et tapissée d'herbe ; 23-26 jours d'incubation assurée par la femelle. Oisillons couverts de duvet ; quittent le nid à l'éclosion ; sont autonomes en 6-8 semaines.
Nourriture. Insectes en été ; graines et fruits en hiver.

Colin arlequin
Cyrtonyx montezumae

En cas d'alerte, le colin arlequin ne prend pas son envol ; ce petit oiseau trapu préfère se tapir dans l'herbe et se sauver en rampant.

Description. Longueur 20-24 cm (8-9½ po). Oiseau petit, trapu, semblable à une poule. Mâle : masque facial noir et blanc bien marqué ; huppe arrondie et chamois ; flancs noirs tachetés de blanc. Femelle : masque facial chamois et blanc.
Habitat. Clairières herbeuses en forêts de chênes et de pins.
Nidification. Pond 6-14 œufs blancs dans une petite dépression tapissée de feuilles et d'herbes, souvent au centre d'une touffe de hautes herbes ; 25 jours d'incubation assurée par le couple. Oisillons couverts de duvet ; élevés par le couple. Forme des colonies à l'automne.
Nourriture. Graines, noix, bulbes et tubercules ; insectes.

Ani à bec lisse

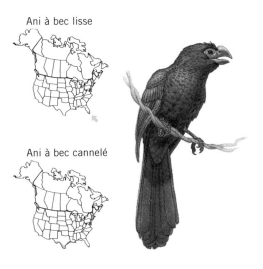

Ani à bec lisse

Ani à bec cannelé

Ani à bec lisse
Ani à bec lisse *Crotophaga ani*
Ani à bec cannelé *Crotophaga sulcirostris*

Les anis sont des coulicous joyeux et sociables, qui ressemblent à des quiscales. Il arrive que plusieurs couples partagent le même nid ; dans ce cas, les œufs du fond n'éclosent pas toujours.

Description. Longueur 30-32,5 cm (12-13 po). Oiseau noir à longue queue ; gros bec à forte arête supérieure. Ani à bec lisse : maxille bien carénée ; cri : *wîî-îîîk ?* Ani à bec cannelé : maxille marquée de cannelures ; cri : *kîî-lik !*
Habitat. Pâturages, haies, fourrés.
Nidification. Nid de brindilles, fixé à 2-3,5 m (6-12 pi) du sol dans un arbuste ou un arbre ; 3-4 œufs bleu pâle par femelle ; 12-15 jours d'incubation assurée par les couples. Les oisillons restent 10 jours au nid. Au moins deux nichées par an.
Nourriture. Insectes, fruits, lézards.

Trogon élégant
Trogon elegans

C'est le plus beau des oiseaux mexicains qui traversent la frontière pour venir dans le sud des États-Unis. Craintif, il passe le plus clair de son temps perché, immobile, dans les arbres.

Description. Longueur 27,5-30 cm (11-12 po). Cou fort ; bec court et jaune ; longue queue carrée. Mâle : tête et dessus vert-bleu à reflets irisés ; dessous rouge. Femelle : dessus brunâtre ; dessous rose terne. Se perche dressé, queue pointant vers le bas.
Habitat. Chênaies et boisés de pins et de chênes dans les canyons.
Nidification. Nid d'herbes, de mousse et de plumes, logé dans un trou à 3,5-12 m (12-40 pi) du sol dans un arbre ; 3-4 œufs blancs. Incubation et séjour des oisillons au nid de durée non connue.
Nourriture. Insectes, fruits.

Corneille d'Alaska
(Corneille du Nord-Ouest)
Corvus caurinus

Cette corneille du littoral ressemble beaucoup à sa cousine d'Amérique, qui niche ailleurs et ne se rencontre sur la côte du Nord-Ouest qu'en automne et en hiver.

Description. Longueur 41-43 cm (16-17 po). Gros oiseau tout noir doté d'une queue en éventail. Cri : un *kâââ* ou *kâââr* rauque et perçant. S'observe souvent en petits groupes.
Habitat. Littoral marin ; villes côtières.
Nidification. Nid fait d'un amas de branchages, perché à 2,5-21 m (8-70 pi) du sol dans une fourche d'arbuste ou d'arbre, parfois même au sol ; 4-5 œufs verdâtres maculés de brun. Incubation et séjour des oisillons au nid de durée non connue. Niche en colonies espacées.
Nourriture. Palourdes et myes, escargots, crustacés, charogne, insectes.

Oiseaux des terrains découverts

Pigeon à couronne blanche
Columba leucocephala

Commun dans les Antilles, le pigeon à couronne blanche fréquente également les keys en Floride ; on peut l'observer au moment où il quitte son nid en groupe pour aller se nourrir.

Description. Longueur 35,5-38 cm (14-15 po). Oiseau bleu ardoise foncé ; tache blanche très visible sur le dessus de la tête, plus terne chez la femelle. S'observe en petites bandes.
Habitat. Mangroves, îles densément boisées.
Nidification. Nid plat fait d'une masse de brindilles, logé jusqu'à 9 m (30 pi) du sol sur une grosse branche en haut d'un palmier, parfois au sol ; 1-2 œufs blancs. Incubation et séjour des pigeonneaux au nid de durée non connue. Niche souvent en colonies éparses.
Nourriture. Noix, fruits, insectes.

Pigeon à bec rouge
Columba flavirostris

Le pigeon à bec rouge fréquente en été la vallée inférieure du rio Grande au Texas ; c'est un oiseau furtif qui se montre peu et peu longtemps.

Description. Longueur 33-35,5 cm (13-14 po). Dessus rouge vin foncé ; dessous grisâtre ; bec rouge pâle à bout jaune ; pattes rougeâtres.
Habitat. Boisés en bordure de cours d'eau.
Nidification. Nid de brindilles, fragile et plat, logé à 2-9 m (6-30 pi) du sol dans un enchevêtrement de vignes ou sur la branche horizontale d'un arbre ; 1-2 œufs blancs. Incubation et séjour des pigeonneaux au nid de durée non connue. Au moins deux couvées par saison.
Nourriture. Fruits, noix, céréales.

Colombe à front blanc
Leptotila verreauxi

D'origine mexicaine comme le pigeon à bec rouge, la colombe à front blanc fréquente le cours inférieur du rio Grande, mais habite à longueur d'année au Texas. Elle doit son nom à son front, aussi blanc que son abdomen.

Description. Longueur 28-30 cm (11-12 po). Oiseau brun-gris à front pâle ; dessous des ailes roux ; bout des ramiges externes de la queue blanc, visible en vol.
Habitat. Boisés secs ; régions agricoles.
Nidification. Nid plat de brindilles, logé à 1,5-3,5 m (5-12 pi) du sol dans un arbre ou dans un enchevêtrement de vignes ; 1-2 œufs blancs ; 14 jours d'incubation assurée par le couple. Les oisillons restent 14-16 jours au nid.
Nourriture. Graines, céréales, insectes.

Engoulevent piramidig
Chordeiles gundlachii

Venu des Antilles, l'engoulevent piramidig est un visiteur estival commun des keys en Floride. Son plumage ressemble à celui de l'engoulevent d'Amérique dont il se distingue par son cri.

Description. Longueur 20-24 cm (8-9½ po). Ailes longues et pointues ; queue longue, fourchue ou carrée ; plumage brun-gris moucheté de noir ; tache blanche sur l'aile. Habituellement aperçu en vol. Cri : *kili-ka-dik*, différent du *pînt* nasillard de l'engoulevent d'Amérique.
Habitat. Terrains à découvert, boisés en regain.
Nidification. Pond 1-2 œufs blancs ou olive, maculés d'olive foncé, sur le sol nu. Incubation et séjour des oisillons au nid de durée non connue.
Nourriture. Insectes attrapés au vol.

Martin-pêcheur à ventre roux
Ceryle torquata

C'est le plus gros des martins-pêcheurs de l'hémisphère occidental. Autrefois, on le voyait rarement au nord du Mexique ; aujourd'hui, il niche régulièrement le long du rio Grande.

Description. Longueur 38-42 cm (15-16½ po). Beaucoup plus gros que le martin-pêcheur d'Amérique. Tête et dessus gris-bleu ; collier blanc ; bec robuste ; huppe échevelée. Mâle : dessous roux. Femelle : bande transversale blanche entre la poitrine gris-bleu et l'abdomen roux. Se tient rarement loin de l'eau ; plonge pour pêcher.
Habitat. Cours d'eau.
Nidification. Nid aménagé sur le sol nu, à l'extrémité d'une galerie de 1,5-1,8 m (5-6 pi) de longueur dans une berge escarpée ; 4-6 œufs blancs. Durée de l'incubation non connue ; les oisillons restent 5 semaines au nid.
Nourriture. Poissons, grenouilles.

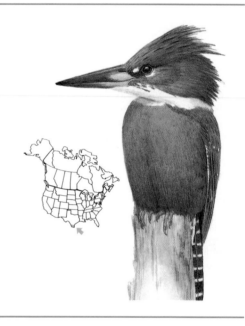

Tyran olivâtre
Myiarchus tuberculifer

Le tyran olivâtre se nourrit d'insectes qu'il happe sur les feuilles, les aiguilles de pin et les brindilles pendant qu'il volette, sans se poser, dans les fourrés les plus impénétrables.

Description. Longueur 15-17,5 cm (6-7 po). Dessus brun olive ; gorge et poitrine grisâtres ; abdomen jaune pâle ; queue sombre.
Habitat. Forêts de pins et de chênes ; canyons boisés.
Nidification. Nid d'herbes, de tiges et de lambeaux d'écorce entassés au fond d'une cavité naturelle ou d'un vieux trou de pic, à 1-15 m (4-50 pi) du sol dans un arbre ou un cactus ; 4-5 œufs crème finement striés de brun et de violet. Durée de l'incubation non connue ; les oisillons quittent le nid 2 semaines après l'éclosion.
Nourriture. Insectes cueillis sur les feuilles en voletant.

Tyran quiquivi
Pitangus sulphuratus

Le tyran quiquivi est un oiseau bruyant de la taille d'un merle. Il se nourrit d'insectes comme les oiseaux de son groupe mais aussi de petits poissons qu'il pêche comme un martin-pêcheur.

Description. Longueur 22,5-26,5 cm (9-10½ po). Oiseau trapu à grosse tête. Dessus brun olivâtre ; masque facial noir et blanc bien marqué ; dessous jaune vif ; ailes et queue rousses. Cri : un *kis-ka-dî* puissant.
Habitat. Boisés près de l'eau ; banlieues.
Nidification. Nid en boule, fait d'herbes, de tiges et de fibres végétales, doté d'une entrée latérale et logé à 2-15 m (6-50 pi) du sol dans un arbuste à épines ou un arbre ; 2-5 œufs blancs légèrement tachetés de brun. Incubation et séjour des oisillons au nid de durée non connue.
Nourriture. Insectes ailés ; petits poissons.

Tyran mélancolique
Tyrannus melancholicus

Le tyran mélancolique se rencontre d'ordinaire depuis le Mexique jusqu'en Argentine ; il niche très rarement dans le sud de l'Arizona. En hiver, certains sujets s'aventurent jusque sur les côtes de la Californie.

Description. Longueur 20-24 cm (8-9½ po). Dessus gris olivâtre ; dessous jaune ; queue fourchue, brun-gris foncé. Cri : une série de trilles flûtés. Tyran de Couch : fréquente le Texas ; cri : un *kîp* strident.
Habitat. Bosquets d'arbres près de l'eau.
Nidification. Nid en forme de coupe peu profonde, fait d'herbes, de brindilles et de radicelles, logé à 2,5-6 m (8-20 pi) du sol dans un arbre ; 3-5 œufs chamois rosé, maculés de brun et de mauve ; 16 jours d'incubation assurée par la femelle. Les oisillons restent 19 jours au nid.
Nourriture. Insectes capturés au vol.

Tyran de Couch
Tyrannus couchii

Le tyran de Couch ressemble tellement au tyran mélancolique qu'on croyait encore récemment qu'ils formaient une seule et même espèce.

Description. Longueur 20-24 cm (8-9½ po). Dessus gris olivâtre ; dessous jaune ; queue brun-gris, légèrement fourchue. Cri : un *kîp* strident qui le distingue du tyran mélancolique.
Habitat. Boisés près de l'eau ; lisières de forêt.
Nidification. Nid en forme de coupe peu profonde, fait d'herbes, de brindilles et de radicelles, fixé à 2,5-6 m (8-20 pi) du sol dans un arbre ; 3-5 œufs chamois rosé, maculés de brun et de mauve. Incubation et séjour des oisillons au nid de durée non connue.
Nourriture. Insectes capturés au vol.

Hirondelle à front brun
Hirundo fulva

L'hirondelle à front brun nichait seulement au Texas et dans le sud-est du Nouveau-Mexique. Depuis peu, son aire de nidification se prolonge vers l'ouest jusqu'en Arizona.

Description. Longueur 12,5-15 cm (5-6 po). Ailes pointues ; queue carrée ; bec court. Dos bleu-noir foncé ; front roux foncé ; gorge chamois pâle ; poitrine et abdomen blancs ; croupion chamois.
Habitat. Terrains à découvert près de grottes ou de ponceaux.
Nidification. Nid de boue, fixé à la paroi d'une grotte ou d'un ponceau ; 2-5 œufs blancs finement ponctués de brun ; 15 jours d'incubation. Les oisillons restent 21-23 jours au nid. Niche en colonies ; souvent deux couvées par saison.
Nourriture. Insectes ailés.

Moqueur cul-roux
Toxostoma crissale

Le moqueur cul-roux se plaît dans les fourrés épais des terres basses désertiques et sur les flancs des montagnes arides. On le voit souvent courir au sol.

Description. Longueur 26,5-31,5 cm (10½-12½ po). Queue longue ; bec noir en forme de faucille ; plumage brun foncé ; « moustaches » foncées ; gorge blanchâtre ; plumes rouille sous la queue.
Habitat. Fourrés épais près de cours d'eau.
Nidification. Nid d'herbes et de tiges délicatement tissées, à 1-2,5 m (3-8 pi) du sol dans un saule nain, près du tronc ; 2-4 œufs bleu pâle ou verts ; 14 jours d'incubation assurée par le couple. Les oisillons restent 12 jours au nid. Normalement deux couvées par saison.
Nourriture. Insectes, baies, petits lézards.

Moqueur pâle
Toxostoma lecontei

C'est le moins connu des moqueurs qui fréquentent l'Amérique du Nord. On découvre le mâle par son chant ; il se perche au sommet des arbustes, en fin d'hiver et au printemps.

Description. Longueur 25-27,5 cm (10-11 po). Oiseau élancé à longue queue ; bec long et noir, en forme de faucille ; plumage brun sable ; queue brun foncé ou noirâtre. Oiseau timide ; se voit souvent au sol. Les autres moqueurs à bec en faucille sont plus foncés ou présentent des taches sur la poitrine.
Habitat. Déserts non accidentés, peuplés d'arbustes malingres et de cactus clairsemés.
Nidification. Nid volumineux de brindilles fixé à 0,30-2 m (1-6 pi) du sol dans un cactus ou un arbuste du désert ; 2-4 œufs verdâtres souvent maculés de brun foncé. Incubation et séjour des oisillons au nid de durée non connue. Deux couvées par saison.
Nourriture. Insectes, petits lézards.

Passerin varié
Passerina versicolor

Proche parent des passerins indigo et azuré, le passerin varié est un oiseau superbement coloré qui fréquente en été quelques États américains au nord du Mexique.

Description. Longueur 11,5-14 cm (4½-5½ po). Bec robuste et conique. Mâle : plumage bleu violacé ; nuque rouge. (Peut sembler tout noir dans l'ombre.) Femelle : gris-brun terne.
Habitat. Fourrés arides près de cours d'eau, flancs broussailleux de montagnes, maquis ; pâturages.
Nidification. Nid d'herbes, de tiges et de fibres végétales, en forme de coupe, à 0,30-3,5 m (1-12 pi) du sol dans un petit arbre, un arbuste ou un enchevêtrement de vignes ; 3-4 œufs bleu pâle ; 12 jours d'incubation. Les oisillons restent 12-14 jours au nid.
Nourriture. Insectes, graines.

Tohi d'Albert
Pipilo aberti

C'est le plus timide de tous les tohis. Il se dissimule dans les fourrés épais où il se trahit par ses appels puissants et répétés.

Description. Longueur 20-22,5 cm (8-9 po). Bec court et conique. Dessus gris-brun ; dessous teinté de chamois, plus vif sous la queue ; bec grisâtre ou chamois dans une tache faciale noirâtre.
Habitat. Fourrés près de cours d'eau ; terres broussailleuses, végétation dense près de l'eau.
Nidification. Nid de tiges et de lambeaux d'écorce, en forme de coupe, à 0,30-9 m (1-30 pi) du sol dans un buisson ou un arbre ; 2-4 œufs bleu pâle maculés de brun. Durée de l'incubation non connue ; les poussins restent 13 jours au nid.
Nourriture. Graines, insectes.

Tohi olive
Arremonops rufivirgatus

Le tohi olive habite le sud du Texas à longueur d'année. C'est un oiseau de sol qui, comme tous les tohis, gratte énergiquement les feuilles mortes pour y trouver sa nourriture.

Description. Longueur 14-15 cm (5½-6 po). Bec court et conique ; dessus vert olive ; dessous gris ; rayure brune de chaque côté du vertex.
Habitat. Fourrés près de cours d'eau ; broussailles épineuses.
Nidification. Nid d'herbes, de tiges et de lambeaux d'écorce, en forme de dôme, avec entrée latérale, à 0,60-4,5 m (2-5 pi) du sol dans un cactus ou un arbuste dense ; 3-5 œufs blancs. Incubation et séjour des oisillons au nid de durée non connue. Deux couvées par saison.
Nourriture. Insectes, graines.

Bruant de Botteri
Aimophila botterii

Très exigeant en matière d'habitat, le bruant de Botteri niche seulement dans les endroits où l'herbe est dense et haute. C'est un oiseau timide et craintif, difficile à observer.

Description. Longueur 12,5-15 cm (5-6 po). Dessus brunâtre, strié ; ligne superciliaire et dessous chamois grisâtre ; queue arrondie, plus longue que celle des autres bruants. Très timide.
Habitat. Prés de hautes herbes, parsemés de buissons.
Nidification. Nid au sol, en forme de coupe, caché parmi les herbes ; 2-5 œufs blancs. Incubation et séjour des oisillons au nid de durée non connue. Deux ou trois couvées par saison.
Nourriture. Insectes, graines.

Bruant de Baird
Ammodramus bairdii

À la fin de sa saison de nidification dans les plaines du Nord du continent, le discret bruant de Baird s'envole vers le Mexique et les États américains limitrophes.

Description. Longueur 12,5-14 cm (5-5½ po). Dessus brun, strié ; dessous blanc ; poitrine finement striée ; vertex et partie antérieure du cou chamois orangé ; tache auriculaire brun-gris.
Habitat. Prairies d'herbes courtes.
Nidification. Nid d'herbes et de tiges,en forme de coupe, dissimulé au sol sous un arbuste prostré ; 3-6 œufs blanchâtres maculés de brun et de mauve ; 12 jours d'incubation assurée par la femelle. Les oisillons restent 8-10 jours au nid.
Nourriture. Graines de diverses herbes ; insectes, araignées.

Bruant de Henslow
Ammodramus henslowii

Furtif et vif comme une souris, le bruant de Henslow fuit ses prédateurs, non pas en s'envolant, mais en courant sans bruit parmi les herbes.

Description. Longueur 12,5 cm (5 po). Bec large et conique. Dessus brun, strié ; dessous chamois ; stries foncées sur la poitrine ; tête olivâtre ; ailes rouille.
Habitat. Pâturages herbeux ; prés en reboisement.
Nidification. Nid profond d'herbes et de tiges, dissimulé au sol sous une touffe d'herbes, en colonies éparses ; 3-5 œufs blanchâtres ou verdâtres, maculés de brun ; 11 jours d'incubation assurée par la femelle. Les oisillons restent 10 jours au nid. Deux couvées par saison.
Nourriture. Insectes, graines.

Bruant de Le Conte
Ammodramus leconteii

Contrairement à la plupart des bruants, celui de Le Conte se laisse observer de très près. Et même s'il s'envole, il est facile de l'identifier grâce à sa livrée jaunâtre.

Description. Longueur 11,5-14 cm (4½-5½ po). Dessus brun, strié ; dessous chamois ; striures sombres sur les flancs ; côtés de la face chamois orangé ; tache auriculaire grise ; partie antérieure du cou striée de marron.
Habitat. Prés humides, marais herbeux peu profonds en été ; champs broussailleux en hiver.
Nidification. Nid d'herbes, en forme de coupe, dissimulé dans l'herbe dense ou le carex ; 3-5 œufs blancs maculés de brun ; 13 jours d'incubation assurée par la femelle. Durée du séjour des oisillons au nid non connue.
Nourriture. Insectes, graines.

Bruant de Smith
Calcarius pictus

Quand il fréquente ses régions d'hivernage dans le sud de la Grande Prairie, le bruant de Smith se tient généralement en petites colonies. On le distingue aisément des autres bruants grâce à ses coloris chamois et à son cri rauque.

Description. Longueur 14-16,5 cm (5½-6½ po). Rémiges externes de la queue blanches. Mâle en plumage nuptial : dessus brun, strié ; dessous chamois jaunâtre ; vertex rayé noir et blanc. Femelle et oiseaux en hiver : dessus rayé, dessous chamois.
Habitat. Plaines et champs à herbes courtes ; niche dans la toundra.
Nidification. Nid en forme de coupe, enfoncé dans le sol et tapissé d'herbes ; 4-6 œufs grisâtres, finement maculés de brun ; 12 jours d'incubation assurée par la femelle. Durée du séjour des oisillons au nid non connue.
Nourriture. Insectes, graines.

Vacher bronzé
Molothrus aeneus

Comme sa cousine à tête brune, la femelle du vacher bronzé dépose ses œufs un à un dans les nids d'autres espèces d'oiseaux. On ne sait pas combien elle en pond en tout.

Description. Longueur 16,5-22,5 cm (6½-9 po). Bec long et conique ; queue courte ; yeux rouges. Mâle : noir à reflets verts ; ailes et queue noires, parfois irisées de bleu ; cou qui paraît fort à cause d'un collier de plumes hérissées. Femelle : grise.
Habitat. Terres herbeuses ; terres agricoles.
Nidification. Œufs bleu pâle, sans marque, déposés dans les nids des orioles, carouges, bruants et autres oiseaux chanteurs. Oisillons élevés par les parents adoptifs ; restent au nid 11 jours.
Nourriture. Insectes, céréales, tiques infestant le bétail.

Sizerin blanchâtre

Carduelis hornemanni

Le sizerin blanchâtre et son proche parent le sizerin flammé (autrefois sizerin à tête rouge) sont, de tous les oiseaux chanteurs, ceux qui supportent le mieux le froid.

Description. Longueur 12,5-14 cm (5-5½ po). Petit oiseau trapu ; plumage pâle et strié ; bec jaune et obtus ; front rouge ; « menton » noir ; croupion blanc. Sizerin flammé : plus sombre ; croupion strié ; bec plus long ; poitrine lavée d'un rouge plus riche.
Habitat. Toundra broussailleuse.
Nidification. Nid d'herbes et de brindilles, en forme de coupe, à 0,30-2 m (1-7 pi) du sol dans un arbre ou un arbuste, parfois au sol ; 3-6 œufs vert-bleu maculés de brun ; 11 jours d'incubation assurée par la femelle. Les oisillons restent 9-14 jours au nid. Parfois deux couvées par saison.
Nourriture. Graines, insectes.

Moineau friquet

Passer montanus

Importé d'Europe en 1870, le moineau friquet ne s'est guère étendu en dehors de son aire initiale de St. Louis, dans le Missouri ; il a même choisi de rester en banlieue, laissant la ville à son cousin, le moineau domestique, plus agressif que lui.

Description. Longueur 15-17,5 cm (6-7 po). Dessus brun et strié ; vertex brun chocolat ; gorge noire ; joues blanches avec une tache noire.
Habitat. Terres agricoles, banlieue.
Nidification. Nid d'herbes et de plumes entassées au fond d'un trou dans un arbre, sur une corniche abritée ou parmi des grimpants sur un mur ; 2-7 œufs blanchâtres ou gris pâle, finement tachetés de brun ; 11-14 jours d'incubation assurée par le couple. Les oisillons restent 2 semaines au nid.
Nourriture. Céréales, graines, insectes.

Oiseaux des forêts

Toui à ailes jaunes
Brotogeris versicolurus

On commence à voir, dans le sud de la Floride et autour de Los Angeles, de petites bandes de ces oiseaux vert vif, qui ressemblent à des perroquets. Importés dans les années 60 de l'Amérique tropicale, ils sont parmi les rares oiseaux de la famille des perroquets à s'être acclimatés à un climat subtropical.

Description. Longueur 20-22,5 cm (8-9 po). Plumage vert ; queue longue et pointue ; ailes marquées de blanc et de jaune.
Habitat. Jardins, terres à céréales, banlieues.
Nidification. Pond 4-5 œufs blancs au fond d'un trou dans un arbre, sur une corniche de bâtiment, dans un nichoir ou parmi des frondes mortes de palmier ; 26 jours d'incubation assurée par la femelle. Les oisillons restent 7 semaines au nid.
Nourriture. Fruits, graines, fleurs.

Coulicou manioc
Coccyzus minor

Le coulicou manioc est un oiseau des Antilles qui atteint en Floride la frontière la plus septentrionale de sa distribution. Il niche dans les palétuviers et retourne tous les hivers dans les Antilles.

Description. Longueur 30-32,5 cm (12-13 po). Oiseau élancé à longue queue. Dessus brun ; taches auriculaires noirâtres ; poitrine blanche ; abdomen chamois ou roux pâle ; queue marquée de grandes taches blanches visibles par-dessous et quand il vole ; bec noir à mandibule inférieure jaune. Très timide.
Habitat. Marécages de palétuviers, fourrés denses.
Nidification. Nid de brindilles, en coupelle, caché dans les mangroves ; 2 œufs blancs. Incubation et séjour des oisillons au nid de durée non connue. Parfois deux couvées par saison.
Nourriture. Insectes et surtout chenilles ; araignées et baies.

Engoulevent pauraqué
Nyctidromus albicollis

Cousin tropical de l'engoulevent bois-pourri, le pauraqué habite à longueur d'année dans le sud du Texas. On l'aperçoit souvent de nuit, installé sur la chaussée, et ses yeux brillent dans les faisceaux lumineux des phares.

Description. Longueur 25-30 cm (10-12 po). Plumage brun grisâtre finement marqué de noir. Vertex gris ; tache auriculaire rousse ; dos maculé de noir. Bande alaire blanche et rémiges externes de la queue blanches, visibles en vol. Mœurs nocturnes ; se reconnaît à son cri, un *pour-ouïr* sifflant.
Habitat. Forêts broussailleuses, fourrés.
Nidification. Nid dans une dépression au sol, parmi les feuilles ; 2 œufs chamois ou rosés, maculés de brun et de marron. Incubation et séjour des oisillons au nid de durée non connue.
Nourriture. Insectes ailés de grande taille.

Ariane du Yucatan
Amazilia yucatanensis

Après être apparu au Texas en 1876, ce colibri d'origine mexicaine y était encore assez répandu, il y a quelques décennies. Il n'en reste plus que quelques couples le long du rio Grande et la plupart retournent hiverner au Mexique.

Description. Longueur 10-11,5 cm (4-4½ po). Tête, gorge et dessus vert métallique ; partie inférieure de la poitrine et abdomen chamois ; queue rousse ; bec rouge à bout noir.
Habitat. Bois clairsemés, fourrés, champs labourés.
Nidification. Petit nid de lichens, de mousse et de fibres végétales, décoré de lambeaux d'écorce et de lichen, fixé à une branche à 1-2,5 m (3-8 pi) du sol ; 2 œufs blancs. Incubation et séjour des oisillons au nid de durée non connue.
Nourriture. Nectar, pollen, insectes cueillis sur les fleurs.

Colibri à poitrine noire
Eugenes fulgens

Après le colibri à gorge bleue, celui-ci est le plus gros des colibris à se rencontrer en Amérique du Nord. Il lui arrive de raidir ses ailes et de planer, comme un martinet.

Description. Longueur 11,5-12,5 cm (4½-5 po). Gros pour un colibri. Bec long. Mâle : dessous noirâtre ; vertex violet ; gorge verte à reflets irisés. Femelle : dessous gris olive moucheté ; queue vert terne ; bout des rémiges externes blanc.
Habitat. Boisés près de cours d'eau, pinèdes, forêts de pins et de chênes à flanc de montagne.
Nidification. Nid de fibres végétales, décoré de lichen, installé sur une branche horizontale à 3-17 m (10-55 pi) du sol ; 2 œufs blancs. Incubation et séjour des oisillons au nid de durée non connue.
Nourriture. Nectar et pollen de fleurs ; insectes ailés.

Pic de Strickland
Picoides stricklandi

Silencieux et craintif, le pic de Strickland est le seul de son groupe qu'on rencontre à mi-hauteur sur les pentes des montagnes du Sud-Ouest, au-dessus des fourrés arides que fréquente le pic arlequin, mais en deçà des forêts conifériennes où habite le pic chevelu.

Description. Longueur 17,5-20 cm (7-8 po). Plumage brun et blanc ; dessus brun ; dessous blanc marqué de grandes taches brunes ; vertex brun. Mâle : tache rouge sur la nuque, absente chez la femelle.
Habitat. Chênaies et forêts de pins et de chênes à flanc de montagne.
Nidification. Pond 3-4 œufs sur un lit d'éclats de bois, au fond d'un trou creusé à 2,5-15 m (8-50 pi) du sol dans un tronc d'arbre mort. Incubation et séjour des oisillons au nid de durée non connue.
Nourriture. Insectes térébrants.

Moucherolle de Coues
Contopus pertinax

Ce moucherolle peu voyant possède néanmoins un cri puissant et sonore qui lui a valu en espagnol le surnom de *José María*.

Description. Longueur 17,5-19 cm (7-7½ po). Oiseau trapu. Dessus gris-olive ; huppe minuscule et cotonneuse ; dessous gris pâle lavé d'olive ; mandibule inférieure du bec orange vif. Son cri : un *ho-sé-î ma-rî-a* sifflant.
Habitat. Forêts de pins et de chênes à flanc de montagne.
Nidification. Nid d'herbes, de tiges et de feuilles mortes dans la fourche d'une branche horizontale, à 3-4 m (10-14 pi) du sol ; 3-4 œufs crème ou blanchâtres, maculés de brun. Incubation et séjour des oisillons au nid de durée non connue.
Nourriture. Insectes ailés.

Moucherolle à ventre jaune
Moucherolle à ventre jaune *Empidonax flaviventris*
Moucherolle gris *Empidonax wrightii*

Même avec son plumage jaunâtre tout neuf en automne, le moucherolle gris est moins flamboyant que son cousin à ventre jaune.

Description. Longueur 12,5-15 cm (5-6 po). Dessus olive ; deux grandes bandes alaires pâles ; dessous jaune. Moucherolle gris : plus pâle en automne ; plus grisâtre en été.
Habitat. Forêts conifériennes, tourbières à épinettes. Moucherolle gris : plaines arides peuplées d'armoises et de genévriers.
Nidification. Nid volumineux d'herbes et de brindilles ; 3-5 œufs blancs légèrement maculés de brun ; 2 semaines d'incubation. Les oisillons restent 2 semaines au nid.
Nourriture. Insectes ailés.

Moucherolle à ventre jaune

Moucherolle gris

Geai vert
Cyanocorax yncas

Remarquablement coloré, le geai vert est le préféré des ornithophiles du sud du Texas. Sa timidité naturelle cède devant sa curiosité et il vient vite observer ceux qui l'observent.

Description. Longueur 25-30 cm (10-12 po). Dessus vert olive vif ; dessous vert pâle ; nuque et vertex bleus ; masque facial bleu et noir ; haut de la poitrine noir ; rémiges externes de la queue jaune vif. Voyage en petits groupes.
Habitat. Fourrés épais, boisés près de cours d'eau.
Nidification. Nid fait d'un amas de branchages, fixé à 1,5-4,5 m (5-15 pi) du sol dans un arbre ou un fourré ; 3-5 œufs blancs, verts ou chamois, maculés de brun ; 15-17 jours d'incubation assurée par la femelle. Les oisillons restent 24-26 jours au nid.
Nourriture. Insectes, graines, fruits.

Mésange grise
Parus sclateri

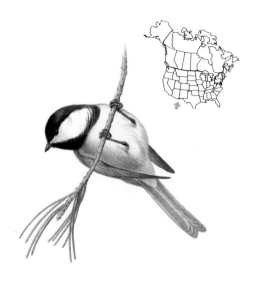

La mésange grise est la seule de son groupe à fréquenter les montagnes du sud-est de l'Arizona et du Nouveau-Mexique. Originaire du Mexique, elle ne s'éloigne jamais de ses chères forêts conifériennes.

Description. Longueur 14 cm (5½ po). Dessus gris ; calotte, gorge et haut de la poitrine noirs ; joues blanches ; flancs gris foncé. Se tient avec une autre mésange grise ou en groupe familial.
Habitat. Forêts conifériennes en montagne.
Nidification. Nid lâchement tissé de poils, logé au fond d'un trou à 1,5-14 m (5-45 pi) du sol dans un arbre, très souvent un saule mort ; 5-8 œufs blancs maculés de marron. Incubation et séjour des oisillons au nid de durée non connue.
Nourriture. Insectes, graines.

Jaseur boréal
(Jaseur de Bohême)
Bombycilla garrulus

Habitué des Rocheuses et des forêts conifériennes du Canada, le jaseur boréal fréquente parfois en grand nombre les limites orientales et méridionales de son aire normale de dispersion.

Description. Longueur 19-21,5 cm (7½-8½ po). Oiseau brun-gris à tête huppée ; masque noir autour des yeux ; tache noire sur la gorge ; tectrices sous-caudales marron ; queue terminée par une bande jaune ; palettes cireuses rouge vif au bout des plumes internes des ailes. Juvénile : dessous strié. Voyage en bandes.
Habitat. Forêts conifériennes.
Nidification. Nid de brindilles et d'herbes, à 1-15 m (4-50 pi) du sol dans un conifère ; 4-6 œufs bleus marqués de noir ; 12-14 jours d'incubation, par la femelle. Les oisillons restent 2 semaines au nid.
Nourriture. Insectes, baies.

Viréo à tête noire
Vireo atricapillus

Les populations de viréos à tête noire ont chuté radicalement depuis quelques années ; certains experts en rendent les vachers responsables.

Description. Longueur 10-12,5 cm (4-5 po). Petit oiseau trapu. Mâle : dessus vert olive ; deux bandes alaires jaune pâle ; tête noire ; masque blanc autour des yeux ; gorge blanche ; flancs teintés de jaune ; yeux rouges. Femelle : tête grise.
Habitat. Fourrés épais ; boisés de chênes rabougris.
Nidification. Nid en forme de coupe, fait de lambeaux d'écorce, de feuilles et d'herbes et suspendu à une fourche, à 1-2,5 m (3-8 pi) du sol dans un arbuste ; 3-5 œufs blancs ; 14-17 jours d'incubation assurée par le couple. Les oisillons restent 12 jours au nid.
Nourriture. Petits insectes, araignées, baies.

Viréo gris
Vireo vicinior

Ce petit oiseau gris qui fréquente les boisés arides du sud-ouest américain en été n'a pas grand signe distinctif. Un seul indice permet de l'identifier : il branle la queue.

Description. Longueur 12,5-15 cm (5-6 po). Bec robuste. Plumage grisâtre ; bande alaire étroite et pâle ; cercle oculaire étroit et blanchâtre. Agite souvent la queue.
Habitat. Forêts de pins et de genévriers ; désert de broussailles.
Nidification. Nid en forme de coupe fait de lambeaux d'écorce, d'herbes et de tiges et suspendu à une fourche à 0,60-2,5 m (2-8 pi) du sol dans un arbre ou un arbuste ; 3-5 œufs blancs maculés de brun et de noirâtre ; 14 jours d'incubation assurée par le couple. Les oisillons restent 14 jours au nid.
Nourriture. Insectes.

Viréo de Philadelphie
Vireo philadelphicus

Plus actif que la plupart de ses congénères, le viréo de Philadelphie s'agrippe à une branche, tête en bas comme une mésange, pour dévorer les insectes.

Description. Longueur 11,5-12,5 cm (4½-5 po). Dessus olive grisâtre ; aucune bande alaire ; raie sourcilière blanchâtre ; trait sombre de part et d'autre de l'œil ; gorge et poitrine jaunâtres.
Habitat. Terrains à découvert, boisés broussailleux, lisières de forêt, fourrés près de l'eau.
Nidification. Nid en forme de coupe fait d'herbes et de lambeaux d'écorce, suspendu à une fourche, à 3-12 m (10-40 pi) du sol dans un petit arbre ; 3-5 œufs blancs finement marqués de brun ; 14 jours d'incubation assurée par le couple. Les oisillons restent 12-14 jours au nid.
Nourriture. Insectes ; baies.

Viréo à moustaches
Vireo altiloquus

Très répandu dans les Antilles, le viréo à moustaches ne se rencontre qu'en Floride sur notre continent. Comme son cousin, le viréo aux yeux rouges, il chante à cœur de jour, ce qui le rend facile à repérer et à observer.

Description. Longueur 16,5 cm (6½ po). Dessus vert olive ; aucune bande alaire ; vertex gris bordé de noir ; ligne sourcilière blanche ; yeux rouges ; « moustache » noire de chaque côté de la gorge ; dessous blanchâtre.
Habitat. Mangroves, fourrés près de l'eau.
Nidification. Nid en forme de coupe, fait d'herbes et de fibres végétales et suspendu à une fourche, à 2-3 m (7-10 pi) du sol dans un palétuvier ou un petit arbre ; 2-3 œufs blancs parsemés de marques brunes. Incubation et séjour des oisillons au nid de durée non connue.
Nourriture. Surtout des insectes.

Paruline de Bachman
Vermivora bachmanii

Autrefois très répandue, la paruline de Bachman est aujourd'hui l'un des oiseaux les plus rares en Amérique du Nord. Elle aurait été décimée par la perte de son habitat hivernal — les basses terres boisées des Antilles.

Description. Longueur 10-11,5 cm (4-4½ po). Mâle : dessus vert olive ; face et dessous jaunes ; tache sur la poitrine et vertex noirs. Femelle : grisâtre ; vertex et côtés de la face gris ; plumage dépourvu de noir. **Habitat.** Marécages densément peuplés de décidus. **Nidification.** Nid en coupelle, fait d'herbes et de tiges et fixé à 0,60-1,5 m (2-5 pi) du sol dans la végétation dense ; 3-5 œufs blancs. Incubation et séjour des oisillons au nid de durée non connue. **Nourriture.** Insectes.

Paruline de Colima
Vermivora crissalis

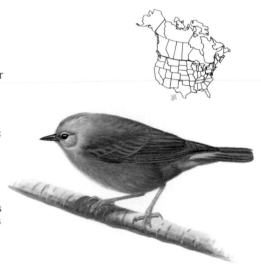

Les limites septentrionales de l'aire de nidification de la paruline de Colima s'arrêtent au Texas, dans les mont Chisos. Pour y observer cette paruline peu connue, il faut grimper à environ 1 800 m d'altitude.

Description. Longueur 11,5-12,5 cm (4½-5 po). Dessus gris sombre ou brunâtre ; dessous plus pâle ; cercle oculaire blanc ; croupion et plumes sous-caudales jaunes. Mâle : vertex brun-roux ; traces de jaune sur la poitrine, plus pâles ou absentes chez la femelle. **Habitat.** Chênaies broussailleuses. **Nidification.** Nid lâchement tissé d'herbes, de feuilles et de mousse, caché au sol dans les roches ; 4 œufs blancs ou crème, maculés de brun. Incubation et séjour des oisillons au nid de durée non connue. **Nourriture.** Insectes.

Paruline à dos noir
(Fauvette à dos noir)

Dendroica chrysoparia

Cet oiseau est très peu éclectique ; il niche uniquement dans les boisés mixtes de chênes et de genévriers, sur le plateau Edwards, dans le centre du Texas. Même dans son habitat, il est difficile à apercevoir.

Description. Longueur 11,5-12,5 cm (4½-5 po). Mâle au printemps : dessus noir ; deux bandes alaires blanches ; face jaune ; gorge et poitrine noires ; flancs striés de noir. Femelle : moins de noir sur la gorge et la poitrine. **Habitat.** Boisés de chênes et de genévriers. **Nidification.** Nid d'herbes et d'écorce de genévrier, dans une fourche de genévrier ou d'un autre arbre, à 2-9 m (6-30 pi) du sol ; 3-5 œufs blancs ou crème, finement maculés de brun. Incubation et séjour des oisillons au nid de durée non connue. **Nourriture.** Insectes.

Paruline de Swainson
(Fauvette de Swainson)
Limnothlypis swainsonii

Très à l'aise dans deux habitats bien distincts, la paruline de Swainson niche dans des basses terres marécageuses et bien haut dans les Appalaches du Sud, parmi les rhododendrons.

Description. Longueur 12,5-16,5 cm (5-6½ po). Mâle et femelle sont identiques. Dessus brun olive ; dessous blanc jaunâtre ; vertex marron ; ligne sourcilière blanchâtre.
Habitat. Fourrés épais dans les marécages inondés ; cannaies ; massifs de rhododendrons en montagne.
Nidification. Nid volumineux de feuilles, d'herbes et de mousse, à 0,60-3 m (2-10 pi) du sol dans un fouillis végétal ; 3-5 œufs blancs parfois maculés de brun ; 14 jours d'incubation assurée par la femelle. Les oisillons restent 12 jours au nid.
Nourriture. Insectes, araignées.

Oriole à gros bec
Icterus gularis

Installé à longueur d'année dans la vallée du rio Grande au Texas, l'oriole à gros bec se fait fréquemment parasiter par le vacher bronzé qui dépose un œuf dans son nid.

Description. Longueur 21,5-25 cm (8½-10 po). Mâle et femelle sont identiques. Livrée surtout orange ; face, gorge, ailes, queue et dos noirs ; bande alaire blanche ; épaulette jaune orangé.
Habitat. Boisés près de cours d'eau ; désert de broussailles.
Nidification. Nid d'herbes et de fibres végétales, suspendu à un arbre à 3,5-24 m (12-80 pi) du sol, en bordure d'un cours d'eau ; 3-4 œufs blancs maculés de brun. Incubation et séjour des oisillons au nid de durée non connue. Deux couvées par an.
Nourriture. Insectes, baies.

Oriole à dos jaune
Icterus graduacauda

En dépit de ses vives couleurs, l'oriole à dos jaune ne se laisse pas observer facilement ; c'est un oiseau silencieux qui quitte rarement le couvert des arbres et l'espèce est peu nombreuse au nord du Mexique.

Description. Longueur 20-24 cm (8-9½ po). Mâle et femelle sont identiques. Tête et queue noires ; dos vert-jaune ; dessous et croupion jaunes ; ailes noires liserées de blanc ; épaulettes jaunes.
Habitat. Boisés broussailleux près de cours d'eau.
Nidification. Nid d'herbes, suspendu à un prosopis ou un arbre en bordure d'un cours d'eau, à 2-4 m (6-14 pi) du sol ; 3-5 œufs bleu pâle ou blanchâtres, à peine maculés de brun et de mauve. Incubation et séjour des oisillons au nid de durée non connue. Parfois deux couvées par saison.
Nourriture. Insectes, baies.

Huart à bec blanc
(Plongeon à bec blanc, huart à bec jaune)
Gavia adamsii

C'est le plus rare de tous nos huarts, puisque, en réalité, l'espèce est eurasienne. Certains sujets nichent pourtant dans l'Arctique canadien.

Description. Longueur 76-93 cm (30-36½ po). Bec robuste et retroussé. Plumage nuptial : dos noir à damier blanc ; tête et cou noirs ; collier blanc ; bec blanc-jaune. Adulte en hiver : vertex et nuque brunâtres ; gorge blanche. Plus gros que les autres huarts. **Habitat.** Océan, baies, criques ; niche dans la toundra. **Nidification.** Nid creusé dans le sol ou fait d'une accumulation de plantes ou de boue, sur les rives d'un lac ; 2 œufs olive ou bruns, maculés de brun foncé. Incubation et séjour des oisillons au nid de durée non connue.
Nourriture. Poissons, crustacés, mollusques.

Grèbe minime
Tachybaptus dominicus

Cet oiseau, très sauvage, vole rarement ; il passe la plus grande partie de sa vie sur le même étang ou la même mare, où il niche.

Description. Longueur 23-26,5 cm (9-10½ po). Petit oiseau à bec court et fin ; plumage brun-gris foncé ; yeux jaunes ; tête grise ; gorge et vertex noirs en plumage nuptial, brun-gris clair en hiver. **Habitat.** Lacs, étangs, marais, cours d'eau lents. **Nidification.** Nid flottant de plantes paludéennes et de boue, amarré à des roseaux ou à des buissons ; 2-7 œufs blancs, verdâtres ou bleutés ; 21 jours d'incubation assurée par le couple. Oisillons couverts de duvet ; quittent le nid avec les parents peu après l'éclosion. Jusqu'à quatre couvées par année.
Nourriture. Insectes aquatiques.

Grand cormoran
(Cormoran d'Europe)
Phalacrocorax carbo

Bien que l'espèce soit beaucoup plus européenne qu'américaine, celui-ci, le plus grand de tous, niche au Canada en petites colonies sur la côte atlantique.

Description. Longueur 81-102 cm (32-40 po). Oiseau tout noir ; poche jaune sur la gorge ; grande tache blanche sur les flancs au printemps. Nage en pointant le bec vers le ciel ; vole en formation linéaire ou en V inversé. **Habitat.** Baies, ports, littoral rocailleux. **Nidification.** Nid fait d'un amas de branchages ou de plantes marines, tapissé de matières plus souples et fixé sur la corniche élevée d'une falaise ; 4-5 œufs bleu poudre ; 30 jours d'incubation assurée par le couple. Les petits restent 7-8 semaines au nid ; sont autonomes à 12 semaines. Niche en colonies.
Nourriture. Poissons.

Cormoran olivâtre
(Cormoran néotropical)
Phalacrocorax olivaceus

Ce petit cormoran, commun dans les tropiques de l'hémisphère occidental, se rencontre à l'extrême-sud des États-Unis. Il niche dans les arbres et, contrairement à ses congénères, peut se percher sur un rameau souple.

Description. Longueur 58-73,5 cm (23-29 po). Corps élancé, longue queue. Plumage tout noir ; petite poche gulaire jaune bordée de blanc en phase nuptiale. Nage en pointant le bec vers le ciel.
Habitat. Lacs, étangs, marais.
Nidification. Nid fait d'un amas de branchages, fixé à 1-6 m (3-20 pi) du sol dans un arbre ; 3-6 œufs bleu poudre. Incubation et séjour des oisillons au nid de durée non connue. Niche en colonies.
Nourriture. Poissons, grenouilles ; insectes.

Cormoran de Brandt
Phalacrocorax penicillatus

Le cormoran de Brandt et le cormoran pélagique nichent en colonies serrées dans des îles. Le premier occupe des sites rocheux et plats dans les hauteurs, tandis que le second s'installe sur des corniches étroites surplombant la mer.

Description. Longueur 90 cm (35 po). Corps trapu, queue courte ; plumage noir, plutôt terne. Nage en pointant le bec vers le ciel ; vole en formation linéaire et en V inversé.
Habitat. Océan, baies, littoral rocailleux, îles.
Nidification. Nid fait d'algues et d'herbes entassées sur une surface rocheuse plate ; 3-6 œufs bleu poudre. Incubation et séjour des oisillons au nid de durée non connue. Niche en colonies.
Nourriture. Poissons, crustacés.

Cormoran pélagique
(Cormoran de Béring)
Phalacrocorax pelagicus

Élancé et sociable, le cormoran pélagique vit en colonies très denses qui incluent non seulement les couples en reproduction, mais aussi les juvéniles et les oiseaux qui ne s'accouplent pas.

Description. Longueur 63,5-73,5 cm (25-29 po). Petit et élancé. Dos luisant ; petite poche gulaire rouge ; tache blanche sur les flancs au printemps. Nage en pointant le bec vers le ciel ; vole en formation linéaire et en V inversé. Dans le même habitat, on trouve des cormorans plus gros et plus robustes, dépourvus de taches blanches sur les flancs.
Habitat. Océan, baies, littoral rocailleux, îles.
Nidification. Nid d'algues et d'herbes entassées sur une corniche ; 3-7 œufs bleu poudre ; 26-30 jours d'incubation assurée par le couple. Durée du séjour des oisillons au nid non connue. Niche en colonies.
Nourriture. Poissons, crustacés.

Oie de Ross
Chen rossii

La petite oie de Ross niche dans la toundra canadienne. Elle passe ses hivers dans la vallée centrale de la Californie, au Nouveau-Mexique, au Texas et en Louisiane.

Description. Longueur 53-66 cm (21-26 po). Plumage blanc ; bout des ailes noir ; bec trapu et rose. S'observe en grands vols de centaines de sujets. Cri : un aboiement plutôt aigu.
Habitat. Marais, champs, lagunes ; niche dans la toundra.
Nidification. Pond 2-6 œufs blancs dans une dépression du sol tapissée d'herbes, de tiges et de duvet ; 21-24 jours d'incubation assurée par la femelle. Oisillons couverts de duvet ; quittent très tôt le nid et restent avec les parents jusqu'au printemps suivant.
Nourriture. Plantes aquatiques, jeunes tiges, insectes, céréales.

Dendrocygne à ventre noir
(Dendrocygne à bec rouge)
Dendrocygna autumnalis

Comme le petit canard branchu, le dendrocygne à ventre noir pond ses œufs au fond d'une cavité naturelle dans un arbre.

Description. Longueur 48-53 cm (19-21 po). Cou long ; pattes longues ; plumage marron et noir ; grande tache alaire blanche ; bec rouge ; pattes roses. Femelle plus terne. Se perche souvent dans les arbres.
Habitat. Bois inondés, étangs bordés d'arbres, marais.
Nidification. Nid aménagé au fond d'un trou dans un arbre, tapissé d'herbes, fixé à 2,5-9 m (8-30 pi) du sol ou caché dans la végétation ; 12-16 œufs crème ou blancs ; 25-30 jours d'incubation assurée par le couple. Oisillons couverts de duvet ; quittent le nid peu après l'éclosion ; volent à 8-9 semaines.
Nourriture. Graines, céréales, insectes, escargots.

Canard siffleur d'Europe
Anas penelope

Cette espèce est d'origine asiatique autant qu'européenne ; néanmoins, on la rencontre chaque hiver en petit nombre sur les côtes américaines de l'Atlantique et du Pacifique.

Description. Longueur 43-53 cm (17-21 po). Bec bleu pâle. Mâle : surtout gris ; tête roux foncé ; front chamois pâle ; poitrine framboise ; grande tache alaire blanche. Femelle : brun sable teinté de marron ; grande tache alaire blanche.
Habitat. Marais, étangs, bassins de retenue.
Nidification. Nid d'herbes et de tiges, en coupelle, tapissé de duvet et caché dans la végétation près de l'eau ; 7-10 œufs blancs ; 24 jours d'incubation assurée par la femelle. Oisillons couverts de duvet ; quittent le nid peu après l'éclosion ; volent à 6 semaines.
Nourriture. Plantes aquatiques, jeunes tiges, insectes.

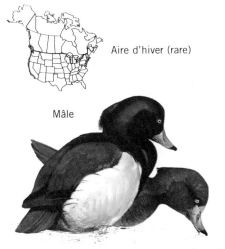

Aire d'hiver (rare)

Mâle

Femelle

Fuligule morillon

(Fuligule huppé, morillon fuligule)
Aythya fuligula

Proche parent du morillon à collier aussi appelé fuligule à bec cerclé, cet oiseau originaire d'Europe fréquente nos côtes et nos parcs.

Description. Longueur 45-56 cm (18-22 po). Bec gris à bout noir ; longue raie alaire blanche, visible en vol. Mâle : huppe cotonneuse ; tête, poitrine et dessus noirs ; flancs blancs. Femelle : brun foncé ; flancs pâles ; petite huppe fréquente.
Habitat. Lacs, étangs, bassins de retenue, estuaires.
Nidification. Pond 6-10 œufs chamois ou verdâtres dans une coupe d'herbes et de tiges tapissée de duvet et cachée dans la végétation près de l'eau ; 23-28 jours d'incubation assurée par la femelle. Oisillons couverts de duvet ; quittent le nid peu après l'éclosion ; volent à 7 semaines.
Nourriture. Plantes aquatiques, insectes, mollusques.

Garrot de Barrow

(Garrot d'Islande)
Bucephala islandica

Ce garrot plongeur hiverne presque toujours en eau salée. Il se joint parfois au garrot à œil d'or ou garrot commun auquel il ressemble beaucoup.

Description. Longueur 41-50 cm (16-20 po). Mâle : dessus noir tacheté de blanc ; taches alaires et dessous blancs ; tête violet foncé et luisant ; tache blanche en forme de goutte en avant de l'œil. Femelle : grisâtre ; tête brune ; bec jaune.
Habitat. Lacs et rivières ; bras de mer touchés par les marées en hiver.
Nidification. Nid de duvet et d'herbes au fond d'un trou dans un arbre à 15 m (50 pi) du sol ; 6-15 œufs verdâtres ou bleutés ; 32-34 jours d'incubation assurée par la femelle. Oisillons couverts de duvet ; quittent le nid peu après l'éclosion ; volent à 8 semaines.
Nourriture. Insectes, crustacés et mollusques.

Râle élégant

Rallus elegans

C'est le plus gros râle de l'Amérique du Nord. Bien qu'il fréquente presque tous les États de l'Est américain, on l'entend plus souvent qu'on ne l'aperçoit. C'est un oiseau très craintif.

Description. Longueur 38-48 cm (15-19 po). Bec long et légèrement incurvé ; queue très courte ; poitrine brun-roux vif ; épaules rouille ; flancs rayés ; plumes sous-caudales blanches.
Habitat. Marais d'eau douce et d'eau saumâtre.
Nidification. Nid de plantes paludéennes, caché dans la végétation d'un marais, là où l'eau est peu profonde ; 6-15 œufs chamois maculés de brun ; 21-23 jours d'incubation assurée par le couple. Oisillons couverts de duvet ; quittent le nid peu après l'éclosion ; sont autonomes à 9 semaines.
Nourriture. Crustacés, insectes, céréales, baies.

Marmette de Brünnich

(Guillemot de Brünnich)
Uria lomvia

Cet oiseau du Grand Nord au plumage élégant niche en immenses colonies sur le littoral de l'océan Arctique.

Description. Longueur 43-48 cm (17-19 po). Bec robuste, comme celui du pingouin. Plumage nuptial : tête, cou et dos brun noirâtre ; fine ligne blanche prolongeant la commissure des mandibules ; dessous blanc. Hiver : gorge et joues blanches.
Habitat. Haute mer ; niche sur des falaises.
Nidification. Aucun nid. Pond un seul œuf blanc, verdâtre ou brun, maculé de taches foncées, sur une corniche étroite ; 28-34 jours d'incubation assurée par le couple. Oisillon couvert de duvet ; reste 18-25 jours au nid ; suit en mer ses parents à la nage. Niche souvent dans des îles.
Nourriture. Poissons, crevettes, calmars.

Petit pingouin

(Gode)
Alca torda

On a déjà capturé ce grand plongeur dans des filets immergés à plus de 18 m de fond, mais il pêche néanmoins plus souvent en surface.

Description. Longueur 41-45 cm (16-18 po). Allure du pingouin ; bec mince et caréné. Plumage nuptial : tête et dessus noirâtres ; dessous blanc. Hiver : gorge blanche ; tache blanche derrière l'œil.
Habitat. Haute mer ; niche sur des corniches et des grèves rocailleuses.
Nidification. Aucun nid. Pond un seul œuf verdâtre ou bleuâtre, maculé de taches sombres, sur une corniche étroite ; 34-39 jours d'incubation assurée par le couple. Oisillon couvert de duvet ; reste 2 semaines au nid ; suit en mer ses parents à la nage. Niche en petites colonies, parfois avec des marmettes, dans des îles ou sur des côtes protégées.
Nourriture. Poissons, crevettes, calmars.

Alque à cou blanc

Synthliboramphus antiquus

Quand l'unique oisillon de l'alque à cou blanc a deux ou trois jours, ses parents l'incitent par des cris à se lancer à la mer. En quelques minutes, tous les oisillons de la colonie se précipitent à l'eau rejoindre les adultes.

Description. Longueur 24-26,5 cm (9½-10½ po). Adulte en plumage nuptial : dessus gris ; dessous blanc ; face et vertex noirs ; ligne superciliaire blanche, absente chez l'adulte en plumage hivernal.
Habitat. Haute mer, falaises du littoral.
Nidification. Aucun nid. Pond un seul œuf blanc, parfois maculé de gris ou de mauve, dans un trou près d'un tertre herbeux ou dans les rochers ; 33-36 jours d'incubation assurée par le couple. Oisillon couvert de duvet ; quitte le nid au bout de peu de jours pour rejoindre ses parents en mer.
Nourriture. Crustacés, calmars, insectes marins.

Alque de Cassin
Ptychoramphus aleuticus

Comme un certain nombre de ses proches parents, la petite alque de Cassin niche le plus souvent au fond d'un terrier, sous la terre.

Description. Longueur 20-23 cm (8-9 po). Dessus gris foncé ; abdomen et croissant au-dessus de l'œil blancs ; bec court, sombre, avec une petite tache pâle à la base. Les autres alques grises arborent des aigrettes sur la face.
Habitat. Haute mer, îles du littoral, falaises côtières.
Nidification. Nid fait d'un petit amas de branchages et de tiges, logé au bout d'un terrier ou sur le sol parmi les plantes ; un seul œuf blanc, parfois tacheté de gris ou de mauve ; 38 jours d'incubation assurée par le couple. Oisillon couvert de duvet ; reste 6 semaines au nid avant de rejoindre ses parents en mer. Sans doute deux couvées par saison.
Nourriture. Crustacés marins.

Macareux cornu
Fratercula corniculata

Cousin occidental du macareux moine, autrefois nommé macareux arctique ou de l'Atlantique, il niche en colonies denses, mais hiverne seul en haute mer.

Description. Longueur 37 cm (14½ po). Oiseau trapu. Dessus noir ; face et dessous blancs ; bec triangulaire, jaune à la base, rouge au bout ; petite « corne » au-dessus de l'œil ; pattes vermillon. Hiver : face sombre ; bec plus petit et moins coloré.
Habitat. Haute mer ; niche dans des îles rocailleuses.
Nidification. Nid d'herbes, d'algues et de plumes dans une anfractuosité rocheuse ou au fond d'un terrier, dans des îles ; un seul œuf blanc finement tacheté de brun ; 6 semaines d'incubation assurée par le couple. Oisillon couvert de duvet ; quitte le nid sans ses parents 5-6 semaines après l'éclosion.
Nourriture. Petits poissons, mollusques.

Oiseaux de mer

Albatros à pattes noires
Diomedea nigripes

L'albatros à pattes noires est le plus commun sur la côte californienne ; il se nourrit à même les ordures que les bateaux rejettent à la mer.

Description. Longueur 68,5-74 cm (27-29 po) ; envergure, environ 2 m (6½-7 pi). Grand oiseau à longues ailes étroites. Plumage gris noirâtre ; face blanche ; bec brun foncé. Tête et cou plus pâles chez les sujets âgés. Plane au-dessus de l'eau, les ailes étendues ; se repose sur l'eau comme le goéland. Suit les bateaux en quête de nourriture.
Habitat. Haute mer ; niche dans les îles du Pacifique.
Nidification. Nid dans une dépression peu profonde du sable, en colonies ; un seul œuf blanc maculé de marron ; 63-68 jours d'incubation assurée par le couple. L'oisillon reste 20 semaines au nid.
Nourriture. Poissons, crustacés, calmars.

Puffin cendré
Calonectris diomedea

Fidèle visiteur du littoral atlantique l'été, le puffin cendré séjourne dans nos eaux jusqu'en novembre.

Description. Longueur 41-45 cm (16-18 po). Gros puffin ; vol impressionnant à lents battements d'ailes. Dessus brun foncé ; dessous blanchâtre qui se fond dans le brun ; bec jaunâtre.
Habitat. Haute mer ; niche dans l'est de l'Atlantique.
Nidification. Pond un seul œuf blanc à l'extrémité d'un terrier, dans une île en pleine mer. Incubation et séjour de l'oisillon au nid de durée non connue. Niche en grandes colonies.
Nourriture. Calmars, crustacés, poissons.

Puffin à pattes roses
Puffinus creatopus

Il niche dans les îles du sud du Chili, mais fréquente souvent les eaux au large des côtes du Pacifique en se mêlant aux grandes bandes de puffins fuligineux.

Description. Longueur 48-51 cm (19-20 po). Gros puffin à battements d'ailes lents. Dessus brun noirâtre ; dessous blanc ; bec pâle à bout noir ; pattes rosâtres. Puffin fuligineux : plus petit ; battements d'ailes plus rapides ; dessous et bec foncés.
Habitat. Haute mer ; niche dans l'hémisphère austral.
Nidification. Pond un seul œuf blanc sur le sol nu ou sur un petit lit d'herbes sèches à l'extrémité d'un terrier. Incubation et séjour de l'oisillon au nid de durée non connue. Niche en colonies.
Nourriture. Crustacés, poissons.

Puffin à pattes pâles
Puffinus carneipes

Comme son cousin, le puffin à pattes roses, le puffin à pattes pâles partage souvent les vols de puffins fuligineux. Peu commun, il fréquente cependant les bateaux de pêche pour se nourrir des déchets et débris de poisson qu'ils rejettent.

Description. Longueur 48-50,5 cm (19-20 po). Gros puffin à battements d'ailes lents. Uniformément brun foncé ; rémiges plus pâles ; bec pâle ; pattes rosées. Puffin fuligineux : plus petit ; battements d'ailes plus rapides ; bec plus foncé.
Habitat. Haute mer ; niche dans l'hémisphère autral.
Nidification. Aucun nid. Pond un seul œuf blanc sur le sol nu à l'extrémité d'un terrier. Durée de l'incubation non connue ; l'oisillon reste 12-13 semaines au nid. Niche en colonies.
Nourriture. Crustacés et poissons.

Puffin des Anglais
(Puffin Manx)
Puffinus puffinus

Bien qu'il soit en principe un oiseau de l'est de l'Atlantique, il arrive parfois à ce petit puffin de nicher au Massachusetts et au Canada.

Description. Longueur 32-38 cm (12½-15 po). Petit puffin noir et blanc. Dessus et vertex noirs ; plumes sous-caudales et dessous du corps blancs. Puffin d'Audubon : battements d'ailes plus rapides ; plumes sous-caudales foncées.
Habitat. Haute mer ; niche dans des îles au large du littoral.
Nidification. Pond un seul œuf blanc sur un amas d'herbes à l'extrémité d'un terrier dans des îles, en pleine mer ; 7 semaines d'incubation assurée par le couple. Oisillon couvert de duvet ; reste 10 semaines au nid. Niche normalement en grandes colonies.
Nourriture. Poissons, calmars, crustacés.

Puffin cul-noir
(Puffin à ventre noir)
Puffinus opisthomelas

On croyait autrefois qu'il s'agissait d'une sous-espèce, la forme du Pacifique du puffin des Anglais qui, lui, fréquente l'Atlantique. Le puffin cul-noir a les mêmes mœurs que ce dernier, mais son plumage est très différent.

Description. Longueur 32-38 cm (12½-15 po). Petit puffin. Dessus et flancs brun terne ; dessous blanchâtre ; plumes sous-caudales foncées.
Habitat. Haute mer ; niche dans des îles au large du littoral.
Nidification. Pond un seul œuf blanc sur un amas d'herbes au fond d'un terrier, dans une île en haute mer ; 7 semaines d'incubation assurée par le couple. Oisillon couvert de duvet ; reste 10 semaines au nid. Niche normalement en grandes colonies.
Nourriture. Poissons, calmars, crustacés.

Puffin d'Audubon

Puffinus lherminieri

Plus méridional dans son habitat que le puffin des Anglais, le puffin d'Audubon ne monte pas plus au nord que le cap Hatteras, en Caroline du Nord ; il niche dans les Antilles.

Description. Longueur 30 cm (12 po). Petit puffin noir et blanc. Vertex et dessus noirâtres ; dessous blanc ; plumes sous-caudales foncées. Puffin des Anglais : plumes sous-caudales blanches et battements d'ailes plus lents.
Habitat. Haute mer ; niche dans des îles au large des côtes.
Nidification. Pond un seul œuf blanc sur des herbes empilées dans les rochers ou dans la végétation, en colonies ; 50 jours d'incubation, par le couple. Oisillon couvert de duvet ; reste 10 semaines au nid.
Nourriture. Calmars, poissons ; ne suit pas les bateaux.

Pétrel océanite

(Pétrel océanique)
Oceanites oceanicus

Bien qu'il niche dans l'hémisphère austral, le pétrel océanite se rencontre en nombre parfois important sur les côtes de l'Atlantique.

Description. Longueur 17,5 cm (7 po). Petit pétrel foncé. Croupion blanc ; queue carrée ; pattes dépassant le bout de la queue. Vole au ras de l'eau comme une hirondelle ; court à la surface de l'eau, les ailes redressées en V ; suit souvent les bateaux.
Habitat. Haute mer ; niche dans l'hémisphère austral.
Nidification. Pond un seul œuf blanc, légèrement maculé de brun, dans une anfractuosité du roc ou au fond d'un terrier, en colonies sur une île au large des côtes ; 39-48 jours d'incubation assurée par le couple. Oisillon couvert de duvet ; durée du séjour au nid non connue. Mœurs nocturnes là où il niche.
Nourriture. Poissons, crevettes, ordures rejetées par les bateaux.

Pétrel cendré

Oceanodroma homochroa

Le pétrel cendré se tient avec les pétrels noirs qui s'assemblent au large des côtes de la Californie ; il s'en distingue par ses coups d'ailes légers.

Description. Longueur 20 cm (8 po). Corps trapu, uniformément gris noirâtre ; queue profondément fourchue. Vole avec de légers coups d'ailes.
Habitat. Haute mer ; niche dans des îles au large des côtes.
Nidification. Pond un seul œuf blanc, parfois maculé de marron, à même le sol dans un terrier ou une anfractuosité du roc ; 44 jours d'incubation assurée par le couple. Oisillon couvert de duvet ; durée du séjour au nid non connue. Mœurs noctures là où il niche. Niche normalement en colonies.
Nourriture. Poissons, crustacés, algues marines.

Pétrel noir
Oceanodroma melania

C'est le plus répandu des pétrels à croupion noir qui se tiennent au large des côtes de la Californie ; il fréquente parfois les ports et les baies.

Description. Longueur 22,5 cm (9 po). Pétrel de bonne taille. Uniformément noir ; croupion foncé ; queue très fourchue ; battements d'ailes lents et profonds ; vole comme une sterne ; suit les bateaux. Les autres pétrels foncés sont plus petits et ont des battements d'ailes plus légers.
Habitat. Haute mer ; niche dans des îles au large des côtes.
Nidification. Pond un seul œuf blanc sur le sol, dans un terrier ou une crevasse rocheuse. Incubation et séjour de l'oisillon au nid de durée non connue. Niche en colonies ; mœurs nocturnes là où il niche.
Nourriture. Crustacés, petits poissons, ordures rejetées par les bateaux.

Petit paille-en-queue
(Petit phaéton, paille-en-queue à bec jaune)
Phaethon lepturus

C'est le plus petit des pailles-en-queue ; on le voit parfois dans le golfe du Mexique et au large des côtes de l'Atlantique dans le sud-est des États-Unis.

Description. Longueur 71-81 cm (28-32 po). Livrée blanche ; plumes centrales de la queue très longues ; bout des ailes noir ; bande alaire noire ; petit masque facial noir ; bec orangé.
Habitat. Haute mer ; niche dans des îles tropicales.
Nidification. Pond un seul œuf chamois finement maculé dans une crevasse ou une grotte ou sous des plantes près du rivage ; 40 jours d'incubation. Oisillon couvert de duvet ; reste 9 semaines au nid.
Nourriture. Poissons, calmars et crustacés capturés en plongeant du haut des airs.

Grand paille-en-queue
(Grand phaéton, paille-en-queue à bec rouge)
Phaethon aethereus

Le grand paille-en-queue niche dans les Antilles et sur la côte mexicaine du Pacifique ; c'est un rare visiteur sur les côtes américaines des deux océans. Il pêche en plongeant du haut des airs.

Description. Longueur 91-107 cm (36-42 po). Livrée blanche ; plumes centrales de la queue très longues ; bout des ailes noir ; ligne noire de part et d'autre de l'œil ; dos marbré de noir ; bec rouge.
Habitat. Haute mer ; niche dans des îles tropicales.
Nidification. Pond un seul œuf chamois finement tacheté dans un terrier ou une grotte près du rivage ; 44 jours d'incubation. Oisillon couvert de duvet ; reste 12 semaines au nid.
Nourriture. Poissons et calmars capturés en plongeant du haut des airs.

Frégate superbe
Fregata magnificens

Oiseau pirate, la frégate superbe n'hésite pas à poursuivre les sternes pour les forcer à abandonner leur proie.

Description. Longueur 94-104 cm (37-41 po) ; envergure 2-2,5 m (7-8 pi). Oiseau noir ; longues ailes étroites ; queue fine et fourchue ; long bec à bout crochu. Mâle : poche rouge sur la gorge. Femelle : poitrine blanche. Juvénile : tête et poitrine blanches. Plane.
Habitat. Baies, littoral marin, haute mer.
Nidification. Nid de branchages, d'herbes et de tiges accumulés dans un buisson ou au sol parmi les roches ; 1-2 œufs blancs ; 50 jours d'incubation assurée par le couple. Oisillons restent 5 mois au nid.
Nourriture. Poissons, calmars et crustacés pêchés en surface ; vole les prises d'autres espèces marines.

Labbe pomarin
Stercorarius pomarinus

Le labbe vole leurs prises aux goélands et aux sternes. Là où il niche, dans l'Arctique, il capture des petits oiseaux et des lemmings avec son bec et non avec ses serres.

Description. Longueur 50-58 cm (20-23 po). Dessus brun ; dessous blanchâtre ; bande pectorale foncée ; vertex noir ; rectrices centrales de la queue allongées et carrées ; marques alaires blanches visibles en vol.
Habitat. Baies, océan, plages ; niche dans la toundra.
Nidification. Nid dans une petite dépression du sol, nue ; 2-3 œufs havane ou verts, maculés de brun et de gris ; 28 jours d'incubation assurée par le couple. Oisillons couverts de duvet ; restent 5-6 semaines au nid.
Nourriture. Poissons volés à d'autres oiseaux ; rongeurs et oiseaux.

Labbe à longue queue
Stercorarius longicaudus

À la fin de la saison de nidification, le labbe à longue queue quitte l'Arctique et par un itinéraire encore inconnu s'en va passer l'hiver en mer dans l'hémisphère austral.

Description. Longueur 50-58 cm (20-23 po). Le labbe au corps le plus court. Dessus brun ; vertex noirâtre ; dessous blanc ; rectrices centrales de la queue très longues et pointues.
Habitat. Baies, océan, plages ; niche dans la toundra.
Nidification. Nid dans une petite dépression du sol, tapissé d'herbes et de feuilles ; 1-3 œufs olive maculés de brun ; 23 jours d'incubation assurée par le couple. Oisillons couverts de duvet ; restent 3 semaines au nid.
Nourriture. Rongeurs, insectes, œufs et oisillons d'autres espèces, baies ; ordures.

Goéland de Thayer
Larus thayeri

Très semblable au goéland argenté, le goéland de Thayer niche dans le Grand Nord canadien et hiverne en petit nombre sur la côte du Pacifique.

Description. Longueur 56-63,5 cm (22-25 po). Adulte : blanc ; ailes et dos gris ; bout des ailes noir sur le dessus et tacheté de blanc ; yeux foncés ; bec jaune à tache rouge ; pattes roses. Juvénile : blanchâtre, rayé et maculé de brun. Goéland argenté : yeux pâles, bout des ailes noir en dessous.
Habitat. Rivages des mers et des lacs ; niche dans les îles de l'Arctique.
Nidification. Nid d'herbes, de tiges et d'algues, en colonies sur une falaise, souvent avec d'autres goélands ; 2-3 œufs havane ou chamois, maculés de brun. Incubation et séjour des oisillons au nid de durée non connue.
Nourriture. Poissons et créatures marines ; détritus.

Goéland arctique ou Goéland à ailes blanches
Larus glaucoides

Ce pâle goéland de l'Arctique hiverne sur les côtes de l'Atlantique et va souvent se nourrir dans les dépotoirs.

Description. Longueur 58-66 cm (23-26 po). Livrée blanche ; ailes et dos gris pâle. Forme typique : bout des ailes blanc ; yeux pâles. Forme sombre : marques grises au bout des ailes ; yeux foncés. Juvénile : macules brun-gris pâle.
Habitat. Littoral marin ; ports ; niche dans les îles de l'Arctique.
Nidification. Nid au sol, fait d'herbes et d'algues ; 2-3 œufs rougeâtres, maculés de brun. Incubation et séjour des oisillons au nid de durée non connue. Niche en colonies.
Nourriture. Poissons, ordures, charogne, crustacés, mollusques, rongeurs, insectes.

Goéland brun
Larus fuscus

Le goéland brun est une espèce européenne qui vient fidèlement mais en petit nombre visiter les côtes américaines de l'Atlantique ; on l'a déjà aperçu dans le Midwest et même en Californie.

Description. Longueur 50-56 cm (20-22 po). Adulte : livrée blanche ; ailes et dos gris ardoise ; bec jaune à tache rouge ; pattes jaunes. Juvénile : dessus maculé de brun-gris ; ailes foncées.
Habitat. Littoral marin, ports.
Nidification. Nid d'herbes et de tiges sur une grève rocailleuse ou dans l'herbe ; 1-3 œufs olive ou chamois, maculés et lavés de brun foncé ; 25-29 jours d'incubation assurée par le couple. Oisillons couverts de duvet ; quittent le nid peu après l'éclosion ; volent à 6-7 semaines. Niche en colonies.
Nourriture. Poissons, mollusques, crustacés, étoiles de mer.

Goéland bourgmestre
Larus hyperboreus

Sans en porter le nom, les goélands sont des oiseaux rapaces. Le plus prédateur de tous est le goéland bourgmestre qui se nourrit d'oiseaux, de petits mammifères et de poissons.

Description. Longueur 66-81 cm (26-32 po). Livrée surtout blanche ; dos et ailes gris pâle ; bout des ailes blanc ; yeux pâles ; bec robuste, jaune, à tache rouge ; pattes rosées. Juvénile : blanc immaculé ou maculé de brun-gris très pâle.
Habitat. Littoral marin, lacs, ports ; niche dans l'Arctique.
Nidification. Nid d'herbes et d'algues, en colonies sur une falaise ; 2-3 œufs chamois ou olive, maculés de brun ; 28 jours d'incubation assurée par le couple. Oisillons couverts de duvet ; âge d'envolée non connu.
Nourriture. Oiseaux marins, rongeurs, poissons.

Mouette rosée
Rhodostethia rosea

Autrefois inconnue au sud de l'Arctique, la mouette rosée a été aperçue à plusieurs reprises à différents endroits du continent et on a découvert un site de nidification au Manitoba.

Description. Longueur 33-35,5 cm (13-14 po). Livrée blanche ; ailes et dos gris pâle ; petit bec noir. Adulte en plumage nuptial : fin collier noir ; poitrine rosée.
Habitat. Littoral marin.
Nidification. Nid d'herbes, de brindilles et de feuilles, posé au sol en terrain marécageux ; 2-3 œufs olive maculés de brun ; 22 jours d'incubation assurée par le couple. Oisillons couverts de duvet ; quittent le nid peu après l'éclosion ; volent à 3 semaines. Niche en colonies.
Nourriture. Insectes, crustacés.

Site de nidification connu

Mouette de Sabine
Xema sabini

Lorsqu'elle ne niche pas dans le cercle polaire, la petite et gracieuse mouette de Sabine fréquente la haute mer et vient rarement à terre.

Description. Longueur 33-35,5 cm (13-14 po). Livrée surtout blanche ; majeure partie des ailes et dos gris ; bout des ailes noir ; grand triangle blanc sur la partie antérieure de l'aile ; queue fourchue ; pattes noires. Adulte en plumage nuptial : tête noire ; bec noir à bout jaune.
Habitat. Haute mer ; niche dans la toundra arctique.
Nidification. Nid dans une petite dépression au sol, tapissé d'herbes, souvent dans une colonie de sternes ; 2-3 œufs brun pâle ou verdâtres, à peine maculés de brun ; 23-26 jours d'incubation assurée par le couple. Oisillons couverts de duvet ; durée du séjour au nid non connue.
Nourriture. Petits poissons, crustacés, insectes.

Mouette blanche
(Mouette sénateur)
Pagophila eburnea

Avec ses pattes robustes et ses serres acérées, la mouette blanche déambule avec aisance sur les glaces de l'océan Arctique où elle cherche charogne, excréments d'otaries et autres aliments.

Description. Longueur 38-48 cm (15-19 po). Petite mouette toute blanche pareille à un pigeon ; bec noir à bout jaune ; pattes noires. Juvénile : blanc moucheté de noir sur les ailes ; face noire.
Habitat. Littoral marin, falaises de l'Arctique, banquise.
Nidification. Nid garni d'algues, de plumes, de lichens et de parcelles de bois, creusé au sol ou sur une corniche, en colonies ; 1-2 œufs olive maculés de brun ; 24-26 jours d'incubation, par le couple. Durée du séjour des oisillons au nid non connue.
Nourriture. Charogne, excréments, insectes, crustacés.

Sterne de Dougall
(Sterne rosée)
Sterna dougallii

La sterne de Dougall niche seulement en quelques endroits du littoral du Nord-Est, souvent avec la sterne commune. Ses populations, qui n'ont jamais été abondantes, sont en plein déclin.

Description. Longueur 35,5-41 cm (14-17 po). Livrée surtout blanche ; queue longue et très fourchue ; dos et ailes gris pâle. Adulte en plumage nuptial : vertex noir. Adulte en hiver : front blanc.
Habitat. Plages de sable, ports.
Nidification. Nid raclé dans le sable ou parmi des roches et tapissé de brins d'herbe ; 1-3 œufs chamois pâle finement maculés de brun ; 23-25 jours d'incubation assurée par le couple. Oisillons couverts de duvet ; restent près du nid après l'éclosion ; volent à 4 semaines. Niche en colonies.
Nourriture. Petits poissons.

Sterne arctique
Sterna paradisaea

Célèbre pour ses longues migrations, la sterne arctique niche dans l'hémisphère boréal et hiverne dans les eaux de l'Antarctique : un aller et retour de 35 000 km.

Description. Longueur 35,5-43 cm (14-17 po). Livrée blanche ; ailes et dos gris ; queue fourchue ; bec rouge. Adulte en plumage nuptial : vertex noir, dessous gris. Adulte en hiver : front blanc.
Habitat. Littoral marin, toundra arctique.
Nidification. Nid raclé dans le sable ou le cailloutis et non tapissé ; 2-3 œufs brun clair ou verdâtres, maculés de brun ; 22 jours d'incubation assurée par le couple. Oisillons couverts de duvet ; restent près du nid après l'éclosion ; volent à 3-4 semaines. Niche en colonies, parfois avec d'autres espèces de sternes.
Nourriture. Petits poissons, crustacés.

Noddi niais
(Noddi brun)
Anous stolidus

C'est la seule sterne à nicher dans les arbustes ou les arbres. Le noddi niais se reproduit dans les Dry Tortugas, sur le golfe du Mexique.

Description. Longueur 41 cm (16 po). Sterne robuste, brun foncé, à vertex blanc ; queue cunéiforme ; bec long et noir.
Habitat. Îles et mers tropicales.
Nidification. Nid volumineux de brindilles et d'algues, logé au sol ou à moins de 3,5 m (12 pi) du sol dans un arbuste ou un arbre ; un seul œuf blanc, chamois ou rosé, maculé de gris et de brun ; 35-38 jours d'incubation assurée par le couple. Oisillon couvert de duvet ; vole à 6 semaines. Niche habituellement en colonies.
Nourriture. Petits poissons, calmars.

Grands échassiers

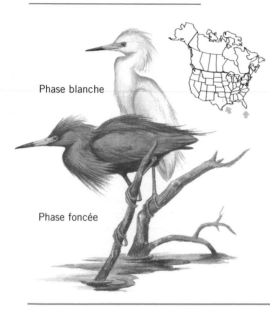

Phase blanche

Phase foncée

Aigrette roussâtre
Egretta rufescens

Ce héron d'eau salée est remarquable pour la danse frénétique qu'il exécute en eau peu profonde afin de débusquer les petits poissons et autres animaux dont il se nourrit.

Description. Longueur 68,5-81 cm (27-32 po). Oiseau élancé ; tête et cou hirsutes ; bec rosé à bout sombre. Adulte en phase foncée : gris ardoise ; tête et cou roux pâle. Adulte en phase blanche : tout blanc ; pattes gris-bleu.
Habitat. Marais d'eau salée, plages, lagunes près du littoral.
Nidification. Nid fragile et plat, fait de branchages et placé au sol ou à moins de 6 m (20 pi) du sol dans un buisson ou un arbre ; 3-7 œufs turquoise pâle ; 26 jours d'incubation assurée par le couple. Les oisillons restent 45 jours au nid.
Nourriture. Petits poissons, crustacés, grenouilles.

Flamant rose
Phoenicopterus ruber

Venu des Antilles, le grand et superbe flamant rose s'observe de temps à autre en Floride et dans les États du golfe du Mexique. Ceux qu'on voit ailleurs sont des oiseaux qui ont échappé à la captivité.

Description. Longueur 91-127 cm (36-50 po). Oiseau spectaculaire. Corps rose ; longues pattes roses ; cou élancé, porté en S ; bec robuste et incurvé, à bout noir ; bout des ailes noir.
Habitat. Lagunes en eau salée ; marais de la côte.
Nidification. Nid de boue, monté en pyramide avec un creux sur le dessus dans l'eau peu profonde ou dans une vasière ; 1-2 œufs blanc terne ; 4 semaines d'incubation assurée par le couple. Oisillons couverts de duvet ; sont réunis en crèche dès l'éclosion ; volent à 11 semaines. Niche en grandes colonies.
Nourriture. Minuscules plantes aquatiques filtrées dans l'eau ; petits poissons.

Oiseaux de rivage

Pluvier de Wilson
Charadrius wilsonia

Le pluvier de Wilson fréquente exclusivement les plages de sable ; c'est un oiseau calme et peu craintif qui ne prend peur que si l'on vient trop près de son nid ou de ses oisillons.

Description. Longueur 17,5-20 cm (7-8 po). Mâle : dessus brun terne ; dessous blanc ; un collier noir ; bec long, robuste et noir. Femelle : collier brun.
Habitat. Plages, dunes, bancs de sable.
Nidification. Pond dans le sable 2-4 œufs chamois maculés de noir et de brun ; 24 jours d'incubation assurée par le couple. Oisillons couverts de duvet ; quittent le nid peu après l'éclosion, sont autonomes à 4 semaines. Niche souvent en colonies éparses.
Nourriture. Crabes, crevettes, escargots et autres créatures marines.

Pluvier montagnard
Charadrius montanus

Ce pluvier mal nommé ne fréquente ni la montagne, ni les lieux qui se trouvent près de l'eau, mais bien plutôt les terres basses et sèches.

Description. Longueur 20-22,5 cm (8-9 po). Mâle et femelle sont identiques. Plumage nuptial : dessus brun sable ; front et dessous blancs ; vertex noir ; fine ligne noire de part et d'autre de l'œil ; pattes pâles ; étroite bande alaire blanche visible en vol. Plumage d'hiver : masque facial moins marqué.
Habitat. Prés secs d'herbes courtes ; champs labourés.
Nidification. Nid peu profond aménagé au sol, parfois garni d'herbes ; 2-4 œufs olive maculés de noir ; 4 semaines d'incubation assurée par le couple. Oisillons couverts de duvet ; quittent le nid peu après l'éclosion ; volent à 4 semaines.
Nourriture. Insectes.

Chevalier errant
Heteroscelus incanus

De taille moyenne, le chevalier errant hante souvent en hiver les côtes rocailleuses du Pacifique où il recherche la compagnie d'autres oiseaux de rivage.

Description. Longueur 25-26,5 cm (10-10½ po). Plumage nuptial : dessus gris ardoise ; dessous rayé de gris ; ligne superciliaire blanchâtre ; pattes vert-jaune. Plumage d'hiver : dessous uniforme. Hoche la queue sans arrêt.
Habitat. Rivages rocailleux ; niche près des ruisseaux de montagne.
Nidification. Nid creux pratiqué dans le cailloutis, tapissé de radicelles et de brindilles ; 4 œufs verdâtres maculés de brun ; 23-25 jours d'incubation assurée par le couple. Oisillons couverts de duvet ; quittent le nid peu après l'éclosion ; âge du premier vol non connu.
Nourriture. Larves d'insectes, mollusques, vers marins.

Observations trop
fragmentaires pour
permettre d'établir
une distribution
géographique.

Courlis esquimau
Numenius borealis

Pendant des décennies, le courlis esquimau
n'a été aperçu que très accidentellement durant
la migration. En 1987, on en a découvert une
petite colonie qui nichait dans l'Arctique canadien ; elle a immédiatement été placée sous la
protection de l'État.

Description. Longueur 30-35,5 cm (12-14 po). Petit
courlis à bec court et incurvé. Dessus brun et strié ;
dessous chamois ; dessous des ailes cannelle ;
masque facial peu marqué.
Habitat. Marais, prairies, rivages, vasières.
Nidification. Nid dans une dépression tapissée
d'herbes, dans la toundra ; 3-4 œufs verdâtres
ou bleuâtres, maculés de brun. Durée de l'incubation et âge du premier vol non connus. Niche en
colonies éparses dans la toundra arctique.
Nourriture. Insectes, baies, petits escargots.

Barge hudsonienne
Limosa haemastica

La plupart des oiseaux de rivage se sont remis
des déprédations exercées sur eux par les chasseurs. La barge hudsonienne fait exception ; elle
est encore rare et difficile à observer.

Description. Longueur 35,5-43 cm (14-17 po). Gros
oiseau ; long bec retroussé et jaunâtre à bout foncé ;
bande alaire et base de la queue blanches ; bout de
la queue noir. Plumage nuptial : dessus tacheté de
brun ; dessous rayé de roux foncé. Plumage d'hiver :
poitrine et dessus gris ; abdomen blanchâtre.
Habitat. Plages, vasières, hauts fonds, marais.
Nidification. Nid dans une dépression, tapissé de
feuilles et caché dans l'herbe ; 4 œufs verdâtres
maculés de brun ; 23 jours d'incubation assurée par
le couple. Oisillons couverts de duvet ; quittent le
nid le lendemain de l'éclosion ; autonomes à 1 mois.
Nourriture. Crustacés, mollusques, vers, insectes.

Bécasseau de Baird
(Bécasseau à poitrine cendrée)
Calidris bairdii

Le bécasseau de Baird voyage rarement en
colonies et s'alimente souvent loin de l'eau. Il
passe ses hivers en altitude, dans les Andes, en
Amérique du Sud.

Description. Longueur 17,5-19 cm (7-7½ po). Plus
gros que les autres bécasseaux ; les ailes repliées
dépassent la queue. Adulte au printemps et juvénile
en automne : face et cou chamois ; dessus à motif
d'écailles ou tacheté de noir ; croupion blanc à ligne
centrale sombre.
Habitat. Terres herbeuses, vasières ; niche dans la
toundra.
Nidification. Nid dans une petite dépression de la
toundra sèche ; 4 œufs roses ou olive, maculés de
brun foncé ; 22 jours d'incubation assurée par le
couple. Oisillons couverts de duvet ; premier vol à
16-20 jours.
Nourriture. Insectes, crustacés.

Bécasseau roussâtre
(Bécasseau rousset)
Tryngites subruficollis

Pour se rendre de son domicile hivernal, à l'extrémité de l'Amérique du Sud, à son aire de nidification dans le Nord, le bécasseau roussâtre passe plus souvent par la Prairie que par les côtes de l'Atlantique et du Pacifique.

Description. Longueur 19-22,5 cm (7½-9 po). Oiseau de teinte chamois ; bec court, fin et fuselé. Dessus brun foncé à motif d'écailles ; dessous chamois ; dessous des ailes blanc ; pattes jaunes.
Habitat. Prairies, terres herbeuses ; niche dans la toundra arctique.
Nidification. Nid en forme de coupe ; 2-4 œufs blancs, chamois ou olive, maculés de brun. Durée de l'incubation et âge du premier vol non connus.
Nourriture. Insectes, araignées, graines.

Phalarope hyperboréen
(Phalarope à bec étroit)
Phalaropus lobatus

À la fin de la période de nidification dans la toundra, le phalarope hyperboréen vole vers la mer puis émigre vers le sud en grandes bandes.

Description. Longueur 16,5-20 cm (6½-8 po). Bec fin comme une aiguille. Femelle en plumage nuptial : dessus et vertex gris ; ligne noire de part et d'autre de l'œil et le long du cou ; poitrine rouille. Mâle : plus terne. Oiseau en hiver : dessus gris ; dessous blanc ; vertex et ligne oculaire noirâtres.
Habitat. Océan, lacs, baies du littoral ; niche dans la toundra.
Nidification. Nid en forme de dôme, tapissé d'herbes et caché parmi les plantes ; 2-4 œufs olive maculés de brun ; 17-21 jours d'incubation assurée par le mâle. Oisillons couverts de duvet ; quittent le nid dès l'éclosion ; élevés par le mâle ; volent à 3 semaines.
Nourriture. Insectes et larves ; petits crustacés.

Femelle adulte

Phalarope roux
(Phalarope à bec large)
Phalaropus fulicaria

Comme chez tous les membres de ce groupe, la femelle du phalarope roux en plumage nuptial est beaucoup plus colorée que le mâle.

Description. Longueur 20-22,5 cm (8-9 po). Bec robuste. Femelle en plumage nuptial : dessus strié de brun ; dessous rouge brique ; face blanche ; vertex noir ; bec jaune. Mâle : plus terne. Oiseau en hiver : dessus gris ; dessous blanc ; vertex, ligne oculaire et bec noirs.
Habitat. Océan, lacs, baies du littoral ; niche dans la toundra.
Nidification. Nid dans une dépression, tapissé d'herbes ; 2-4 œufs chamois ou olive, maculés de brun et de noir ; 18-20 jours d'incubation assurée par le mâle. Oisillons couverts de duvet ; quittent le nid peu après l'éclosion ; élevés par le mâle ; volent à 3 semaines. En général, deux couvées par saison.
Nourriture. Insectes, petits poissons, crustacés.

Femelle adulte

Guide du voyageur

Des millions d'ornithophiles l'ont déjà découvert :
peu de passe-temps donnent autant de joies que
l'observation des oiseaux. Les pages qui suivent
décrivent plus de 350 sites d'ornithophilie aux États-
Unis et au Canada : l'habitat et ses points d'intérêt,
les espèces qu'on peut s'attendre à y rencontrer,
les moments propices de l'année pour s'y rendre et
une adresse où l'on peut écrire pour de plus amples
renseignements. Aucun guide n'est complet ;
le voyageur a donc intérêt à se renseigner sur place.
Les sociétés Audubon ainsi que plusieurs autres
organismes sont à sa disposition. Revues
et livres spécialisés constituent également
une bonne source d'information.

Canada

526 Alberta, Colombie-Britannique
527 Île-du-Prince-Édouard
Manitoba
528 Nouveau-Brunswick
529 Nouvelle-Écosse
Ontario
530 Québec
532 Saskatchewan
Terre-Neuve
533 Territoires du Nord-Ouest, Yukon

États-Unis

533 Alabama
534 Alaska
535 Arizona
537 Arkansas
California
539 Caroline du Nord
540 Caroline du Sud
Colorado
541 Connecticut
542 Dakota du Nord
Dakota du Sud
Delaware
543 Floride
545 Georgie
Idaho
546 Illinois
Indiana
Iowa

547 Kansas
Kentucky
548 Louisiane
Maine
549 Maryland
Massachusetts
550 Michigan
551 Minnesota
Mississippi
Missouri
552 Montana
Nebraska
553 Nevada
554 New Hampshire
New Jersey
555 New York
556 Nouveau-Mexique
557 Ohio
Oklahoma
558 Oregon
Pennsylvanie
559 Rhode Island
Tennessee
560 Texas
562 Utah
563 Vermont
Virginie
Virginie-occidentale
564 Washington
Wisconsin
565 Wyoming

CANADA

ALBERTA

Parc national de Banff
Box 900, Banff, Alta. TOL OCO

On rencontre, dans le plus ancien parc national du Canada, une grande diversité d'oiseaux de montagne dont le martinet sombre, la grive à collier, le roselin brun. Parmi les 224 espèces recensées dans cet environnement spectaculaire, 82 sont rares ou menacées. Beaucoup d'espèces nichent ici : cincle d'Amérique, gros-bec errant, roselin brun, bec-croisé à ailes blanches et bec-croisé rouge, bruant de Brewer et bruant à couronne blanche, roitelet à couronne dorée, sittelle à poitrine rousse et trois variétés de mésanges. Au printemps, on peut observer, au lac Vermilion en particulier, une concentration tout à fait impressionnante de sauvagines en migration.

Période propice : juin-août. Pour la sauvagine : avril-mai.

Parc national de Jasper
Box 10, Jasper, Alta. TOE 1EO

La plupart des 250 espèces d'oiseaux qui fréquentent ce parc, l'un des plus grands en Amérique du Nord, sont celles qu'on rencontre dans le parc voisin de Banff, sauf qu'il s'y ajoute quelques espèces plus septentrionales : huart du Pacifique, macreuse à ailes blanches, lagopède des saules, chevalier errant, goéland cendré.

Période propice : juin-août.

Parc national des Lacs-Waterton
Waterton Lakes National Park
Alta. TOK 2MO

Jumelé au parc national Glacier, dans le Montana, ce parc renferme les trois lacs Waterton, reliés entre eux par les détroits du Bosphore et des Dardanelles et encadrés par les chaînons Lewis et Clark. La combinaison de forêts, de lacs et de prairies attire une grande variété d'oiseaux parmi lesquelles on note le colibri calliope, le canard arlequin et le pic tridactyle. L'aigle royal, le pygargue à tête blanche et le balbuzard nichent dans le parc, tout comme le grèbe à bec bigarré, le garrot de Barrow, le bec-scie couronné et le grand bec-scie, la gélinotte, le lagopède à queue blanche, le phalarope de Wilson, le grand-duc d'Amérique, plusieurs variétés de pics, la pie bavarde, le cincle d'Amérique, le merle-bleu azuré, le goglu, le tangara à tête rouge. Une espèce rare, la grue blanche d'Amérique, s'y arrête en migration.

Période propice : juin-août.

COLOMBIE-BRITANNIQUE

Parc provincial de Manning
Tourism British Columbia
1117 Wharf St., Victoria, B.C. V8W 2Z2

Situé sur la route 3 entre Hope et Princeton, près de la frontière américaine, ce parc montagneux abrite 173 espèces recensées dont les plus répandues sont le casse-noix et le cincle d'Amérique, le huart à collier et le bec-croisé rouge. Parmi les espèces plus rares, on note le grèbe jougris, le grand pic et le canard arlequin.

Période propice : juin-août.

Parc national Pacific Rim
P.O. Box 280, Ucluelet, B.C. VOR 3AO

Quelque 238 espèces ont été dénombrées parmi les oiseaux de mer et de rivage qui fréquentent ce parc de la côte ouest de l'île de Vancouver. Dans les îles de l'archipel Broken Group nichent environ 170 couples de pygargues à tête blanche, le huîtrier de Bachman, le pétrel cul-blanc et le cormoran pélagique. Parmi les espèces rares ou menacées, on note l'alque à cou blanc, le macareux huppé et la pie-grièche grise.

Parc national Yoho
Field, B.C. VOA 1GO

Sur les 1 313 km^2 de ce parc spectaculaire, situé sur le versant ouest des Rocheuses, on rencontre occasionnellement le cygne trompette, la macreuse à front blanc, la crécerelle d'Amérique et le bruant de Brewer. D'autres espèces, lesquelles fréquentent également le petit parc du Kootenay qui le prolonge au sud, incluent le chardonneret des pins, que l'on peut observer dans les sapins de Douglas, et le pic tridactyle, le moucherolle à côtés olive et le geai du Canada, qu'on aperçoit surtout dans les épinettes blanches.

Refuge d'oiseaux migrateurs George C. Reifel
c/o Canadian Wildlife Service
5191 Robertson Road
Delta, B.C. V4K 3N2

On a recensé quelque 220 espèces dans cet estuaire marécageux de l'île Westham, au sud de la ville de Vancouver. Le refuge de 344 ha accueille la plus grande population hivernale d'oiseaux aquatiques au Canada. Plus de 12 000 oies blanches s'y reposent lors des migrations qui les mènent de Sibérie en Californie. Renommé pour les oiseaux de rivage qui y font halte durant la migration, on y aperçoit aussi en hiver des oiseaux de mer, des oiseaux de proie, et même le harfang des neiges.

Vallée de l'Okanagan

c/o Canadian Wildlife Service
5191 Robertson Rd.
Delta, B.C. V4K 3N2

Les frontières entre pays ne devraient pas affecter les oiseaux. En revanche, ceux-ci se limitent d'instinct à l'habitat qui leur convient. Or il appert qu'entre le Canada et les États-Unis, la frontière coïncide souvent avec une rupture d'habitat, si bien que beaucoup d'oiseaux ne la franchissent jamais. Une exception à la règle : la vallée de l'Okanagan. Le pic à tête blanche, le moqueur des armoises, le troglodyte des canyons et l'engoulevent de Nuttall sont quelques-uns des oiseaux inusités au Canada qu'on rencontre ici.

La vallée de l'Okanagan est une destination de prédilection pour les passionnés d'ornithologie. Une excursion dans la vallée débute généralement au sud, dans le parc provincial Vaseux Lake. Le lac attire des bernaches, des perdrix et des choukars à l'année, des canards en migration et même quelques cygnes trompettes, tandis que les falaises adjacentes accueillent des troglodytes des canyons. Au-dessus d'elles vole le martinet à gorge blanche, pendant que l'engoulevent de Nuttall marche le long des routes. Une petite promenade dans la forêt devrait permettre d'apercevoir le roselin pourpré, le solitaire de Townsend et peut-être un pic à tête blanche.

Au cœur de la vallée s'étend un chapelet de lacs. Dans ceux du Sud, on aperçoit souvent le pic de Lewis en été, tandis qu'au nord de Vernon, on peut admirer des grèbes jougris, des grèbes élégants et bien d'autres oiseaux aquatiques qui nichent dans les marais près des lacs de taille moyenne.

Les amateurs se lanceront à la recherche du petit-duc nain dans les boisés à l'ouest de Penticton, ou du moqueur des armoises près du lac White. Le premier moucherolle gris a été découvert à Oliver en 1986. C'est dire que la vallée de l'Okanagan peut encore nous réserver des surprises.
Période propice : toute l'année, mais surtout mai-juin.

Victoria, parc Beacon Hill

Tourism British Columbia
1117 Wharf St., Victoria, B.C. V8W 2Z2

La pointe Clover est l'endroit idéal pour l'observation des grèbes, des goélands, des huarts, des canards de mer et des oiseaux des rivages rocailleux ; on y voit aussi l'huîtrier de Backman.
Période propice : août-mai.

ÎLE-DU-PRINCE-ÉDOUARD

Parc national de l'Île-du-Prince-Édouard

Box 487, Charlottetown, P.E.I. C1A 7L1

On trouve ici une belle collection d'oiseaux de terre et de sternes en nidification, des oiseaux de rivage, des hirondelles et des canards en migration. L'île Rustico, dans le parc, abrite quelques centaines de hérons bleus. On en aperçoit, parfois une vingtaine à la fois, le long de la route. Le long des plages de sable niche le pluvier siffleur.
Période propice : mai-octobre.

MANITOBA

Churchill River Inlet

Churchill Wilderness Encounter
Box 85, Churchill, Man. R0B 0E0

Les oiseaux qu'on rencontre au début de l'été dans la taïga et la toundra ne sont pas inconnus dans le sud du continent. Cette barge hudsonienne, qu'on voit perchée sur son poteau de téléphone, a traversé le Texas en avril. Ce bruant hudsonien qui chante dans les saules fréquentait, il y a peu de temps, les mangeoires du Massachusetts. Alors pourquoi venir si loin pour les voir ? C'est qu'ici, tous ces oiseaux arborent leur plumage nuptial. Lagopèdes, labbes, goélands de Thayer, sternes arctiques, sizerins blanchâtres, bruants à face noire et bruants de Smith se laissent voir facilement.

Aucune route ne mène à Churchill. On s'y rend par avion ou moyennant un voyage de 38 heures en train, au départ de Winnipeg. Hébergement et location d'autos coûtent cher, et, en juin, la demande excède l'offre. Beaucoup de visiteurs préfèrent profiter des excursions organisées qu'on annonce dans les revues d'ornithologie.
Période propice : juin-début juillet.

Marais du Delta

Delta Waterfowl Research Station
R.R.1, Portage-la-Prairie
Man. R1N 3A1

C'est l'un des marais d'eau douce les plus vastes du monde. La région, qui s'étend sur 18 000 ha, est l'une des principales en Amérique du Nord pour la nidification des sauvagines. Il s'y trouve également un centre privé d'observation des oiseaux aquatiques, fermé au public.
Période propice : mi-avril – mi-octobre.

Oak Hammock Marsh Wildlife Management Area

Manitoba Dept. of Natural Resources
1495 St. James Street
Winnipeg, Man. R3H 0W9

À quelques minutes en voiture de Winnipeg, 250 000 oies des neiges et bernaches du Canada visitent chaque année ce territoire aménagé, où l'on a construit une vingtaine de kilomètres de digues pour contrôler le niveau des eaux et constitué 58 îles pour la nidification des sauvagines. Le site est renommé aussi pour le nombre et la variété des oiseaux de rivage et des parulines qui s'y arrêtent en migration. Des hérons égarés le fréquentent souvent en été.
Période propice : mi-avril – octobre.

Parc national Riding Mountain

Wasagaming, Man. R0J 2H0

Mélange de forêts mixtes et de terres herbeuses, l'unique parc national du Manitoba est excellent en été pour observer quelques-unes des 200 espèces qui viennent y séjourner. Les plus fréquentes sont le butor d'Amérique, la sarcelle à ailes bleues, la buse à queue rousse, le râle de Caroline, la bécassine des marais, la mouette de Franklin, le goéland à bec cerclé, le grand-duc d'Amérique, les parulines obscure et triste, et une espèce normalement rare mais qui abonde ici, le viréo de Philadelphie. Parmi les espèces également rares ou menacées, on a des chances d'apercevoir la macreuse à bec jaune, le labbe parasite, la perdrix grise et la grue du Canada.
Période propice : juin-août.

NOUVEAU-BRUNSWICK

Parc national de Fundy

Alma, N.-B. E0A 1B0

Falaises et collines ondulantes font de ce site un endroit privilégié pour l'observation des huarts et des canards de mer qui vivent au large, ainsi que pour celle des oiseaux chanteurs et des éperviers et buses en migration. Parmi les nicheurs, on remarque le pic à dos noir et la grive à joues grises.
Période propice : avril-mai.

Île du Grand Manan

Tourisme Nouveau-Brunswick
C.P. 12345
Fredericton, N.-B. E3B 5C3

Cette île paisible est connue comme l'une des plus prolifiques de toutes les Maritimes. On y a recensé 275 espèces d'oiseaux : oiseaux de mer qui vivent au large et oiseaux de terre en nidification ou en migration. Chaque année, quelques-uns parmi les 2 000 canards noirs et 1 200 bernaches cravants qui y font escale, au printemps et à l'automne, décident d'élire domicile sur ses marais et ses étangs.
Période propice : avril-octobre.

Parc national de Kouchibouguac

Kouchibouguac, N.-B. E0A 2A0

Un réseau de sentiers pédestres le long de la côte déchiquetée de ce parc national dévoile des panoramas spectaculaires ; on a aussi la chance d'y rencontrer de grandes concentrations d'oiseaux chanteurs et d'oiseaux aquatiques.
Période propice : mai ; août-septembre.

Ile Machias Seal

Tourisme Nouveau-Brunswick
C.P. 12345
Fredericton, N.-B. E3B 5C3

Le temps est souvent brumeux quand le bateau quitte Jonesport dans le Maine ou l'île du Grand Manan au Nouveau-Brunswick pour se rendre à l'île Machias Seal, à 160 km au large. Il n'y a rien à voir sinon les flots gris de la baie de Fundy, rien à écouter que les ronronnements rauques du moteur. Tout à coup surgit une forme, aussi vite évanouie. Elle réapparaît, se multiplie, se précise, prend la forme d'un macareux dodu ou d'un petit pingouin qui s'agite et se démène. Des sternes arctiques arrivent, une à une, deux par deux, puis en long ruban ininterrompu. Le bateau ralentit. Le capitaine l'amarre à une bouée, éteint son moteur. C'est alors que le concert commence, les cris aigus de centaines de sternes, les grognements des eiders, les claquements des oiseaux qui plongent.

Sur l'île, il y a des sternes partout. En marchant, il faut prendre soin de ne pas massacrer par inadvertance des nids, pendant que des deux mains il faut écarter les oiseaux inquiets qui se défendent. Le guide vous parle de l'île pendant qu'il vous emmène vers une cache dont il éloigne les macareux pour vous laisser y pénétrer. Au bout de quelques instants, vous risquez un œil et vous apercevez du roc gris à perte de vue. Au moment où vous alliez désespérer apparaît un macareux, le bec plein de sardines ; il disparaît dans le terrier où son petit l'attend. D'autres le suivent, avec leur cocasse allure de clowns. Ils surveillent la cache, conscients de votre présence, sans pour autant s'en affoler.

On n'admet que 25 personnes par jour dans l'île qui fait 6 ha, 12 du Maine, 13 du Nouveau-Brunswick. Vous avez donc intérêt à réserver d'avance.
Période propice : juin – mi-août.

NOUVELLE-ÉCOSSE

Refuge d'oiseaux migrateurs Amherst Point

c/o Shignecto National Wildlife Area
Box 1590, Sackville, N.S. EOA 3CO

C'est dans cet habitat mixte de boisés, de digues et de champs en jachère que l'on a signalé le plus grand nombre d'espèces différentes, en Nouvelle-Écosse, de sauvagines et de grands échassiers. Deux petits lacs et un marais d'eau douce y accueillent le canard siffleur d'Amérique, le canard pilet et les sarcelles à ailes bleues et à ailes vertes.
Période propice : mai-septembre.

Bassin des Mines

Nova Scotia Bird Society
Halifax, N.S. B3H 3A6

La Nouvelle-Écosse constitue une étape majeure sur la route migratoire de l'Atlantique. Les oiseaux y font halte au printemps en se rendant dans leur aire de nidification au Nord, puis de nouveau à l'automne. On a recensé 298 espèces d'oiseaux sur le territoire de la province, dont les plus répandus sont des mouettes et des goélands, des sternes, des grands hérons et des canards.

En septembre, d'immenses vols d'oiseaux de rivage font escale sur les plages du bassin des Mines avant de reprendre la route du Sud. La plage Évangéline, près de Grand-Pré, le long de la route 1, constitue alors un excellent poste d'observation.
Période propice : septembre.

Parc national des Hautes Terres du Cap-Breton

Ingonish Beach, N.S. BOC 1LO

Juillet et août sont les mois par excellence pour y observer les pygargues à tête blanche. Quelque 250 couples de cet oiseau rare et majestueux nichent en effet dans les région de Bras d'Or. Les forêts boréales du cap Breton sont un lieu de prédilection pour plusieurs parulines : paruline tigrée, parulines à poitrine baie, à tête cendrée, à collier et la superbe paruline flamboyante. Les passionnés d'ornithologie apercevront peut-être aussi la grive à joues grises gazouillant à la cime des arbres, ou bien le durbec des pins au coloris rose, ou le moucherolle à ventre jaune claquant son bec sur quelque insecte succulent, ou un quiscale rouilleux déambulant le long d'un étang.

Au large du cap roulent les eaux du détroit de Cabot, si riches en poissons que des dizaines de milliers d'oiseaux de mer de toutes sortes viennent s'y alimenter ; une excursion en bateau aux îles Birds, dans la baie de St. Anns, permet de voir des cormorans, des mouettes tridactyles ou à pattes rouges, des petits pingouins, des guillemots et des macareux.
Période propice : juin-août.

ONTARIO

Parc provincial Algonquin

Box 219, Whitney, Ont. KOJ 2MO

L'un des plus grands du Canada, le parc Algonquin appartient à deux mondes : celui des conifères du nord, celui des décidus du sud. Moucherolles à ventre jaune, parulines masquées, grives, autant d'oiseaux qui peuplent normalement les terres humides, ont élu domicile ici sur les versants secs et boisés du canyon. On aperçoit parfois dans le parc les précieux aigle royal et pygargue à tête blanche. Quelque 200 autres espèces d'oiseaux le fréquentent, incluant la mésange à tête brune, le geai du Canada et le tétras du Canada qu'on a coutume de rencontrer plutôt dans les forêts boréales.
Période propice : juin ; toute l'année.

Parc provincial de Long Point

Long Point Bird Observatory
Box 160, Port Rowan, Ont. NOE 1MO

À courte distance de la communauté agricole et touristique de Port Rowan, un étroit croissant de dunes et de marécages s'avance sur 40 km dans le lac Érié. C'est la péninsule de Long Point, qui attire 350 espèces d'oiseaux dont le tiers niche ici. Le reste est constitué d'oiseaux aquatiques et d'oiseaux chanteurs qui y font escale pendant leurs migrations.

Bien que la plus grande partie de cette réserve soit interdite au public, le parc provincial, à l'entrée de la péninsule, permet de bien observer les oiseaux, surtout durant leur migration printanière. Tout près, l'observatoire de Long Point, où les spécialistes baguent les oiseaux et étudient leurs mœurs migratoires, accueille les amateurs d'ornithologie.
Période propice : mars-mai ; août-nov.

Parc national de la Pointe-Pelée

R.R. 1 Leamington, Ont. N8H 3V4

C'est l'un des endroits les plus populaires parmi les amateurs d'ornithologie en Amérique du Nord : 3 000 visiteurs s'y rendent chaque jour en mai, à l'époque où les oiseaux migrateurs, après avoir volé toute la nuit, y font escale. Située au carrefour de deux grandes routes migratoires, la Pointe Pelée constitue également le point le plus méridional du Canada.

On enregistre chaque année le passage d'au moins 250 espèces : engoulevents de Caroline (qui nichent sur place), parulines du Kentucky et parulines vermivores, tangaras vermillon et à tête rouge, pluviers argentés, parulines polyglottes, petits-ducs maculés. Il n'est pas rare d'en identifier une centaine dans la même journée, surtout si les conditions climatiques obligent les oiseaux à se poser pour un certain temps.

La migration d'automne n'est pas sans intérêt pour l'amateur d'ornithologie. Les oiseaux, bien sûr, n'arborent plus leur livrée nuptiale, mais, moins pressés de se rendre à destination, ils sont également plus nombreux : on a donc davantage de chances de les observer à loisir.

Période propice : mai ; mi-septembre.

Parc provincial de la Presqu'île

Ontario Travel
900 Bay St., Toronto, Ont. M7A 1W3
Situé près de Brighton sur le lac Ontario, le site est superbe à longueur d'année ; on peut y admirer une grande quantité d'oiseaux parmi lesquels se trouvent des parulines et des bruants en migration, des canards et des goélands en hivernage.

Parc provincial de Rondeau

R.R. 1 Morpeth, Ont. NOP 1X0
Ce parc est l'un des meilleurs sites au Canada pour observer le moucherolle vert, le viréo aux yeux blancs, la paruline azurée et la paruline orangée dont c'est ici le principal terrain de nidification au Canada.
Période propice : mai-septembre.

Refuge d'oiseaux migrateurs Upper Canada

Ontario Travel
900 Bay St., Toronto, Ont. M7A 1W3
Les oiseaux migrateurs font escale au printemps et en automne dans ce refuge de 1 416 ha situé à 5 km à l'est de Upper Canada Village, qui comprend 6 km de sentiers, un centre d'interprétation et un observatoire. Il n'est pas rare d'y voir, en automne, jusqu'à 8 000 oies du Canada se poser à la fois sur les marais et les champs de céréales.

QUÉBEC

Île Bonaventure

Ministère du Loisir, de la Chasse et de la Pêche
4, rue du Quai, Percé, Qué. GOC 2L0
Dès le 1er juin, tôt le matin, un bateau quitte le quai de Percé en direction de l'île Bonaventure. Le capitaine fait une boucle pour permettre aux visiteurs d'admirer le Rocher Percé sous tous ses angles ; les passagers en profitent pour observer des cormorans à aigrettes et des mouettes tridactyles avant d'aborder la courte traversée.

Aperçue du nord-ouest, l'île Bonaventure présente de jolies prairies paisibles qui s'élèvent doucement pour atteindre une forêt de conifères. Mais à mesure que le bateau met le cap sur le nord, un nouveau paysage se dessine, hérissé de sombres falaises dont la moindre corniche est occupée par un oiseau. Ils sont des dizaines de milliers à nicher ici, dans une cacophonie incroyable. Les guillemots à miroir vont et viennent et tendent leurs pattes rouges pour atterrir. Les mouettes tridactyles occupent tous les sites dans le bas de la muraille rocheuse ; les marmettes de Troïl et les petits pingouins se sont emparés de l'espace intermédiaire. Tout au sommet se tiennent, fiers et superbes, les fous de Bassan.

Le capitaine complète le tour de l'île et accoste. Un joli sentier à travers des bois paisibles ne permet pas au visiteur de prévoir ce qu'il va bientôt découvrir. Et c'est la surprise : des dizaines de milliers de fous de Bassan, entassés les uns sur les autres, agitent leur long cou vers le ciel, se chamaillent avec les voisins et bousculent les petits en caquetant éperdument. Si près qu'il pourrait y toucher, se déroule devant le spectateur médusé le plus beau spectacle qu'un groupe d'oiseaux puisse donner à leurs admirateurs en Amérique du Nord.

D'autres espèces sont présentes en petit nombre sur l'île ou à proximité, espèces suffisamment rares pour que le passionné d'ornithologie se donne la peine de les chercher. Ce sont le macareux moine, le grand cormoran et le canard arlequin.
Période propice : juin-août.

Réserve nationale de la faune du Cap-Tourmente

Saint-Joachim, Qué. GOA 3X0
C'est l'un des sites les plus fréquentés au Québec par les ornithologues amateurs. C'est aussi la principale halte migratoire de l'oie des neiges. Au printemps, 300 000 d'entre elles environ se dispersent sur la réserve, dans les îles avoisinantes et sur la rive du cap Tourmente. Mieux encore, durant la première quinzaine d'octobre, on peut admirer ces oiseaux blancs comme la neige sur une toile de fond aux couleurs automnales. Le spectacle est saisissant et bien des photographes s'y donnent rendez-vous.

Mais on peut faire des observations intéressantes en toute saison au cap Tourmente. Car on retrouve ici, sur un territoire restreint, une grande diversité d'habitats. Dans les coins humides, on découvre plusieurs espèces de canards barboteurs et plongeurs, le grèbe à bec bigarré, la poule-d'eau, la foulque d'Amérique, le petit butor et le héron vert. Dans les champs, on observe de nombreux passereaux dont le bruant à queue aiguë, une espèce très localisée dans l'estuaire du Saint-Laurent.

Les oiseaux de proie affluent, bien sûr, en période de migration. Parmi eux, mentionnons le faucon pèlerin qui se reproduit sur la réserve, le buzard Saint-Martin, des éperviers, plusieurs espèces de buses, l'aigle royal et le pygargue à tête blanche dont la présence est mentionnée chaque année. Le grand-duc d'Amérique et la chouette rayée sont également au rendez-vous.

Un centre d'interprétation de la nature et un service de naturalistes interprètes sont à la disposition des visiteurs. Des trottoirs de bois, une tour d'observation et un abri ont été aménagés afin de faciliter l'observation.
Période propice : fin mars-avril ; début oct.

Îles-de-la-Madeleine

Association touristique des Îles-de-la-Madeleine, C.P. 1028
Cap-aux-Meules, Qué. G0B 1B0
Les îles sont accessibles par voie des airs ou par bateau, en 5 heures, à partir de Souris, à l'Île-du-Prince-Édouard.

Pour quatre espèces d'oiseaux, cet archipel du golfe Saint-Laurent est le seul site de nidification connu au Québec. Il s'agit du grèbe cornu, de la mouette rieuse, de la sterne de Dougall et du pluvier siffleur.

En se déplaçant sur les différentes îles de l'archipel, reliées entre elles par un réseau routier, le visiteur pourra observer, entre autres, le grand cormoran, la sterne pierregarin, la sterne arctique, le grand morillon, la mésange à tête brune, la nyctale boréale, le bruant fauve, le quiscale rouilleux.

Souvent des espèces inusitées échouent sur les rivages après une tempête : aigrette neigeuse, mouette pygmée, barge marbrée, chevalier semipalmé ou bécasseau combattant. En cherchant bien, l'observateur expérimenté fera sans doute des découvertes intéressantes.

S'il dispose d'un peu plus de temps, il voudra sans doute passer une journée à l'île Brion. Le macareux moine et le grand cormoran y sont l'attrait principal. Tout près, dans le rocher aux Oiseaux, nichent le fou de Bassan, la mouette tridactyle, le petit pingouin, la marmette de Troïl, la marmette de Brünnich et le macareux moine.
Période propice : juin-août.

Lac Saint-Pierre

Société d'ornithologie du Centre du Québec, a/s Cégep de Drummondville
960, rue Saint-Georges
Drummondville, Qué. J2C 6A2
Entre Sorel et Trois-Rivières, ce lac, en réalité un élargissement du Saint-Laurent, constitue une halte migratoire importante pour la bernache du Canada, l'oie des neiges et de nombreuses espèces de canards barboteurs et plongeurs.

La plaine d'inondation de la baie du Fèbvre est particulièrement intéressante à visiter au printemps. On accède facilement à des sites d'observation par la route 132 où une halte routière a été prévue. Tous les canards barboteurs sont présents, parfois par plusieurs milliers à la fois. Parmi les canards plongeurs, on remarque la présence du morillon à dos blanc, du morillon à tête rouge, du morillon à collier, du bec-scie couronné, du petit garrot et, occasionnellement, du canard roux.

Vers la fin d'avril, quand la migration est la plus dense, on peut observer jusqu'à 100 000 bernaches du Canada qui se nourrissent dans les terres inondées et les champs environnants. Au coucher du soleil, d'immenses voiliers d'oies des neiges et de bernaches du Canada se rassemblent aux abords du fleuve pour passer la nuit à l'abri des prédateurs terrestres, un spectacle qui vaut le déplacement.

De la mi-mars à la mi-avril, les oiseaux de proie croisent aussi dans les parages : harfang des neiges, buse pattue, busard Saint-Martin, hibou des marais et parfois pygargue à tête blanche et faucon pèlerin.

Signalons la présence en mai du phalarope de Wilson et de plusieurs oiseaux de rivage : bécasseau minuscule, bécasseau à croupion blanc, bécasseau roux, bécasseau à poitrine cendrée, pluvier kildir, pluvier semipalmé et pluvier argenté.
Période propice : mars-mai.

Marais de Cacouna

À quelques kilomètres à l'est de Rivière-du-Loup, on y accède, par la route 132, en suivant les indications pour le port en eau profonde de Gros-Cacouna. Le marais de Cacouna est sans doute le site le plus réputé de tout le bas Saint-Laurent.

Plusieurs canards barboteurs, dont le canard chipeau, y sont signalés chaque année : le canard noir, le canard colvert et le canard pilet, la sarcelle à ailes bleues et la sarcelle à ailes vertes se reproduisent à proximité du marais ; l'eider à duvet niche en colonies sur une île située à quelques centaines de mètres du rivage, tout comme le goéland argenté et le goéland à manteau noir. Parmi les canards plongeurs, on note la présence du morillon à collier, du grand et du petit morillon et du garrot à œil d'or.

Une petite colonie de guillemots à miroir déposent leurs œufs dans les falaises qui bordent le Saint-Laurent. Le grand héron et le bihoreau à couronne noire sont toujours présents. En outre, parmi la même famille, il est toujours possible de trouver quelques représentants inhabituels pour la région, comme la grande aigrette, l'aigrette neigeuse, l'aigrette bleue, l'aigrette tricolore, ou le héron garde-bœuf.

Le phalarope de Wilson, le huart à gorge rousse et le bruant à queue aiguë y sont souvent observés. Sur les piquets de clôture qui longent la route au centre du marais, la bécassine des marais est habituellement fidèle à venir se percher. Finalement, la présence de grands échassiers et d'oiseaux de rivage attire bien sûr le faucon pèlerin.
Période propice : avril-septembre.

Mont Royal

Centre d'interprétation de la montagne
C.P. 86, Succursale E
Montréal, Qué. H2T 3A5

Ce parc urbain, en plein cœur de Montréal, offre, durant la migration printanière, des opportunités insoupçonnées pour l'observation des oiseaux. Du haut des airs, il apparaît, au cœur d'une zone urbaine dense, comme un îlot de verdure qui invite les oiseaux à se poser. Mais la grande diversité des espèces qu'on y signale n'est sans doute pas étrangère au fait que la région montréalaise bénéficie d'un climat plus doux que l'ensemble du territoire québécois.

Une partie située au sud de la montagne, appelée parc Summit, est recouverte d'une forêt de feuillus que traversent de nombreux sentiers. On y rencontre une grande diversité d'oiseaux des forêts : moucherolles, grives, viréos, bruants et parulines. On y trouve aussi plusieurs espèces difficiles à observer ailleurs au Québec : cardinal rouge, tohi à flanc roux, moqueur polyglotte, passerin indigo, gobe-moucherons gris-bleu, hibou moyen-duc et même petit-duc maculé, qui se reproduit sur place.

Tous les secteurs du mont Royal méritent d'être visités, y compris le cimetière.

Parc national de Forillon

C.P. 1220, Gaspé, Qué. G0C 1R0

Des oiseaux de près de 230 espèces ont été signalés dans ce parc côtier de la Gaspésie. Une cinquantaine d'entre eux y font leur nid, dont le goéland argenté, le guillemot noir et le cormoran à aigrettes.
Période propice : avril-mai.

SASKATCHEWAN

Parc provincial Cypress Hills

Box 850, Maple Creek, Sask. S0N 1N0

Une étendue de forêts, de lacs et de rivières, entourée d'une plaine semi-aride, fait de ce parc l'endroit idéal pour observer des oiseaux appartenant à ces deux habitats et no-

tamment le solitaire de Townsend et le pipit des Prairies, la paruline triste, le junco ardoisé et le pic flamboyant. Chaque matin, en mai et au début de juin, la gélinotte à queue fine exécute son rituel nuptial sur le parcours de golf, près de la route.
Période propice : fin mai-fin juillet.

Refuge d'oiseaux Last Mountain Lake

Canadian Wildlife Service
Box 280, Simpson, Sask. S0G 4M0

Fondée en 1887, cette réserve de 10 km², située à l'extrémité nord du lac Last Mountain, est le plus ancien refuge d'oiseaux d'Amérique du Nord. C'est aussi l'un des meilleurs endroits, dans le centre du Canada, pour l'observation d'oiseaux de rivage au printemps et en automne. À la mi-septembre, jusqu'à 10 000 cormorans à aigrettes et 20 000 grues canadiennes viennent s'y reposer, de même que des oies de Ross et des grues blanches d'Amérique. Des pélicans blancs ainsi que des macreuses à ailes blanches font leur nid sur les îles du lac.
Période propice : mai-début juin ; août-octobre.

TERRE-NEUVE

Refuge d'oiseaux de Cap-Sainte-Marie

Newfoundland Dept. of Tourism
Box 8700, St. John's, Nfld. A1C 5T7

Une prestigieuse colonie de fous de Bassan, de mouettes tridactyles, de marmettes de Brünnich et de marmettes de Troïl fréquente ce refuge. D'autres oiseaux de mer peuvent être observés dans les environs.
Période propice : mi-avril – juillet.

Parc historique national de l'Anse-aux-Meadows

Newfoundland Dept. of Tourism
Box 8700, St. John's, Nfld. A1C 5T7

Parmi les souvenirs qu'ont peut-être laissés ici les Vikings, on peut voir des oiseaux de terre en maraude et un certain nombre d'oiseaux de mer dont des puffins en été et (si vous voulez braver le froid) des mergules nains et des mouettes blanches en hiver.
Période propice : toute l'année mais surtout en décembre.

Parc national de Terra Nova

Glovertown, Nfld. A0G 2L0

Ce beau parc en bordure de la mer accueille des oiseaux de mer, des balbuzards et des pygargues. Et dans les bois, on peut voir nicher des parulines.
Période propice : mai-septembre.

TERRITOIRES DU NORD-OUEST

Parc national Wood Buffalo
Box 750, Fort Smith, N.T. X0E 0P0
Ce site est l'un des plus accessibles qui soient dans la grande forêt boréale. Composé de lacs, de deltas de rivière et de forêts, il est habité par des grues blanches d'Amérique. D'autres oiseaux rares ou en voie d'extinction fréquentent également le parc : l'oie de Ross, l'aigle royal, le pygargue à tête blanche, l'autour des palombes, le balbuzard, le faucon gerfaut, le faucon pèlerin et le faucon émerillon, la grue du Canada, le bécasseau de Baird et le bécasseau à croupion blanc, la barge hudsonienne. En automne, la concentration des sauvagines est un spectacle grandiose. Le parc renferme aussi la colonie de pélicans blancs la plus septentrionale en Amérique.
Période propice : fin mai ; début septembre.

YUKON

Route de Dempster (entre Dawson et Inuvik)
Tourism Yukon
Box 2703, Whitehorse, Yukon Y1A 2C6
C'est la route la plus septentrionale du Canada ; elle permet d'avoir accès à des habitats arctiques où nichent le huart, le faucon gerfaut, le labbe, le traquet et bien d'autres oiseaux.
Période propice : juin-août.

ÉTATS-UNIS

ALABAMA

Choctaw National Wildlife Refuge
Box 808, Jackson, AL 36545
En été, on peut voir nicher ici des hérons et des ibis, tandis qu'en hiver, l'endroit est fréquenté par des canards, surtout des canards branchus.
Période propice : toute l'année.

Île Dauphin
Dauphin Island Development Network
Box 601, Dauphin Island, AL 36528
Chaque année, des millions d'oiseaux chanteurs — parulines, viréos, bruants — parcourent les 1 000 km qui séparent le nord de la péninsule du Yucatan de la côte du golfe du Mexique pour poursuivre leur vol vers l'intérieur des terres. Dans la mesure, évidemment, où le temps le permet.

Car si la tempête menace, si les vents se mettent à souffler du nord, les oiseaux migrateurs font face à un péril sans merci. Épuisés, ils tombent en pluie sur la moindre parcelle de terre qu'ils rencontrent. Or, ce havre bienvenu, c'est bien souvent l'île Dauphin.

La richesse du site ne dépend pas seulement des intempéries. En tout temps, l'amateur d'ornithologie y trouve de quoi le satisfaire. On accède à l'île par un pont et une grande voie routière. (En chemin, le visiteur traverse des marais et des îles fréquentées par des becs-en-ciseaux ; s'il trouve un endroit où stationner sa voiture en toute sécurité, le spectacle vaut un arrêt.) C'est vers l'extrémité orientale de l'île que se trouvent les meilleurs points d'observation ; autour de Fort Gaines et dans les chênaies du parc Audubon, on peut voir en tout temps des oiseaux migrateurs chanteurs. Les rives vaseuses qui se trouvent du côté nord de l'île sont également parcourues par des oiseaux de rivage, tandis que des oiseaux marins s'adonnent à la pêche du côté sud.

Vous pouvez repartir de l'île Dauphin en empruntant un traversier qui vous emmène à Fort Morgan, autre endroit privilégié pour l'observation des oiseaux.
Période propice : fin mars-début mai ; puis, octobre.

DeSoto State Park
Route 1
Box 210, Fort Payne, AL 35967
Ce pays vallonné accueille une belle variété d'oiseaux des forêts et quelques espèces typiques des régions septentrionales, comme l'engoulevent bois-pourri et la paruline grise à gorge noire.
Période propice : avril-juin.

Gulf State Park
Route 2
Box 9, Gulf Shores, AL 36542
Des vols entiers d'oiseaux chanteurs viennent se réfugier ici quand les tempêtes printanières font rage, mais l'endroit est amplement fréquenté en toute saison.
Période propice : fin mars-début mai.

Wheeler National Wildlife Refuge

Box 1643, Decatur, AL 35602

C'est ici que se retrouvent en hiver les colonies les plus importantes de sauvagines de tout le nord de l'Alabama ; par ailleurs, l'endroit est peuplé d'oiseaux aquatiques à longueur d'année.

Période propice : novembre-mars.

ALASKA

Parc national Denali

Box 9, McKinley Park, AK 99755

Denali est un mot athabascain qui désignait autrefois un massif qu'on appelle aujourd'hui le mont McKinley, le plus haut sommet de l'Amérique du Nord. Difficile à voir, car la brume le dissimule le plus souvent, il imprime un caractère sauvage à toute la région environnante.

La grande voie qui va d'Anchorage à Fairbanks traverse la lisière orientale du parc ; une seule route, peu asphaltée, y donne accès. Les voitures doivent s'arrêter au bout de 20 km environ et la visite se poursuit en autocar. On traversera tout d'abord des bosquets de trembles et d'épinettes que fréquentent le durbec des pins, la mésange à tête brune et le jaseur boréal ; à la brunante, on peut voir la chouette épervière marcher le long du chemin.

Passé la limite des arbres, le pays se dénude. Dans la toundra vallonnée, coupée de ruisseaux glacés, on aperçoit les cimes enneigées qui ont fait la renommée du parc. Un arrêt à Igloo Creek s'impose pour entendre les parulines de l'Arctique turluter dans les buissons de saules. Autre étape appréciée : Stony Hill où nichent le pluvier doré d'Amérique et le labbe à longue queue. Au centre d'accueil de Eielson, on peut faire demi-tour, ou prolonger la visite de 30 km jusqu'au lac Wonder où se reproduisent des sauvagines et des sternes arctiques. Le long de la route, il est fréquent de voir des caribous et des grizzlis. Pour que la visite soit sans danger, dans le pays des ours, il faut respecter les consignes.

Période propice : juin-août.

Glacier Bay National Park

Gustavus, AK 99826

Un des sommets de l'Alaska s'appelle le mont Fairweather, le « mont clément ». Or, rien n'est moins vrai, puisque lui et les montagnes qui l'entourent se dissimulent presque toujours derrière une nappe de nuées qui valent à la région environnante de lourdes chutes de neige en hiver et peu de dégel en été. La neige s'accumule sur les champs de glace qui s'allongent peu à peu et glissent jusqu'à la mer où ils se heurtent aux grandes marées de la baie de Glacier, un des endroits les plus spectaculaires du monde.

On peut rejoindre cette baie par la mer ; on peut aussi se loger à Bartlett Cove et se rendre en bateau au pied du glacier. L'excursion est fascinante pour les amateurs d'ornithologie. Le capitaine attire l'attention sur tous les oiseaux et mammifères qui se montrent le nez. Les macareux qui nichent dans les îles Marble ne sont pas sauvages ; les pygargues à tête blanche non plus. Mais l'amateur s'attachera davantage aux petits oiseaux bruns qui volent au ras de l'eau ; ce sont des alques marbrées pour la plupart, mais parfois, parmi elles, se trouvent des alques pâles. C'est ici qu'on a le plus de chances de les voir. Quatre espèces de huarts, dont le rare huart à bec blanc, hantent les parages en début d'été, pendant que les mouettes tridactyles arpentent les icebergs et la lisière du glacier.

La forêt qui entoure Bartlett Cove mérite une visite. On a toutes les chances de rencontrer le tétras sombre, le pic tridactyle, la grive à collier et la mésange à dos marron. L'auberge affiche complet très tôt dans la saison ; il est donc préférable de réserver longtemps d'avance.

Période propice : juin-août.

Kodiak National Wildlife Refuge

1390 Buskin River Rd.
Kodiak, AK 99615

Cet habitat, qui combine la forêt et le rivage, attire un grand nombre d'oiseaux dont les huîtriers de Bachman et les pygargues à tête blanche. En hiver, des eiders s'y rassemblent nombreux.

Période propice : toute l'année.

Nome Area

Nome Visitors' Bureau
Box 251
Nome, AK 99762

La rue principale est maintenant pavée et toutes les maisons ont l'électricité et l'eau courante. Pourtant, la ville a gardé son parfum d'autrefois, à l'époque de la ruée vers l'or. En un certain sens, c'est le paradis des ornithologues amateurs. L'endroit est si près du détroit de Béring que plusieurs des oiseaux de passage l'été viennent d'Asie. La barge rousse délaisse ses tertres dans la toundra ; la bergeronnette printanière volette près des chemins, tandis que la bergeronnette grise niche dans les carcasses des dragueurs abandonnés. Nome réserve des surprises aux ornithophiles qui sont allés ailleurs dans le Grand Nord.

Trois routes partent de la ville ; la meilleure pour observer les oiseaux longe la côte du lagon Safety. C'est là que niche la sterne des Aléoutiennes parmi les eiders, les bernaches cravants ou les oies empereurs. Au Nome Rivermouth, à proximité de la route, on peut voir des espèces rares comme le goéland à manteau ardoise et le bécasseau à col roux.

La route Kougarok monte franc nord vers l'intérieur de la péninsule Seward. Sur ces hauts plateaux niche le faucon gerfaut ; les pentes rocheuses sont occupées par le lagopède des rochers et divers traquets. Avec un peu de chance, le touriste apercevra peut-être le magnifique gorgebleue dans un bosquet de saules. Sur les monts chauves, on a même déjà rencontré le courlis de Tahiti et le pluvier guignard. La troisième route, vers l'ouest, se rend à Teller où l'on peut observer divers oiseaux de la toundra comme le labbe à longue queue.

À Nome, les hôtels sont confortables mais peu nombreux. Il est essentiel de réserver, assez longtemps d'avance, sa chambre et une voiture, s'il y a lieu.
Période propice : juin-août.

St. Paul in the Pribilof Islands

Tanadgusix Corporation
Box 88, St. Paul Island
AK 99660

Sur la carte, les îles Pribilof semblent perdues dans l'immensité de la mer de Béring. C'est justement ce qui les rend intéressantes. Des troupeaux immenses d'oiseaux aquatiques fréquentent ces eaux glaciales ; un peu de terre leur suffit pour élever leurs nichées. C'est ainsi que les Pribilof en accueillent des millions.

L'île St. George reçoit de vastes colonies, mais les visiteurs vont plutôt à St. Paul, à condition d'avoir organisé leur voyage d'avance. Les Aleuts administrent un petit hôtel et un service d'autobus qui emmène les visiteurs aux meilleurs sites.

Quel spectacle ! Trois espèces d'alques fréquentent le détroit de Béring : l'alque minuscule, affairée et bruyante, l'alque panachée et l'alque perroquet, plus curieuses que craintives. Deux espèces de macareux et deux espèces de marmettes gagnent en vitesse leur nid sur la falaise, vite rejoints par les mouettes à pattes rouges et les cormorans à face rouge. Il est fréquent d'avoir sous les yeux, en même temps, un millier d'oiseaux.

Les espèces aquatiques ont la vedette, mais il ne faut pas pour autant dédaigner le bécasseau des Aléoutiennes qui niche dans la toundra de l'île, le bruant des neiges et le roselin brun qu'on aperçoit tous deux dans la petite ville. Des étangs ici et là attirent les canards et plusieurs oiseaux de rivage en migration, quand ce n'est pas des visiteurs venus de la non lointaine Asie.
Période propice : juin-août.

ARIZONA

Chiricahua Mountains

c/o Coronado National Forest
300 West Congress St.
Tucson, AZ 85701

Le Cave Creek Canyon laisse une impression ineffaçable. Au-dessus des arbres très verts qui bordent l'entrée, au-dessus des collines sombres plantées de genévriers et de chênes, s'élèvent vers le ciel les falaises et les aiguilles rocheuses. Tôt le matin ou au crépuscule, la lumière tamisée du soleil fait ressortir les teintes dorées et rouges du roc et l'effet est indescriptible.

Les connaisseurs savent que le Cave Creek Canyon est le meilleur endroit pour observer le trogon élégant, un oiseau trapu dont les superbes coloris rouge et vert attestent l'origine tropicale. À South Fork et en certains autres endroits du canyon, on entend son cri rauque de mai à août. South Fork est aussi un endroit de rêve pour observer le pic de Strickland, la mésange arlequin et le junco aux yeux jaunes. Durant les chaudes nuits d'été, les appels du petit-duc à moustaches font vibrer l'air tiède.

De l'extrémité supérieure du Cave Creek Canyon, une mauvaise route mène au sommet des Chiricahuas. Fermée en hiver, elle donne accès, en été, à la fraîcheur des forêts conifériennes et à des oiseaux spectaculaires. C'est le seul endroit où l'on peut voir la mésange grise, d'origine mexicaine. La paruline à tête fauve, la paruline de Grace et la paruline à face rouge nichent dans ces montagnes. À 2 500 km d'altitude, Rustler Park est un endroit très fréquenté, tout comme Pinery Canyon, à l'ouest de la crête.

Les terrains de camping sont nombreux dans les Chiricahuas, mais les motels sont rares et tous situés dans la petite ville de Portal. On peut parfois s'héberger au Southwestern Research Station. Il est recommandé de réserver.
Période propice : mai-septembre.

Grand Canyon National Park

Box 129, Grand Canyon, AZ 86023

Dans ce décor exceptionnel, on peut observer des oiseaux des forêts à la lisière du parc, des oiseaux du désert dans le canyon.
Période propice : toute l'année ; moins fréquenté en hiver.

Madera Canyon et Florida Wash

c/o Coronado National Forest
300 West Congress St.
Tucson, AZ 85701

À une heure environ de l'aéroport de Tucson se trouve le Madera Canyon, un site réputé dans le monde entier. L'amateur d'oiseaux qui ne dispose que d'une journée dans la région doit la passer ici.

Les activités se déploient autour du Santa Rita Lodge où l'on peut loger. L'auberge est entourée de mangeoires que fréquentent des oiseaux aussi rares que l'ariane à couronne violette et le colibri lucifer. Le pic glandivore et la mésange arlequin sont des habitués de l'endroit, tandis que le tyran tigré fait entendre ses sifflements dans les platanes qui bordent la rivière en été. Quand la nuit tombe, il est d'usage d'aller épier la chouette des saguaros.

Des sentiers de promenade sillonnent la chênaie que fréquentent le pic de Strickland, le tangara orangé, l'oriole jaune verdâtre et la ravissante paruline à ailes blanches. En fin de printemps, le promeneur alerte peut rencontrer sous les platanes, en bout de piste, le trogon élégant.

À peu de distance en amont de la sortie du canyon se trouve Florida Wash, excellent site pour observer les oiseaux des déserts. Le bruant à gorge noire, la mésange verdin, le cardinal pyrrhuloxia et le gobemoucheron gris-bleu sont communs ici, tandis que le bruant à épaulettes se laisse parfois entrevoir. Les terres herbeuses qui s'étendent entre le Florida Wash et le canyon abritent le bruant de Cassin et le bruant de Botteri. Tous ces oiseaux des terres basses sont très actifs en fin d'été, après le début de la courte période de pluie qui commence au début de juillet.

Période propice : toute l'année, mais surtout avril-septembre.

Organ Pipe Cactus National Monument

Rte 1, Box 100, Ajo, AZ 85321

Cette superbe forêt de cactus reçoit de nombreux oiseaux des déserts. Au Quitobaquito Pond, on a toutes les chances d'apercevoir le colibri de Costa et nombre d'oiseaux chanteurs en migration.

Période propice : novembre-avril.

Patagonia-Sonoita Creek Sanctuary

Box 815, Patagonia, AZ 85624

Envahi par une végétation luxuriante, le Sonoita Creek ressemble à un chemin de verdure se faufilant entre les collines brunes et les falaises rouges. Bien des oiseaux des forêts l'empruntent pour traverser le désert de l'Arizona, suivis à la piste par une foule d'ornithologues amateurs.

Le Sonoita Creek Sanctuary est renommé pour ses bosquets de cotonniers ; on y entre par la petite ville de Patagonia et on les parcourt grâce à un réseau de sentiers pédestres, agréables à fréquenter même quand les oiseaux sont moins nombreux au rendez-vous. C'est ici le meilleur endroit, d'avril à septembre, pour observer la buse cendrée. On y voit aussi des oiseaux rares comme le colibri circé, l'ariane à couronne violette, la paruline de Lucy et le passerin varié, et d'autres plus répandus comme le viréo de Bell et le tangara vermillon. L'endroit est fréquenté à longueur d'année par le pic des saguaros et la mésange arlequin.

Un peu à l'ouest de Patagonia, le long du Sonoita Creek et de la route 82, se trouve la plus fameuse halte routière pour l'observation des oiseaux. C'est ici que, pour la première fois en 1962, on a aperçu le tyran à gros bec ; il y niche depuis. La bécarde à gorge rose, le tyranneau imberbe sont aussi des habitués. Au-delà de la route, les collines sèches abritent divers passerins en été, des troglodytes des rochers, des troglodytes des canyons et des bruants à calotte fauve toute l'année.

Période propice : toute l'année, mais de mai à début septembre pour les espèces mexicaines.

Prescott National Forest

344 South Cortez St.
Prescott, AZ 86303

Cet habitat forestier attire de nombreux oiseaux, surtout des espèces rares venues du Mexique et qui ne vont pas plus haut vers le nord.

Période propice : toute l'année.

Saguaro National Monument

3693 South Old Spanish Trail
Tucson, AZ 87530

On rencontre ici une belle gamme d'oiseaux du désert de Sonora. Les amateurs d'excursions pédestres peuvent explorer les Rincon Mountains dans la partie orientale du parc.

Période propice : toute l'année.

Sierra Vista

Ramsey Canyon Preserve
Rte 1, Box 84, Hereford, AZ 85615

Le sud-est de l'Arizona est un véritable paradis pour l'observation des oiseaux mexicains. On vient y admirer des colibris aux coloris exquis, des moucherolles vermillon, des trogons dont les cris rauques résonnent sur les parois des canyons. À 2 heures de Tucson se trouve la ville de Serra Vista qui donne accès à trois sites parmi les plus réputés de l'Arizona.

Les monts Huachuca sont truffés de canyons et leurs microclimats attirent les oiseaux les plus remarquables de la région. De Fort Huachuca, poste militaire toujours en activité, on peut aller visiter Garden, Sawmill et les canyons Scheelite où vit encore (mais pour combien de temps ?) la chouette tachetée. Le canyon Carr est peuplé de moucherolles beiges et de tangaras orangés tandis que la Nature Conservancy's Mile-Hi

Reserve, située dans le canyon Ramsey, est renommée dans le monde entier pour la beauté et le nombre des colibris qui viennent s'alimenter à ses mangeoires.

À l'est de Sierra Vista, les forêts qui flanquent la rivière San Pedro abritent le tiers des buses cendrées qui fréquentent les États-Unis. Elles attirent aussi des myriades d'oiseaux migrateurs, tandis que dans les déserts qui les entourent, on peut admirer le corbeau à cou blanc et le moqueur cul-roux. Attention aux grands géocoucous !
Période propice : toute l'année, surtout mai-septembre. Climat très chaud en été.

ARKANSAS

Big Lake National Wildlife Refuge
Box 67, Manila, AR 72442
Ce refuge marécageux est fréquenté par la paruline orangée, le grand pic, le canard branchu et un grand nombre d'autres canards durant la migration.
Période propice : toute l'année, mais surtout avril-juin.

Magazine Mountain
Ozark–St. Francis National Forest
Box 1008
Russellville, AR 72801
L'endroit offre un ensemble intéressant d'oiseaux de terre qui habitent à longueur d'année dans la région ; parmi eux se trouve le bruant à calotte fauve.
Période propice : avril-juin.

Millwood State Park
Rte 1, Box 374B, Ashdown, AR 71822
L'un des meilleurs endroits en Arkansas pour observer, entre autres, des oiseaux aquatiques peu communs.
Période propice : mars-mai ; août-nov.

Wapanocca
National Wildlife Refuge
Box 279, Turrell, AR 72384
Marais, forêts et lacs offrent leurs habitats respectifs aux chouettes rayées, aux canards branchus et aux grands pics. Plusieurs espèces de canards y passent l'hiver.
Période propice : novembre-juin.

White River
National Wildlife Refuge
321 West 7th St., Box 308
DeWitt, AR 72042
L'accès en voiture est limité ; l'endroit offre pourtant de belles forêts marécageuses et des lacs où nichent des hérons et où hivernent des sauvagines.
Période propice : toute l'année.

CALIFORNIE

Big Morongo Canyon Preserve
Box 780
Morongo Valley, CA 92256
Cet endroit est l'un des meilleurs qu'on puisse trouver en Californie pour l'observation du moucherolle vermillon, du tangara vermillon et de tous les oiseaux typiques du Sud-Ouest du continent.
Période propice : fin avril-mai.

Death Valley National Monument
Death Valley, CA 92328
Dans la désertique Vallée de la Mort, les rares endroits peuplés d'arbres attirent des oiseaux chanteurs en migration auxquels s'ajoutent quelques espèces nomades venues de l'Est.
Période propice : mi-avril – début juin ; fin août-novembre.

Klamath Basin
National Wildlife Refuges
Route 1
Box 74, Tulelake, CA 96134
Un grand nombre de grèbes, de canards et de sauvagines diverses viennent nicher ici, tandis que des vols entiers d'oiseaux aquatiques et marins y font escale durant leur migration.
Période propice : mars-novembre.

McGrath State Beach
c/o Dept. of Parks and Recreation
Channel Coast Dist.
24 East Main St., Ventura, CA 93001
L'embouchure de la rivière Santa Clara attire un grand nombre d'oiseaux de rivage ainsi que des sternes, des mouettes et des goélands.
Période propice : août-mai.

Merced National Wildlife Refuge
Box 2176, Los Banos, CA 93635
Cet endroit est réputé pour ses grues du Canada, ses oiseaux de rivage et ses nombreuses sauvagines parmi lesquelles se trouvent l'oie de Ross et l'oie des neiges.
Période propice : novembre-mars.

Mono Lake
Bishop Resource Area
787 North Main St.
Bishop, CA 93514
Cet endroit désertique et haut en altitude attire des grèbes et des phalaropes en migration sur le lac, des bruants de Bell et des moqueurs des armoises dans les terres environnantes.
Période propice : avril-octobre.

Monterey Bay

Monterey Peninsula Chamber
of Commerce
Box 1770, Monterey, CA 93942

Les habitants de Monterey prétendent que leur région est la meilleure du continent pour l'observation des oiseaux. Chauvinisme à part, il est indéniable que, dans la partie méridionale des États-Unis, l'endroit est l'un des plus remarquables. Le touriste qui va pêcher dans la baie ou observer les baleines peut aussi rencontrer des oiseaux fort intéressants. Il verra à tout coup des puffins fuligineux, parfois en très grand nombre, de juillet à octobre. En automne, arrivent, entre autres espèces, les puffins de Buller, les puffins à pattes roses, les labbes pomarins et les phalaropes hyperboréens. L'hiver amène des mouettes tridactyles, des alques à cou blanc et des macareux rhinocéros tandis qu'en début d'été, c'est aux albatros à pattes noires à prendre la vedette.

Sur terre, on a l'embarras du choix. Les rochers de Point Pinos, dans le Pacific Grove, attirent le huîtrier de Bachman, le tournepierre noir, le bécasseau du ressac, le chevalier errant, le cormoran de Brandt et le cormoran pélagique. À brève distance, au sud, dans le parc d'État de Point Lobos, on peut admirer les mêmes espèces, mais aussi des oiseaux de terre dans les bosquets de cyprès de Monterey. La route de Carmel Valley traverse plusieurs chênaies et des chaparrals que fréquentent des oiseaux typiques de la côte, comme le pic arlequin, le colin de Californie, la cama brune et le moqueur de Californie. Le voyageur qui remonte la rive orientale de la baie de Monterey doit de toute nécessité faire une halte à Jetty Road dans le Moss Landing ; des myriades d'oiseaux y fréquentent les bancs de sable et les marais.

Période propice : toute l'année ; fin août-novembre pour les oiseaux de mer.

Point Reyes National Seashore

Point Reyes, CA 94956

On ne peut tout voir en une seule journée tant l'endroit est riche de sites. Le visiteur a intérêt à rouler jusqu'au bout de la pointe et à visiter sur le chemin du retour. Près du phare, se trouvent plusieurs oiseaux de rivage comme le cormoran, le goéland et une colonie nicheuse de marmettes de Troïl. Non loin de là, aux lieux-dits Fish Docks et Chimney Rock, on peut voir des goélands, des huarts, des canards de mer et parfois un macareux huppé.

Le reste de la pointe est désertique ; parci par-là se trouvent quelques îlots d'arbres que fréquentent des oiseaux chanteurs en migration, surtout quand la brume obscurcit la côte. C'est ici le meilleur endroit de Californie pour apercevoir quelques oiseaux égarés de l'Est. Toutes les parulines de l'Est viennent y faire leur tour et parfois même quelques espèces asiatiques. Bref, chaque arbre peut, à tout moment, laisser voir un oiseau rare.

Période propice : mai-début juin ; fin août-octobre pour les oiseaux migrateurs ; toute l'année pour les sauvagines.

Sacramento
National Wildlife Refuges

Rte 1, Box 311, Willows, CA 95988

L'endroit est excellent en hiver pour observer des sauvagines et notamment le cygne siffleur et l'oie de Ross ; on voit parfois des canards siffleurs d'Europe.

Période propice : novembre-mars.

Salton Sea National Wildlife Refuge

Box 120, Calipatria, CA 92233

On a remis de l'eau dans le Salton Sink qui s'était asséché, mais ce n'était pas intentionnel. Un projet d'irrigation qui devait détourner les eaux d'une rivière tourna mal ; ainsi naquit une mer intérieure de plus de 900 km^2 juste au nord du golfe de Californie. Sauvagines et oiseaux de rivage ne tardèrent pas à découvrir cette oasis et à s'y arrêter par milliers dans leur périple audessus du désert californien. À la grande surprise des ornithologues, des tantales d'Amérique et des becs-en-ciseaux noirs s'écartèrent du Mexique pour y venir. C'est le seul endroit aux États-Unis où l'on puisse observer le goéland de Dwight.

Les sites d'observation les plus accessibles se trouvent autour du National Wildlife Refuge, dans le sud-est de la mer de Salton. On peut y voir des oies en hiver, celle de Ross par exemple, et une grande variété d'oiseaux de rivage au printemps, en fin d'été et en automne. Les terres agricoles aux alentours accueillent la chouette des terriers, le héron garde-bœufs et le courlis corlieu au moment de l'irrigation des champs. Il est plus difficile, mais combien gratifiant, d'atteindre le Whitewater River Levee à l'extrémité nord de la mer de Salton. Il s'y tient toujours beaucoup d'oiseaux et des sujets rares comme des albatros et des pétrels. Les rives est et ouest sont moins fréquentées, mais près de Salton City, sur la rive ouest, on voit souvent des goélands de Dwight.

Période propice : toute l'année.

San Francisco Bay
National Wildlife Refuge

Box 524, Newark, CA 94560

Un grand nombre d'oiseaux des marais vivent ici et parmi eux se retrouvent des espèces inhabituelles comme le râle gris et le carouge à épaulettes.

Période propice : toute l'année.

Sequoia National Park
Kings Canyon National Park
Three Rivers, CA 93271

Beaucoup moins fréquentés que le Yose-mite, ces deux parcs abritent à peu près les mêmes oiseaux de montagne.
Période propice : juin-août.

Tucker Wildlife Sanctuary
Star Rte, Box 858
Modjeska Canyon, Orange, CA 92677

Des centaines de colibris affluent vers les mangeoires de cette réserve où l'on observe également divers oiseaux des forêts et des déserts de broussailles.
Période propice : juillet-août.

Yosemite National Park
Box 577
Yosemite National Park, CA 95389

Mystérieuse comme un fantôme, la chouette lapone hante les flancs plantés d'arbres de la haute sierra du parc Yosemite. Ce grand prédateur du Nord ne descend pas davan-tage vers le sud. Réservé et évanescent, il est difficile à apercevoir, mais il attire de nombreux amateurs avides de rencontrer ce personnage altier.

Le parc est très fréquenté en été et déjà autour du poste d'accueil à Yosemite Vil-lage, il y a beaucoup d'oiseaux à observer : le geai de Steller, le tangara à tête rouge et le pic à tête blanche. Des martinets sombres nichent derrière les chutes du parc. Les visi-teurs audacieux qui montent à l'assaut de la montage pour voir des chouettes lapones y trouvent aussi souvent des durbecs des pins, des pics à dos noir et des colibris calliopes.

De novembre au début de juin, la neige oblige à fermer les routes en altitude. Au-trement, en été, le visiteur peut compléter sa tournée du parc Yosemite en empruntant le Tioga Pass vers l'est ; il parvient ainsi aux rives du superbe lac Mono, dans le Grand Bassin.
Période propice : mai-octobre.

CAROLINE DU NORD

Mattamuskeet
National Wildlife Refuge
Rte 1, Box N-2
Swanquarter, NC 27885

C'est ici que se rassemblent en grand nom-bre, en hiver, les cygnes siffleurs ; on y voit aussi des sauvagines, des oiseaux de rivage et des râles.
Période propice : novembre-mars.

Mount Mitchell State Park
Rte 5, Box 700, Burnsville, NC 28714

Le site offrant des boisés à flanc de monta-gne, on y retrouve une grande variété d'oi-seaux nicheurs et des parulines en migration au printemps.
Période propice : fin avril-début mai.

Outer Banks
Cape Hatteras National Seashore
Rte 1, Box 675, Manteo, NC 27954
Pea Island National Wildlife Refuge
Box 1969, Manteo, NC 27954

C'est ici qu'a commencé la longue histoire de l'homme volant ; les frères Wright ont en effet pris leur envol à partir des dunes de Kitty Hawk. D'autres êtres volants avaient déjà découvert le site qui depuis toujours sert de halte aux oiseaux migrateurs et de point de ralliement aux ornithophiles.

On atteint ce chapelet d'îles en forme de dunes de sable par le nord ; elles y sont plus près du rivage et reliées à la terre ferme par des ponts. À l'extrémité sud, un traversier fait la navette. Les visiteurs ont coutume d'arrêter en premier lieu à Bodie Island Light. L'étang derrière le phare est habi-tuellement fréquenté par des sauvagines et des oiseaux chanteurs en migration y per-chent dans les arbres. Les fourrés recèlent des nuées de parulines à croupion jaune en hiver. Tout près, à Oregon Inlet, on aperçoit à marée basse des chevaliers, des goélands et des sternes. Un peu plus au sud se trou-ve le Pea Island National Wildlife Refuge ; des étangs bordent la route et attirent beau-coup d'oiseaux en toute saison, en plus des hérons en été, des canards et des oies en hiver, des oiseaux de rivage au printemps et en automne.

Outer Banks est réputé pour ses espèces rares : le phalarope de Wilson et le bécas-seau roussâtre viennent y faire un tour pres-que tous les ans au début de l'automne.

Quelque 48 km plus au sud se trouve le Cape Hatteras Point qui s'avance dans l'océan. On peut y voir des sternes et des goélands et quelques oiseaux rares comme la sterne de Dougall. Au printemps et en au-tomne, l'extrémité de la pointe attire des oiseaux de mer en maraude ; lorsque le vent souffle de l'est, il n'est pas rare d'y voir des labbes et des puffins.
Période propice : presque toute l'année ; tranquille en été.

Pungo National Wildlife Refuge
Rte 1, Box N-2
Swanquarter, NC 27885

Le lac et les marais attirent des sauvagines en hiver et des oiseaux des marais à l'épo-que de la nidification.
Période propice : toute l'année.

CAROLINE DU SUD

Cape Romain
National Wildlife Refuge
Rte 1, Box 191, Awendaw, SC 29429

Marais d'eau salée, plages de sable, plages de vase, forêts mixtes, tous ces habitats réunis en un seul réservent de belles surprises. Ici, la basse forêt rejoint la mer pour accueillir une grande variété d'oiseaux et faire de ce site l'un des plus productifs dans le sud-est de l'État.

L'île Bull, dans le sud du refuge, est fameuse depuis la fin du XIXᵉ siècle. Durant la traversée de 5 km en bateau, le visiteur peut observer une vaste quantité d'oiseaux de rivage sur des bas-fonds. Tout comme le pluvier de Wilson, l'huîtrier d'Amérique est un habitué ici. Les sternes nichent dans les bancs de sable au nord de l'île. En hiver, de grands troupeaux de canards, posés dans la baie, s'envolent sans crier gare. Les marais d'eau salée, dans la partie occidentale de l'île, sont habités par des hérons et des ibis, tandis que les râles gris déambulent dans les petits canaux.

L'île fait vivre une jolie forêt de chênes, de pins taedas et de magnolias ; il ne faut pas lésiner sur les insecticides si l'on veut parcourir les sentiers qui sillonnent les boisés et voir tous les oiseaux qui s'y cachent, surtout en été quand la paruline à gorge jaune, accrochée dans les pans de verdure qui drapent les arbres, chante à gorge déployée et que le passerin nonpareil vole de-ci de-là dans les bosquets. Les oiseaux de terre échangent leurs cris joyeux tandis que, dans les moments de silence, on entend résonner l'appel grave des oiseaux de mer. Voilà pourquoi, depuis déjà bien longtemps, les ornithophiles sont amoureux de ce site.
Période propice : toute l'année.

Francis Beidler Forest
Route 1
Box 600, Harleyville, SC 29448

Voici un bel exemple d'une forêt marécageuse devenue adulte et envahie par de nombreux oiseaux, dont les parulines orangées et les grands pics.
Période propice : avril-juin.

Huntington Beach State Park
Murrells Inlet, SC 29576

Une belle diversité d'oiseaux de mer, goélands, mouettes, cormorans et sauvagines, ainsi que des râles et des bruants maritimes dans les marais, peuplent ce parc d'État.
Période propice : septembre-mai.

Santee National Wildlife Refuge
Rte 2, Box 66, Summerton, SC 29148

Les deux grands bassins de retenue attirent une grande variété de canards l'hiver.
Période propice : novembre-mars.

COLORADO

Alamosa / Monte Vista
National Wildlife Refuge
Box 1148, Alamosa, CO 81101

Ces refuges de la vallée San Luis attirent des grues en migration, mais aussi beaucoup de sauvagines et d'oiseaux de rivage.
Période propice : avril – mi-mai ; fin octobre-décembre.

Barr Lake State Park
13701 Picadilly Rd.
Brighton, CO 80601

Dans la région de Denver, c'est le meilleur endroit pour voir des hérons en nidification, des oiseaux de rivage en migration, des canards, des buses en hivernage et des oiseaux chanteurs dans les bois environnants.
Période propice : toute l'année.

Chatfield State Recreation Area
11500 North Roxborough Park Rd.
Littleton, CO 80125

Cette zone récréative est excellente pour l'observation des sauvagines, des goélands et des oiseaux de rivage ; on peut aussi y rencontrer des espèces rares.
Période propice : août-mai.

Grand Mesa National Forest
Uncompahgre National Forest
2250 U.S. Hwy. 50, Delta, CO 81416

Ces grandes forêts sèches attirent ici par milliers les espèces du Grand Bassin : le viréo gris, le geai des pinèdes et le moucherolle gris.
Période propice : mai-juillet.

Mesa Verde National Park
Mesa Verde National Park, CO 81330

Le parc accueille une grande variété d'oiseaux de l'Ouest, dont le tyran de Cassin et le troglodyte des canyons.
Période propice : mai-septembre.

Pawnee National Grassland
U.S. Forest Service
660 "O" St. Greeley, CO 80631

Ce n'est pas par hasard qu'on se rend dans les terres herbeuses du nord-est du Colorado, mais l'effort en vaut la peine car c'est ici que vient nicher la plus grande concentration d'oiseaux qu'on puisse imaginer.

En mai, cette étonnante région bourdonne d'activités et de chants. L'alouette cornue, installée sur un pieu de clôture, proclame à grands cris son territoire. Le bruant à ventre noir et le bruant à collier gris, l'un et l'autre bien sanglés dans leur costume nuptial, rivalisent d'adresse dans les airs. Le pluvier montagnard vaque à ses occupations sans faire de bruit. Le cri obsédant du courlis se répercute partout. Chaque cotonnier rabougri semble abriter une buse de Swainson ou une buse rouilleuse. L'aigle royal parcourt majestueusement les collines des Pawnee Buttes que le vent a sculptées, tandis que le faucon des Prairies injurie à grands cris un grand-duc d'Amérique occupé à perpétuer son espèce.

C'est de mai à juillet qu'il faut surtout venir ici. Plus tôt, la piste étroite peut être embourbée. Plus tard, le soleil aura desséché les lieux. Le terrain de camping de Crow Creek, boisé et ravissant, permet d'observer sur place la pie bavarde et le tyran de l'Ouest, sans oublier quelques égarés de l'Est.

Période propice : mai-juillet.

Rio Grande National Forest
1803 West Hwy. 160
Monte Vista, CO 81144

L'endroit est idéal pour voir des oiseaux des forêts ; la même excursion permet de visiter la vallée San Luis, riche en sauvagines.

Période propice : mai-octobre.

Rocky Mountain National Park
Estes Park, CO 80517

Ce parc national est renommé pour la beauté de son site. Les montagnes, les prés, les forêts, les lacs et les cours d'eau qui le composent abritent aussi des myriades d'oiseaux des forêts. Les clairières sont fréquentées par les hirondelles à face blanche et les hirondelles bicolores, mais aussi par l'émouvant merle-bleu azuré, tandis que les fourrés de saules autour des étangs à castors accueillent les parulines tristes.

Dans les pinèdes, les geais de Steller s'interpellent de leur voix murmurante, tandis que les mésanges de Gambel et les petites sittelles gazouillent et picorent avec énergie. Le colibri à queue large émet avec ses ailes chantantes un son métallique qui ne se confond pas avec le bruissement des feuilles dans le vent, ni avec le cri aérien de la bécassine des marais qui piaille du matin jusqu'au soir.

Plus haut, à la lisière de la forêt, on peut apercevoir le geai du Canada et le durbec des pins. Puis, les arbres se rabougrissent, la forêt s'éclaircit et disparaît ; à travers la toundra alpine, le vent s'enfle. Dans une épinette prostrée, le bruant à couronne blanche chante ; haut dans le ciel plane un cor-

beau ; parmi les fleurs multicolores de la prairie se dissimule, avec une rare maîtrise des couleurs, le lagopède à queue blanche.

C'est en été qu'il faut venir ici ; en mai, les routes en altitude peuvent être encore enneigées. Les installations de camping sont excellentes, mais fort achalandées en été. Mieux vaut réserver.

Période propice : juin-septembre.

CONNECTICUT

Audubon Center in Greenwich
613 Riversville Rd.
Greenwich, CT 06831

Ce centre d'interprétation de la nature offre un bon réseau de sentiers qui donnent accès aux oiseaux des forêts et des clairières.

Période propice : avril-juin.

Barn Island Wildlife Mgmt. Area
c/o Dept. of Environmental Protection
165 Capitol Ave. Hartford, CT 06106

C'est ici le meilleur endroit, dans l'est du Connecticut, pour voir des sauvagines et des oiseaux de rivage en migration. En été, le site attire des oiseaux des marais.

Période propice : toute l'année.

Hammonassett Beach State Park
Box 271, Madison, CT 06443

Très fréquenté en été, le parc offre un bel éventail d'oiseaux migrateurs au printemps et en automne, des sauvagines et des huarts admirables en hiver.

Période propice : septembre-mai.

Lighthouse Point Park
East Shore Park Rangers
720 Edgewood Ave.
New Haven, CT 06515

Lors des grands vents du nord-ouest en automne, on peut voir de formidables troupeaux de buses ou des vols entiers d'oiseaux chanteurs venir se réfugier ici.

Période propice : fin août-novembre.

Northeast Audubon Center
Rte 1, Box 171, Sharon, CT 06069

De beaux sentiers parmi les étangs et dans la forêt permettent d'observer la paruline à flancs marron et le tangara écarlate.

Période propice : mai-juillet.

Sleeping Giant State Park
200 Mt. Carmel Ave.
Hamden, CT 06518

Des boisés et des fourrés de décidus attirent au printemps parulines et autres oiseaux chanteurs en migration.

Période propice : début mai.

Smith-Hubbell Wildlife Sanctuary at Milford Point

c/o Connecticut Audubon Society
2325 Burr St., Fairfield, CT 06430

Les oiseaux de la côte sont nombreux ici en toutes saisons : des oiseaux de rivage et des sternes y viennent durant les mois chauds ; des canards en hiver.
Période propice : toute l'année.

White Memorial Foundation and Conservation Center

Box 368, Litchfield, CT 06759

Chemins et sentiers facilitent l'accès à divers habitats où l'on peut voir, parmi plusieurs espèces de nicheurs, la chouette rayée et la paruline du Canada.
Période propice : avril-juillet.

DAKOTA DU NORD

Arrowwood National Wildlife Refuge

Rte 1, Pingree, ND 58476

Ce refuge est l'un des plus fréquentés par les sauvagines dans l'est de l'État, surtout durant les migrations d'automne.
Période propice : octobre.

Des Lacs National Wildlife Refuge

Box 578, Kenmare, ND 58746

De vastes colonies de grèbes élégants viennent nicher dans cet endroit ; on y voit aussi des sauvagines et des oiseaux des terrains découverts.
Période propice : mai-juillet.

Lostwood National Wildlife Refuge

Route 2
Box 98, Kenmare, ND 58746

Plusieurs sauvagines, telle l'avocette d'Amérique, nichent ici, tout comme la gélinotte à queue fine et divers oiseaux des prairies.
Période propice : mai-juin.

J. Clark Salyer National Wildlife Refuge

Upham, ND 58789

Ce refuge accueille de vastes colonies d'oiseaux de mer nicheurs, dont la mouette de Franklin, et de belles concentrations d'oies en avril.
Période propice : avril-juillet.

Tewaukon National Wildlife Refuge

Rte 1, Cayuga, ND 58013

On vient y observer de grandes colonies d'oiseaux de rivage en migration.
Période propice : mai ; août-octobre.

DAKOTA DU SUD

Custer State Park

HC 83, Box 70, Custer, SD 57730

Le parc attire une belle gamme d'oiseaux typiques des Black Hills, et notamment une forme à ailes blanches du junco ardoisé qu'on ne trouve pas ailleurs.
Période propice : mai-octobre.

Lacreek National Wildlife Refuge

HWC 3, Box 14, Martin, SD 57551

Prairie ondulée, lac, marais, ce site réunit tous les habitats qu'il faut pour plaire aux oiseaux des marais ; de grandes concentrations de canards le fréquentent.
Période propice : mars-novembre.

Lake Andes National Wildlife Refuge

Rte 1, Box 77, Lake Andes, SD 57356

Ici viennent en grand nombre des oies et des canards durant la migration, ainsi que plusieurs espèces d'oiseaux typiques de la grande prairie.
Période propice : avril-octobre.

Sand Lake National Wildlife Refuge

Rte 1, Columbia, SD 57433

C'est l'un des meilleurs sites pour l'observation des oiseaux dans le Dakota du Sud. Au printemps, on peut voir des oies et plusieurs oiseaux de mer qui viennent y nicher, notamment les mouettes de Franklin.
Période propice : début avril ; bon, fin mars-octobre.

Waubay National Wildlife Refuge

Rte 1, Box 79, Waubay, SD 57273

Beaucoup d'oiseaux des prairies et de sauvagines reviennent ici chaque année, dont le grèbe élégant. Certaines parties du refuge sont d'un accès difficile.
Période propice : avril-octobre.

DELAWARE

Bombay Hook National Wildlife Refuge

Rte 1, Box 147, Smyrna, DE 19977

On visite Bombay Hook principalement en voiture. Une randonnée de 20 km permet de voir des canards, des oies et des oiseaux de rivage. Les amateurs de promenade peuvent emprunter de courts sentiers ou marcher sur les digues.

En novembre arrivent les oies des neiges et les bernaches du Canada qui se laissent

dériver vers Sheerness Poll, tandis qu'en février de grands vols de canards pilets font route vers le nord. En mars et en avril, c'est au tour des colverts, des canards siffleurs d'Amérique et des milliers de sauvagines à venir s'abattre dans les marais salés de Parson Point Trail. Un mois plus tard, en mai, bécasseaux variables, bécasseaux à poitrine cendrée et autres oiseaux de rivage picorent les berges vaseuses des cours d'eau que créent les marées, comme le Duck Creek River. Il y a toujours beaucoup d'oiseaux à Bombay Hook, mais le plaisir de les observer s'accompagne en été de cuisantes morsures d'insectes. On choisira plutôt novembre pour le passage des oies.
Période propice : octobre-novembre ; mars-mai.

Cape Henlopen State Park
42 Cape Henlopen Dr.
Lewes, DE 19958
Ce parc d'État est l'endroit rêvé pour observer des cormorans, des goélands, des canards de mer, comme les macreuses, et des eiders en vadrouille.
Période propice : novembre-mars.

Indian River Inlet
Delaware Seashore State Park
Inlet 850
Rehobeth Beach, DE 19971
Dans ce parc d'État, on peut admirer des goélands en hiver, des oiseaux de rivage durant la migration et parfois de grands vols d'oiseaux chanteurs en migration.
Période propice : août-mars.

Little Creek
State Wildlife Management Area
Div. of Fish and Wildlife
Box 1401, Dover, DE 19903
Endroit excellent pour l'observation des oiseaux de rivage, aussi pour diverses sauvagines. On peut y voir des espèces rares.
Période propice : juillet-novembre ; mars-mai.

Pocomoke Swamp
Delaware Wild Lands
303 Main St., Odessa, DE 19730
L'incroyable variété d'oiseaux qui viennent nicher ici comprend des parulines à gorge jaune et parfois des parulines de Swainson.
Période propice : avril-juin.

Prime Hook
National Wildlife Refuge
Rte 1, Box 195, Milton, DE 19968
Les terres marécageuses et les rivages abrités de ce refuge accueillent des oiseaux de rivage pendant les migrations et, l'hiver, des sauvagines.
Période propice : août-mai.

FLORIDE

Big Cypress National Preserve
Star Rte
Box 110, Ochopee, FL 33943
Les forêts de cyprès attirent des hérons, des tantales, des anhingas, des buses à épaulettes et quantités d'oiseaux intéressants.
Période propice : février-avril.

Canaveral National Seashore
Box 6447, Titusville, FL 32782
La lagune n'est pas facilement accessible, mais elle regorge d'oiseaux de rivage, de hérons, d'ibis et de sternes.
Période propice : octobre-mars.

Corkscrew Swamp Sanctuary
Rte 6, Box 1875-A
Sanctuary Rd., Naples, FL 33964
Grâce à la société Audubon, le visiteur peut arpenter cet habitat subtropical à moins de deux heures de voiture de Miami. C'est surtout le tantale qui a fait la réputation de ce site. Cet oiseau très rare y niche parmi les cyprès géants entre novembre et mars. Dans ce refuge de 4 400 ha, il construit son nid de branchages dans des arbres vieux de 600 ans dont la cime domine un sous-bois densément peuplé de fougères paludéennes et d'herbes à dents de scie. Le trottoir qui serpente au travers de cette végétation dense permet aux visiteurs d'observer ces fameux tantales hauts de 1,2 m installés sur leur nid ou occupés à pêcher le poisson dans les étangs peu profonds ou à planer vers les terrains où ils se nourrissent.

Les cyprès chauves de Corkscrew attirent d'autres oiseaux. La buse à épaulettes y court après les lézards. Les bihoreaux et les courleaux fréquentent les nappes d'eau où ils se nourrissent de petits poissons et d'escargots. Les grands pics font vibrer la forêt de leurs cris, tandis qu'on peut apercevoir des chouettes rayées endormies sur les branches qui surplombent le trottoir. Corkscrew étant un site protégé depuis 1912, tous les animaux et les oiseaux qui le fréquentent ont cessé d'être craintifs.
Période propice : novembre-mars.

Dry Tortugas
Fort Jefferson National Monument
c/o Everglades National Park
Box 279, Homestead, FL 33030
Quand on arrive à Key West après avoir parcouru le chapelet de ponts et d'îles qui forment les keys, c'est généralement là qu'on s'arrête. Et pourtant, le meilleur site pour l'observation des oiseaux se trouve quelque 120 km plus loin dans un archipel

phénoménal appelé les Dry Tortugas. On s'y rend aisément par avion depuis Key West, mais il est plus agréable de s'inscrire à une excursion organisée en bateau. En cours de route vous verrez des poissons volants et, si le bateau s'approche du Gulf Stream, des sternes à collier et des puffins d'Audubon.

Le bateau accoste près de l'ex-fort Jefferson. Mais c'est à Bush Key, de l'autre côté du canal, que le paysage s'anime. Là se trouvent des dizaines de milliers de sternes fuligineuses et des milliers de noddis niais, les seules colonies de ce genre dans l'Amérique continentale. On y observe également des frégates superbes, des fous bruns perchés sur les bouées, des fous masqués agglutinés sur les bancs de sable au large du canal. Les petits pailles-en-queue viennent régaler le visiteur de quelques démonstrations aériennes avant de se perdre dans l'horizon du grand large.

En avril ou au début de mai, c'est au tour des oiseaux de terre en migration d'envahir les lieux. La fontaine qui domine le champ de manœuvres du fort attire alors des douzaines d'espèces de parulines. Des terrains de camping ont été aménagés sur la plage en dehors du fort ; il faut apporter de quoi manger et boire. Dans les îles, il n'y a même pas d'eau potable. Mais il y a plein d'oiseaux admirables.

Période propice : mi-avril – début mai.

Everglades National Park
Box 279, Homestead, FL 33030

La « rivière de verdure » est un lieu enchanteur peuplé d'oiseaux d'une telle beauté qu'ils ont failli disparaître, au début du siècle, aux mains des vendeurs de plumes. N'était de la société Audubon qui s'est formée précisément pour les protéger, combien d'entre eux s'offriraient encore aujourd'hui à nos regards éblouis ?

Le matin, le long du fameux Tamiami Trail, qu'on parcourt à pied ou à bord d'un petit tram, on peut admirer les grands échassiers dans toute leur splendeur : grandes aigrettes majestueuses, minuscules aigrettes neigeuses, petites aigrettes bleues et tricolores, et parfois même la terreur des étangs, l'aigrette rougeâtre. Des spatules altières se déplacent entre les ibis blancs, tandis que le tantale se tient discrètement à l'écart. Des buses à épaulettes échangent des injures avec des chouettes rayées. Des pigeons à couronne blanche émergent inopinément de la voûte verdoyante, tandis que le coulicou manioc ose rarement en faire autant. Au bout du Snake Bight Trail, les corallières brillent au soleil et se laissent arpenter par des oiseaux de rivage. Mais le joyau de l'endroit, c'est un troupeau de flamants sauvages que très peu de visiteurs ont la chance d'apercevoir.

En hiver, les Everglades accueillent oiseaux et ornithophiles ; en été, la chaleur et les moustiques y sont insupportables. Le parc national des Everglades est doté de terrains de camping et des visites y sont organisées pour les amateurs d'ornithologie. Dans la ville voisine de Homestead, on trouve des magasins, du carburant et des hôtels.

Période propice : décembre-avril.

Fort DeSoto County Park
Terra Verde, Box 3
St. Petersburg, FL 33715

Fréquenté par un grand nombre d'oiseaux chanteurs en migration, ce parc est particulièrement actif après les orages venus de l'ouest, au printemps et en automne.

Période propice : mars-début mai ; septembre-octobre.

Great White Heron National Wildlife Refuge
Box 510, Big Pine Key, FL 33043

Accessible par bateau depuis les keys, l'endroit est connu pour ses oiseaux de rivage et ses échassiers ; on peut y observer la très belle aigrette rougeâtre.

Période propice : toute l'année.

J.N. « Ding » Darling National Wildlife Refuge
1 Wildlife Dr., Sanibel, FL 33957

Nommé en l'honneur du caricaturiste et environnementaliste célèbre J. Norwood Darling, ce site de 2 000 ha sur l'île de Sanibel réunit une infinité d'habitats : platins, mangroves, plages et terres surélevées en lisière. Des milliers d'oiseaux migrateurs arrêtent ici chaque hiver pour se joindre à plusieurs espèces locales. En raison du nombre de guides volontaires prêts à donner toutes les explications, l'endroit est idéal pour les amateurs qui en sont à leurs débuts.

Un chemin carrossable d'environ 8 km quitte le centre d'accueil. À marée basse, les points d'eau sont entourés de tous les oiseaux qui font la fierté de la Floride : hérons, aigrettes, ibis, spatules et parfois même les magnifiques tantales, menacés de disparition. Des anhingas se sèchent sur les poteaux et les pieux de clôture, prêts à prendre la pose.

En hiver, en pleine saison touristique, les sarcelles à ailes bleues, les becs-scie à poitrine rousse et les canards siffleurs d'Amérique abondent. Chevaliers, bécasseaux et pluviers picorent sur les platins et mettent à rude épreuve le débutant en ornithologie qui veut les identifier. Le balbuzard permet à l'amateur d'observer ses yeux dorés tandis que le pygargue à tête blanche sort une fois par jour de sa retraite. Les motels sont confortables, les espaces de camping, limités.

Période propice : décembre-mars.

Key West National Wildlife Refuge
Box 510, Big Pine Key, FL 33043

Accessible par bateau à partir de Key West, ce refuge comprend Marquesas Key, un site de nidification idéal pour les frégates.
Période propice : avril-juin.

Lake Woodruff
National Wildlife Refuge
Box 488, De Leon Springs, FL 32028

Des sentiers aménagés sur les digues permettent d'observer des hérons, des balbuzards, des oiseaux de rivage et parfois même des courleaux et des milans à queue fourchue.
Période propice : mars-mai.

Loxahatchee
National Wildlife Refuge
Rte 1, Box 278
Boynton Beach, FL 33437

Ce refuge est idéalement organisé pour l'observation des oiseaux de marécage comme la gallinule violacée et le petit butor ; on peut aussi y voir le milan des marais et le canard routoutou.
Période propice : novembre-mai.

Merritt Island
National Wildlife Refuge
Box 6504, Titusville, FL 32782

Les sauvagines abondent dans ce refuge, mais c'est surtout en hiver qu'on voit de belles bandes de hérons, de canards, de râles et de gallinules dans les marais.
Période propice : octobre-mars.

Myakka River State Park
13207 State Rd. 72
Sarasota, FL 34241

Prés, marais et chênaies forment un milieu idéal pour surprendre des dindons sauvages tôt le matin.
Période propice : toute l'année.

National Key Deer Wildlife Refuge
Box 510
Big Pine Key, FL 33043

Situé sur Big Pine Key, ce site permet d'observer des oiseaux propres au sud de la Floride, comme le pigeon à couronne blanche, le viréo à moustaches et, quelquefois, le coulicou manioc.
Période propice : mai-juin.

St. Marks National Wildlife Refuge
Box 68, St. Marks, FL 32355

Ce refuge, l'un des plus riches du nord de la Floride, attire de grands quantités d'oiseaux aquatiques en migration ou en hivernage et de bonnes populations d'oiseaux chanteurs au printemps.
Période propice : octobre-mai.

GEORGIE

Cumberland Island
National Seashore
Box 806, St. Marys, GA 31558

C'est par bateau qu'on atteint cette île où sont installés de grands troupeaux d'oiseaux des forêts, de goélands, de mouettes et de sternes.
Période propice : toute l'année.

Harris Neck
National Wildlife Refuge
Savannah Coastal Refuges
Box 8487, Savannah, GA 31412

Le littoral de ce refuge est couvert de marais qui attirent en grand nombre diverses espèces de hérons et d'ibis et plusieurs sortes d'oiseaux aquatiques.
Période propice : toute l'année.

Île Jekyll
Coastal Georgia Audubon Society
Box 1726
St. Simon's Island, GA 31522

Au printemps et en automne, on y voit des oiseaux migrateurs et, en tout temps, des oiseaux aquatiques du littoral.
Période propice : avril-début mai ; septembre-octobre.

Okefenokee
National Wildlife Refuge
Rte 2, Box 338, Folkston, GA 31537

Cet immense marécage intérieur, qu'on visite de préférence en barque, accueille des grues du Canada ainsi que divers oiseaux des marais, comme la chouette rayée et la paruline orangée.
Période propice : mars-avril.

IDAHO

Deer Flat National Wildlife Refuge
Box 448, Nampa, ID 83686

Grèbes, hérons, canards, plusieurs espèces de sauvagines et de grands oiseaux aquatiques viennent ici pour nicher, tandis que des centaines de milliers de canards et d'oies s'y arrêtent en cours de migration.
Période propice : novembre et mars pour les sauvagines ; avril-juin pour les autres.

Grays Lake
National Wildlife Refuge
HC 70, Box 4090, Wayan, ID 83285

Sur cette terre d'accueil pour d'innombrables espèces d'oiseaux aquatiques, on y a

également transplanté expérimentalement un troupeau de grues blanches d'Amérique.
Période propice : mai-juillet.

Kootenai National Wildlife Refuge
HCR 60
Box 28, Bonners Ferry, ID 83805
Plusieurs espèces d'oiseaux aquatiques et un grand nombre de canards fréquentent ce site en automne, l'un des meilleurs dans le nord de l'Idaho.
Période propice : octobre-novembre.

Minidoka National Wildlife Refuge
Rte 4, Box 290, Rupert, ID 83350
Des canards, des hérons et des grèbes viennent nicher ici en fin de printemps tandis qu'en automne, canards et oies en migration grossissent les rangs des oiseaux locaux.
Période propice : avril-juin ; novembre.

Snake River Birds of Prey Area
Bureau of Land Management
3948 Development Ave.
Boise, ID 83705
Falaises altières et canyons profonds jalonnent cette longue vallée de plus de 130 km où nichent quelque 700 couples d'oiseaux de proie appartenant à 14 espèces : faucons, buses, aigles, vautours et hiboux.
Période propice : mi-mars – mi-juin.

ILLINOIS

Chautauqua National Wildlife Refuge
Rte 2, Havana, IL 62644
En automne, ce refuge attire surtout des oiseaux de rivage, tandis qu'en hiver, on voit arriver de grands troupeaux d'oiseaux aquatiques.
Période propice : août-mars.

Crab Orchard National Wildlife Refuge
Box J, Carterville, IL 62918
Ce site, l'un des plus réputés dans le sud de l'Illinois, attire en hiver de grandes populations d'oiseaux aquatiques et nombre d'oiseaux nicheurs.
Période propice : toute l'année.

Forest Glen Preserve
Route 1
Box 495A, Westville, IL 61883
Situé dans le centre est de l'Illinois, ce parc naturel attire parulines et bruants au moment de la nidification, ainsi que des oiseaux des forêts et des terrains découverts en toute saison.
Période propice : toute l'année.

Forest Park Nature Center
5809 Forest Park Dr.
Peoria, IL 61614
Voici un habitat de feuillus où des sentiers bien aménagés permettent d'observer des oiseaux des forêts, surtout en période de nidification.
Période propice : avril-juillet.

INDIANA

Eagle Creek Park and Nature Preserve
Nature Center, 6515 DeLong Rd.
Indianapolis, IN 46278
La retenue d'eau attire de nombreux oiseaux aquatiques, tandis que, dans le boisé, des sentiers permettent d'observer des quantités d'espèces d'oiseaux des forêts.
Période propice : mars-juin.

Indiana Dunes National Lakeshore
1100 North Mineral Springs Rd.
Porter, IN 46304
C'est peut-être ici le meilleur site de l'État pour observer des oiseaux de terre en nidification et de grandes concentrations d'oiseaux migrateurs ; on a aussi remarqué la présence d'oiseaux aquatiques rares.
Période propice : toute l'année.

McCormick's Creek State Park
Nature Center, Rte 5
Box 82, Spencer, IN 47460
Le parc attire de nombreux oiseaux nicheurs, dont le tangara vermillon, la paruline vermivore et des oiseaux migrateurs.
Période propice : avril-juin ; septembre.

IOWA

DeSoto National Wildlife Refuge
Route 1
Box 114, Missouri Valley, IA 51555
Situé sur la rivière Missouri, ce refuge attire notamment d'énormes concentrations d'oies et de bonnes populations de pygargues.
Période propice : novembre-mars.

Lac Saylorville
U.S. Army Corps of Engineers
Route 1, Johnston, IA 50131
Ce refuge, situé au centre de l'Iowa, abonde en oiseaux de rivage et en oiseaux aquatiques migrateurs ; on y voit parfois des espèces rares.
Période propice : août-mai.

Union Slough
National Wildlife Refuge

Route 1, Box 52, Titonka, IA 50480

Réputé pour ses oiseaux des marais et pour ses canards, le refuge attire des oiseaux de terrains découverts, dont la maubèche des champs.
Période propice : avril-octobre.

KANSAS

Cheyenne Bottoms Wildlife Area

Rte 3, Box 301, Great Bend, KS 67530

La plupart des oiseaux de rivage hivernent en région tropicale et nichent dans la haute toundra arctique. Ceux qui s'en vont nicher au centre du Canada traversent le milieu du continent ; beaucoup font halte dans ce marais du Kansas où l'on peut voir les plus belles concentrations d'oiseaux de rivage de tout l'intérieur de l'Amérique du Nord.

Depuis que l'endroit est devenu un centre de conservation de la faune et de la flore, des digues ont contribué à former une nappe d'eau centrale, entourée de quatre étangs. Des promenades ont été aménagées à travers les vasières et les marais.

Dans le centre de la prairie américaine, aucun site ne surpasse Cheyenne Bottoms pour l'observation du petit butor et du râle élégant. Les canards et les goélands fréquentent l'endroit en hiver, les hérons en été. Mais les oiseaux de rivage leur volent la vedette. Ici, on peut voir par milliers des espèces tenues pour rares partout ailleurs, dont la barge hudsonnienne, le bécasseau de Baird, le bécasseau à croupion blanc et le bécasseau à échasses. En mai, quand tous ces oiseaux arborent leur plumage nuptial, l'effet est spectaculaire.
Période propice : toute l'année, mais surtout avril-début juin.

Cimarron National Grassland

Box J, Elkhart, KS 67950

Plusieurs oiseaux amateurs d'herbes grasses fréquentent l'endroit, dont la petite poule-des-prairies et le colin écaillé ; près de la rivière, les boisés attirent une belle variété d'espèces de l'Est comme de l'Ouest.
Période propice : toute l'année.

Kingman State Fishing Lake
Byron Walker Wildlife Area

Rte 1, Box 97, Penalosa, KS 66075

Le lac marécageux séduit des sauvagines, tandis que les hautes haies et les boisés attirent beaucoup d'espèces migratoires ou en hivernage, dont le bruant à face noire.
Période propice : octobre-avril.

Kirwin National Wildlife Refuge

Rte 1, Box 103, Kirwin, KS 67644

Dans le centre-nord du Kansas, le refuge accueille, grâce à sa situation stratégique, à la fois les représentants de l'Est et de l'Ouest de plusieurs espèces, comme le grèbe cornu et le grèbe à cou noir, le moucherolle phébi et celui à ventre roux, le tyran de l'Ouest et le tyran tritri. On peut y voir aussi une grande variété d'oiseaux de rivage et de sauvagines en migration.
Période propice : août-nov. ; mars-mai.

Marais des Cygnes
Waterfowl Refuge

Route 2
Box 132, Pleasanton, KS 66075

Un nombre intéressant d'oies et de pygargues à tête blanche se rassemblent ici en hiver, ainsi que des oiseaux chanteurs et des oiseaux des forêts de l'Est en migration, comme le grand pic.
Période propice : toute l'année.

Quivira National Wildlife Refuge

Route 3
Box 48A, Stafford, KS 67578

Moins connu que celui des Cheyenne Bottoms, ce refuge n'en demeure pas moins un site excellent pour l'observation des oiseaux de rivage et des sauvagines en migration.
Période propice : août-nov. ; mars-mai.

KENTUCKY

Audubon State Park

Box 576, Henderson, KY 42420

C'est dans ces lieux que John James Audubon a commencé à peindre des oiseaux ; le parc offre toujours de beaux boisés, bien peuplés d'oiseaux.
Période propice : mai-juillet.

Daniel Boone National Forest

100 Vaught Rd.
Winchester, KY 40391

La belle partie de cette forêt domaniale se situe dans le parc d'État Cumberland Falls, près de Corbin, où l'on peut voir des pics à face blanche et des parulines nicheuses.
Période propice : avril-juin.

Kentucky Dam Village
State Resort Park

General Delivery
Gilbertsville, KY 42044

L'endroit est excellent pour observer canards, oies et autres sauvagines. Certaines sections se visitent en chaloupe.
Période propice : novembre-mars.

Land Between The Lakes

c/o TVA 100 Van Morgan Dr.
Golden Pond, KY 42211

Bien connu pour les pygargues à tête blanche qui hivernent ici, le site attire canards, oies et autres sauvagines.
Période propice : novembre-mars.

Mammoth Cave National Park

Mammoth Cave, KY 42259

Les parulines viennent ici nicher en grand nombre ; on trouve aussi beaucoup d'oiseaux des forêts.
Période propice : mai-juillet.

LOUISIANE

Breton National Wildlife Refuge

c/o Bogue Chitto Wildlife Refuge
1010 Gause Blvd., Slidell, LA 70458

D'importantes colonies de sternes nichent dans les îles, au large des côtes ; on s'y rend en bateau.
Période propice : mars-juin.

Delta National Wildlife Refuge

c/o Bogue Chitto Wildlife Refuge
1010 Gause Blvd., Slidell, LA 70458

Accessible seulement par bateau, cette zone du delta du Mississippi attire un grand nombre d'oiseaux de rivage en hivernage et plusieurs sauvagines.
Période propice : septembre-avril.

Grand Isle State Park East

Box 741, Grand Isle, LA 70358

Très facilement accessible, ce parc du sudest de la Louisiane offre des boisés pleins d'oiseaux chanteurs, surtout après les tempêtes printanières. À proximité se trouvent des lieux fréquentés par les sauvagines.
Période propice : août-mai.

Lacassine National Wildlife Refuge

Rte 1, Box 186
Lake Arthur, LA 70549

Difficilement accessible autrement qu'en bateau, ce refuge présente, en hiver, d'importantes concentrations de canards ainsi que d'autres oiseaux des marais.
Période propice : novembre-février.

Sabine National Wildlife Refuge

MRH 107, Hackberry, LA 70645

Les oies des neiges hivernent ici en abondance ; le refuge attire aussi des oiseaux de rivage en migration, des hérons nicheurs et plusieurs sauvagines.
Période propice : toute l'année, mais surtout novembre-février.

MAINE

Acadia National Park

Box 177, Bar Harbor, ME 04609

Le mont Cadillac (446 m), le sommet le plus élevé sur la côte Atlantique, offre un magnifique point de vue. La région en est une de transition entre un climat tempéré et un climat boréal, entre une forêt de décidus et une de conifères, entre les oiseaux du Sud et ceux du Nord.

Nichés parmi les collines, les montagnes, les baies, les caps et les criques de Mount Desert Island, que le parc recouvre dans sa plus grande partie, une multitude d'habitats accueillent une multitude de colonies d'oiseaux. Dans les bois décidus de Sieur de Monts Springs habitent le pioui de l'Est, la grive des bois et plusieurs espèces du Sud, tandis que tout près, le long du Ship Harbor Trail, on peut voir le pic à dos noir, la mésange à tête brune, la paruline tigrée et plusieurs oiseaux du Nord qui ne vont pas plus loin vers le sud.

La saison estivale de tourisme est aussi la meilleure pour l'observation des oiseaux. Les fervents de solitude peuvent se réfugier à Schoodic Point, de l'autre côté de la Frenchman Bay, sur la terre ferme. Là, dans le silence, le tétras du Canada se promène le long du chemin, on entend chanter les becs-croisés et on regarde les eiders dodeliner de la queue près des rochers.
Période propice : toute l'année, mais surtout mai – mi-septembre.

Baxter State Park

64 Balsam Dr., Millinocket, ME 04462

Dans ce grand parc à demi sauvage, il est fréquent de rencontrer le pic à dos noir et le tétras du Canada.
Période propice : juin-août.

Biddeford Pool

Maine Audubon Society
118 U.S. Rte. 1, Falmouth, ME 04105

L'endroit est particulièrement réputé localement pour ses oiseaux de rivage en migration, le long des plages, et plusieurs espèces itinérantes, dans les boisés.
Période propice : août-octobre ; avril-mai.

Matinicus Rock

Maine Audubon Society
118 U.S. Rte. 1, Falmouth, ME 04105

L'attraction particulière de ce parc est une colonie de sternes arctiques, de culs-blancs (pétrels) et de guillemots à miroir qui viennent y nicher ; on y voit aussi des goélands et quelques petits pingouins.
Période propice : juin-juillet.

Monhegan Island
Maine Audubon Society
118 U.S. Rte. 1, Falmouth, ME 04105

On accède par bateau de Port Clyde ou de Boothbay Harbor à cette île fameuse pour les espèces de rivage en migration.
Période propice : mai ; sept.-début octobre.

Moosehorn National Wildlife Refuge
Box X, Calais, ME 04619

Réputé pour les importantes colonies de bécasses qui viennent y nicher, le refuge accueille aussi en été des oiseaux des forêts du Nord comme les viréos de Philadelphie.
Période propice : avril-mai.

MARYLAND

Assateague Island National Seashore
Rte. 2, Box 294, Berlin, MD 21811

Cette île constitue une escale obligatoire pour une grande variété d'espèces migratoires : oiseaux de rivage, oiseaux chanteurs, canards, oies et cygnes.
Période propice : fin juillet-novembre.

Blackwater National Wildlife Refuge
Route 1
Box 121, Cambridge, MD 21613

Renommée pour sa population locale de pygargues à tête blanche et pour ses oies en hiver, le site attire également des râles et bien d'autres oiseaux des marais.
Période propice : novembre-mai.

Catoctin Mountain Park
6602 Foxville Rd.
Thurmont, MD 21788

Dans ces boisés de montagne nichent une grande variété de parulines et d'autres oiseaux chanteurs.
Période propice : mai-juillet.

Conowingo Dam
Muddy Run Park, R.D. 3
Box 730, Holtwood, PA 17532

Reconnu par les ornithologues comme l'un des meilleurs sites pour l'observation des goélands en hiver, ce barrage attire également des sauvagines et très souvent des pygargues à tête blanche.
Période propice : novembre-février.

Eastern Neck
National Wildlife Refuge
Rte 2, Box 225, Rock Hall, MD 21661

Beaucoup d'espèces de sauvagines se rencontrent ici en hiver, tandis que l'automne y attire les oiseaux chanteurs en migration.
Période propice : septembre-mars.

Sandy Point State Park
800 Revell Hwy.
Annapolis, MD 21401

L'endroit est recommandé pour l'observation des goélands, de divers oiseaux de terre en migration et d'espèces en hivernage.
Période propice : toute l'année.

MASSACHUSETTS

Cape Cod National Seashore
South Wellfleet, MA 02663

Vastes et accueillantes, les magnifiques plages de ce parc national attirent des oiseaux de rivage en migration, mais aussi des fous de Bassan, des mouettes tridactyles et divers alcidés durant les froidures.
Période propice : septembre-mars.

Great Meadows
National Wildlife Refuge
Weir Hill Rd., Sudbury, MA 01776

Berges de rivières, marais, digues à arpenter, autant d'attraits que ce refuge offre aux oiseaux des marais et des marécages, ainsi qu'aux canards branchus.
Période propice : mars-novembre.

Ipswich River Wildlife Sanctuary
Massachusetts Audubon Society
87 Perkins Row, Topsfield, MA 01983

Avec son réseau de sentiers à travers prés et boisés, avec sa forêt marécageuse, ce refuge permet en toute saison de voir des oiseaux typiques des forêts.
Période propice : toute l'année.

Monomoy National Wildlife Refuge
Morris Island, Chatham, MA 02633

Un petit archipel de trois îles dont l'une est reliée à la terre ferme permet d'admirer un grand nombre d'oiseaux des marais et de rivage, et notamment des courlis corlieux, des barges et des sternes.
Période propice : toute l'année, mais surtout juillet-octobre.

Parker River
National Wildlife Refuge
Northern Blvd., Plum Island
Newburyport, MA 01950

La côte du Massachusetts est très prisée chez les passionnés d'ornithologie. Chaque hiver, des milliers d'intrépides s'élancent à l'assaut des vents glacés et des routes givrées pour croquer de l'œil des oiseaux de mer, des goélands immaculés et de superbes harfangs des neiges.

Près de la jetée, sur la Plum Island, les amateurs sont à l'affût du garrot à œil d'or et du garrot de Barrow. Les plus expérimentés balaient du regard les troupeaux de goélands argentés pour repérer le goéland arctique et le goéland bourgmestre. Les harfangs des neiges vaquent à leurs occupations dans les marais, non loin de là, et comparent leur talent de chasseurs à celui des buses pattues, des busards Saint-Martin et des hiboux des marais.

À Rockport, près de Cape Anne, les plages de sable fin font place aux falaises de granit. Les alcidés, les mouettes tridactyles, les eiders et les grèbes jougris sont des habitués de Halibut Point. Les vents dominants viennent de l'Est et pincent raide ; il faut donc s'habiller en conséquence et prendre avec soi non seulement des jumelles d'approche mais aussi un trépied.
Période propice : décembre-mars.

Pleasant Valley
Massachusetts Audubon Society
472 West Mountain Rd.
Lenox, MA 01240
Quantité d'espèces d'oiseaux des forêts nichent ici, dont le tangara écarlate, le cardinal à poitrine rose et plusieurs parulines.
Période propice : mai-juillet.

Wellfleet Bay Wildlife Sanctuary
Massachusetts Audubon Society
Box 236
South Wellfleet, MA 02663
Un ensemble d'habitats différents attire ici d'intéressants nicheurs, comme le pluvier siffleur, le râle gris et la paruline des pins Trottoirs de bois, sentiers et visites guidées font partie des attraits de l'endroit.
Période propice : mai-août.

MICHIGAN

Baker Audubon Sanctuary
21445 15 Mile Rd.
Bellevue, MI 49012
Renommé pour ses grues du Canada, ce refuge est un lieu d'accueil pour des oiseaux des marais et des champs, comme des râles et des butors, mais aussi pour le bruant de Henslow en été.
Période propice : avril-octobre.

Isle Royale National Park
87 North Ripley St.
Houghton, MI 49931
Dans ce parc sans voie carrossable mais doté d'un bon réseau de sentiers, on peut admirer en été de nombreux oiseaux du Nord et surtout le huart à collier, le geai du Canada et plusieurs parulines.
Période propice : juin-août.

Kirtland's Warbler Nesting Area
U.S. Forest Service
401 Court St., Mio, MI 48647
Sans réelle beauté, ces boisés, dégarnis par le retrait des glaces, n'en abritent pas moins l'un des oiseaux les plus rares de l'Amérique, la paruline de Kirtland. C'est pour elle que les amateurs passionnés viennent ici de partout.

Tous les matins, à 7 heures et à 10 heures, depuis la fin de mai où les parulines arrivent jusqu'au mois de juillet où elles repartent, le Service américain de la faune et de la flore organise des visites guidées. Après une brève introduction, on transporte les visiteurs sur les territoires de la paruline de Kirtland. Il n'existe pas plus de 200 mâles chantants dans tout le Michigan. Les chances de voir l'un de ces beaux oiseaux au plumage saisissant sont excellentes, mais elles ne sont évidemment pas garanties. Au début et à la fin de la saison, les oiseaux sont capricieux. Lorsque le vent est fort, ils volent bas et sont difficiles à voir. Il est préférable de se munir d'un trépied et d'une lunette d'observation.

Grayling est la capitale du royaume de la paruline de Kirtland ; on y trouve des motels et des terrains de camping. Il est recommandé de demander par téléphone des renseignements et un itinéraire avant d'entreprendre le voyage.
Période propice : fin mai-juillet.

Seney National Wildlife Refuge
Seney, MI 49883
La grue du Canada et la bernache du Canada nichent dans ce refuge qui attire également des oiseaux des marais habituellement craintifs, comme le bruant de Le Conte et le râle jaune.
Période propice : fin mai-début août.

St. Clair Flats Wildlife Area
1803 Krispin Rd.
Harsen's Island, MI 48028
Ce complexe important fait d'îles, de vasières et de marais peu profonds est fréquenté par de belles populations d'oiseaux de rivage, de canards et de cygnes siffleurs pendant les migrations.
Période propice : mars pour les cygnes et les canards ; août-octobre pour les oiseaux de rivage.

Whitefish Point Bird Observatory
Michigan Audubon Society
Box 80527, Lansing, MI 48908
Visité par plusieurs oiseaux migrateurs, buses, huarts, canards, hiboux et oiseaux chanteurs, ce centre est très réputé au Michigan ; on y voit aussi des espèces rares.
Période propice : avril-mai.

MINNESOTA

Agassiz National Wildlife Refuge
Middle River, MN 56737

Le meilleur site dans le nord-ouest du Minnesota. Plusieurs canards et sauvagines y nichent, dont le grèbe jougris et la mouette de Franklin.
Période propice : mai-septembre.

Hawk Ridge et Superior National Forest
Box 338, Duluth, MN 55801

L'automne, quand souffle un vent frisquet du nord-ouest, les connaisseurs affluent vers Hawk Ridge. Les falaises qui surplombent la ville de Duluth sont le site idéal pour observer les buses en migration. Chaque année, des dizaines de milliers d'entre elles, en route vers le sud, contournent l'extrémité ouest du lac Supérieur pour venir se poser à Hawk Ridge, à vue de nez de l'observatoire érigé par la Société Audubon de Duluth. Il en vient tous les jours de la fin août à la mi-novembre, avec une pointe pendant la troisième semaine de septembre. Au début d'octobre, on observe aussi de grands vols d'autours des palombes adultes.

Au nord de Duluth, les vastes étendues sauvages de la forêt domaniale Superior sont le paradis de l'amateur d'oiseaux. Ce royaume de l'épinette et du pin, émaillé de plus de 5 000 lacs, est le rendez-vous de bien des espèces boréales.

Le Gunflit Trail, au nord de Grand Marais, sillonne une forêt d'épinettes où l'on a même vu nicher des nyctales boréales. Les amateurs qui ne craignent pas l'aventure pourront organiser des excursions en canot. En été, il est sage de se munir d'un insecticide puissant. Se renseigner sur place sur l'état des routes ; en début de saison, la boue les rend parfois impraticables.
Période propice : août – mi-novembre à Hawk Ridge ; mai-début août dans la forêt domaniale Superior.

Itasca State Park
Lake Itasca, MN 56460

Dans cette jolie forêt coniférienne viennent nicher de nombreux oiseaux du Nord, tels le pic à dos noir et plusieurs parulines.
Période propice : juin-août.

Rice Lake National Wildlife Refuge
Rte 2, Box 67, McGregor, MN 55760

De nombreux canards en migration se posent dans cette région lacustre et marécageuse ; des sentiers en forêt permettent d'observer plusieurs parulines au printemps.
Période propice : mai ; octobre.

MISSISSIPPI

Delta National Forest
402 Highway 61 North
Rolling Fork, MS 39159

L'endroit est fréquenté par une belle gamme d'oiseaux des forêts, entre autres des parulines des pins et des sittelles à tête brune.
Période propice : avril-mai.

Mississippi Sound
Gulf Islands National Seashore
3500 Park Rd.
Ocean Springs, MS 39564

La route 90, qui suit la plage sur une bonne distance à l'est et à l'ouest de Gulfport, permet d'observer aisément des goélands, des becs-en-ciseaux noirs, des petites sternes et plusieurs oiseaux de rivage qui y séjournent de façon permanente.
Période propice : toute l'année.

Noxubee National Wildlife Refuge
Route 1
Box 142, Brooksville, MS 39739

Les vastes boisés de ce refuge accueillent le bruant des pinèdes et le pic à face blanche, tandis que de nombreux canards fréquentent en hiver le lac et les régions marécageuses.
Période propice : novembre-mai.

Pascagoula River Marsh
Gulf Islands National Seashore
3500 Park Rd.
Ocean Springs, MS 39564

Les grands marais et les étangs endigués près de la côte recèlent en toute saison un nombre impressionnant de sauvagines et quelques espèces rares.
Période propice : toute l'année.

Yazoo National Wildlife Refuge
Route 1
Box 286, Hollandale, MS 38748

De grands troupeaux de canards fréquentent ce refuge en hiver ; l'été, il attire des parulines orangées, des canards branchus et plusieurs espèces d'oiseaux des marais.
Période propice : toute l'année.

MISSOURI

Big Oak Tree State Park
Box 343, East Prairie, MO 63845

Ce cadre forestier impressionnant attire en été de nombreuses espèces du Sud, comme l'urubu noir et la paruline de Swainson. L'endroit est aussi très fréquenté en hiver.

Période propice : toute l'année, mais surtout mai-juin.

Mingo National Wildlife Refuge
Rte 1, Box 103, Puxico, MO 63960

Un habitat mixte comportant forêts, champs et lacs ne peut qu'attirer une vaste gamme d'oiseaux ; on y admire la paruline orangée en été et le dindon sauvage en hiver.
Période propice : toute l'année.

Missouri Botanical Garden, Arboretum, and Natural Reserve
Box 299, St. Louis, MO 63166

Le site est idéal pour observer des oiseaux de terre en toute saison, mais surtout durant la migration et en été ; on remarquera la paruline des prés et le passerin bleu.
Période propice : avril-juin ; sept.-oct.

Squaw Creek National Wildlife Refuge
Box 101, Mound City, MO 64470

Il n'y a pas meilleur endroit dans le nord-ouest du Missouri pour apercevoir une gamme incroyable d'oiseaux de rivage, de sauvagines et d'oiseaux de proie. Mais attention : les routes sont souvent boueuses.
Période propice : toute l'année.

Swan Lake National Wildlife Refuge
Box 68, Sumner, MO 64681

De fortes concentrations de sauvagines en migration rendent cet endroit fort intéressant au printemps et en automne ; on y voit entre autres des oies des neiges.
Période propice : mars ; novembre.

MONTANA

Bowdoin National Wildlife Refuge
Box J, Malta, MT 59538

Réputé pour ses gélinottes à queue fine et ses bruants à ventre noir, ce refuge attire également de nombreux oiseaux des marais.
Période propice : mai-août.

Flathead National Forest
1935 3rd Ave. East
Kalispell, MT 59901

On peut observer ici plusieurs espèces d'oiseaux des forêts propres aux montagnes de l'Ouest, ainsi que des sauvagines à proximité des lacs.
Période propice : mai-septembre.

Glacier National Park
West Glacier, MT 59936

La seule route à traverser le parc s'appelle « Going-to-the-Sun Highway » (la route qui va vers le soleil), et pour cause : après avoir grimpé à travers une sombre forêt d'épinettes et de sapins, elle débouche brusquement dans la toundra ensoleillée, au-delà de la limite des arbres. Comme celle-ci n'est pas très élevée, on peut admirer les lagopèdes à queue blanche et les roselins bruns à 2 000 m d'altitude, au col de Logan.

Le col est souvent encore fermé par la neige à la mi-juin et il devient impraticable dès la mi-septembre ; il faut donc organiser son voyage en conséquence.

Plus bas, il y a néanmoins beaucoup à voir. À mi-hauteur, sur le flanc ouest, un sentier quitte le terrain de camping de Avalanche Creek et serpente dans une forêt où l'on peut notamment admirer la grive à collier et la paruline de Townsend. Le tétras du Canada y est, lui aussi, mais il excelle à se dissimuler. À Avalanche Creek, ce sont le cincle d'Amérique et parfois le canard arlequin qui prennent la vedette. Les visiteurs qui vont à pied au lac Avalanche (une promenade de 5,5 km) ont de bonnes chances de rencontrer des martinets sombres.

Encore plus bas, le lac McDonald est habité par des garrots à œil d'or et des garrots de Barrow, tandis que la sortie du parc, à l'est, traverse des prairies qu'arpentent la buse de Swainson et la buse rouilleuse.
Période propice : mi-juin – août.

Medicine Lake National Wildlife Refuge
HC 51
Box 2, Medicine Lake, MT 59247

Des sauvagines viennent nicher ici ou y passent en migration ; des oiseaux des champs y nichent aussi. Parmi eux, on remarque le bruant de Baird.
Période propice : mars-juin ; août-octobre.

Red Rock Lakes National Wildlife Refuge
Monida Star Route
Box 15, Lima, MT 59739

Réputé pour ses cygnes trompettes, craintifs et fuyants, le refuge permet d'observer des grues du Canada.
Période propice : mai-septembre.

NEBRASKA

Crescent Lake National Wildlife Refuge
HC 68, Box 21, Ellsworth, NE 69340

Plusieurs sauvagines font escale dans ce refuge durant la migration ; de nombreux oiseaux des marais et des prairies, comme la gélinotte à queue fine et le courlis à long bec, y passent l'été.
Période propice : fin mars-novembre.

Fontenelle Forest Nature Center
1111 Bellevue Blvd. North
Bellevue, NE 68005

C'est ici le meilleur centre du Nebraska pour observer des oiseaux des forêts, et notamment la grive des bois et le cardinal à poitrine rose, ainsi que de nombreux oiseaux chanteurs en migration.

Période propice : avril-juin ; sept.-oct.

Lillian Annette Rowe Sanctuary
Rte 2, Box 112-A
Gibbon, NE 68840

Plus de 400 000 grues du Canada s'assemblent ici chaque année en mars. Elles se réunissent sur un territoire de 128 km de long et de 32 km de large, le long de la rivière Platte. Arrivées à la mi-mars du Texas et d'ailleurs, elles restent ici environ un mois avant de s'élancer vers la toundra nordique pour nicher. La nuit, elles se reposent sur les bancs de sable de la rivière. À l'aube, les mâles deviennent nerveux. Ils saluent de leurs cris sonores le lever du soleil et prennent leur envol pour aller se poser par milliers dans les champs avoisinants.

Pendant qu'elles font le plein d'énergie, elles en dépensent à caqueter. Les automobilistes s'arrêtent pour admirer le spectacle. Les amateurs empruntent de petits chemins détournés pour s'approcher de la rivière ou s'installent dans les observatoires de la National Audubon Society et du Whooping Crane Habitat Trust. Les grues continuent à se ravitailler pendant tout le jour. Au crépuscule, elles retournent à la rivière. C'est là un rituel qu'elles pratiquent depuis des millions d'années. Un mauvais mois de mars n'y changera rien.

Période propice : mars.

Valentine National Wildlife Refuge
Hidden Timber Route HC14
Box 67, Valentine, NE 69201

Ce refuge, situé dans les Sandhills, offre à nicher à plusieurs espèces d'oiseaux de rivage et de sauvagines et en attire bien d'autres en migration.

Période propice : mars-novembre.

NEVADA

Goshute Mountains–Pilot Peak
Bureau of Land Management
Box 831
Elko, NV 89801

Des observatoires haut perchés permettent d'observer la migration des buses vers le sud à l'automne.

Période propice : septembre-début nov.

Lahontan Valley
Stillwater Wildlife Mgmt. Area
Box 1236, Fallon, NV 89406

Aller observer des oiseaux aquatiques dans le désert ? Cela peut sembler original, mais il s'agit bel et bien d'un des meilleurs sites de l'Ouest pour observer les sauvagines. Il y avait autrefois ici des terres basses alcalines et des plaines d'adnostomes fasciculés. Paradoxalement, en irriguant pour faire pousser des arbres et des champs de luzerne, on a réduit l'habitat des sauvagines. Grâce à une bonne gestion, on y maintient néanmoins des sites d'observation : le Stillwater Refuge et le réseau d'étangs du Carson Lake Pasture, entre autres.

C'est le nombre qui fait la réputation du lieu. On a recensé 150 000 canards, 130 000 oiseaux de rivage et 30 000 pélicans. La vallée accueille le tiers des morillons à dos blanc qui empruntent les voies migratoires du Pacifique, la moitié des cygnes siffleurs du Nevada. Incroyable mais vrai, comme le visiteur peut s'en rendre compte quand, après avoir traversé de vastes espaces stériles et poussiéreux, il tombe soudain sur des armées d'avocettes dans les bas-fonds, des hordes de bécasseaux affairés sur le sable et des nuages de canards qui sillonnent le ciel, encadrés par des colonnes de pélicans blancs.

Période propice : avril-mai et août-novembre pour les oiseaux de rivage en migration, avril-juillet pour les sauvagines nicheuses.

Lake Mead
National Recreation Area
601 Nevada Highway
Boulder City, NV 89005

Un immense bassin de retenue, qu'on découvre de préférence en chaloupe, attire un grand nombre de sauvagines dont des huarts, des grèbes et des canards.

Période propice : novembre-mars.

Pahranagat
National Wildlife Refuge
Box 519, Alamo, NV 89001

Le lac accueille plusieurs espèces d'oiseaux migrateurs ou nicheurs, tandis que dans le désert environnant se rencontrent des moqueurs des armoises.

Période propice : mars-mai ; oct.-déc.

Ruby Lake National Wildlife Refuge
Ruby Valley, NV 89833

À l'écart des grands centres, voici un complexe de lacs et de marais fréquenté par des sauvagines et de grands oiseaux aquatiques comme le cygne trompette et l'ibis falcinelle en été.

Période propice : avril-juin ; septembre-novembre.

NEW HAMPSHIRE

Isles of Shoals

c/o Marine Laboratory
G-14 Stimson Hall
Cornell University Ithaca, NY 14853

On s'y rend par bateau ; l'endroit est l'un des meilleurs dans l'État pour observer des oiseaux chanteurs en migration ; on y voit aussi des sauvagines.

Période propice : fin août-octobre.

White Mountain National Forest

Box 638 Laconia, NH 03247

Plusieurs sentiers sillonnent les montagnes à diverses altitudes et permettent d'observer des oiseaux nicheurs, tels la mésange à tête brune, le gros-bec errant et des parulines.

Période propice : juin-août.

NEW JERSEY

Brigantine Division

Edwin B. Forsythe National Wildlife
Refuge, Box 72, Oceanville, NJ 08231

À l'ombre d'Atlantic City se trouve l'un des refuges les plus populaires en Amérique du Nord. Officiellement rebaptisé « Edwin B. Forsythe » en l984, le site continue de porter son ancien nom de « Brigantine ».

De la fin avril à la fin mai, des oiseaux de rivage en route vers le Nord — grands et petits chevaliers, bécasseaux rouges, pluviers, gravelots — s'entassent dans les étangs saumâtres au bord de l'autoroute, sur une distance de 12 km. Le courlis corlieu déambule dans les baissières, accompagné du rare bécasseau cocorli. Après une relâche en juin, les oiseaux de rivage encore une fois, qui volent maintenant en direction du Sud, font halte dans les marais. Des milliers d'entre eux peuvent s'agglutiner ici jusqu'au mois de septembre si l'on maintient un bon niveau d'eau dans les étangs. En septembre, la première oie des neiges vient en éclaireur, bientôt suivie du troupeau entier. En octobre, les populations de sauvagines sont près d'exploser. Les canards pataugent dans les mares ; les espèces plongeuses encombrent la baie ; des vols immenses de bernaches cravants ondulent comme une trombe blanche à l'horizon.

Tant de proies ne pouvaient laisser indifférents les prédateurs. Pygargues à tête blanche, balbuzards, buses à queue rousse, busards Saint-Martin et buses pattues sont des habitués de l'endroit. S'il arrive que les étangs gèlent au cœur de l'hiver, les sauvagines s'envolent, mais reviennent au premier signe de dégel.

Période propice : toute l'année, sauf juin.

Bull's Island Recreation Area

Rte 2, Box 649, Stockton, NJ 08559

L'endroit est excellent pour observer des oiseaux des forêts et des marais en nidification, notamment les parulines orangées et à gorge jaune.

Période propice : avril-juin.

Cape May

Cape May Bird Observatory
Box 3, Cape May Point, NJ 08212

Les vents qui ont amené les premiers froids de septembre se sont apaisés. Un peu passé minuit, des oiseaux épuisés amorcent leur descente. Ils viennent de franchir l'océan Atlantique ou la baie du Delaware ; leur seule chance de se poser à sec se situe dans un mince doigt de terre, le cap May.

À l'aube, les bois et les champs de Higbee Beach seront envahis par des parulines de toutes les couleurs. Les notes carillonnantes du goglu, les trilles des orioles et des tyrans s'entendent à hauteur de haies. Dans la ville de Cape May Point, les hirondelles obscurcissent l'horizon et envahissent tous les fils des poteaux de téléphone pendant que hérons et ibis défilent au pas militaire. À la lisière de la forêt, l'épervier brun se fond dans la verdure tandis que la crécerelle d'Amérique arpente les grèves. Voilà comment les oiseaux envahissent le cap May.

Plus de 400 espèces ont été identifiées dans ce site d'observation réputé dans le monde entier depuis que Alexander Wilson et John James Audubon sont venus ici pour la première fois au début du XIXᵉ siècle. Les invasions de l'automne, qui vont d'août à novembre, ont fait la réputation du lieu. Mais celles du printemps, d'avril au début de juin, n'ont rien à leur envier.

Période propice : toute l'année.

Charles H. Rogers Wildlife Refuge

c/o Princeton Environmental Commission
369 Witherspoon St.
Princeton, NJ 08540

On appelle aussi cet endroit Princeton Woods ; c'est l'un des meilleurs sites du New Jersey pour observer des oiseaux chanteurs en migration de printemps, notamment les parulines et les grives.

Période propice : fin avril-mai.

Delaware Bay

Cape May Bird Observatory
Box 3, Cape May Point, NJ 08212

Ils apparaissent le long des plages de sable de la baie du Delaware durant la deuxième semaine de mai. Ce sont les limules de l'Atlantique ; plus près de l'araignée que du crabe, ces animaux étaient déjà vieux quand les dinosaures étaient jeunes. Bientôt, ils sont des milliers, des dizaines de milliers, des millions. Les femelles creusent un nid peu profond à la limite de la marée basse et y déposent une multitude d'œufs vert-gris, manne précieuse qui attirera des millions d'oiseaux.

Les oiseaux de rivage sont maigres, épuisés par leur longue migration depuis l'Amérique du Sud. Parmi eux on remarque le tournepierre à collier, le premier dont on nota l'appétit pour les œufs de limule. Les bécasseaux sanderlings et les bécasseaux semipalmés sont tout aussi affamés ; ils se font une place à coups de bec parmi les bécasseaux maubèches. La mouette à tête noire réclame sa part à grands cris, bien qu'il y en ait pour tout le monde. Pendant trois semaines, un enchevêtrement d'oiseaux et de crabes s'étend en ruban sur des kilomètres de grève. Les espèces de rivage pèseront le double de leur poids après cette orgie. Enfin rassasiés, ayant fait le plein d'énergie, ils repartiront vers leurs aires de nidification dans la toundra. Seuls resteront les limules et les goélands.

La baie du Delaware est la seule région sauvage de toute la côte est de l'Atlantique, sillonnée seulement par quelques routes de terre. On peut aller assister au grand festin de la nature en se rendant aux plages Reed, Moore, Thompson et Fortesque et, dans le Delaware, à l'embouchure de la Mispillion.
Période propice : mi-mai – début juin.

Great Swamp
National Wildlife Refuge
Route 1
Box 152, Basking Ridge, NJ 07920
Ce grand marécage boisé attire une infinité d'oiseaux, dont la chouette rayée, la bécasse d'Amérique et des râles.
Période propice : avril-mai.

Long Beach Island
New Jersey Audubon Society
Box 125, Franklin Lakes, NJ 07417
Ce site accueille des oiseaux chanteurs en migration, mais surtout des oiseaux de mer comme des macreuses, des canards kakawi et parfois des eiders, surtout à proximité de Barnegat Light.
Période propice : octobre-mars.

Sandy Hook Unit
Gateway National Recreation Area
Box 530, Fort Hancock, NJ 07732
Excellent au printemps quand passent les éperviers et les buses, le site attire aussi, en automne, des oiseaux chanteurs en migration ; on y voit des parulines et des bruants, des oiseaux de rivage et des sauvagines.
Période propice : août-mai.

Scherman / Hoffman Sanctuaries
New Jersey Audubon Society
Box 693, Bernardsville, NJ 07924
Les magnifiques boisés de ce refuge accueillent des oiseaux chanteurs migrateurs et plusieurs oiseaux nicheurs dont des dizaines d'espèces de parulines.
Période propice : fin avril-juin.

Stone Harbor Bird Sanctuary
c/o Borough Clerk's Office
9508 Second Ave.
Stone Harbor, NJ 08247
Ce refuge en pleine ville, près du cap May, permet d'observer trois espèces d'aigrettes, cinq de hérons et des ibis falcinelles.
Période propice : avril-sept., en soirée.

NEW YORK

Bashakill Wetland
Wurtsboro, NY 12790
Dans ce qui est sans doute le plus grand marais d'eau douce de l'État, on ira rencontrer des hérons, des râles, des canards et bien d'autres oiseaux des marais.
Période propice : mars-mai.

Cornell Laboratory of Ornithology
159 Sapsucker Woods Rd.
Ithaca, NY 14850
Ce site tout à fait pittoresque accueille en hiver des sauvagines et au printemps des oiseaux de terre en nidification, notamment la grive fauve et la bécasse d'Amérique.
Période propice : avril-juin.

Derby Hill Bird Observatory
c/o Nature Conservancy
Sage Creek Rd., Mexico, NY 13114
C'est l'endroit idéal pour observer les buses en migration au printemps et plusieurs sauvagines en toute saison.
Période propice : mars-mai.

El Dorado Beach Preserve
c/o Nature Conservancy
Sage Creek Rd., Mexico, NY 13114
On trouve difficilement meilleur endroit dans le nord de l'État de New York pour observer des oiseaux de rivage en migration.
Période propice : juillet-octobre.

Elk Lake
c/o Elk Lake Lodge, Blue Ridge Rd.
North Hudson, NY 12855
Voici le site idéal pour observer un grand nombre d'oiseaux nicheurs, y compris plusieurs parulines boréales.
Période propice : mars-juillet.

Iroquois National Wildlife Refuge

Box 517, Casey Rd.
Alabama, NY 14003

Oies et canards en migration se donnent rendez-vous dans ce refuge, également excellent pour les oiseaux des marais.

Période propice : toute l'année, mais surtout mars-avril.

Jamaica Bay Wildlife Refuge

c/o Gateway National Recreation Area
Bldg. 69, Floyd Bennett Field
Brooklyn, NY 11234

Vous êtes en visite dans la ville de New York : voici comment rejoindre un site considéré par beaucoup d'ornithologues comme l'un des meilleurs en Amérique du Nord pour observer des oiseaux de rivage. Sautez à bord du métro A, direction Queens, depuis le centre de Manhattan. À la station Broad Channel, descendez et dirigez-vous à pied vers l'ouest, guidé par les caquètements des canards et les cris perçants des goélands. Au nord-ouest, des terrains surhaussés sont envahis par des huarts. À gauche, vous verrez le Jamaica Bay National Wildlife Refuge, le seul site d'observation en Amérique du Nord auquel on ait accès par métro !

Situé à l'embouchure de l'Hudson, sur le parcours de la grande voie migratoire de l'Atlantique, ce terrain de 3 600 ha attire les oiseaux de rivage avec ses vasières, les hiboux avec ses dunes de sable et les hérons avec ses étangs d'eau douce. Les passionnés d'ornithologie, eux aussi, s'y donnent rendez-vous entre la fin de juin et le début d'octobre, au moment où les oiseaux se rendent à leur site de nidification dans l'Arctique ou en reviennent. Juste avant leur arrivée, on abaisse les niveaux d'eau dans les étangs pour les rendre plus hospitaliers.

Il faut d'abord obtenir un laissez-passer gratuit au centre d'accueil ; les visiteurs empruntent ensuite un sentier de 3 km qui les amène là où se trouvent les oiseaux de rivage. À East Pond, les bécasseaux semipalmés, les bécasseaux roux, les grands et petits chevaliers sont toujours au rendez-vous, tandis que les grandes aigrettes se gorgent de têtards à Big John's Pond. De grandes compagnies de canards dodelinent de la queue avec une touchante énergie dans les baies d'eau salée ; ils y resteront tout l'hiver si la température ne plonge pas.

Période propice : toute l'année.

Montauk Point State Park

Montauk, NY 11954

On vient ici pour observer des macreuses, des eiders et d'autres canards de mer en hiver, des oiseaux migrateurs rares au printemps et en automne.

Période propice : septembre-mai.

Montezuma National Wildlife Refuge

3395 Route 5/20 East
Seneca Falls, NY 13148

Ce refuge offre de belles étendues marécageuses qui attirent sauvagines, hérons et pygargues à tête blanche.

Période propice : mars ; toute l'année.

NOUVEAU-MEXIQUE

Bitter Lake National Wildlife Refuge

Box 7, Roswell, NM 88201

C'est le meilleur endroit dans l'est de l'État pour voir des oiseaux aquatiques ; on y trouve un grand nombre de grues et de canards en hiver, quelques gravelots à collier interrompu en été.

Période propice : août-mai.

Bosque del Apache National Wildlife Refuge

Box 1246, Socorro, NM 87801

Réputé pour ses oiseaux en hiver, et notamment pour ses oies des neiges, parmi lesquelles se glissent des oies de Ross, et pour ses grues du Canada et ses grues blanches d'Amérique, le site accueille des oiseaux aquatiques à longueur d'année.

Période propice : toute l'année.

Carson National Forest

Box 558, Taos, NM 87571

C'est le meilleur endroit pour voir des multitudes d'oiseaux des forêts qui hivernent dans les montagnes du Nouveau-Mexique.

Période propice : juin-août.

Las Vegas National Wildlife Refuge

Rte 1, Box 399, Las Vegas, NM 87701

Ce refuge attire un grand nombre de sauvagines en migration, ainsi que certains hivernants comme des urubus et des oies.

Période propice : novembre-mars.

Manzano Mountains State Park

Box 224, Mountainair, NM 87036

On peut observer ici une belle gamme d'oiseaux des forêts provenant de l'Ouest.

Période propice : avril-mai ; août-décembre.

Percha Dam State Park

Box 32, Caballo, NM 87931

Les boisés du parc et ses nappes d'eau facilitent l'observation des oiseaux durant la migration et en hiver et attirent des espèces inhabituelles de chanteurs.

Période propice : avril-mai ; août-décembre.

San Andres National Wildlife Refuge
Box 756, Las Cruces, NM 88004

Situé dans une région aride et austère, le refuge accueille une belle gamme d'oiseaux du désert et notamment des troglodytes des rochers, des corbeaux à cou blanc et des aigles royaux.
Période propice : octobre-avril.

OHIO

Buckeye Lake / Hebron Fish Hatchery
c/o Division of Wildlife, District One
1500 Dublin Rd.
Columbus, OH 43215

Le refuge Buckeye Lake est très prisé pour ses oiseaux des forêts et ses sauvagines en migration ; tout près, l'établissement de pisciculture Hebron attire une grande variété d'oiseaux de rivage.
Période propice : mars-mai ; août-octobre.

Cincinnati Nature Center
4949 Tealtown
Milford, OH 45150

On aperçoit souvent des espèces rares dans ce refuge, le meilleur de l'Ohio pour ses oiseaux de terre en migration au printemps et pour ses nombreuses sauvagines.
Période propice : mars-novembre.

Crane Creek Wildlife Experiment Station / Magee Marsh
Ohio Division of Wildlife
13229 West State Route 2
Oak Harbor, OH 43449

Ce refuge est sans doute le meilleur de tout l'Ohio pour ses oiseaux de terre en migration au printemps et pour ses nombreuses sauvagines ; on y aperçoit souvent des espèces rares.
Période propice : mars-novembre.

Grand Lake St. Mary's
Celina, OH 45822

Réputé comme le meilleur habitat pour les sauvagines dans le centre ouest de l'Ohio, ce grand lac attire souvent des espèces relativement rares. Les forêts et les champs environnants sont également recherchés.
Période propice : toute l'année.

Greenlawn Cemetery
1000 Greenlawn Ave.
Columbus, OH 43223

Le site fascine les ornithophiles avec ses parulines et ses oiseaux chanteurs au moment des migrations.
Période propice : mai ; septembre.

Mill Creek Park
Mill Creek Metropolitan Park District
816 Glenwood Ave.
Youngstown, OH 44502

Ce grand parc boisé comporte un réseau de sentiers qui permettent d'observer de près une grande variété d'oiseaux des forêts en migration et en nidification.
Période propice : avril-juin.

Ottawa National Wildlife Refuge
14000 West State Route 2
Oak Harbor, OH 43449

En toute saison, sauf au milieu de l'hiver, ce refuge est riche en sauvagines ; il abrite aussi des buses en migration au printemps.
Période propice : mars-novembre.

OKLAHOMA

Black Mesa State Park
HCR-1, Box 8, Kenton, OK 73946
Voici le meilleur endroit en Oklahoma pour voir des oiseaux de l'Ouest, et notamment le colin écaillé, le geai des pinèdes et le moqueur à bec courbe.
Période propice : toute l'année.

Lacs Overholser et Hefner
c/o Parks Department
201 Channing Square
Oklahoma City, OK 73102

Une quantité incroyable d'oiseaux aquatiques fréquentent ces lacs durant les mois frais ; on y observe notamment de rares espèces de goélands et de canards.
Période propice : octobre-avril.

Salt Plains National Wildlife Refuge
Route 1
Box 76, Jet, OK 73749

L'endroit est idéal pour observer des oiseaux aquatiques et surtout une énorme migration de mouettes de Franklin en automne et quelques spécimens intéressants comme des pygargues à tête blanche et des aigles royaux.
Période propice : août-mai.

Wichita Mountains National Wildlife Refuge
Route 1
Box 448, Indiahoma, OK 73552

On vient dans ce refuge pour l'étonnant mélange d'oiseaux de l'Est et de l'Ouest qu'on y trouve et notamment pour les troglodytes de Caroline et ceux des canyons, les passerins nonpareils et les bruants à calotte fauve.
Période propice : fin avril-juillet.

OREGON

Ankeney, Baskett Slough et Finley National Wildlife Refuges
26208 Finley Refuge Rd.
Corvallis, OR 97333
Ces trois refuges de la vallée de la Willamette accueillent des oiseaux de rivage en migration ainsi qu'un grand nombre d'oies et de canards qui passent ici l'hiver ou se posent au passage.
Période propice : août-mai.

Cape Meares National Wildlife Refuge
26208 Finley Refuge Rd.
Corvallis, OR 97333
Ce refuge permet d'observer des marmettes, des cormorans, des huarts et divers oiseaux de mer.
Période propice : septembre-mai.

Crater Lake National Park
Box 7, Crater Lake, OR 97604
Le paysage est extraordinaire, mais on y vient aussi pour apercevoir des cassenoix d'Amérique et des geais du Canada ; c'est aussi le meilleur site en Oregon pour l'observation des roselins bruns.
Période propice : toute l'année.

Hart Mtn. National Antelope Refuge
Box 111, Lakeview OR 97630
Ces hautes terres désertiques et reculées présentent quelques bosquets d'arbres qui peuvent recéler des espèces étonnantes durant la migration.
Période propice : mai ; septembre.

Malheur National Wildlife Refuge
Box 245, Princeton, OR 97721
Le refuge est situé sur une portion de terre entourée de digues. L'eau arrive des montagnes environnantes pour aboutir dans le lac Harney où elle se résorbera peu à peu par infiltration et évaporation. Mais durant son périple dans la vallée, cette eau alimente les vastes marais du lac Malheur que fréquentent d'énormes quantités d'oiseaux.

Comme la distibution de l'eau varie, elle affecte le nombre des espèces présentes. Durant les mois chauds, on est toujours assuré de rencontrer de grandes bandes d'oiseaux. Les ibis falcinelles zigzaguent dans le ciel ; les avocettes fourragent dans les marais, tandis qu'une flottille de grèbes élégants et de pélicans blancs d'Amérique fouille les fonds. L'endroit accueille différentes espèces de canards, des hérons, des aigrettes et des cormorans. Le cygne trompette s'installe dans les marais plus étendus, tandis que quelques gravelots à collier interrompu fréquentent les grèves du lac Harney.

On s'arrête au centre d'accueil à l'entrée du refuge. L'état des routes et les niveaux d'eau changent tellement qu'il faut se renseigner pour savoir où sont les oiseaux. Les arbres qui entourent le centre d'accueil sont en outre réputés pour l'observation. Coincés entre un vaste désert, des marais et des nappes d'eau, ils sont visibles de loin et les oiseaux migrateurs en détresse les repèrent. On y a déjà vu une étonnante gamme de parulines et autres oiseaux chanteurs de l'Est.
Période propice : mars-novembre.

Upper Klamath National Wildlife Refuge
Route 1, Box 74, Tulelake, CA 96134
Halte obligatoire sur la grande voie migratoire du Pacifique, ce refuge (administré par la Californie) accueille des millions d'oiseaux et notamment l'oie de Ross.
Période propice : octobre-novembre.

PENNSYLVANIE

Allegheny National Forest
Box 847, Warren, PA 16365
Les sentiers et les campings sont nombreux dans ce vaste territoire où l'on peut observer une belle gamme d'oiseaux nicheurs.
Période propice : avril-septembre.

Hawk Mountain Sanctuary
Route 2, Kempton, PA 19529
Depuis l'État de New York jusqu'à celui de la Pennsylvanie s'étend une ligne de crêtes qu'empruntent depuis des millénaires éperviers, buses, aigles, pygargues et faucons en migration. Plusieurs lieux d'observation y ont été aménagés. Le meilleur est sans doute celui du petit village de Dryersville : Hawk Mountain, la montagne des éperviers.

Quand les vents soufflent du nord-ouest, les oiseaux se laissent porter par les courants ascendants que crée la ligne des crêtes. Au belvédère nord, on les regarde passer en ordre de vol. Autrefois, c'est par milliers que les chasseurs venaient ici les tirer. De nos jours, ce sont autant d'ornithophiles qui y viennent admirer les beaux éperviers et les faucons émerillons qu'attirent des appâts en plastique représentant des hiboux. Les grains de novembre contraignent parfois d'importantes colonies de buses à queue rousse à venir chercher refuge ici. Les visiteurs qui bravent le vent glacial les jours où les éperviers et les buses ne volent pas ont parfois la chance d'apercevoir soudain un aigle. S'il vient tout près de l'observatoire, c'est le délire parmi les spectateurs.

La grande migration s'ébranle vers la fin d'août et se termine en novembre. Septembre est un bon mois pour voir le pygargue à tête blanche ou la petite buse ; octobre ramène les faucons et les éperviers ; novembre, les buses, les aigles royaux et les autours des palombes. On trouve à Hawk Mountain un joli centre d'accueil qui offre des programmes d'observation et des conférences. Les week-ends sont généralement très fréquentés. Le camping est limité et les auberges ne sont pas nombreuses.
Période propice : fin août-novembre.

Middle Creek Wildlife Mgmt. Area
820 Sunnyside Rd., RD 1
Newmanstown, PA 17073
Étangs et lacs attirent ici beaucoup d'oiseaux de rivage et de canards migrateurs, mais aussi des gélinottes huppées et des bécasses d'Amérique en nidification.
Période propice : mars-novembre.

Presque Isle State Park
Box 8510, Erie, PA 16505
C'est le meilleur site d'observation de cet État pour les oiseaux aquatiques, les oiseaux de rivage, les goélands et les sauvagines, sans compter quelques oiseaux de terre.
Période propice : août-mai.

Pymatuning Wildlife Mgmt. Area
Rte 1, Box 8, Linesville, PA 16424
Ce site est visité par un grand nombre de sauvagines en migration, dont certaines espèces rares, et par des oiseaux qui viennent nicher ici, comme la gélinotte huppée.
Période propice : mars-mai ; sept.-déc.

Ridley Creek State Park
Sycamore Mills Rd.
Media, PA 19063
Ce site associe boisés et champs, sentiers pédestres et pistes cyclables ; à proximité de Philadelphie, c'est le meilleur pour voir des oiseaux chanteurs en migration ou en nidification, surtout des parulines.
Période propice : avril-juin ; toute l'année.

RHODE ISLAND

Block Island National Wildlife Refuge
Box 307, Charlestown, RI 02813
Passé la Fête du travail, à Block Island, les touristes font place à une autre espèce de visiteurs. Ce sont les oiseaux chanteurs en migration, souvent plus nombreux ici que partout ailleurs en Nouvelle-Angleterre. En route pour le Sud, ils volent en principe au-dessus du continent, mais une petite erreur de calcul suffit pour les déporter de plusieurs kilomètres au large. C'est pourquoi, quand les vents tournent au nord-ouest, c'est par milliers qu'ils atterrissent sur l'île.

Ces jours-là, il faut se trouver le matin à la pointe septentrionale de l'île qui déborde littéralement d'oiseaux chanteurs qui repartiront bien vite pour le continent, à 20 km. Un jour ce sont des moqueurs-chats, le lendemain des parulines rayées ou tigrées ; un autre jour, des juncos ardoisés. En général, septembre est le mois des parulines et octobre, celui des bruants. La plupart des visiteurs viennent ici début octobre, quand les chances d'un atterrissage général se multiplient, mais par une belle journée de septembre, on peut identifier un plus grand nombre d'espèces distinctes.

On se rend à Block Island en une heure à partir de Galilee. Le traversier prend des voitures, mais on peut aussi louer une automobile ou une bicyclette dans l'île.
Période propice : septembre-octobre pour les oiseaux migrateurs ; toute l'année, mais encombré en été.

Great Swamp
c/o R.I. Div. of Fish & Wildlife
Great Swamp Field HQ
Box 218, West Kingston, RI 12892
On visite ce site inusité surtout en bateau ; il offre une belle gamme d'oiseaux nicheurs parmi lesquels se trouvent quelques espèces rares, comme la buse à épaulettes et la paruline hochequeue.
Période propice : mai-juillet.

Sachuest Point National Wildlife Refuge
Box 307, Charlestown, RI 02813
Huarts, grèbes et canards de mer constituent les espèces qu'il faut surveiller ici. Quelques eiders viennent aussi en hiver.
Période propice : novembre-mars.

Sakonnet Point
c/o Audubon Society of Rhode Island
12 Sanderson Rd.
Smithfield, RI 02917
Goélands et cormorans nichent ici, dans les brisants. Huarts et canards de mer fréquentent le même habitat, ainsi que quelques éperviers et quelques buses en automne.
Période propice : septembre-juin.

TENNESSEE

Cherokee National Forest
Box 2010, Cleveland, TN 37320
Dans cette forêt d'essences mixtes à la limite des Appalaches, on trouve une grande

variété d'oiseaux nicheurs et plusieurs espèces de parulines.
Période propice : avril-juin.

Great Smoky Mountains National Park
Gatlinburg, TN 37738

À cheval sur la frontière du Tennessee et de la Caroline du Nord, ce parc national renferme les plus belles forêts mixtes de l'Est des États-Unis. On y dénombre 130 espèces d'arbres dont les uns appartiennent au peuplement ancestral et d'autres sont de regain.

Peu de routes dans ce parc mais près de 1 000 km de sentiers. On peut vouloir parcourir la route des Appalaches qui traverse le parc ; ou bien se contenter de courtes randonnées. L'essentiel est d'entrer dans la forêt.

Les oiseaux sont moins visibles, parmi les grands arbres, qu'à la lisière de la forêt. Au plus bas niveau, à l'Ouest, le Laurel Falls Trail accueille le tangara écarlate et la paruline vermifuge. Un peu plus haut, de chaque côté du Newfound Gap, on peut entendre les trilles de la paruline à gorge orangée parmi les épinettes et de la paruline du Canada dans le sous-bois. Plusieurs espèces vivent à mi-hauteur. Les massifs de rhododendrons regorgent de parulines bleues à gorge noire ; seuls les reconnaîtront, cependant, ceux qui connaissent leur chant. En fait, les Smokies sont peut-être faites davantage pour les amateurs chevronnés capables d'identifier les oiseaux à l'oreille plutôt qu'à l'œil. Ou bien pour ceux qui, plus simplement, se contentent d'écouter chanter les oiseaux et d'admirer la nature.
Période propice : fin avril-juin.

Reelfoot National Wildlife Refuge
Route 2, Highway 157
Union City, TN 38261

Un grand lac peu profond, entouré de marécages et de forêts, attire une grande variété d'oiseaux et notamment des pygargues en hiver, des milans du Mississippi et des parulines de Swainson en été.
Période propice : toute l'année.

Roan Mountain State Park
Route 1, Box 236
Roan Mountain, TN 37687

La forêt mixte accueille un excellent échantillonnage d'oiseaux en été, dont des becs-croisés rouges et plusieurs parulines.
Période propice : avril-juillet.

Tennessee National Wildlife Refuge
Box 849, Paris, TN 38242

Trois sections composent ce refuge ; la meilleure se situe à Pace Point dans le Big Sandy Unit ; on y trouve des oiseaux de rivage, des sternes et des canards.
Période propice : août-octobre.

TEXAS

Anahuac National Wildlife Refuge
Box 278, Anahuac, TX 77514

Le meilleur site pour observer les oiseaux de marais dans le haut Texas : on y voit des gallinules violacées en été et un nombre incroyable d'oiseaux en hiver, dont le craintif râle jaune.
Période propice : novembre-avril.

Aransas National Wildlife Refuge
Box 100, Austwell, TX 77950

D'une superficie à la mesure du Texas avec ses 22 500 ha, Aransas reçoit en hiver la grue blanche d'Amérique, menacée d'extinction depuis le début du siècle. De la fin d'octobre jusqu'en avril, la population entière — environ 150 sujets — se retrouve dans les immenses marais du parc. Une infime partie du site est ouverte au public, mais une tour d'observation permet d'apercevoir ces grands et beaux oiseaux blancs. (Il est conseillé de se munir d'une paire de jumelles.) Ceux qui veulent les voir de plus près peuvent s'inscrire à une excursion.

Aransas a d'autres trésors à offrir. Les marais sont fréquentés en hiver par des hérons, des aigrettes et des sauvagines. Des boisés de chênes accueillent des oiseaux chanteurs en hivernage. En avril, quand les oiseaux migrateurs envahissent le Texas, les branches des arbres tremblent sous le chant vibrant des parulines. En mars et en avril, les terres agricoles autour du refuge attirent de nombreux oiseaux de rivage, dont le pluvier doré et la maubèche des champs. Au Texas, au printemps, on espère toujours rencontrer le courlis esquimau, mais cet oiseau est si rare que, par comparaison, la grue blanche d'Amérique paraît commune.

Près du refuge d'Aransas, à Rockport, on peut trouver à manger et à se loger. Il y a des terrains de camping à proximité, au parc d'État Goose Island.
Période propice : fin octobre-avril.

Attwater Prairie Chicken National Wildlife Refuge
Box 518, Eagle Lake, TX 77434

C'est ici qu'on peut voir la grande poule des prairies, espèce rare, pendant sa pariade nuptiale au printemps. Le site convient aussi aux oiseaux des champs et des marais.
Période propice : février-avril.

Bentsen–Rio Grande Valley State Park
Box 988, Mission, TX 78572

Les rives du rio Grande ont jadis nourri une belle forêt dans laquelle vivaient des oiseaux et des mammifères du Mexique. Il n'en reste que des portions, mais l'une des plus belles est sans contredit le parc d'État Bentsen-Rio Grande près de Mission.

De décembre à mars, il semble y avoir dans les sentiers autant d'observateurs que d'oiseaux. Chaque matin, à l'aube, quand les ortalides sonnent le réveil de la nature, les amateurs se mettent en quête de geais verts, d'orioles à gros bec, de pics à front doré. Les plus fortunés rencontreront le merle fauve, la bécarde à gorge rose et la paruline à joues noires dont c'est ici l'absolue limite septentrionale. Si les dieux les favorisent, peut-être verront-ils le milan bec-en-croc dont il y a deux ou trois couples dans le parc. Avec un peu de vigilance, le promeneur apercevra le martin-pêcheur vert ou le martin-pêcheur à ventre roux, mais il peut à tout moment rencontrer des espèces inusitées car l'endroit attire bien des oiseaux nomades. En mars et en avril, les éperviers en migration passent au-dessus de Bentsen. Des dizaines de milliers d'urubus à tête rouge, de petites buses et de buses de Swainson côtoient dans le ciel les milans du Mississippi. En soirée, un bon nombre vient atterrir dans les arbres.

De Bentsen, on peut aller visiter Santa Ana National Wildlife Refuge, Santa Margarita Ranch et Salineño. Il est recommandé de réserver à l'avance et de voyager avec une tente ou une caravane.
Période propice : novembre-avril.

Big Bend National Park
Big Bend National Park, TX 79834
Le rio Grande coule normalement vers le sud et le sud-est, mais dans l'ouest du Texas, il décrit une boucle et remonte vers le nord. Le grand parc qui s'étend à l'intérieur de cette boucle est un paradis pour l'amateur d'ornithologie. Quand on l'aborde du nord, le paysage est dominé par les monts Chisos aux flancs abrupts, surgis du désert. Ils sont entièrement compris dans l'enceinte du parc. C'est dire que le Big Bend comporte une gamme étendue d'habitats, depuis le désert jusqu'à la pinède en altitude et de celle-ci aux rives du fleuve.

Au cœur des Chisos, on trouve une auberge, un terrain de camping et toutes sortes d'oiseaux. Le Window Trail, qui fait 3 km, présente un bel échantillon des oiseaux de l'Ouest et quelques espèces rares : le viréo gris et le viréo à tête noire y passent l'été, tandis que le colibri lucifer vient y faire son tour quand les agaves sont en fleur.

La paruline de Colima habite les hauteurs des Chisos ; on ne la trouve nulle part ailleurs aux États-Unis. Autre distinction : elle se tient systématiquement à l'écart des routes. Mais entre les mois d'avril et d'août, il est presque certain qu'une promenade de

14 km aller et retour entre Basin et Boot Spring permettra de la rencontrer, surtout près du sommet. À Laguna Meadow, à mi-chemin, le bruant à tête grise récompensera le courageux voyageur. Au-delà, il peut s'attendre à rencontrer le pigeon à queue barrée, le colibri à gorge bleue et le pic glandivore. Les oiseaux migrateurs fréquentent souvent le « Old Ranch », sur la route de Castolon ; le village de Rio Grande, riche en oiseaux à longueur d'année, se vante d'accueillir le passerin nonpareil en été.

Les visiteurs qui n'ont pas l'intention de camper devraient réserver longtemps à l'avance à l'auberge sur place ; sinon, les motels les plus proches sont à 32 et 80 km.
Période propice : fin avril-août.

Big Thicket National Preserve
3785 Milam, Beaumont, TX 77706
L'endroit est excellent pour observer la paruline des pins, la paruline de Swainson, le bruant des pinèdes et beaucoup d'autres oiseaux.
Période propice : avril-mai.

Falcon State Park
Box 2, Falcon Heights, TX 78545
La région en aval du barrage attire beaucoup d'oiseaux du Mexique et notamment le martin-pêcheur à ventre roux et l'oriole à dos jaune.
Période propice : octobre-avril.

High Island
c/o Houston Audubon Society
440 Wilchester, Houston, TX 77079
Si l'on devait faire un sondage auprès des passionnés d'ornithologie, il y a fort à parier que High Island au Texas serait désignée comme une destination de choix.

Chaque printemps, l'endroit est envahi par des myriades d'oiseaux chanteurs qui quittent le Mexique où ils ont passé l'hiver pour remonter nicher dans le Nord. Leur ennemi mortel prend souvent la forme d'une tempête qui descend du nord et s'accompagne d'un front froid. Dos au golfe, face aux vents violents qui contrecarrent leur vol, les oiseaux cherchent désespérément un abri. Dans les marais désertiques de la côte du Texas, il n'y a guère de quoi satisfaire un oiseau épuisé, si ce n'est High Island, un tertre boisé au sud de Beaumont.

Alors, c'est la magie. Des hordes de parulines et de viréos colorés s'abattent sur les chênes. Les grives s'agglutinent à l'ombre. Gros-becs, orioles, tangaras se posent côte à côte sur le moindre bout de branche. Ici les admirateurs des oiseaux sont servis à souhait. Ceux qui connaissent la musique se choisissent un site prometteur, déploient une chaise de jardin et attendent que le spectacle commence. Smith's Wood et Audubon's

Wood (propriétés de la Houston Audubon Society) sont les deux meilleurs sites. Si la tempête n'a pas eu lieu et si les bois sont peu peuplés, les visiteurs se rabattront sur les rizières du nord ou sur les Bolivar Flats au sud-ouest où ils seront sûrs d'apercevoir des oiseaux de rivage.
Période propice : avril ; hiver.

Laguna Atascosa
National Wildlife Refuge
Box 450, Rio Hondo, TX 78583
On vient ici admirer des oiseaux de rivage, des canards et la plupart des oiseaux mexicains qui franchissent la frontière.
Période propice : septembre-avril.

Lost Maples State Natural Area
Box 156, Vanderpool, TX 78885
Voici l'un des meilleurs endroits pour rencontrer les spécialités du Edwards Plateau, comme la paruline à dos noir et le viréo à tête noire, sans oublier une importante diversité d'oiseaux nicheurs.
Période propice : avril-juin.

Muleshoe National Wildlife Refuge
Box 549, Muleshoe, TX 79347
Renommé pour ses grands troupeaux hivernaux de grues du Canada, Muleshoe abrite également en hiver des canards et des oiseaux des champs comme le colin écaillé.
Période propice : novembre-février.

Padre Island National Seashore
9405 South Padre Island Dr.
Corpus Christi, TX 78418
Le site est excellent pour l'observation des oiseaux de rivage, en particulier du bécasseau sanderling et du bécasseau maubèche, mais aussi pour celle des goélands en hiver. On y rencontre parfois des faucons pèlerins en migration d'automne.
Période propice : septembre-avril.

San Bernard
National Wildlife Refuge
Box 1088, Angleton, TX 77515
Parmi l'extraordinaire collection de hérons, d'aigrettes, d'ibis, d'oiseaux de rivage et de râles qu'on rencontre ici se glisse parfois un râle noir, toujours fuyant.
Période propice : septembre-mai.

Santa Ana National Wildlife Refuge
Rte 1, Box 202A, Alamo, TX 78516
Ouvrez grandes vos oreilles quand la nuit tombe : un gazouillis murmurant, grelottant, peu à peu s'enfle et prend des accents harmonieux, impérieux, rauques, chantants, sifflants dont on ne se lasse pas. Ce que vous entendez, c'est la voix de l'ortalide chacamel, et c'est aussi la voix de Santa Ana. L'un des plus petits et des plus inusités parmi les refuges nationaux, le Santa Ana a réussi à préserver une partie de la forêt subtropicale qui autrefois jouxtait le rio Grande tout au sud du Texas. L'étrange et l'exotique forment la norme. Les geais verts piaillent à qui mieux mieux de leur voix perçante, l'oriole à gros bec et le tyran quiquivi volettent dans les plaqueminiers, tandis que la colombe à front blanc fait entendre sa plainte émouvante dans les fourrés. Un frou-frou dans la verdure révèle la présence du tohi olive ou du moqueur brun. Les tropiques ne sont pas loin !

Les voitures particulières ne sont pas admises en période de pointe ; un tram emmène les visiteurs sur le site. Mais la randonnée est plus intéressante si on la fait à pied. Deux petits lacs à brève distance du centre d'accueil réservent de belles surprises : par exemple, des dendrocygnes à ventre noir et des ariannes du Yucatan dans les fleurs des champs. Les touristes énergiques ont plus de 30 km de sentiers à leur disposition. Le soir, on peut se promener sur les digues avec une torche ; dans l'obscurité, on voit parfois briller les yeux de l'engoulevent pauraqué.

Les oiseaux sont toujours nombreux ici, mais la fin de l'été, quand il fait très chaud, s'avère plus calme. Chiques et tiques sont féroces, même en hiver. Il est bon de se mettre de l'insecticide autour des chevilles.
Période propice : toute l'année, mais surtout en hiver.

UTAH

Bear River Migratory Bird Refuge
c/o Ouray National Wildlife Refuge
1680 West Hwy. 40
Vernal, UT 84078
Une route en boucle facilite l'accès aux marais où se trouvent beaucoup d'oiseaux aquatiques, dont une belle gamme de canards, de bernaches du Canada, d'échasses et de grèbes.
Période propice : mai.

Bryce Canyon National Park
Bryce Canyon, UT 84717
Dans les pinèdes abondent les tangaras à tête rouge, les pics de Williamson et de nombreux autres oiseaux ; à Rainbow Point, on peut voir des cassenoix d'Amérique.
Période propice : juin-août.

Fish Springs
National Wildlife Refuge
Box 568, Dugway, UT 84022
Le refuge accueille de grandes quantités de hérons, d'aigrettes, d'ibis et de sauvagines

en nidification, ainsi que quelques gravelots à collier interrompu. On peut apercevoir des oiseaux de rivage en migration.
Période propice : mars-octobre.

Ogden Bay
Waterfowl Management Area
Hooper, UT 84315

On rencontre ici de grandes colonies d'oiseaux de rivage pendant leur migration ou en nidification ; un demi-million d'oiseaux aquatiques y passent chaque automne.
Période propice : avril-octobre.

Ouray National Wildlife Refuge
1680 West Hwy. 40
Vernal, UT 84078

Connu pour ses grues du Canada, le refuge attire aussi un grand nombre d'oiseaux aquatiques et de rivage.
Période propice : avril-début juin ; août-nov.

Zion National Park
Springdale, UT 84767

Situé dans un environnement spectaculaire, ce parc accueille, au début de l'été, une grande variété d'oiseaux typiques du désert et de la forêt.
Période propice : mai-début juin.

VERMONT

Dead Creek Wildlife Refuge
Route 1
Box 130, Vergennes, VT 05491

Oiseaux de rivage, canards et autres oiseaux aquatiques visitent ce refuge durant la migration ; on peut aussi y voir des oiseaux qui se sont égarés de leur route habituelle.
Période propice : juillet-octobre ; avril-mai.

Green Mountain National Forest
151 West St.
Box 519, Rutland, VT 05701

Cette forêt mixte accueille une grande variété d'oiseaux nicheurs, y compris plusieurs espèces de parulines.
Période propice : mai-juillet.

VIRGINIE

Back Bay National Wildlife Refuge
Box 6286 Virginia Beach, VA 23456

Un grand nombre d'oiseaux de mer passent l'hiver dans la baie tandis que des fous de Bassan et des huarts hivernent au large des côtes.
Période propice : octobre-mars.

Peaks of Otter Area
Blue Ridge Parkway
Rte. 2, Box 163 Bedford, VA 24523

Ce ravissant boisé est riche en oiseaux nicheurs ; on y voit plusieurs espèces de parulines qui appartiennent à des régions plus septentrionales.
Période propice : fin avril-mai.

Chesapeake Bay
Bridge and Tunnel District
Box 111, Cape Charles, VA 23310

Les oiseaux en migration se rassemblent ici au printemps et en automne ; on peut y voir des oiseaux aquatiques en hiver et des sujets rares. Il faut obtenir un laisser-passer du district pour pénétrer ici.
Période propice : septembre-mai.

Chincoteague
National Wildlife Refuge
Box 62, Chincoteague, VA 23336

C'est l'un des meilleurs endroits de l'État pour observer une vaste gamme d'oiseaux de rivage auxquels se mêlent parfois des individus égarés et des sujets rares. Le refuge attire plusieurs canards en hiver.
Période propice : août-mai.

Great Dismal Swamp
National Wildlife Refuge
Box 349, Suffolk, VA 23434

Ce refuge étonnant, qu'il vaut mieux visiter en bateau, accueille parulines orangées, chouettes rayées, parulines de Swainson et de nombreux oiseaux des marais.
Période propice : avril-mai.

Parc Huntley Meadows
3701 Lockheed Blvd.
Alexandria, VA 22306

Dans ce parc, forêts et marais s'associent pour attirer un bel échantillonnage d'oiseaux en toute saison ; c'est l'un des meilleurs sites à proximité de Washington.
Période propice : toute l'année, mais surtout avril-juillet.

VIRGINIE-OCCIDENTALE

Monongahela National Forest
USDA Bldg., 200 Sycamore St.
Elkins, WV 26241

Une étonnante variété d'oiseaux des forêts viennent nicher ici, y compris des grives à dos olive, des roitelets à couronne dorée et plus de 20 espèces de parulines.
Période propice : mai-juillet.

WASHINGTON

Grays Harbor
c/o Nisqually National Wildlife Refuge
100 Brown Farm Rd.
Olympia, WA 98506

Excellente en toute saison, cette région est fréquentée par de grands vols d'oiseaux de rivage en migration. Huarts, macreuses, marmettes et goélands passent l'hiver au large des côtes.
Période propice : août-mai.

Mount Rainier National Park
Tahoma Woods, Star Rte.
Ashford, WA 98304

Les boisés de ce parc attirent diverses espèces d'oiseaux des forêts, dont la grive à collier et le pic à poitrine rouge. En altitude, on peut apercevoir le lagopède à queue blanche.
Période propice : fin juin-juillet.

Olympic National Park et les îles San Juan
600 East Park Ave.
Port Angeles, WA 93862

La partie occidentale de la péninsule Olympic est une véritable forêt équatoriale, tandis qu'au centre du parc se dressent des pics et des glaciers altiers, réservés aux grands marcheurs. Il y a tout de même plusieurs courtes routes intéressantes pour les amateurs d'ornithologie.

À l'extrémité nord du parc, celles qui vont à Hurricane Ridge et à Deer Park atteignent des hauteurs moyennes ; on peut alors voir des geais du Canada, des martinets ramoneurs et peut-être même des tétras sombres.

Dans la zone occidentale du parc, la route menant à Hoh River est parfois fréquentée par des canards arlequins. Ici, dans la partie la plus humide et la plus densément peuplée du parc, la grive à collier lance ses notes aiguës à l'abri des grands arbres, mais la végétation est si épaisse qu'il est difficile de l'apercevoir.

Par contre, en toute saison sauf au début de l'été, il est aisé d'observer une multitude d'oiseaux dans les îles San Juan, au nord de la péninsule. Un traversier qui part d'Anacortes, dans l'État de Washington, traverse le centre de l'archipel et va jusqu'à l'île Vancouver, en Colombie-Britannique. Grèbes, huarts, goélands, macreuses, cormorans, pygargues à tête blanche et bien d'autres encore se laissent observer depuis le bateau. Les sujets les plus intéressants sont peut-être les petits alcidés : macareux rhinocéros, alque à cou blanc, alque mar-

brée. On peut mettre sa voiture à bord du traversier pour circuler sur l'île principale, San Juan. Près du site historique appelé « American Camp », dans le sud de l'île, on rencontre une petite colonie d'alouettes qui ont émigré ici après avoir été implantées dans l'île de Vancouver.
Période propice : septembre-mai.

Turnbull National Wildlife Refuge
Rte. 3, Box 385, Cheney, WA 99004

L'endroit est réputé pour ses oiseaux des marais, parmi lesquels on note des grèbes et des canards en nidification.
Période propice : avril-octobre.

Willapa National Wildlife Refuge
HC 01, Box 910, Ilwaco, WA 98624

Le Leadbetter Point Unit est l'un des meilleurs lieux pour observer des oiseaux de rivage. On aperçoit parfois le bécasseau à queue fine en automne.
Période propice : août-novembre.

WISCONSIN

Crex Meadows Wildlife Area
Ranger Station, Highway 70
Box 367, Grantsburg, WI 54840

En plus d'attirer des oiseaux de marais, ces prés accueillent durant la nidification des grèbes, des râles, des canards, des guifettes noires et quelques bruants de Le Conte.
Période propice : avril-octobre.

Harrington Beach State Park
531 Highway D
Belgium, WI 53004

Lorsque des vents d'ouest succèdent à un front froid, c'est ici l'endroit pour venir observer éperviers et buses pendant leur migration d'automne.
Période propice : septembre-novembre.

Horicon National Wildlife Refuge
Route 2, Mayville, WI 53050

La bernache du Canada fait escale dans ce refuge qui attire aussi des hérons, des aigrettes, des canards et des gallinules en été.
Période propice : octobre – mi-novembre.

Necedah National Wildlife Refuge
Star Route West
Box 386
Necedah, WI 54646

On peut observer dans ce refuge une belle gamme d'oiseaux des forêts et des champs, comme la maubèche des champs, ainsi que des oiseaux aquatiques et des oiseaux de rivage en migration.
Période propice : mars-novembre.

Schlitz Audubon Center

1111 East Brown Deer Rd.
Milwaukee, WI 53217

Il s'agit surtout d'un centre d'éducation en environnement traversé par d'agréables sentiers en forêt. On peut y admirer des oiseaux de rivage sur la plage et, à l'occasion, des éperviers et des buses en automne.
Période propice : mai-octobre.

University of Wisconsin Arboretum

1207 Seminole Highway
Madison, WI 53711

Parsemé d'étangs, de champs, de fourrés et de boisés de feuillus, ce parc permet d'observer beaucoup de parulines en migration et plusieurs oiseaux nicheurs.
Période propice : avril-juillet.

WYOMING

Grand Teton National Park

Drawer 170
Moose, WY 83012

Le parc national Grand Teton souffre, sur le plan touristique, de se trouver à proximité du fameux parc Yellowstone. Et pourtant, il ne mérite pas d'être ignoré. Ses pics déchiquetés rendent toutes les excursions spectaculaires dans la partie basse du parc. C'est aussi l'endroit idéal pour celui qui veut voir un bel échantillonnage d'oiseaux de l'Ouest dans un environnement remarquable.

Les bosquets mixtes de pins, de sapins et de trembles, le long de la rivière Snake et autour des lacs, dans la partie nord du parc, attirent le pic de Williamson, le pioui de l'Ouest, la mésange de Gambel et le roselin pourpré. Les prés d'armoises, dans la zone sud, comportent leurs propres spécialités dont le moqueur des armoises, le bruant de Brewer et la gélinotte des armoises. Cette dernière est difficile à épier en été, mais en mai, les mâles se réunissent pour tambouriner en chœur. Le lieu exact de ce rendez-vous change d'une année à l'autre, mais les autorités du parc savent où cela se passe.

Les excursionnistes d'expérience voudront essayer la piste qui mène au Lac Solitude, dans la zone alpine balayée par les vents, qui culmine à 3 000 m. Ici, on peut voir une forme locale noire du roselin brun, peut-être la plus belle forme chez cette espèce de montagne par ailleurs bien répandue. Les moins vaillants emprunteront le funiculaire qui aboutit au sommet du mont Rendezvous, dans la partie sud du parc, pour en voir près des neiges éternelles, à l'ouest du pic.
Période propice : fin avril-août.

National Elk Refuge

Box C
Jackson, WY 83001

Situé près du parc national Grand Teton, ce refuge accueille les mêmes espèces à basse altitude ; en hiver, on peut y rencontrer le cygne trompette.
Période propice : janvier-mars.

Seedskadee National Wildlife Refuge

Box 67
Green River, WY 82935

Halte obligatoire pour les canards en migration, Seedskadee attire aussi beaucoup d'oiseaux des terrains découverts, dont la gélinotte des armoises.
Période propice : avril-octobre.

Yellowstone National Park

Box 168
Yellowstone National Park, WY 82190

Le parc Yellowstone s'étend sur environ 1 million d'hectares dans trois États, le Wyoming, le Montana et l'Idaho, et renferme une gamme infinie d'habitats : des champs herbeux, des bassins de geysers et des forêts en altitude. Le passionné d'ornithologie qui y vient pour la première fois ne doit pas tenter de tout voir ; il a plutôt intérêt à programmer sa visite en fonction de certaines espèces d'oiseaux qui l'intéressent plus particulièrement.

Près des torrents écumants qui dévalent les flancs des montagnes, il pourra rencontrer le canard arlequin, à demi enfoncé dans l'eau, à la recherche des larves d'insectes aquatiques dont il se nourrit. Quand les eaux deviennent un peu plus lentes, elles attirent le cincle d'Amérique. Près du canyon carrossable de Firehole River, il marche sous l'eau et croque des larves et des insectes, comme le canard arlequin. Dès que le torrent se fait ruisseau, on peut voir apparaître le cygne trompette.

Le balbuzard décrit de grands cercles au-dessus du grand canyon de la rivière Yellowstone, chassant du haut des airs la truite frétillante qu'il devra partager avec le pygargue à tête blanche et l'ours grizzli.

Les geais du Canada circulent sans inquiétude sur les terrains de camping aménagés dans les boisés de pins vrillés, près de Mammoth Hot Springs. Dans le haut des pentes qui mènent au pic Bunsen, des oiseaux gris et blanc appelés cassenoix d'Amérique lancent leur cri d'appel auquel répond le corbeau dont les coassements résonnent au-dessus de Old Faithful. Dans ce pays de geysers, le nombre de choses à voir et à faire est affolant. La formule est simple : il faut suivre son plan.
Période propice : juin-septembre.

Anatomie de l'oiseau

C'est par l'observation des différentes parties qui composent
le corps d'un oiseau qu'on peut le plus facilement l'identifier :
taille et forme du bec, longueur de la queue, coloris ou motifs qui
apparaissent sur le dos, les ailes, la tête. Voici quelques-uns
des termes utilisés pour décrire un oiseau.

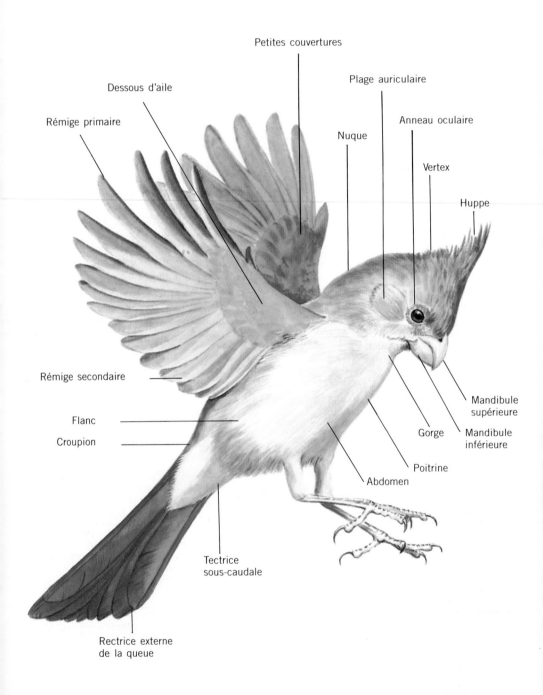

Petites couvertures

Plage auriculaire

Dessous d'aile

Anneau oculaire

Rémige primaire

Nuque

Vertex

Huppe

Rémige secondaire

Mandibule
supérieure

Flanc

Gorge

Mandibule
inférieure

Croupion

Poitrine

Abdomen

Tectrice
sous-caudale

Rectrice externe
de la queue

Index des noms latins

Index général

Crédits

Illustrations couleur

Raymond Harris Ching : 20, 34, 36, 70, 130, 338, 345, 347, 348, 354, 358, 364, 386, 387, 481, 508c, 509a, 510b. **John Dawson :** 10, 12, 53, 61, 66, 92, 94, 99, 106, 123, 144, 154, 156, 166, 167, 175, 182, 184, 197, 207, 218, 222, 229, 233, 234, 236, 243, 250, 263, 264, 281, 282, 288, 304, 311, 314, 350, 449. **Walter Ferguson :** 1, 2, 68, 107, 109, 112, 113, 114, 116, 117, 118, 119, 120, 137, 138, 161, 171, 172, 174, 179, 186, 191, 195, 200, 248, 249, 251, 259, 261, 265, 267, 271, 286, 295, 296, 301, 302, 305, 310, 312, 344, 353, 383, 391, 414, 415, 451, 468, 476, 501a, 501b, 502a, 502c, 503a, 503c, 504a, 504c, 505a, 505b, 505c. **Albert Earl Gilbert :** 8, 9, 11, 13, 14, 15, 16, 18, 19, 21, 22, 23, 25, 26, 27, 29, 31, 32, 33, 35, 38, 39, 40, 41, 43, 45, 46, 47, 48, 49, 50, 51, 67, 76, 90, 93, 134, 135, 136, 181, 187, 189, 190, 193, 194, 198, 199, 203, 206, 210, 212, 214, 215, 217, 219, 237, 238, 239, 240, 241, 245, 258, 260, 269, 298, 300, 324, 332, 336, 339, 341, 343, 349, 363, 366, 367, 368, 371, 373, 374, 375, 376, 377, 385, 390, 403, 417, 419, 423, 424, 425, 429, 430, 431, 432, 433, 435, 436, 437, 439, 440, 444, 445, 446, 452, 453, 457, 465, 466, 467, 469, 474, 479, 486a, 486b, 486c, 490a, 501c, 502b, 509b, 511b, 516a, 516c, 519c, 520c, 523b, 523c, 566, 575. **Cynthia J. House :** 73, 83, 89, 102, 103, 104, 105, 108, 121, 125, 126, 132, 133, 141, 146, 157, 158, 159, 160, 164, 165, 168, 169, 170, 173, 176, 180, 183, 205, 208, 209, 213, 220, 230, 244, 255, 256, 266, 283, 315, 321, 326, 327, 337, 361, 365, 369, 370, 372, 379, 380, 381, 384, 455, 461, 480, 491a, 491b, 491c, 492a, 492b, 492c, 493a, 493b, 493c. **H. Jon Janosik :** 80, 81, 85, 98, 110, 131, 226, 232, 247, 275, 299, 404, 422, 447, 448, 456, 459, 460, 462, 463, 464. **Ron Jenkins :** 276, 278, 316, 329, 495a, 495b, 495c, 496b, 497c, 498b, 506a, 506b, 506c, 507a, 507b, 507c. **Lawrence B. McQueen :** 128, 139, 142, 162, 196, 202, 211, 216, 221, 231, 235, 257, 277, 284, 285, 287, 290, 291, 292, 293, 392, 393, 394, 395, 396, 397, 398, 399, 400, 401, 405, 407, 408, 409, 410, 411, 412, 413. **Gary Moss :** 346. **John P. O'Neill :** 5, 153, 178, 280, 317, 320, 322, 389, 406, 416, 426, 434, 438, 441, 443, 478, 499c, 500a, 500b, 500c, 503b, 504b, 510c, 512a, 512b, 512c, 513a, 513b. **Hans Peeters :** 6, 17, 28, 30, 37, 42, 44, 60, 62, 65, 69, 71, 84, 87, 88, 91, 97, 122, 124, 127, 129, 143, 145, 185, 201, 227, 246, 333, 334, 335, 340, 342, 388, 418, 420, 421, 428, 454, 473, 475, 477, 484a, 484b, 484c, 485a, 485b, 485c, 499b, 516b, 517a, 517b, 517c, 518a, 519a, 521c, 522a, 522c, 523a. **H. Douglas Pratt :** 95, 96, 100, 101, 111, 115, 152, 242, 279, 289, 303, 306, 307, 313, 325, 351, 352, 357, 359, 382, 442, 470, 471, 472, 487a, 488b, 494a, 494b, 494c. **Tim Prutzer :** 74, 75, 77, 78, 79. **Don Radovich :** 490c, 498c, 511c. **Chuck Ripper :** 24, 52, 54, 55, 56, 57, 58, 59, 63, 64, 82, 86, 140, 147, 148, 149, 150, 151, 155, 177, 224, 225, 228, 252, 253, 262, 268, 270, 272, 273, 274, 294, 297, 319, 328, 330, 331, 355, 356, 360, 362, 494c, 496a, 496c, 497b, 498a, 499a, 508a, 508b, 509c, 510a, 511a, 513c. **David Simon :** 308, 309, 318, 323. **John Cameron Yrizarry :** 163, 192, 223, 254, 402, 427, 487b, 487c, 488a, 489a, 489b, 489c. **Julie Zickefoose :** 483, 490b, 514a, 514b, 514c, 515a, 515b, 515c, 518b, 518c, 519b, 520a, 520b, 521a, 521b, 522b.

Dessins noir et blanc

Amy Harold : 203-216. **Olena Kassian :** 43-54, 120-139, 214-230, 243-249, 254-256, 321-344, 417-433. **Cynthia J. Page :** 33-42, 140-159, 345-352. **Don Radovich :** 10-32, 55-97, 108-119, 160-180, 206, 209, 213, 216, 231-242, 245, 246, 248-253, 267, 268, 278-297, 300, 353-384, 403-416, 434-452, 454-464. **Dolores R. Santoliquido :** 98-107, 181-202, 257-277, 298-320, 385-402, 465-481.

Remerciements

Les éditeurs tiennent à remercier Roger Tory Peterson, Thomas D. Nicholson, Les Line, Mary Beacom Bowers et Kenneth J. Strom pour leur concours.

De très nombreuses sources ont été consultées pour l'élaboration de ce livre, mais les éditeurs tiennent à mentionner spécialement les trois suivantes : *The Audubon Society Encyclopedia of North American Birds,* de John K. Terres ; *Life Histories of North American Birds,* d'Arthur Cleveland Bent ; et le *National Geographic Society Field Guide to the Birds of North America.*